JOJO MOYES
*Zwischen Ende und Anfang*

# Jojo Moyes

# Zwischen Ende und Anfang

ROMAN

Aus dem Englischen
von Karolina Fell

WUNDERLICH

Die englische Originalausgabe erscheint 2025 unter dem Titel
«We All Live Here» bei Penguin Random House, UK.

Deutsche Erstausgabe
Veröffentlicht im Rowohlt Verlag, Hamburg, Januar 2025
Copyright © 2025 by Rowohlt Verlag GmbH, Hamburg
«We All Live Here» Copyright © 2025 by Jojo Moyes
Redaktion Tobias Schumacher-Hernández
Die Nutzung unserer Werke für Text- und Data-Mining
im Sinne von § 44b UrhG behalten wir uns explizit vor.
Satz aus der Guyot bei Pinkuin Satz und Datentechnik, Berlin
Druck und Bindung CPI books GmbH, Leck
ISBN 978-3-8052-0115-5

Für Saskia, die schon jetzt mehr
von der Natur des Menschen versteht,
als ich es je tun werde

## ERSTES KAPITEL

## Lila

Auf Lilas Nachttisch steht eine gerahmte Fotografie, die wegzuräumen ihr bisher die Energie – oder der Wille – gefehlt hat. Vier aneinandergeschmiegte Gesichter vor einem riesigen Aquarium – wo genau es war, hat sie vergessen –, aus dem heraus ein Schwarm unglaublich leuchtender gestreifter Fische ausdruckslos ins Bild schaut. Violet, die mit einem Finger ihre Nase hochdrückt und zugleich ihre Unterlider herunterzieht, sodass sie aussieht wie eine groteske Wachsfigur, Celie, in einem Matrosenshirt, ebenfalls eine Grimasse schneidend, obwohl sie damals schon dreizehn gewesen sein muss, etwas selbstbewusster Lila, mit einem vagen Lächeln, als würde sie darauf hoffen, dass dies trotz allem ein schönes Familienbild werden würde, und Dan, dessen Lächeln nicht ganz seine Augen erreicht, mit rätselhaftem Gesichtsausdruck, seine Hand auf Violets Schulter liegend.

Dieses letzte Familienbild ist das Erste, was sie morgens, und das Letzte, was sie abends sieht, und auch wenn sie weiß, dass sie es irgendwohin räumen sollte, wo es nicht ihre Stimmung beeinflusst, schafft sie es aus einem unerfindlichen Grund nicht, es in eine Schublade zu stecken. Manchmal, in schlaflosen Stunden, beobachtet sie, wie das Mondlicht über die Schlafzimmerdecke wandert, wirft einen Blick auf das Foto und denkt sehnsüchtig an die Familie, die sie hätte haben können, an all die Urlaubsbilder, die es niemals geben wird; verregnete Wochenenden in Cornwall, exotische Strände, wo sie alle Weiß tragen; eine fröhliche Zeugnisübergabe vor einer Universität aus rotem Backstein, vielleicht Celies Hochzeit, mit ihren stolzen Eltern an der Seite; alles geisterhafte, flüchtige Bilder eines Lebens, das sich einfach vor ihren Augen aufgelöst hat.

Und manchmal denkt sie daran, einen dicken Edding zu nehmen und Dans Gesicht verschwinden zu lassen

Während Lila dabei ist, die hartnäckige Verstopfung in der Toilette im ersten Stock zu beseitigen, ruft Anoushka an. Als sie und Dan dieses Haus vor zweieinhalb Jahren gekauft hatten – ein großes und «unkonventionelles» (Maklersprech für «niemand anders wird es kaufen») Renovierungsobjekt in einem grünen Teil Nordlondons –, war sie von den jahrzehntealten Badezimmern in Minzgrün und Erdbeerrot bezaubert gewesen, hatte sie – ebenso wie die Blumentapeten – charmant und pittoresk gefunden. Sie und Dan waren durch alle Räume gegangen, hatten sich ausgemalt, wie das Haus aussehen würde, wenn alles gemacht wäre. Obwohl, wenn sie genauer zurückdachte, war nur sie es gewesen, die solche Bilder heraufbeschworen hatte, während Dan unverbindlich gebrummt und heimlich auf sein Handy geschielt hatte.

Am Tag nach der Schlüsselübergabe hatten die bezaubernden und pittoresken Leitungen beschlossen, in einer fiesen Serie von Verstopfungen und Überläufen ihr wahres Selbst zu offenbaren. In dem erdbeerfarbenen Badezimmer, das die Mädchen benutzten, lagen seitdem neben dem Spülkasten ein Pümpel und ein verbogener Drahtkleiderbügel für Lila bereit (weil es offenbar immer Lilas Aufgabe ist), um gegen das vorzugehen, was auch immer sich dieses Mal hartnäckig in den Tiefen der Toilettenschüssel festgesetzt hatte.

Lila beugt sich zur Seite und berührt mit der Nasenspitze die Lautsprecher-Taste. Sie unterdrückt einen Würgelaut, als ein Schwall Wasser über den Rand ihrer Gummihandschuhe schwappt.

«Lila! Schätzchen! Wie geht's?»

Dann hört Lila Anoushkas Stimme nur noch gedämpft und kann gerade so verstehen: *Nein, Gracie, ich möchte keine Nelken dabeihaben. Das sind dermaßen geschmacklose Blumen. Und nein, auf keinen Fall Gerbera. Die hasst sie.*

«Großartig! Einfach super!», sagt Lila. «Und dir?»

«Ich kämpfe im Namen meiner Autorinnen und Autoren für das Gute, wie immer. Übrigens ist die nächste Honorarzahlung auf dem Weg. Ich hätte mich schon letzte Woche gemeldet, aber Gracie ist schwanger, und das Mädel kann buchstäblich nicht aufhören, sich zu übergeben. Ehrlich, ich musste schon drei Büropapierkörbe wegwerfen. Die waren ein echtes Gesundheitsrisiko.»

Unten bellt durchdringend Truant. Er bellt alles an – Eichhörnchen im Garten, Tauben, die Müllabfuhr, zufällige Besucher, die Luft.

«Oh, wie schön», sagt Lila und schließt die Augen, während sie den Kleiderbügel tiefer in die Schüssel drückt. «Die Schwangerschaft, meine ich. Nicht das Erbrechen.»

«Eigentlich nicht, Liebes. Es ist total nervig. Warum diese Mädels ständig Kinder kriegen, ist mir schleierhaft. Ich habe hier den reinsten Drehtürbetrieb mit den Assistentinnen. Langsam frage ich mich, ob da irgendwas in der Klimaanlage ist. Und, wie geht es deinen süßen Mädchen?»

«Großartig. Es geht ihnen großartig», sagt Lila.

Es geht ihnen nicht großartig. Celie war beim Frühstück

in Tränen ausgebrochen, nachdem sie anscheinend irgendetwas auf Instagram gesehen hatte, und als Lila fragte, was passiert war, hatte ihr Celie erklärt, das würde sie verdammt noch mal nicht verstehen, und war in die Schule abgerauscht. Violet hatte sie mit kaltem Zorn angestarrt, als sie ihr bestätigt hatte, dass sie am Donnerstag zu Daddy gehen musste – es war sein Abend –, war schweigend aufgestanden und hatte auf dem ganzen Weg zur Schule kein Wort mit ihr gesprochen.

«Sehr gut», sagt Anoushka abgelenkt. Lila hätte ihr genauso gut erklären können, die beiden wären an diesem Morgen geköpft worden. «Also. Reden wir über dein Manuskript.»

Lila zieht den Kleiderbügel aus der Toilettenschüssel. Der Wasserspiegel befindet sich noch immer knapp unter Sitzhöhe. Sie zieht die Gummihandschuhe aus und lehnt sich an den Badezimmerschrank. Sie hört Truant weiterbellen und überlegt, ob sie den Nachbarn noch eine Flasche Wein vorbeibringen muss. Sie hat in den letzten drei Monaten sieben Flaschen verschenkt, um zu verhindern, dass richtig Hass aufkommt.

«Wann bist du so weit, dass du mir etwas schicken kannst? Hattest du das nicht eigentlich schon letzten Monat machen wollen?»

Lila bläst die Wangen auf. «Ich ... ich arbeite dran.»

Darauf herrscht kurz Stille.

«Also, Schätzchen. Ich will keinen Druck machen», sagt Anoushka, klingt aber, als ob sie Druck machte. «‹Erneuerung› hast du ja erstaunlich gut hinbekommen. Und du hattest diese nette Steigerung der Verkaufszahlen aufgrund von Dans grässlichem Verhalten. Ich schätze, wenigstens dafür müssen wir ihm dankbar sein. Aber wir wollen trotzdem nicht die Sichtbarkeit verlieren, oder? Wir wollen die Abgabe nicht so spät haben, dass ich das neue Buch genauso gut als Debüt auf den Markt bringen könnte.»

«Ich ... du hast es bald.»

«Wie bald?»

Lila lässt ihren Blick durchs Badezimmer wandern. «In sechs Wochen?»

«Sagen wir in drei. Es muss nicht perfekt sein, Schätzchen. Ich muss nur eine Vorstellung von dem haben, was du machst. Ist es immer noch ein Ratgeber für das glückliche Single-Leben?»

«Äh ... ja.»

«Haufenweise Tipps, wie man unabhängig gut lebt? Lustige Dating-Geschichten? Ein paar heiße Sex-Episoden?»

«Oh ja. Kommt alles vor.»

«Ich kann es kaum erwarten. Bin schon furchtbar gespannt. Ich werde deine Abenteuer so richtig miterleben! *Oh, also wirklich, Gracie, nicht schon wieder in den Papierkorb.* Ich muss Schluss machen. Ich warte auf deine Mail. Grüß alle ganz lieb!»

Lila beendet das Telefonat und starrt die Toilettenschüssel an, als könnte sie durch reine Willenskraft das Wasser zum Abfließen bringen. Und während sie so dasitzt, hört sie Bill die Treppe heraufkommen. Auf dem Absatz bleibt er einen Moment stehen, dann hört sie, wie er sich abstützt, um die nächsten Stufen in Angriff zu nehmen. Er und Mum haben zehn Minuten Fußweg entfernt in einem Bungalow aus den Fünfzigerjahren gewohnt – spärlich eingerichtet, lichtdurchflutet, klare Linien –, und für ihn sind die vielen Etagen dieses verwinkelten und sanierungsreifen Hauses eine tägliche Herausforderung.

«Liebes?»

«Ja?» Lila setzt eine möglichst fröhliche Miene auf.

«Ich komme wirklich nicht gern mit schlechten Nachrichten, aber die Nachbarn waren da, um sich mal wieder über den Hund zu beschweren. Außerdem scheint etwas Ekelhaftes durch die Küchendecke zu tropfen.»

Der Klempner vom Notdienst hatte die Luft durch die Zähne gezogen, vier Dielen aufgestemmt und anscheinend ein Leck im Abflussrohr entdeckt. Er hatte den Spülkasten entleert und sie darüber informiert, dass sie das gesamte System austauschen musste. «Ich kann mir nicht vorstellen, dass Sie diese Badezimmereinrichtung noch behalten wollen. Da sind ja sogar meine Großeltern jünger», hatte er gesagt, anschließend zwei Tassen Tee mit Zucker getrunken und ihr dreihundertachtzig Pfund in Rechnung gestellt. Sie nannte so etwas inzwischen den Mercedes-Zuschlag. Jeder Handwerker sah den überteuerten Oldtimer-Sportwagen in der Auffahrt und erhöhte jegliche vorbereitete Rechnung um fünfundzwanzig Prozent.

«Und das hat also die Verstopfung verursacht?», hatte Lila gefragt, während sie die PIN ihrer Kreditkarte eingab und versuchte, nicht auszurechnen, was das für ihr monatliches Budget bedeutete.

«Nö. Das muss etwas anderes sein», hatte er gesagt. «Sie können es nicht benutzen, das ist klar. Und die gesamte Badezimmer-Verrohrung muss neu gemacht werden. Am besten tauschen Sie dann auch gleich noch ein paar Dielen aus, wenn Sie schon dabei sind. Die kann man ja mit dem Daumen durchdrücken.»

Bill hatte ihr seine schwielige Hand auf die Schulter gelegt, als sie die Tür hinter dem Klempner schloss. «Das wird schon», sagte er und drückte ihr leicht die Schulter. So etwas war bei Bill schon inniger emotionaler Support. «Ich kann dir helfen, weißt du.»

«Du musst nicht helfen, Bill», sagte sie und drehte sich lächelnd zu ihm um. «Ich komme klar. Alles in Ordnung.» Er hatte leicht geseufzt, bevor er sich umdrehte und steifbeinig in sein Zimmer ging.

Bill wohnte jetzt seit neun Monaten bei ihnen, war kurz nach dem Tod ihrer Mutter eingezogen. Typisch Bill hatte er nicht hemmungslos geschluchzt oder die Nahrungsaufnahme eingestellt oder das Haus verkommen lassen. Er hatte sich einfach schweigend in sich selbst zurückgezogen, war zu einer immer weiter schrumpfenden Version des aufrechten, ehemaligen Möbelschreiners geworden, den sie seit drei Jahrzehnten kannte, bis er schließlich nur noch ein Schatten seiner selbst zu sein schien. «Francesca fehlt mir einfach», sagte er, wenn Lila zum Tee kam, emsig umherlief und versuchte, etwas Schwung in die viel zu stillen Räume zu bringen.

«Ich weiß, Bill», sagte sie dann. «Sie fehlt mir auch.»

Tatsache war, dass auch Lila nicht gut zurechtgekommen war. Sie hatte unter Schock gestanden, als Dan verkündete, dass er sie verlassen würde. Als sie schließlich das mit Marja herausfand, war ihr bewusst geworden, dass Dans Auszug nur ein schwacher, kaum spürbarer Windhauch im Vergleich zu diesem Schlag gewesen war. Die ersten sechs Monate hatte sie kaum geschlafen, ein toxisches Gedankenkarussell im Kopf, in dem sich Einzelheiten zusammenfügten, Schuldzuweisungen, Ängste, Wut und eine Million unausgesprochener Argumente durcheinanderwirbelten – Argumente, denen Dan irgendwie immer ausweichen konnte («Nicht vor den Kindern, Lila, okay?»). Doch dann, nur ein paar Monate später, war all das durch den plötzlichen Tod Francescas in den Hintergrund gerückt. Und als Lila Bill vorschlug, für eine Weile einzuziehen, legten beide großen Wert darauf, sich gegenseitig zu versichern, dass er es nur tat, um Lila mit den Mädchen zu unterstützen, ihr ein bisschen zur Hand zu gehen, während sie sich in das Leben als Alleinerziehende einfand.

Bill behielt den Bungalow und ging an den meisten Tagen rüber, um in seinem Gartenschuppen zu arbeiten, wo er Stühle für Nachbarn reparierte und neue Pfosten für das Treppengeländer in Lilas Haus anfertigte, damit die Kinder nicht durch die Lücken fielen. Sie sprachen nicht darüber, wann er wieder in sein Haus zurückziehen würde. Es war ja nicht so, dass ihn dazuhaben bedeutete, dass er Lilas Leben beeinträchtigte (welches Leben?), und Bills sanftmütige Art gab ihrer kleinen Familie das dringend benötigte Gefühl von Stabilität und Kontinuität. Einen Anker für ihr schlingerndes kleines Ruderboot, das an den meisten Tagen leicht zu lecken und so instabil schien, als wären sie abrupt und ohne Vorwarnung aufs offene Meer geraten.

Lila geht zu Fuß zur Schule. Es ist die erste Woche nach den Sommerferien, und Bill hatte angeboten, es zu übernehmen, aber sie muss ihren Schrittzähler hochtreiben (das Bild von Marjas endlosen Beinen und ihrer schlanken Taille verfolgt sie), und davon abgesehen kann sie sich einreden, dass sie Violet abholen muss, und damit ihre Schuldgefühle abwehren, die daher kommen, dass sie noch immer kein einziges Wort geschrieben hat.

Sie kennen beide den Grund für Bills Angebot. Lila hasst es, nachmittags zur Schule zu gehen. Morgens ist es in Ordnung, alle sind in Eile, sie kann Violet hinbringen und ist gleich wieder weg. Aber nachmittags ist es schrecklich, sie krümmt sich beinahe, wenn sie mit den anderen Müttern am Schultor steht. Nachdem es passiert war, hatten sie beinahe einen Monat lang mitleidig geguckt und gesagt *Das kann nicht dein Ernst sein – Gott, wie furchtbar, das tut mir so leid* – oder vielleicht hinter ihrem Rücken *Man kann es ihm eigentlich nicht übel nehmen, oder?*. Und natürlich war da noch dieser grausame Witz gewesen, den sich das Universum mit dem Timing geleistet hatte, nur zwei Wochen nachdem «Erneuerung» veröffentlicht worden war, begleitet von einer Menge verkaufsfördernder Interviews, in denen sie darüber gesprochen hatte, wie eine zwischen Arbeitsanforderungen und Kindern schal gewordene Ehe wieder auf Vordermann gebracht werden konnte.

Zwei Tage nachdem er sie verlassen hatte, war sie auf den Spielplatz des Schulhofs gegangen, und drei Mütter hatten ihre Köpfe über dem Artikel in der *Elle* zusammengesteckt, der den hilfreichen Titel trug: *Wie ich meine Ehe wasserdicht gemacht habe*. Philippa Graham – diese aufgespritzte Botoxhexe – hatte die Zeitschrift eilig hinter ihrem Rücken versteckt und Lila mit gespielter Unschuld angeblinzelt. Ihre beiden Hofdamen, deren Namen sich Lila nie merken konnte, waren beinahe gestorben vor unterdrücktem Kichern. *Ich hoffe, eure Ehemänner stecken sich genau in diesem Moment mit einer antibiotikaresistenten Geschlechtskrankheit bei minderjährigen Strichern an*, hatte sie gedacht und ein Lächeln aufgesetzt, während sie darauf wartete, dass Violet aus dem Schulhaus bummelte.

Wochenlang hatte sie das Gemurmel schaurig-schöner Faszination wahrgenommen, das ihr über den Schulhof gefolgt war, das leichte Köpfedrehen und den geflüsterten Tratsch. Sie hatte das Kinn hochgehalten, während ihre Haut prickelte und ihr Kiefer von dem starren Lächeln schmerzte, das sich wie eine Art Permafrost auf ihr Gesicht gelegt hatte. Ihre Mutter hatte die Abholung von Spielenachmittagen übernommen, den Mädchen und den Müttern ihrer Freundinnen erklärt, dass Lila arbeiten musste und sie nächstes Mal kommen würde. Aber ihre Mutter war nicht mehr da.

Während sie den vertrauten Magenkrampf spürt, zieht Lila ihren Kragen hoch und stellt sich an den Rand der Gruppen von Müttern, Nannys und den paar Vätern, starrt intensiv auf ihr Handy und tut so, als wäre sie in eine wirklich wichtige E-Mail vertieft. Das ist dieser Tage ihr Standardverhalten. Das, oder den Hund mitzubringen, der jeden hysterisch anbellt, der sich auf weniger als zwanzig Meter nähert.

Morgen, denkt sie. Morgen wird es keine Unterbrechungen geben. Ich werde mich um Viertel nach neun an den Schreibtisch setzen, nachdem ich Violet zur Schule gebracht habe, und ich werde mich nicht wegrühren, bis ich zweitausend Wörter geschrieben habe. Sie beschließt, nicht über die Tatsache nachzudenken, dass sie sich genau das in den letzten sechs Monaten ungefähr dreimal wöchentlich versprochen hat.

«Ich wusste es!»

Von einer Gruppe Mütter, drüben bei der in Regenbogenfarben angestrichenen Bank neben den Schaukeln, kommen entzückte Rufe. Sie sieht Marja bei ihnen, die sich vorbeugt, Philippa, die ihr strahlend den Arm drückt. Marja trägt einen langen, karamellfarbenen Kaschmirmantel und Turnschuhe, ihr blondes Haar ist locker und kunstvoll mit einer riesigen Schildpattspange zusammengenommen. «Tja, du hast im *Nina's* keinen Alkohol getrunken, stimmt's? Ich habe eine Nase für so was!» Philippa lacht. Während sie die Hand auf Marjas Bauch legt, sieht sie Lila und wendet sich theatralisch ab. Ihre Lippen formen: «Oh Gott. *Sorry.*»

Marja dreht sich um, folgt Philippas Blick. Sie wird rot.

Lilas Körper reagiert auf die Erkenntnis, noch bevor ihr Gehirn die Information verarbeiten kann. Sie starrt blicklos auf ihr Handy, ihr Herz rast. *Nein. Nein. Das kann nicht sein. Nicht nach allem, was Dan gesagt hat. Das kann er ihnen nicht antun.* Doch jeder Zweifel wird von der Farbe beseitigt, die in Marjas Wangen gestiegen ist.

Lila wird schlecht. Ihr ist schwindelig. Sie weiß nicht, was sie tun soll. Sie möchte sich an einen Baum lehnen, aber sie will nicht, dass die anderen Mütter sie so sehen. Sie spürt ihre intensiven Blicke auf sich, also drückt sie das Handy ans Ohr und tut so, als würde sie telefonieren. «Ja! Ja, genau! Wie schön, von dir zu hören! Das ist toll. Wie geht es dir?» Sie redet weiter, weiß nicht, was aus ihrem Mund kommt, dreht sich weg, damit sie die anderen nicht mehr sieht.

Sie zuckt zusammen, als Violet an ihrer Hand zieht.

«Liebling!» Sie nimmt das Handy vom Ohr, sieht Mrs. Tugendhat neben ihrer Tochter. «Alles in Ordnung?», fragt sie fröhlich, mit zu hoher, zu lauter Stimme.

«Warum redest du, wenn niemand am Telefon ist?», fragt Violet, die stirnrunzelnd auf das Handydisplay schaut.

«Sie hat aufgelegt», sagt Lila schnell. Sie hat das Gefühl, explodieren zu müssen. In ihr baut sich ein Druck auf, den kein Körper aushalten kann.

Mrs. Tugendhat trägt eine äußerst zottelige Wolljacke mit Fledermausärmeln samt einem handgemachten Anstecker aus gelbem Karton am Revers, auf dem mit grünem Filzstift «Happy Birthday» steht. «Ich habe gerade mit Violet über die Aufführung zum Jahresende gesprochen. Hat sie Ihnen gesagt, dass sie die Erzählerin ist?»

«Das ist ... toll!», sagt Lila und lächelt angestrengt.

«Wir möchten kein Krippenspiel machen, wir sind ja heute multireligiös. Und ich weiß, dass es noch lange hin ist, nun ja, so lange auch wieder nicht – vier Monate –, aber Sie wissen ja, wie ewig es dauert, bis so etwas auf die Beine gestellt ist.»

«Ich weiß!», sagt Lila.

«Du bist komisch», sagt Violet.

«Und Sie sind derzeit Elternvertreterin für die Bühnenprogramme. Also dachte Violet, dass Sie es machen könnten.»

«Was machen?»

«Sich um die Kostüme für die Hauptrollen kümmern.»

«Kostüme», wiederholt Lila verständnislos.

«Es ist eine Bearbeitung von Peter Pan.»

Marja geht von den anderen Müttern weg. Sie zieht ihren karamellfarbenen Mantel um die Taille zusammen und wirft einen kurzen, unbehaglichen Blick in Lilas Richtung. Ihr kleiner Sohn Hugo zieht an ihrer Hand, als sie durch das Tor geht.

«Natürlich!», sagt Lila. Irgendwo in ihrem Hinterkopf hat ein lautes Brummen eingesetzt. Sie kann darüber hinweg kaum etwas hören. Vielleicht sind ihr Tränen in die Augen gestiegen, denn alles wirkt seltsam verschwommen.

«Sie machen es? Das ist wunderbar. Violet war nicht sicher, ob Sie zusagen.»

«Sie kommt nicht gern zur Schule», sagt Violet.

Lila reißt sich zusammen und richtet ihre Aufmerksamkeit wieder auf ihre Tochter. «Was? Sei nicht albern, Violet! Ich komme sehr gern hierher! Das ist das Beste an meinem Tag!»

«Du hast Celie letzte Woche vier Pfund gegeben, damit sie mich abholt.»

«Nein. So war es nicht. Ich habe Celie vier Pfund gegeben,

weil sie vier Pfund gebraucht hat. Das hatte nichts mit dem Abholen zu tun.»

«Das stimmt nicht. Du hast gesagt, du würdest dir lieber die Beine brechen, und Celie hat gesagt, sie würde es machen, wenn du ihr genug Geld für einen Marshmallow-Kaffee von Costa gibst, und da hast du gesagt, okay, und ...»

Mrs. Tugendhats Lächeln ist etwas unsicher geworden.

«Es reicht jetzt, Violet. Unbedingt, Mrs. Tugendhat. Also, das mit dieser Sache. Von der Sie gesprochen haben. Natürlich mache ich das!» Irgendetwas ist mit ihrer rechten Hand. Sie wedelt ständig zur Bekräftigung hin und her. Sie fühlt sich an, als würde sie nicht zu ihrem Körper gehören.

Mrs. Tugendhat strahlt. «Also, wir fangen wahrscheinlich nach den Herbstferien an, aber so haben Sie genügend Zeit, um die Kostüme zu machen, ja?»

«Ja!», sagt Lila. «Ja! Wir müssen los. Bin ein bisschen in Eile. Aber wir ... wir besprechen das noch näher. Auf jeden Fall. Herzlichen ... Glückwunsch!» Sie deutet auf Mrs. Tugendhats Brust, dann dreht sie um und geht die Straße hinunter.

«Warum gehen wir hier lang?», fragt Violet, die in Dauerlauf verfallen ist, um Schritt zu halten. «Wir gehen doch immer durch die Frobisher Street.»

Marja ist die Frobisher Street hinuntergegangen. Lila glaubt, dass sie womöglich tot umfällt, wenn sie diesen schimmernden, zerzausten Blondschopf noch einmal sehen muss. «Nur ... mal zur Abwechslung.»

«Du bist echt komisch», sagt Violet. Sie bleibt stehen und zieht eine Tüte Gemüsechips aus ihrem Rucksack, die ihr Bill anstelle von Monster Munch eingepackt haben muss. Er versucht, ihre Ernährung zu verbessern. Violet geht beim Essen langsamer, sodass auch Lila langsamer werden muss.

«Mum?»

«Ja?»

«Wusstest du, dass Felix Würmer im Hintern hat? Er hat sich in der Pause einen Finger reingesteckt, um einen rauszuholen. Man konnte richtig sehen, wie er sich um seinen Fingernagel gewickelt hat.»

Lila erstarrt und verdaut, was sie gerade gehört hat. Normalerweise würde sie bei solch einer Information anfangen zu schreien. Aber jetzt kommt es ihr sogar wie das am wenigsten Schreckliche vor, was sie heute gehört hat. Sie schaut zu ihrer Tochter herunter.

«Hast du ihn berührt?»

«Iiih! Nein.» Violet steckt sich den nächsten Gemüsechip in den Mund. «Ich habe ihm gesagt, dass ich ab jetzt für immer zehn Meilen Abstand von ihm halte. Und von den anderen Jungs. Die sind alle total widerlich.»

Lila streicht sich langsam übers Gesicht und stößt einen langen, bebenden Atemzug aus. «Bleib, wie du bist, Violet», sagt sie, als sie wieder sprechen kann. «Du bist jetzt schon viel klüger, als ich es je war.»

## ZWEITES KAPITEL

Seit Dan sie verlassen hat und ihre Mutter gestorben ist, hat Lila eine Reihe von Strategien entwickelt, um einen Tag nach dem anderen zu überstehen. Wenn sie aufwacht, meistens zwischen fünf und sechs, spült sie ein Antidepressivum hinunter, zieht sich an, bevor sie weiter grübeln kann, und geht eine Stunde mit Truant los, bis hinauf zum Hampstead Heath, wo sich frühmorgendliche Hundeausführer, einsame Kaffeetrinker und grimmig blickende Jogger mit Ohrhörern über den schlammigen Weg laufen. Beim Gehen lässt sie sich von Hörbüchern berieseln oder von dem Geplapper nichtssagender Podcasts, alles, um dafür zu sorgen, dass sie nicht mit ihren Gedanken allein ist.

Wenn sie zurück ist, weckt sie die Mädchen, bringt sie mit Schmeicheleien und Bestechung zum Aufstehen und dazu, sich für die Schule fertig zu machen, und versucht, das Gemecker oder die genervten Aufschreie wegen verschwundener Socken und Haarspangen nicht persönlich zu nehmen. Seit Bill eingezogen ist, hat er das Frühstück übernommen, darauf bestanden, dass die Mädchen Porridge mit Beeren und Körnern essen statt Lilas Pop-Tarts und drei Tage alte Bagels mit Marmelade. Bill hat strenge Ansichten, wenn es um Ernährung geht, redet endlos über Fischöl und die reinigenden Eigenschaften von Linsen und ignoriert dabei, dass die Mädchen die Augen verdrehen und sehnsüchtig zu der Schachtel mit Coco Pops schauen. Abends kocht er nahrhafte Gerichte mit fremdartigem Gemüse und bemüht sich, seine Enttäuschung zu verbergen, wenn die Mädchen maulen, dass sie lieber einen Schinken-Käse-Toast hätten.

Wenn Lila die Mädchen zur Schule gebracht hat, setzt sie sich in das, was lachhafterweise als ihr Arbeitszimmer bezeichnet wird, einen Raum, in dem sich immer noch die ramponierten Bücherkartons stapeln, die sie nie ausgepackt haben, und nimmt den dringendsten Papierkram in Angriff. Das – und das dazugehörende Herumgerechne – macht sie so fertig, dass sie oft ein kleines Nickerchen auf dem Sofa hält oder sich manchmal auf den Teppich legt, um sich einen beruhigenden Meditations-Podcast anzuhören, während sie versucht, das Hundegebell von unten zu ignorieren. Sie bemüht sich, regelmäßig zu essen, damit ihr Blutzuckerspiegel nicht in den Keller geht und zusammen damit ihre Laune. Und dann, wenn sie wieder aufgewacht ist, einen Tee getrunken hat, damit sie sich nicht mehr so erschlagen fühlt, und ein paar Einkäufe gemacht hat, ist es normalerweise Zeit, Violet abzuholen, sodass sie wieder eine *Mama* wird, die zu beschäftigt für zudringliche Gedanken ist, sondern stattdessen mit dem endlosen häuslichen Kampf gegen Unordnung, schmutzige Wäsche und den jeweiligen Schulaufgaben ihrer Töchter zu tun hat, bis es Schlafenszeit ist. Dann nimmt sie zwei Antihistamintabletten (die Ärztin will ihr keine Schlaftabletten mehr geben, obwohl ihr die lieber sind; anscheinend gelten sie jetzt als «Dirty Drug» mit zu vielen Nebenwirkungen) oder raucht, wenn sich eine Phase mit Schlaflosigkeit zu lange hinzieht, einen halben Joint zum Fenster hinaus, und schließlich, falls sie einigermaßen sicher ist, dass sie schlafen kann, schaltet sie einen Einschlaf-Podcast an – wo Schauspieler mit sanften monotonen Stimmen langweilige Geschichten vorlesen – und betet darum, nicht schon wieder nach wenigen Stunden aufzuwachen.

Sie will nicht an ihren Ex-Mann und seine auf so spielend leichte Art hinreißende neue Partnerin denken. Sie will nicht an sein und Marjas makelloses Haus denken, mit seiner sparsamen Auswahl stilvoller Gegenstände und seinem Noguchi-Couchtisch. Sie will nicht an ihre fehlende Mutter denken, mit der dieses ganze Chaos irgendwie viel beherrschbarer war.

An manchen Tagen kommt es Lila so vor, als würde sie gegen alles kämpfen. Gegen ihre rasenden, blindwütigen Gedanken, ihre unkontrollierbaren Hormonschwankungen, ihr Gewicht, ihren Ex-Mann, ihr Haus, das anscheinend Stück für Stück auseinanderfällt, die ganze Welt.

Als die Mädchen an diesem Abend vom Esstisch aufstehen, während Bill vorwurfsvoll auf die halb vollen Suppenteller mit Hirsch-Graupeneintopf blickt («Das ist ein sehr gutes Essen – mit viel Protein und wenig Fett»), trifft Lila mit einem Schlag die Erkenntnis, dass sich gerade noch ein ganz neues Schlachtfeld aufgetan hat: *Dans neues Baby*. Dieses Kind wird ein Halbgeschwister ihrer Töchter sein, wird ständig in ihrer aller Leben präsent sein, wird dasselbe Recht auf alles haben, was ihr Vater besitzt – Geld, Zeit, Liebe. Dieses Kind, mehr als alles andere, macht es zur Wirklichkeit – Dan wird nie zurückkommen, auch wenn sie schon gewusst hatte, wie unwahrscheinlich das war. Dieses Kind wird ein weiteres Thema sein, mit dem sich Lila die nächsten achtzehn Jahre auseinandersetzen muss. Und bei diesem Gedanken könnte sie einfach losschreien.

Er ruft um Viertel nach acht an. Zweifellos nachdem Hugo, Marjas wohlerzogener Sechsjähriger, gebadet, im sauberen

Schlafanzug und mit ordentlich geputzten Zähnen seit mindestens einer Stunde im Bett liegt. Violet dagegen hängt an den Beinen vom Treppengeländer herunter und singt einen Rap-Song, der wenigstens elf unterschiedliche Anspielungen auf Genitalien enthält.

«Lila.»

Bei dem Klang seiner Stimme verkrampft sich reflexartig ihr Magen. Sie atmet tief ein, bevor sie etwas sagt. «Ich habe mich schon gefragt, wann du anrufen wirst.»

«Marja ist total fertig.» Er seufzt. «Hör mal, keiner von uns wollte, dass du es auf diese Art erfährst.»

«Marja ist also total fertig, ja? Oh.» Die Worte rutschen ihr einfach heraus. «Wie schlimm für sie.»

Es herrscht kurz Stille, bevor er weiterredet. «Hör zu, sie ist erst in der achtzehnten Woche. Wir dachten, es wäre am besten, die Sommerferien hinter uns zu bringen, und dann ...»

«Aber dass es die anderen Mütter an der Schule wissen, ist in Ordnung.»

«Sie hat es ihnen nicht gesagt. Diese verdammte Frau ... wie heißt die noch mal ... hat es erraten. Und Marja konnte nicht lügen, also ...»

«Nein. Gott verhüte, dass hier irgendwo Lügen im Spiel sind. Also, wann hast du vor, es den Mädchen zu sagen?»

Dan zögert. Sie stellt sich vor, wie er sich über den Kopf streicht, seine übliche Geste, wenn er mit etwas Schwierigem konfrontiert ist. «Mh ... also. Wir dachten – ich dachte –, es wäre vielleicht besser, wenn es von dir kommt.»

«Oh nein.» Lila steht vom Tisch auf und geht zur Spüle. «Oh nein, Dan. Das ist allein deine Sache. Wenn du den Mädchen mitteilen willst, dass sie ersetzt werden, dann kannst du das selbst machen.»

«Was meinst du mit ‹ersetzt werden›?»

«Tja, du bist ja schon ausgezogen, um für das Kind einer anderen den Daddy zu spielen. Wie sollen sie es sonst sehen?»

«Du weißt, dass es so nicht ist.»

«Tue ich das? Du warst ihr Dad. Aber jetzt bringst du morgens das Kind einer anderen zur Schule. Isst jeden Tag mit ihm zu Abend.»

«Ich bin immer noch ihr Vater, verdammt. Und ich würde jeden Tag mit ihnen zu Abend essen, wenn ich könnte.»

«Aber nicht, wenn das bedeutet, mit uns zusammenzuleben, stimmt's?»

«Lila, warum machst du das?»

«Ich? *Ich*? Ich mache gar nichts. Du bist derjenige, der abgehauen ist. Du bist derjenige, der angefangen hat, mit einer unserer Nachbarinnen zu schlafen. Du bist derjenige, der jetzt das Kind einer anderen weckt, während dich deine eigenen Kinder an zwei Tagen die Woche sehen.» Sie hasst sich für den Klang ihrer Stimme, für die Worte, die aus ihrem Mund sprudeln, aber sie kann sich nicht zurückhalten. «Und *du* bist derjenige, der beschlossen hat, eine Frau, die zwölf Jahre jünger ist als du selbst, zu schwängern, verdammt. Ein weiteres Baby, das du niemals haben wolltest, wenn ich mich richtig an das erinnere, was du mir gegenüber behauptet hast, egal wie sehr ich es wollte, weil du kaum mit den beiden zurechtgekommen bist, die wir schon hatten!»

An diesem Punkt bringt sie irgendetwas dazu, sich umzudrehen. Celie steht beim Kühlschrank. Mit einem Karton Orangensaft in der Hand starrt sie ihre Mutter an.

«Celie?»

Celie ist aschfahl. Sie stellt den Saftkarton weg und stürmt hinaus.

«Was ist?», fragt Dan. «Was ist los?»

«Celie?!», ruft sie. Und dann, ins Telefon: «Ich melde mich wieder.»

Die Tür von Celies Zimmer ist verriegelt, und drinnen läuft laute Musik. Lila rüttelt an der Klinke, dann hämmert sie an die Tür, bekommt aber nur ein ersticktes *Geh weg* zu hören. Einen Moment bleibt sie einfach so stehen, weiß nicht, was sie tun soll, dann lässt sie sich mit dem Rücken an der Tür zu Boden rutschen und bleibt an das Holz gelehnt sitzen, den unablässig dröhnenden Takt im Ohr.

Während sie so dasitzt, wird auf ihrem Handy eine ganze Serie SMS von Dan angezeigt. Sie ist jetzt nicht in der Verfassung, sie zu lesen, nimmt aber einzelne Zeilen wahr.

Du musst immer alles komplizierter machen, als es ist.

Wie gesagt, keiner von uns will, dass die Mädchen ...

Und sie werden lernen, das neue Baby zu l...

Sie aktiviert den Nicht-stören-Modus auf ihrem Handy. Sitzt weiter da, versucht, ihre Atmung unter Kontrolle zu bringen.

Schließlich wird die Musik ausgestellt. «Ich bleibe hier sitzen, bis du mit mir sprichst, Liebling», sagt sie laut genug, damit Celie sie hören kann. Ihre Stimme hallt durch die Stille. «Ich gehe nirgendwohin. Und du weißt, wie ich nerven kann.»

Wieder folgt eine lange Stille.

«Ich habe eine Thermoskanne, einen Schlafsack und Schokoladenkuchen. Ich könnte bis Donnerstag hierbleiben, wenn es sein muss.»

Schließlich hört sie Schritte. Dann hört sie Celie den Riegel zurückziehen und wieder von der Tür weggehen. Lila steht schwerfällig auf und öffnet die Tür. Ihre Teenagertochter liegt auf dem Bett, das lange dunkle Haar dramatisch um den Kopf ausgebreitet, die Füße in Socken an die Wand gestemmt.

«Ich hasse ihn.»

«Du hasst ihn nicht. Er ist dein Dad», sagt sie und denkt: *Ich aber schon.*

«Er ist so jämmerlich. Weißt du, dass sie ihren Schwangerschaftstest auf Instagram gepostet hat?»

«Was?»

Celie hält ihr Handy in die Höhe. Und da ist es, ein Foto von dem weißen Plastikstäbchen mit einer schmalen blauen Linie, darunter «OMG» in Dauerschleife.

«So viel dazu, es niemandem zu sagen.» Lila gibt das Telefon zurück, setzt sich auf das Bett und legt Celie die Hand aufs Bein. «Es tut mir leid, Liebling. Es tut mir so leid, dass ihr alldem ausgesetzt seid.» Sie schluckt. «Und es tut mir leid ... dass ich nicht immer sonderlich gut damit umgehe.»

Celie wischt sich wütend eine Träne unter dem Auge weg, und dann wischt sie noch einmal, als sie den Wimperntuschestreifen auf ihrem Finger sieht.

«Ist nicht deine Schuld.»

«Tja, und ganz bestimmt nicht deine.»

Celie wirft ihr einen Seitenblick zu. «Wann hast du es erfahren?»

Lila schüttelt den Kopf. «Ich habe heute in der Schule eine von den Müttern mit Marja darüber reden hören. Deshalb hat dein Dad angerufen. Tut mir leid, dass du es auf diese Art mitbekommen hast.»

Celie schüttelt den Kopf. «Ich wusste es schon.»

«Wie meinst du das?»

«Sie hat Schwangerschaftsvitamine im Bad. Schon seit

Monaten. Warum sollte sie die haben, außer wenn sie schwanger ist?»

Wieder zieht sich Lilas Magen schmerzhaft zusammen. Also war die Sache geplant. Sie schließt einen Moment die Augen, beißt die Zähne zusammen, entspannt ihr Kinn, und dann sagt sie: «Na ja, vielleicht liebst du es ja, wenn es erst mal da ist. Vielleicht wird es eine wunderbare Ergänzung, und du stellst fest, dass es toll ist, eine erweiterte Familie zu haben. Es wird alles gut, Celie. Ehrlich gesagt, bin ich sicher, dass es dir gefallen wird, noch einen kleinen Bruder oder eine kleine Schwester zu haben. Noch jemanden, der total in dich vernarrt ist. So wie wir alle.»

Darauf folgt ein kurzes Schweigen.

«Meine Güte, Mum, du bist so eine miese Schauspielerin.»

Lila sieht sie an. «Wirklich?»

«Du hast *überhaupt kein* Pokerface.»

Einen Moment lang sitzen sie nur so nebeneinander. Schließlich seufzt Lila. «Also, na gut, zuerst wird es vielleicht ein bisschen seltsam. Für uns alle. Aber ich weiß, dass euer Dad euch wirklich liebt. Und so etwas spielt sich gewöhnlich am Ende trotz allem gut ein.»

Celie schiebt sich zu ihr und drückt ihr die Hand. Dann zieht sie ihre Hand wieder weg, doch ihre Geste hat genug gesagt. «Alles okay mit dir, Mum?», fragt sie nach einer Weile.

«Mir geht es bestens», sagt Lila entschieden. «Ich habe doch euch zwei, oder? Die einzige Familie, die ich mir je gewünscht habe.»

«Und Bill.»

«Und Bill. Was würden wir nur ohne Bill anfangen?»

«Selbst wenn er uns zwingt, richtig eklige Sachen zu essen. Mum, kannst du nicht mal mit ihm über all diese Linsengerichte reden? Ich musste heute Vormittag in Geografie richtig laut pupsen deswegen, und garantiert haben alle mitgekriegt, dass ich es war.»

«Ich rede mit ihm.» Lila verdrückt sich in ihr Schlafzimmer und nimmt eine zweite Citalopram gegen Depressionen, bevor sie wieder nach unten geht. Die Ärztin hat darauf bestanden, dass sie sich an die empfohlene Dosis hält. Die hatte gut reden, bestimmt war ihr Ex nicht damit beschäftigt, das halbe Viertel zu schwängern.

«Alles in Ordnung?» Bill erledigt den Abwasch. Sanfte klassische Musik von Radio 3 erfüllt die Küche. Auch wenn sie zu ihm sagt, dass sie es später selbst macht, wird er unruhig, während sie fernsieht, verschwindet leise aus dem Wohnzimmer und taucht eine halbe Stunde später mit einem feuchten Geschirrhandtuch und zufriedener Miene wieder auf. Bill liebt Ordnung. Und während der vergangenen beiden Monate ist Lila zu der Erkenntnis gelangt, dass Bill das Gefühl braucht, nützlich zu sein, selbst wenn es ihr Sorgen macht, dass er sich mit seinen achtundsiebzig Jahren so wenig ausruht.

Er dreht sich mit dem Geschirrhandtuch über der Schulter zu ihr um.

«Ja, alles gut», sagt sie. Und dann fügt sie mit munterer Stimme hinzu: «Dan bekommt ein Baby. Mit der *Kurvenreichen Jungen Geliebten.*»

Bill braucht einen Moment, um das zu verdauen.

«Das tut mir sehr leid», sagt er auf seine knappe, würdevolle Art.

Und nach einem kurzen Moment der Stille: «Ich weiß wirklich nicht, was ich dazu sagen soll. Deine Mutter hätte es gewusst.»

Er geht auf sie zu, und einen Moment lang denkt sie, er wird sie umarmen. Doch dann zögert er und drückt ihr nur den Oberarm. «Er ist ein Idiot, Lila», sagt er sanft.

«Ich weiß.» Sie schluckt.

«Und es wird ihm noch leidtun, wenn er sich mit all den schlaflosen Nächten und den Windeln herumschlagen muss», fügt Bill hinzu, «mit dem Zahnen. Den Kleinkind-Wutanfällen. All der grässlichen Unordnung und dem Chaos.»

Ich habe dieses Chaos geliebt, denkt sie traurig. Ich habe es geliebt, mittendrin zu sein, mit meinen kleinen Schmutzfinken, meinem Haus voller Plastikspielzeug und den überquellenden Wäschekörben. Ich wollte fünf von ihrer Sorte. Ein richtiges kleines Völkchen. Und ein Haus auf dem Land mit Hunden und dreckigen Stiefeln und Körben mit Brennholz, das wir im Wald gesammelt hätten. «Ja», sagt sie lahm.

Als sie den Blick hebt, sieht sie, dass Bill sie beobachtet. Er schaut zu seinen auf Hochglanz geputzten Schuhen hinunter. Sie weiß nicht, ob sie ihn schon jemals ohne ein sorgfältig gebügeltes Hemd und geputzte Schuhe gesehen hat. «Um ehrlich zu sein, hätte sie ihn wahrscheinlich einen Wichser genannt», sagt er unvermittelt.

Lila reißt die Augen auf. Sie denkt einen Moment nach, dann sagt sie: «Ja, wahrscheinlich hätte sie das.»

«Einen verdammten, blöden Wichser. Wahrscheinlich.»

Bill flucht nie, und diese Worte aus seinem Mund zu hören, ist so unwahrscheinlich, dass sie sich anstarren und ein kurzes, schockiertes Lachen ausstoßen.

Unwillkürlich legt Lila die Hände vors Gesicht und beginnt zu schluchzen. «Es hört nicht auf, Bill», sagt sie weinend. «Verdammt, es hört einfach nicht auf.»

Bill drückt ihr die Schulter. «Doch, das wird es. So ist es nur jetzt. Klopf auf Holz.»

Sie schnieft, schüttelt den Kopf. «Seit wann bist du abergläubisch?»

«Seit mir eine schwarze Katze von links über den Weg gelaufen ist und deine Mutter am nächsten Tag von einem Bus überfahren wurde.»

«Im Ernst?»

«Irgendetwas muss ich ja dafür verantwortlich machen.»

Er wartet, bis sie aufgehört hat zu weinen.

«Das wird schon wieder für dich, mein Mädchen», sagt er sanft.

«Es wird wieder für uns», erwidert sie und streicht sich die Haare aus den Augen. Sie schnieft, wischt ihre Tränen weg. «Sehe ich ... einigermaßen aus?»

Er schüttelt den Kopf. «Du siehst gut aus.»

Sie mustert seine Miene und verzieht das Gesicht. «Echt, Bill, du hast ein noch schlechteres Pokerface als ich.»

## DRITTES KAPITEL

*Folgendes habe ich in meinen fünfzehn Ehejahren gelernt: Es ist okay, wenn du nicht jeden Tag von grenzenloser Liebe erfüllt bist. Wir alle regen uns über herumliegende Socken, den vergessenen TÜV oder die Tatsache auf, dass wir seit sechs Wochen keinen Sex gehabt haben. Wie die Psychotherapeutin Esther Perel sagt: Liebe ist ein Prozess. In allen Ehen gibt es Hochs und Tiefs, und mit den Jahren gewinnst du größeren Überblick und stellst fest, dass sie einfach zu der Ebbe und Flut deines eigenen speziellen Liebeslebens gehören. In der Ehe kann man an einem einzigen Tag die unterschiedlichsten Gefühle empfinden. Du kannst neben dem Mann aufwachen, der lautstark schnarcht, und ihm am liebsten ein Kissen ins Gesicht drücken wollen und dir doch um elf Uhr vormittags wünschen, die Putzfrau würde früher gehen, damit du ihn dir schnappen und eine himmlische Stunde mit ihm im Bett vertun kannst. Du kannst Zuneigung, Gereiztheit, Lust und Dankbarkeit in derselben halben Stunde empfinden. Der Trick besteht darin, diesen Prozess zu verstehen, dieses Auf und Ab, und dich nicht von deinen eigenen Gefühlen in Panik versetzen zu lassen. Denn solange ihr es zusammen angeht, ihr ein Team seid, weißt du im Innersten, dass all dies zu der wunderbaren Sache des Menschseins gehört. Dan ist mein Teampartner, und wir gehen es zusammen an, und es gibt keinen Tag, an dem ich nicht dankbar dafür bin.*

Manchmal fällt Lila dieser Textauszug ein, der hilfreicherweise, ganze vierzehn Tage bevor Dan sie verlassen hat, in einer überregionalen Zeitung veröffentlicht worden war, und dann will sie sich ganz klein machen und zusammenrollen wie eine Kellerassel, die sich im Abflusssieb gefangen hat.

Sie war so sicher gewesen, als sie das geschrieben hat. Sie weiß noch, wie sie zu Hause an der Konstruktion dieses letzten Satzes saß und dabei von der Liebe zu ihrem Mann, ihrem Leben, mit einem Mal geradezu überwältigt worden war. (Sie hat sich beim Schreiben über den erfundenen Dan oft überwältigt gefühlt; er war einfach so viel unkomplizierter als der echte Dan.) Dan hatte liebevoll den Kopf geschüttelt, wenn sie über ihren Vater redete, und ihr verboten, ihr abgedroschenes Mantra *Irgendwann wird man immer verlassen* zu verwenden.

Als sie den Satz zum ersten Mal gesagt hat, beinahe panisch angesichts seiner alarmierend beharrlichen Annäherungsversuche, da sie in den ersten Monaten ihrer Beziehung nicht zu einer festen Bindung bereit war, hatte er ihre Hand in seine genommen und gesagt: «Diese Geschichte musst du neu schreiben. Nur weil sich dein Vater wie ein Arsch benommen hat, heißt das nicht, dass alle Männer so sind.» Das war ihr wie eine Offenbarung vorgekommen, und dann wie ein Prüfstein.

Inzwischen denkt sie, dass sie in den ersten zehn Jahren wahrscheinlich meistens glücklich waren, plus/minus das Herumjonglieren bei der Kinderbetreuung und die ständige Erschöpfung, als ihre Töchter noch klein waren. Sie erinnert sich deutlich an einen Familienurlaub, während sie ihr Buch schrieb. Sie hatte am Strand ihren Kindern zugesehen, die mit ihrer Mutter spielten (Francesca liebte das Meer), ihre sandigen Knie mit den Armen umschlungen und gedacht, wie unglaublich glücklich sie war. Sie hatte sich gefühlt, als wäre sie im Mittelpunkt von etwas Gutem und Starkem und Dauerhaftem aufgehoben; ihre Mutter, die im Wasser planschte, Bill mit seinem Sonnenhut, der ihr etwas Aufmunterndes zurief, ihre wunderschönen, fröhlichen Töchter, ihr Mann. Endlich in einer stabilen Situation angekommen, ein neues Haus, die Sonne und die glitzernden Wellen. Sie hatte sich gefühlt, als hätte sie alles, was man sich nur wünschen konnte.

Und dann – überraschende Wendung! – war Dan gegangen. Und kaum ein Jahr später hatte sie auch noch ihre Mutter verloren.

Darüber brütet sie seit zwanzig Minuten nach, Kopfhörer auf den Ohren, den Blick abwesend aus dem Fenster gerichtet, als sie den Mann bemerkt, der am Ende des Vorgartens steht und am Haus emporsieht. Sie beobachtet ihn eine Weile stirnrunzelnd, wartet darauf, dass er abzieht. Doch das tut er nicht. Er geht nur zwei Schritte nach rechts, stützt sich mit einer Hand an dem Baumstamm ab, steht einfach da und scheint über etwas nachzudenken. Er trägt einen Blouson, leicht schmuddelige Jeans und eine Mütze. Sein Gesicht kann sie nicht sehen. Vage Angst macht sich in ihr breit. Zwei Wochen zuvor ist das Auto ihrer Nachbarn aus der Einfahrt gestohlen worden. Sie starrt den Mann an, wünscht sich, dass er einen Anruf bekommt, dass er weitergeht, irgendetwas tut, das zeigt, dass er kein Dieb ist, der etwas Böses im Sinn hat. Aber er steht einfach weiter da und betrachtet grübelnd das Haus. Sie bleibt noch einen Moment an ihrem Schreibtisch sitzen, dann zieht sie den Kopfhörer ab, rast die Treppe hinunter, nimmt den Hund an die Leine, damit sie nicht allein ist, und öffnet die Haustür. Er dreht sich zu ihr um.

«Das ist eine private Einfahrt», sagt sie.

Er erwidert nichts, sieht sie nur unverwandt an, während Truant in drängendes, ohrenbetäubendes Bellen ausbricht. Plötzlich wird ihr bewusst, dass sie um elf Uhr am Vormittag noch in Pyjama und Hausmantel herumläuft. Um sich zu zwingen, am Schreibtisch zu bleiben, hatte sie sich gesagt, dass sie sich erst anziehen durfte, wenn sie tausend Worte geschrieben hatte. Doch irgendwie erscheint ihr das auf einmal wie ein grundlegender Fehler.

«Wie bitte?», ruft er.

«Das ist eine private Einfahrt! Verziehen Sie sich!»

Er runzelt die Stirn. «Ich schaue nur Ihren Baum an.»

Das ist ein lächerlicher Vorwand.

«Tja, dann lassen Sie das.»

«Ich soll Ihren Baum nicht anschauen?»

«Ja.» Truant zerrt knurrend und schnappend an der Leine. Sie liebt ihn richtig für diesen aggressiven Auftritt.

Der Mann wirkt nicht beunruhigt. Er zieht nur die Augenbrauen hoch.

«Darf ich Ihren Baum vom Bürgersteig aus anschauen?»

Er geht zwei Schritte zurück, wirkt leicht belustigt. Bei seiner lockeren Selbstsicherheit, seinem offenkundigen Wissen, dass sie die Situation nicht im Griff hat, fühlt sie sich zugleich wütend und machtlos.

«Sehen Sie einfach ... meinen Baum nicht an! Und auch nicht das Haus! Verziehen Sie sich einfach!»

«Da ist ja ... sehr freundlich.»

«Ich bin Ihnen keine Freundlichkeit schuldig. Nur weil ich eine Frau bin, heißt das nicht, dass ich freundlich sein muss. Sie stehen in meinem Vorgarten, und dazu habe ich Sie nicht eingeladen. Und deshalb, nein, ich muss nicht freundlich sein.»

Ein schriller Ton hat sich in ihre Stimme eingeschlichen,

und bei Truants Gebell kann man wirklich taub werden. Aus dem Augenwinkel sieht sie, wie sich nebenan der Vorhang im Erkerfenster bewegt. Das hier kommt garantiert auch auf die Liste ihrer nachbarschaftlichen Verfehlungen. Sie hebt entschuldigend die Hand, und der Vorhang wird zugezogen.

«Schönes Auto», sagt er mit einem Blick auf den Mercedes.

Lila hat den Sportwagen gekauft, weil es etwas war, was ihre Mutter hätte tun können – impulsiv und optimistisch. Sie hat den Wagen bei einem Oldtimerhändler gekauft, weil sich das erste Autohaus nach ihren Anrufen nicht zurückgemeldet hat. Und sie hat das am besten ausgestattete, teuerste Modell gekauft, das sie sich mit dem Erbe ihrer Mutter erlauben konnte – einen Mercedes 380 SL Baujahr 1985 –, weil der stilvoll gekleidete Verkäufer in dem Autohaus, in dem sie schließlich gelandet war, eindeutig nicht glaubte, dass sie sich diesen Wagen leisten konnte. («Super», hatte Eleanor, ihre älteste Freundin, dazu gesagt, «dem hast du's aber so richtig gezeigt.»)

«Er hat einen Tracker», ruft sie.

«Wie bitte?» Er kann sie bei dem Lärm nicht verstehen.

«Er hat einen eingebauten Tracker! Und eine Alarmanlage.»

«Sie glauben, ich würde Ihr Auto klauen?»

«Nein. Ich glaube nicht, dass Sie mein Auto klauen. Weil es die Polizei dann orten und Sie im Gefängnis landen würden. Ich lasse Sie nur wissen, dass das keine Option ist. Und übrigens, im Haus ist auch kein Geld. Nur, falls Sie sich das gefragt haben.»

Er senkt den Blick für einen langen Moment auf seine Sneaker, dann hebt er ihn wieder. «Sie sind also aus dem Haus gekommen, um mir mitzuteilen, dass ich Ihren Baum nicht anschauen und Ihren Mercedes nicht stehlen darf, weil ich sonst im Gefängnis lande, und dass Sie kein Geld haben.»

So wie er es sagt, klingt es dermaßen lachhaft, dass sie sich noch mehr ärgert. «So ungefähr. Wenn Sie nicht einfach bei Leuten in die Vorgärten gehen würden, dann würde sich niemand genötigt sehen, überhaupt etwas zu sagen.»

«Eigentlich bin ich in Ihren Vorgarten gekommen, weil ich einen Termin mit Bill habe.»

«Was?»

«Ich habe einen Termin mit Bill. Wegen des Gartens. Ich habe geklingelt, aber es hat niemand aufgemacht. Er ist also nicht da?»

Das versetzt ihr einen Dämpfer. «Oh», sagt sie, und in genau diesem Moment fängt Truant, inzwischen eindeutig irre geworden bei dieser andauernden Grenzüberschreitung, damit an, sich gegen die Leine zu wehren, unsicher, ob er sich auf diesen Mann stürzen oder weglaufen will. Sie kämpft einen Moment mit ihm, versucht, ihn zu beruhigen, aber ihr Ton hat ihm Angst eingejagt, und er kläfft weiter.

«Bill ist bei sich zu Hause.» Sie muss es zwei Mal rufen, weil es das erste Mal im Lärm untergeht. «Bei *sich* zu Hause. Die Straße runter. Hören Sie, es tut mir leid. Kommen Sie rein, und ich rufe ihn an. Offensichtlich hat er den Termin vergessen.»

Aber der Mann tritt zwei Schritte zurück, sodass er auf dem Bürgersteig steht. «Schon gut. Ich rufe ihn selbst an.» Dann dreht er sich um, und während er die Straße entlanggeht, zieht er sein Handy aus der Tasche.

«Mich überrascht es nicht, dass er abgehauen ist. Du wirkst ziemlich ... stechend, seit Dan weg ist.»

«Stechend?»

«Na ja, du läufst die meiste Zeit mit einem Gesicht herum, als könntest du ohne Weiteres jemanden umbringen.»

Lila betrachtet die Gabel, mit der sie herumgefuchtelt hat, während sie Eleanor die Geschichte von dem Eindringling erzählt hat, der keiner war, und senkt sie behutsam. «Das stimmt überhaupt nicht. Jedenfalls nicht mit einem Messer.»

Eleanor hat gerade Pause zwischen zwei Aufträgen. Was bedeutet, dass sie sorgfältig geschminkt ist. Wenn sie einen Auftrag hat – sie ist Visagistin beim Fernsehen –, hat sie keine Lust, sich auch noch um ihr eigenes Make-up kümmern zu müssen. Plötzlich mustert Lila sie genauer und fragt sich, ob Eleanor viel besser altert als sie selbst. Sie wirkt ... strahlend.

«Also ...»

«Du sagst, ich sehe aus wie eine Irre.»

«Nein.» Eleanor spießt mit einem Essstäbchen ein Sushi auf und steckt es sich in den Mund. «Ich sage – als deine älteste Freundin –, dass du zurzeit manchmal ein bisschen schnell in die Luft gehst.» Als sie Lilas betroffene Miene sieht, fügt sie hinzu: «Ich meine, das ist total verständlich, nach allem, was du durchgemacht hast und so weiter. Aber ich würde mir das für Dan aufsparen. Du solltest vielleicht einfach vorsichtiger mit den Schwingungen sein, die du verbreitest.»

«Schwingungen?»

«Na ja, vielleicht ein bisschen weniger *das* machen.» Sie verengt unvermittelt die Augen und starrt Lila mit ausdrucksloser Miene an.

Lila schiebt ihren Teller weg. «Soll das ich sein?»

«Nicht ganz. Du machst nämlich auch noch das mit dem vorgeschobenen Kinn. Ich glaube, das kann ich gar nicht.»

«Wow. Danke.»

«Ich sage das als deine Freundin, Lils. Und es gibt ja auch einen Haufen Leute, bei denen du genau diese Schwingungen verbreiten solltest. Dabei steht Dan ganz oben auf der Liste. Aber ein einfacher Gärtner, der nur einen Baum anschaut, während er auf deinen alten Stiefvater wartet? Bei dem vielleicht eher nicht. Versuch das mal.» Langsam verzieht sie ihr Gesicht zu einem übertriebenen Lächeln.

«Witzig.»

«Das ist kein Witz. Versuch es.»

«Ich weiß, wie man lächelt, El.»

«Kann sein. Aber du tust es nicht mehr besonders oft. Verstehst du, ich will einfach nicht, dass du zu einer von diesen verbissenen Geschiedenen wirst. Es ist richtig schwer, den Lippenstift gut aufzutragen, wenn du erst mal Mundfältchen hast.» Sie spitzt die Lippen und deutet auf die feinen Linien, die dabei entstehen. «Wie geht es Bill eigentlich?»

Lila seufzt und trinkt einen Schluck von ihrem Wasser. «Schwer zu sagen. Er könnte sich auch das Bein ausrenken und würde noch behaupten, dass es ihm gut geht.» Plötzlich sieht sie ihn vor sich, wie er durchs Haus streift, die Hörer im Ohr, damit er Radio 3 hören kann. Er scheint ständig klassische Musik hören zu müssen, als wäre das seine Abschottung gegen den Rest der Welt. «Es geht ihm ganz gut, denke ich. Er bringt die Mädchen dazu, eine Menge Hülsenfrüchte zu essen.»

«Was sie super finden.»

«Du kannst es dir ja vorstellen. Ich weiß auch nicht. Mum und er hatten ein ziemlich strenges System. Zeitpläne und gesundes Essen und Sauberkeit und ... Ordnung. Also ist das Zusammenleben manchmal ein bisschen kompliziert. Aber versteh mich nicht falsch, ich bin froh, dass er da ist. Ich glaube, es ist gut für uns, diese … Beständigkeit zu haben. Aber ich wünschte, er könnte ein bisschen lockerer werden.» Sie sieht Eleanor einen Blick auf ihre Uhr werfen. «Hast du irgendwas vor? Du siehst übrigens richtig hübsch aus.»

«Wirklich?», sagt Eleanor mit der Sorglosigkeit derjenigen, die wissen, dass es stimmt. Sie hat einen Riesenschopf gewelltes mittelbraunes Haar mit einer grauen Strähne vorn, die sowohl natürlich ist als auch wahnsinnig cool rüberkommt, und sie trägt eine hellrote Seidenbluse und ein halbes Dutzend silberner Armreifen. «Ich treffe mich heute Abend mit Jamie und Nicoletta.»

«Wem?»

«Das Paar, von dem ich dir erzählt habe. Wir gehen in ein Hotel in Notting Hill. Ich bin richtig aufgeregt.»

«Oh. Der *Dreier*.» Lila zieht ein Gesicht.

«Wir sagen lieber *Ménage-à-trois*. *Dreier* klingt sehr nach Klatschblättern.»

In den inzwischen drei Jahren ihres Single-Daseins hat Eleanor eine Art sexuelle Odyssee angetreten und verdrückt sich gern wöchentlich für ihre «Abenteuer», wie sie es nennt. Es macht eine Menge Spaß, erklärt sie Lila. Ohne dass man sich um Beziehungen scheren muss oder darum, ob man einen perfekten Körper hat oder eine gemeinsame Zukunft und so weiter. Es geht nur darum, sich zu amüsieren und großartigen Sex zu haben. Sie wünschte, sie hätte das schon vor Jahren getan, statt weiter an Eddie festzuhalten.

Jedes Mal, wenn Lila sie jetzt sieht, kommt es ihr vor, als würde sich ihre Freundin in einen ganz anderen Menschen verwandeln. «Ist das nicht komisch? Ich meine, müsst ihr das alles vorher besprechen? Wer welchen Körperteil wohin platziert? Oder sich abwechselt?» Lila wird übel bei dem Gedanken. Sie kann sich momentan kaum vorstellen, jemand ihr nacktes Schienbein zu zeigen, geschweige denn, mit zwei Fremden ins Bett zu hüpfen.

«Eigentlich nicht. Ich mag sie, und sie mögen mich. Wir hängen einfach zusammen ab, trinken ein Glas Wein, amüsieren uns ... haben eine gute Zeit.»

«Bei dir klingt das, als wäre es ein Lesezirkel. Nur mit Genitalien.»

«Das trifft es ganz gut.» Eleanor schiebt sich ein bisschen Ingwer in den Mund. «Aber mit weniger Hausaufgaben. Du solltest es mal ausprobieren.»

«Da würde ich lieber sterben», erwidert Lila. «Außerdem kann ich mir wirklich nicht vorstellen, mit jemand anderem als Dan zusammen zu sein. Ich war glücklich mit ihm.»

«Mir hast du immer erzählt, ihr hättet nur alle halbe Jahre mal Sex.»

«Ich hasse dein Gedächtnis. Egal. Das war erst am Schluss so.»

Eleanor zieht die Augenbrauen hoch und beschließt offenkundig, ihr das durchgehen zu lassen. «Ich denke, du brauchst ein bisschen Freude im Leben, Lils. Du musst auch mal lachen, dich flachlegen lassen, wieder entspannt werden. Du siehst immer noch gut aus. Du musst wieder in Fahrt kommen.»

«Ich werde nicht mit dir zu einer Sexparty gehen, Eleanor.»

«Dann such dir jemanden online. Triff dich einfach mit jemandem. Versuch es mal.»

Lila schüttelt den Kopf. «Eher nicht. Aber ich werde versuchen, weniger *stechend* zu wirken. Oh verdammt, wie oft haben wir den Kellner schon um die Rechnung gebeten? Muss ich hingehen und sie ihm aus der Hand reißen?»

Bill hat zum Abendessen Fisch gedünstet. Der miefige Geruch schlägt ihr schon im Flur entgegen. Sie schließt einen Moment lang die Augen, erinnert sich daran, dass er etwas Nettes tut, indem er für sie kocht, und die Tatsache, dass das Haus die nächsten achtundvierzig Stunden nach Fischtheke riecht, nur ein bedauerlicher Nebeneffekt ist.

Aber bitte nicht mit Linsen, denkt sie und beugt sich herunter, um Truant Hallo zu sagen, der sie begrüßt, als wäre sie die einzig verlässliche Bezugsperson im Universum.

«Hallo, Liebes. Ich habe Fisch mit Linsen zum Abendessen gemacht», ruft Bill und taucht in der Schürze ihrer Mutter auf. «Ich habe auch ein bisschen Ingwer und Knoblauch drangemacht. Ich weiß, dass die Mädchen das nicht mögen, aber es ist sehr gut für ihr Immunsystem.»

«Okay!», sagt sie und überlegt, ob es möglich wäre, Essen kommen zu lassen, ohne dass Bill es mitkriegt.

«Wie war dein Tag, Lila?» Er mixt ein Dressing für einen grünen Salat, und im Hintergrund läuft Radio 3. Seine Schuhe glänzen wie Kastanien, und er trägt ein Hemd mit Krawatte, obwohl er schon seit dreizehn Jahren im Ruhestand ist.

«Oh, gut. Ich habe mich zum Mittagessen mit Eleanor getroffen. Danach hatte ich einen Termin mit dem Steuerberater.» Sie will nicht über das Treffen mit dem Steuerberater sprechen. In ihrem Kopf hatte ein leises Rauschen eingesetzt, während er die Spalten mit dem zu erwartenden Einkommen und den anstehenden Steuerzahlungen durchgegangen war. «Und wie war dein Tag? Meine Güte – was ist das?» Sie muss zwei Mal hinschauen. Das Bild, das an der Arbeitsplatte lehnt, zeigt leicht abstrahiert eine nackte Frau. Eine Frau, die dieselben grauen Locken und dieselbe Schildpattbrille hat wie ihre Mutter. «Bitte sag mir, dass das nicht ...»

«Deine Mutter. Mir fehlt ihre Anwesenheit. Ich habe gedacht, es wäre schön, sie im Wohnzimmer zu haben.»

«Aber Bill. Sie ist nackt.»

«Oh, das hat deine Mutter nie gestört. Du weißt, dass sie sehr entspannt war, was ihren Körper anging.»

«Aber ich kann dir jetzt schon sagen, dass die Mädchen nicht sehr entspannt damit umgehen werden, wenn ihre nackte Großmutter über dem Fernseher hängt.»

Bill hält inne und hebt kurz die Brille auf seiner Nase an, als wäre ihm das vorher nie in den Sinn gekommen. «Ich weiß nicht, warum du den Aspekt der Nacktheit betonen musst. Es geht bei diesem Bild doch wirklich mehr um den Charakter, der sich darin zeigt.»

«Bill, in diesem Bild zeigt sich so ungefähr alles. Hör zu, ich weiß, dass du Mum vermisst. Warum hängst du es nicht in dein Zimmer? So ist es das Erste, was du morgens beim Aufwachen und das Letzte, was du vor dem Einschlafen siehst.»

Er betrachtet das Bild. «Ich dachte einfach, es wäre schön, wenn sie ein Teil des Familienlebens wäre. Über uns wacht.»

«Aber vielleicht lieber mit Hosen an? Ein Mitglied der Familie, das die Hosen anhat?»

Er seufzt, und sein Blick schweift ab. «Wenn du meinst.»

Plötzlich bekommt sie ein schlechtes Gewissen, und sie umarmt ihn, wie zur Entschuldigung. Er versteift sich leicht, als wäre jeder körperliche Kontakt so etwas wie ein Angriff. Sie denkt, dass ihre Mutter vielleicht der einzige Mensch war, mit dem sich Bill wirklich entspannt gefühlt hat.

«Wie wäre es mit einem schönen Foto? Ein paar mehr Fotos von Mum wären hier bestimmt gut.»

«Es ist, als hätte sie nie existiert», sagt er leise. «Manchmal sehe ich mich um und frage mich, ob sie überhaupt existiert hat.»

Sie schaut ihn an, sieht den Kummer, der sich in seine Gesichtszüge eingegraben hat, den Verlust, und es erscheint ihr, als wäre ihr eigener Kummer dagegen bedeutungslos. Sie hat ihre Mutter verloren, ja, aber er hat seine Seelenverwandte verloren.

«Ich habe eine Schachtel mit Bildern im anderen Haus», sagt er und atmet durch. «Fotos und so. Wenn du das Gemälde wirklich nicht hier haben willst.»

Mit einem schmerzhaften Gefühl, das sie nicht richtig einordnen kann, fällt ihr auf, dass er nicht «Zuhause» sagt. «Pass auf», sagt sie. «Lass es erst mal hier. So viel wie die Mädchen auf irgendwelche Bildschirme starren, bemerken sie es wahrscheinlich nicht mal.»

## VIERTES KAPITEL

Der Anruf kommt um Viertel nach zehn, genau elf Minuten nachdem es ihr seit Monaten das erste Mal gelungen ist, einen Absatz zu tippen, und neun Minuten nachdem sie den Gedanken zugelassen hat, dass sie es vielleicht doch wieder schafft zu schreiben. Sie nimmt das Gespräch an, den Blick weiter auf den Bildschirm gerichtet, sodass sie nicht sieht, wer anruft.

«Spreche ich mit Mrs. Brewer?»

«Hier ist Kennedy. Ich heiße jetzt wieder Kennedy.» Sie hasst es, darauf hinweisen zu müssen.

«Oh ... oh ja. Entschuldigen Sie, das hatten wir eigentlich eingetragen. Hier ist das Schulsekretariat. Wir wollten nur nachfragen, ob Celie heute Vormittag einen Termin hat, der uns nicht mitgeteilt wurde.»

«Wie bitte?»

«Celie. Sie fehlt heute. Wir haben uns gefragt, ob sie vielleicht einen Zahnarzttermin hat.»

Einen Moment herrscht Leere in Lilas Kopf. Hat sie den Termin vergessen? Sie sieht im Kalender nach. Nichts. «Was meinen Sie mit ... fehlt?»

«Sie ist nicht in der Schule.»

«Aber ich habe sie heute Morgen abgesetzt. Also, nicht abgesetzt, aber ich habe gesehen, wie sie in den Bus gestiegen ist.»

Darauf herrscht kurzes Schweigen. Die Art vielsagendes

Schweigen am Telefon, das einer Mutter sagt, dass sie echt null Ahnung hat.

«Nun, ihren Mitschülerinnen zufolge ist sie nicht angekommen. Sie hatte in letzter Zeit so viele Zahnarzttermine, dass wir uns gefragt haben, ob sie eine weitere Behandlung hat, von der uns nichts mitgeteilt wurde.»

«Zahnarzttermine?»

Erneutes Schweigen.

«Sie hat Entschuldigungsschreiben für den Nachmittagsunterricht mitgebracht ... ähm ... Drei Mal diesen Monat.»

«Sie ... hatte keinerlei Zahnarztbehandlung. Ich rufe sie an. Ich rufe sie an und melde mich wieder bei Ihnen.» In Lila steigt Panik auf. Plötzlich wird ihr Gehirn mit Schlagzeilen geflutet: *Vermisstes Mädchen tot im Fluss gefunden. Eltern sagen: Wir waren völlig ahnungslos.*

Sofort ruft sie Dan an. «Lila, ich bin in einer Besprech...»

«Weißt du, wo Celie ist?»

«Was?»

«Sie ist nicht in der Schule. Sie haben gerade angerufen.»

«Aber sie war bei dir.»

«Ja, das war sie, Dan. Ich wollte nur wissen, ob sie irgendwas zu dir gesagt hat. Ob ihr irgendetwas ausgemacht habt, von dem ich nichts weiß.»

«Nein, Lila. Ich erzähle dir alles.»

*Nicht alles*, will sie sagen, aber das ist nicht der richtige Moment.

«Okay. Ich versuche, sie anzurufen.»

Sie ruft an, aber Celie nimmt nicht ab. Nach dem vierten Versuch schickt sie ihr eine Nachricht:

Celie, wo bist du? Bitte sag mir, dass es dir gut geht.

Es dauert vier lange Minuten, bis sich Celie meldet. Vier Minuten, in denen Lilas Bein unter dem Schreibtisch in einem nervösen Tremolo zittert, vier Minuten, in denen ihr alle möglichen Szenarien durch den Sinn gehen, sodass ihr Herz und ihre Nerven beinahe anfangen zu flimmern.

   Hab einfach ein bisschen Me-Time gebraucht.
   Mir geht's gut.

Lila überkommt eine Nanosekunde lang Erleichterung, als sie die Nachricht vor sich hat. Doch dann wird ihre Panik unvermittelt von blinder Wut ersetzt. *Me-Time?* Seit wann braucht ein Teenager Me-Time? Sie atmet tief ein, bevor sie erneut tippt.

   Du solltest in der Schule sein. Sie haben angerufen,
   weil sie wissen wollten, wo du bist.

   Kannst du ihnen sagen, dass ich beim Zahnarzt bin oder
   so was?

   Wo bist du? Du musst nach Hause kommen. *Jetzt.*

Sie sieht die drei kleinen Punkte auf dem Display pulsieren und dann verschwinden. Sie starrt ihr Handy an.

   *JETZT*, Celie.

Wieder sieht sie die drei Punkte pulsieren, und dann kommt nichts mehr.

Lila hat in ihrer gesamten Kindheit nur ein Mal damit gedroht abzuhauen. Sie war acht oder neun Jahre alt gewesen, und es hatte irgendeine Auseinandersetzung gegeben – sie erinnert sich nicht mehr, worum es ging. Ihre Mutter war nie der Typ gewesen, der sich über unordentliche Zimmer aufregte («Das ist alles Kreativität! Sogar die Unordnung!») und sie hatte nicht auf strengen Regeln bestanden, deshalb fällt Lila der Grund nicht ein. Aber sie erinnert sich, dass sie ihren Kinderrucksack gepackt und Francesca höchst großartig verkündet hat, dass sie ginge. Ihre Mutter war bei der Gartenarbeit gewesen, hatte auf einem kleinen Kissen gekniet, das von ihrer eigenen Mutter bestickt worden war. Sie hatte sich umgedreht, mit einer behandschuhten Hand ihre Augen abgeschirmt und in die Sonne geblinzelt. «Du gehst? So wie in: Ich gehe für immer?»

Wutentbrannt hatte Lila genickt.

Francesca hatte einen Moment lang den Blick gesenkt und nachgedacht. «Okay», sagte sie. «Dann brauchst du was zu essen.» Sie zog die Handschuhe aus und stand auf, und dann schob sie Lila in die Küche und begann, in den Schränken herumzukramen. «Du wirst Kekse brauchen, denke ich. Und vielleicht ein bisschen Obst?»

Lila hatte ihren Rucksack aufgehalten, während ihre Mutter in der Küche herumwuselte. «Und einen Teller. Es ist nämlich schwer, etwas zu essen, wenn man keinen Teller hat. Wie wäre es mit ein paar von den Papptellern, die wir mal beim Picknick dabeihatten? Die sind nicht so schwer.»

Lila erinnert sich an die leichte Verwirrtheit, die sie überkommen hat, als es so weiterging, daran, wie sich ihre Wut aufgelöst hat, an die zupackende Tatkraft ihrer Mutter, als hätte ihr Lila gerade einen vollkommen nachvollziehbaren Plan präsentiert. «Jetzt fällt es mir ein!», verkündete Francesca, während sie den Reißverschluss des Rucksacks zuzog und Lila überhaupt nicht mehr so richtig wusste, was sie jetzt als Nächstes tun sollte. «Monster Munch! Die wiegen praktisch gar nichts, und die magst du doch so. Der Rucksack soll ja nicht zu schwer werden.»

Monster Munch mit Zwiebelaroma waren tatsächlich Lilas Lieblingssnack. Sie nickte, während Francesca die Schränke durchsuchte, Türen öffnete und wieder schloss. «Oh Mist. Wir haben keine mehr. Sollen wir schnell welche an der Ecke besorgen gehen?»

Lila kann sich nicht erinnern, was aus ihrem Plan mit dem Weglaufen geworden ist. Aber sie weiß noch, dass ihre Mutter mit ihr zu dem Laden gegangen ist, der Bürgersteig gespeicherte Sonnenhitze abstrahlte, sie sich mehrere Tüten Monster Munch aussuchen durfte und ihre Mutter verkündete, sie werde sich auch eine Tüte kaufen. Dann gingen sie langsam zurück, aßen die aufgeblähten Kartoffelchips und redeten über die fette, getigerte Katze von der Hausnummer 81, Francescas Lieblingsfolge von *Dr. Who* und darüber, ob sie die Haustür rot lackieren sollten. Jetzt wird Lila bewusst, dass ihre Mutter sie nicht nur abgelenkt, sondern das auch auf eine Art getan hat, die es Lila leicht machte, von ihrem Plan zurückzutreten. Woher hat meine Mutter immer ganz genau gewusst, was am besten zu tun war?, fragt sie sich. Und dann: Kann man immer noch Monster Munchs mit Zwiebelaroma kaufen?

Sie sieht Celie, bevor Celie sie sieht. Sie ist auf dem kleinen Platz an der Einkaufsstraße, wo der Wind leere Fast-Food-Kartons vor sich hertreibt und ein paar planlos verteilte Plastikstühle und -tische so etwas wie Kaffeehauskultur imitieren. Celie sitzt auf der Einfassungsmauer eines Blumenbeets und hat den Blick auf ihr Handy gesenkt. Für Lila gibt es kaum noch Gründe, Dan dankbar zu sein, doch seine Nachricht, mit der er sie daran erinnert hat, dass sie *Find My Phone* auf Celies Handy installiert haben, entlockt ihr ein aufrichtiges *Gott sei Dank*.

«Celie?» Lila setzt sich neben sie und berührt ihren Arm.

Celie zuckt zusammen. Einen Moment lang ist sie leicht verwirrt, dann wird ihr offensichtlich klar, dass sie mit *Find My Phone* aufgespürt wurde, und Lila fragt sich, wie lange es wohl noch dauern wird, bis ihre Tochter die App löscht. «Was ist los?» Ihr Ärger hat sich aufgelöst. Übrig geblieben ist nur Sorge.

«Ich will nicht darüber reden.»

Sie sieht ihre Tochter an, ihr langes schwarzes Haar, das Lilas Haaren so gar nicht gleicht. Sie wünschte, dass Celie wieder so viel lächeln würde wie früher – dass ihr Strahlen zurückkehren würde. Doch dieser Tage ist Celie beinahe stumm, zieht sich in ihr Zimmer zurück oder vertieft sich in ihr Handy, sodass sie für ihre nun unzuverlässigen, unzulänglichen Eltern unerreichbar ist. «Okay.»

Sie überlegt, wie sie am besten mit dieser Situation umgehen soll. Was hätte ihre Mutter getan? Es erscheint ihr, als würden Stunden vergehen, bis sie es mit der einzigen Frage versucht, die ihr einfällt. «Geht es dir gut?»

Celies Stimme klingt kehlig unter dem Vorhang aus Haaren heraus. «Mir geht's gut.»

«Willst du mir erzählen, warum du den Unterricht geschwänzt hast?»

Celie sagt nichts. Nach einem Moment zuckt sie mit den Schultern. Mustert ihre Finger und richtet den Blick in die Ferne.

«Die Schule hat bei mir angerufen.»

Celie seufzt leise, vielleicht, weil sie weiß, dass sie in der Schule von jetzt an genau überwacht werden wird.

Lila senkt die Stimme. «Das ist gerade kein guter Zeitpunkt zum Schuleschwänzen, Liebling. Nicht, wenn Prüfungen anstehen.»

Sie hört beinahe, wie Celie die Augen verdreht. Eine Weile sitzen sie nur schweigend da. Lila sieht, dass Celie wieder an den Nägeln gekaut hat. Celie schaut sie an, öffnet leicht den Mund. Und in diesem Moment klingelt Lilas Telefon.

«Weißt du, wo die Silberpolitur ist?»

«Was?»

«Die Silberpolitur. Ich habe das Teeservice deiner Mutter mitgebracht, damit wir anständig Tee trinken können. Aber es ist ziemlich angelaufen, und ich finde keine Politur unter deiner Spüle. Oder in der Vorratskammer.»

«Ich glaube, wir haben keine. Und ich bin mitten in ...»

«Keine Politur? Aber wie putzt du dein Silber?»

«Wir haben kein Silber, soweit ich weiß. Bill, ich muss wirklich Schluss machen.»

Bill stößt einen enttäuschten Seufzer aus. «Vielleicht kann ich sie in dem Laden auf der High Street besorgen. Meinst du, sie haben dort welche?»

Celie hat sich abgewandt.

«Ich weiß nicht, Bill. Ich gehe auf dem Rückweg vorbei und schaue mal.» Sie beendet das Telefonat und legt Celie zaghaft die Hand auf den Arm. «Geht es um mich und Dad?»

«Meine Güte, Mum. Es dreht sich nicht immer alles um dich und Dad.»

Sie klingt seltsam, ein bisschen belegt und träge. Sie fragt sich, ob Celie gegen Tränen ankämpft. Und dann fängt sie ihn auf, einen ganz schwachen Geruch, süß und würzig. «Celie? ... Hast du *gekifft*?»

Celie wirft ihr einen wütenden Seitenblick zu, aber der sagt Lila alles, was sie wissen muss. «Was zum ... Celie, du kannst nicht kiffen! Du bist sechzehn!» Sie spürt den Fluch, den Celie murmelt, mehr, als dass sie ihn hört.

«Aber ... woher hast du es? Verkauft jemand Gras in der Schule?»

«Warum? Möchtest du welches?»

«Wie bitte?»

«Echt, Mum, du bist so eine Heuchlerin. Ich weiß, dass du abends kiffst. Du tust, als wäre ich total durchgeknallt, dabei machst du es selber.»

«Nein, das tue ich nicht.»

«Oh mein Gott. Lüg nicht. Ich rieche es, wenn mein Schlafzimmerfenster offen steht.»

«Das ist ... etwas anderes. Ich mache es nur, wenn ich nicht schlafen kann.»

«Und ich mache es, wenn ich mich nicht entspannen kann. Wo ist da der Unterschied?»

«Du bist sechzehn! Und ich bin zweiundvierzig!»

Wieder klingelt ihr Handy. Bill.

«Bill, ich kann jetzt nicht.»

«Ich weiß, Liebes. Ich wollte nur wissen, ob du mir auch Barkeepers Friend mitbringen kannst.»

«Was?»

«Das ist eine sehr gute Edelstahlpolitur. Weißt du, mir ist aufgefallen, dass es in der Küche ein paar Stellen gibt, die ein bisschen ... schmierig sind. Ich weiß, wie viel du zu tun hast, und wenn du mir eine Flasche mitbringst, kann ich ...»

«Okay. Okay, Bill. Ich besorge es.»

Sie steckt ihr Handy ein, und dann greift sie aus einem Impuls heraus unvermittelt nach Celies Tasche. Celie reißt ihr die Tasche weg. «Was fällt dir ein?»

«Wo ist es?»

«Lass los!»

«Das Gras! Wo ist es?»

Lila zieht an der Tasche, Celie zerrt zurück, und für einen kurzen, beinahe komischen Moment sitzen sie auf der Mauer und liefern sich ein Tauziehen um die Tasche.

«Ich fasse es nicht. Stopp!»

Es gelingt Celie, die Tasche an sich zu reißen, dann springt sie von der Mauer, das Gesicht rot vor Wut.

«Du darfst nicht kiffen, Celie!»

«Oh Gott, du bist dermaßen peinlich! Warum kannst du mich nicht einfach in Ruhe lassen?»

«Weil ... ich deine Mutter bin!»

Sie steht immer noch da und schreit den Namen ihrer Tochter, als Celie sich schon die Tasche unter den Arm geklemmt hat und zur Bushaltestelle läuft.

«Das ist meine Aufgabe!», ruft sie, doch ihre Stimme wird zusammen mit den leeren Chipstüten vom Wind weggetragen.

In diesem Augenblick ruft Bill erneut an. «Weißt du was, ich habe gedacht, ich bringe ein paar von meinen Untersetzern her. Ich habe gesehen, dass es ziemlich hässliche Ringe gibt, wenn die Mädchen ihre Gläser auf den Holztisch stellen. Könntest du mir auch Möbelpolitur mitbringen? Die mit Bienenwachs, nicht das schreckliche Chemiezeug. Dann mache ich mich dran, sobald du zurück bist.»

## FÜNFTES KAPITEL

Lila weiß nicht genau, wie es angefangen hat – wahrscheinlich mit ihrer Unfähigkeit, die verschiedenen Fernbedienungen richtig mit den jeweiligen Programmangeboten zu kombinieren, seit Dan, oder Technikfreak, wie ihn die Mädchen immer genannt haben, weg ist – jedenfalls schaut Lila inzwischen seit einigen Monaten eine untertitelte spanische Seifenoper, eine Telenovela. An den meisten Abenden, an denen sie eine Stunde erübrigen kann, wenn sie die Mädchen ins Bett gescheucht hat und noch nicht zu müde ist, um geradeaus zu schauen, rollt sie sich auf dem Sofa zusammen und sieht sich eine Folge von *La Familia Esperanza* an, eine endlos verschlungene Geschichte mit unfassbar glamourösen, Spanisch sprechenden Frauen, die sich heftig untereinander und mit den Männern bekriegen, die sie lieben. Alle tragen lebhafte Farben, es ist immer schönes Wetter, und sämtliche Mitwirkende werfen sich so fröhlich und hemmungslos Beleidigungen und Einrichtungsgegenstände an den Kopf, als wären sie Kleinkinder im Bällebad. Lilas Liebling ist Estella Esperanza, eine zierliche, stürmische Frau in Lilas Alter, die ein bisschen aussieht wie Salma Hayek. In den ersten sechs Folgen war sie eine unterdrückte graue Maus, doch dann entdeckte sie, dass ihr Ehemann Rodrigo sie mit seiner jungen Sekretärin betrog. Darauf verwandelte sie sich nach zahlreichen Folgen mit heulendem Elend, dem Trost ihrer Schwestern und Gebeten in der Dorfkirche langsam in einen Racheengel, und nun spioniert sie ihrem Ehemann und seiner Geliebten nach und denkt sich unendlich erfinderisch immer neue Wege aus, um ihnen dazwischenzufunken.

In dieser Woche hatte sie herausgefunden, dass Rodrigo und Isabella einen romantischen Kurztrip ans Meer planten, und es gelingt ihr irgendwie, kurzfristig eine Anstellung als Zimmermädchen in dem Luxushotel zu bekommen, wo sie die Nespresso-Kapseln in ihrem Zimmer mit Abführmittel befüllt. In der Woche davor hatte sie einen Typen von einem Escortdienst angeheuert, damit er mit Isabella in einer Bar flirtete, und dafür gesorgt, dass Rodrigo in die Szene platzte. In der Zwischenzeit hatte Estella bei einem Schützenverein schießen gelernt, was ihr bei dem attraktiven und mitfühlenden Lehrer umso leichter fiel, und es ist eindeutig nur noch eine Frage der Zeit, wann sie ihre stylische kleine Pistole aus ihrer Designer-Handtasche zieht und ihrem Mann das gibt, was er verdient. Doch bisher ahnt Rodrigo nichts, weil er seine Frau für eine unterdrückte graue Maus hält. Manchmal versetzt sich Lila an Estellas Stelle, wie sie, ganz in Schwarz, elegant und verletzt wirkend, über den Schulhof schreitet, belastende Fotos von ihrem Ex-Mann verstreut und Beleidigungen brüllt, die auf Spanisch irgendwie so viel besser klingen, oder, an ihren schlimmeren Tagen, wie sie eine Pistole aus ihrer Designer-Handtasche zieht (auch wenn sie eigentlich keine Designer-Handtasche hat) und einfach ... na ja, einfach allen ein bisschen Angst einjagt.

Sie erzählt niemandem von dieser kleinen Fantasie; denn nachdem sie Eleanor gegenüber einmal damit herausgeplatzt ist, war ihre Freundin erstarrt und hatte gefragt: *Bist du okay?* Aber sie sieht sich die Serie weiter an, wünscht sich, dass Estella noch wildere, schrecklichere Dinge tut, auch wenn sie selbst in ihrer Jogginghose voller Hundehaare dasitzt und ihr eigenes Haar achtlos mit einem Zopfgummi zu einem Pferdeschwanz zusammengezurrt hat.

Die nächsten drei Tage spricht Celie kein Wort mit Lila. Sie schleicht sich nach der Schule geradezu ins Haus, kommt so leise herein, dass Lila manchmal erst mitbekommt, dass sie zurück ist, wenn ihr Bill zuruft, ob sie etwas trinken möchte und dass viel Wasser zu trinken wichtig ist. An einem Abend hat sie das Abendessen ausfallen lassen, behauptet, sie habe zu viele Hausaufgaben zu machen, und an den beiden anderen Abenden saß sie mit gesenktem Kopf am Tisch, als wäre sie überall lieber als zu Hause. Lila hat ihr Zimmer zwei Mal durchsucht, aber keine Drogen gefunden, die ganze Zeit erfüllt von Schuldgefühlen, sodass sie jetzt beinahe Angst hat, Celie anzusprechen, weil sie befürchtet, sich zu verraten.

«Du warst ganz genauso, Liebes», sagt Bill, als Celie kurz aufsteht, um ins Bad zu gehen.

«War ich nicht.»

«Oh doch. Du hast praktisch zwei Jahre lang keinen Ton gesagt. Hast deine Mutter komplett in den Wahnsinn getrieben. Und dann bist du siebzehn geworden und hast wieder angefangen zu reden. Sie kriegt sich wieder ein. Sechzehn ist einfach ein schwieriges Alter.»

Sie erzählt Bill nichts von dem Gras. Er kommt ja schon kaum mit der Vorstellung klar, dass die Mädchen Coca-Cola trinken. Davon abgesehen ist er beschäftigt. Wie er beim Abendessen verkündet, hat er beschlossen, den Garten auf Vordermann zu bringen. «Ich dachte, wir könnten einen Gedenkgarten daraus machen. Oder zumindest aus einer Ecke. Es wäre schön, einen Ort zu haben, um uns mit der Natur zu verbinden und an eure Großmutter zu denken.»

«Die Nachbarskatze kackt in unseren Garten», sagt Violet, die verstohlen Karottenstücke unter ihr gedämpftes Hühnchen schiebt. «In der Ecke ist es SEHR natürlich.»

«Wir versprühen ein bisschen Zitrusöl. Das schreckt sie meistens ab.»

«Aber dann ist trotzdem noch ziemlich viel Kacke in der Erde. Haufenweise. Wahrscheinlich könnte man ein richtiges Kacke-Baby aus der ganzen Kacke in unserem Garten züchten. Ein riesenhaftes Kacke-Baby.»

Bill ist kurz perplex von dieser Wendung des Gesprächs, und Lila ist dankbar. Den Garten herzurichten, bedeutet Ausgaben, und sie ist an dem Punkt angekommen, an dem sie nicht über Geld nachdenken kann, ohne dass ihr die Angst wie mit einem Riesenhammer auf den Magen schlägt. Der Klempner-Notdienst kostet jeden Monat ein paar Hunderter, nur um die Funktionsfähigkeit der Toiletten zu erhalten. Die Summen, die sie jeden Monat einfach nur für das Nötigste braucht, sind schwindelerregend. Und sie ist ihrem Entwurf für ihr neues Buch über die anscheinend endlosen Freuden des Daseins als alleinerziehende Mutter noch keinen Schritt näher gekommen.

«Was sagst du zu einem Gedenkgarten, Celie?», fragt Bill sanft.

Celie ist zurückgekommen und hat ihr Besteck in die Tellermitte geschoben. «Klar.»

«Wäre es nicht schön, einen Platz zu haben, an dem man sich hinsetzen und an Grandma denken kann?»

«Wir könnten eine Bank aus getrockneter Kacke machen», sagt Violet mit einem Kichern. «Und uns da draufsetzen.»

«Vi, du bist ekelhaft.» Celie nimmt ihren Teller und geht damit zum Abfalleimer, schirmt dabei den Teller ab, sodass niemand sehen kann, wie viel Essen sie in den Müll schiebt.

«Ich habe eine sehr schöne Holzbank», fährt Bill tapfer fort, «ich habe sie drei Monate nach Francescas Tod gebaut. Es ist eine Lutyens-Bank mit geschwungener Rückenlehne. Sie ist aus Eiche, kann also gut draußen stehen. Ich könnte sie mitbringen und in die Ecke mit dem Fliederbaum stellen.»

«Wir haben einen Flieder?», fragt Lila.

«Es wäre gut, die Rabatten mehr zu pflegen. Der Garten hat eine anständige Größe. Vielleicht könnten wir sogar ganz hinten ein paar Hochbeete mit Gemüse anlegen.»

«Aber keine Zucchini», sagt Violet, die Truant heimlich mit Hühnchen füttert. «Ich hasse Zucchini.»

«Ich habe mich sehr nett mit Jensen unterhalten. Er wohnt am Ende der Straße. Wir haben hier eine Runde gedreht, während du bei deinem Steuerberater warst, Lila. Er hat alle möglichen Ideen dazu, was wir verbessern könnten.»

«Jensen?»

«Er ist Landschaftsgärtner. Du bist ihm letzte Woche begegnet. Anscheinend hat es dir nicht gefallen, dass er sich den Baum angeschaut hat. Das fand er ziemlich lustig.»

«Ich wusste nicht, wer er war.»

«Er ist ziemlich gefragt, aber er hat deine Mutter sehr gemocht, also hat er gesagt, dass er uns so bald wie möglich dazwischenschiebt.»

«Nett von ihm», sagt Lila und fragt sich schon, was er wohl pro Stunde nimmt.

«Und er ist umweltbewusst. Viele bienenfreundliche Pflanzen, klimaverträgliche Bepflanzung, keine schädlichen Pestizide und recycelte Materialien, wenn möglich.»

«Und was hält er von Kacke-Bänken?», fragt Violet mit erhobener Stimme.

Das überhört Bill lieber. «Wie dem auch sei. Er kommt am Freitag wieder. Am besten bringen wir den Stein schon mal ins Rollen, oder?»

Lila will nicht daran denken, wohin dieser spezielle Stein rollt. Während der vergangenen Wochen ist ihr aufgefallen, dass Bill, auch wenn er nie direkt über seine Absichten spricht, anscheinend auf Dauer bleiben will. Unbekannte Gegenstände tauchen in ihrem Haus auf, das ohnehin schon mit Umzugskisten vollgestellt ist, die sie immer noch nicht ausgepackt hat, weil dazu einfach die Energie fehlte. Oder die Haufen mit Sachen, für die die Mädchen noch nicht den richtigen Platz gefunden haben, die aber offensichtlich auch nicht weggegeben werden können, sodass sie als Staubfänger in den Ecken liegen. In ihrer Diele lehnt ein Kinderfahrrad an der Wand. Es ist zu klein für Violet, aber als sie die Möglichkeit zur Sprache gebracht hat, es zu einem Wohltätigkeitsladen zu bringen, haben beide Mädchen losgejammert, das Rad habe zu ihrer Kindheit gehört, und Lila hat nach dem Zerbrechen der Familie zu große Schuldgefühle, um sich durchzusetzen.

Und vor diesem ohnehin schon vollgestopften Hintergrund sind ihr neue Gegenstände aufgefallen. Eine Sammlung mit Klaviernoten, ein Zedernholztisch, in den eine Landkarte von Südamerika geschnitzt ist, Bills alte Stereoanlage samt Klassik-LPs aus den Siebzigerjahren. Als sie in der Woche zuvor den Kopf ins Gästezimmer gesteckt hat, während Bill nicht da war, hat sie einen Mahagonischrank entdeckt, den er irgendwie hereingeschafft hatte. Er füllt die Nische rechts vom Kamin aus und ist so glänzend poliert, dass sich Bills säuberlich gemachtes Bett darin spiegelt. In dem Schrank hingen perfekt gebügelte Hemden im Abstand von genau einem Zoll nebeneinander. In ihrem Badezimmerschrank stehen jetzt ordentlich aufgereiht Fläschchen und Schachteln mit Bills unterschiedlichen Medikamenten, Blutverdünner, Cholesterinsenker, Herztabletten, zusammen mit einer unendlichen Auswahl an Vitaminen und Nahrungsergänzungsmitteln.

Lila weiß nicht recht, was sie davon halten soll. Sie braucht Bill. Die Mädchen brauchen einen Erwachsenen in der Nähe, wenn sie selbst nicht da ist, und mit seinem Putzen und Kochen hält er einen gewissen Anschein von Ordnung aufrecht, während sie selbst unfähig dazu ist. Aber mit Bill zusammenzuwohnen, ist manchmal, als wäre er ein wandelnder Tadel an ihrer Haushaltsführung. Zum Beispiel, wenn sie nach Hause kommt und das schmutzige Frühstücksgeschirr nicht mehr in der Spüle steht, sondern abgewaschen und ordentlich auf das Trockengestell geräumt ist, oder wenn sie das sauber glänzende Fenster des Holzofens sieht, das vorher beinahe undurchsichtig vor Ruß war. Wenn Bill kocht, wenn er aufräumt, wenn er auf Ruhe und Ordnung besteht, ist das wie eine ständige Erinnerung daran, dass sie das alles nicht bieten kann. Und obwohl ihr rational bewusst ist, dass er ihr mit seinem Verhalten hilft, hat irgendein düsterer Teil von ihr zugleich das Gefühl, davon an ihr Versagen erinnert zu werden.

Denn sie muss versagt haben, weil Dan sonst geblieben wäre.

«Also», sagt Bill, während er die Teller, die er vorher unter fließendem Wasser abgespült hat, in die Spülmaschine räumt, «Jensen kommt morgen vorbei, um mit seiner Entwurfsplanung anzufangen. Das wird bestimmt nett, oder?»

Celie hat sich diese Woche geweigert, zu Dan zu gehen, und Lila rechnet halb mit einer Tirade darüber, wie sie die Mädchen gegen ihn aufbringt. Doch er klingt merkwürdig verhalten, beinahe versöhnlich.

«Ich kann sie nicht zwingen, zu dir zu kommen, Dan», fängt sie an, doch er unterbricht sie.

«Das ist eigentlich nicht das Thema, über das ich sprechen wollte. Obwohl es mir natürlich lieber wäre, wenn sie käme. Sie ist meine Tochter.»

«Sie mögen es nicht gern, wenn sie kein eigenes Zimmer haben. Celie ist in einem Alter ...»

«Das Haus hier ist ziemlich klein, Lils.»

*Nenn mich nicht Lils*, will sie sagen, schluckt es aber hinunter.

«Diese Dinge sind Celie einfach wichtiger geworden. Ich sage es ja nur.»

Wie wird es laufen, wenn das Baby da ist?, geht es ihr plötzlich durch den Kopf. Wird es dann überhaupt noch Platz für die Mädchen geben? Sich für zwei Nächte die Woche von ihnen zu verabschieden, löst jedes Mal leicht widersprüchliche Gefühle in ihr aus. Ja, sie will, dass die beiden eine Beziehung zu ihrem Vater haben, und ja, es ist manchmal eine Erleichterung, eine Pause von Celies unberechenbaren Launen und Violets niemals endender Fragerei zu haben. Aber sie sind ihre *Babys,* und es gibt keinen Tag, an dem sie ohne die beiden sein will.

«Ich weiß. Und ich bin dabei zu überlegen, wie ich genügend Platz für alle schaffen kann.» Er spricht nicht offen von dem Baby. Es bleibt immer eine vage Andeutung. Mit einem Mal fragt sie sich, ob er Bedenken hat, noch einmal Vater zu werden. Sein nächster Satz lenkt ihre Aufmerksamkeit wieder zurück. «Und das war der eigentliche Grund, aus dem ich angerufen habe.»

«Wie bitte?»

Dan seufzt schwer, als bereite es ihm Schmerzen, darüber zu sprechen. «Wir werden vermutlich irgendwann umziehen müssen. Wir brauchen etwas Größeres. Und bei der Zeitschrift läuft es gerade nicht so gut. Es sind Entlassungen im Gespräch. Ich meine, ich bin ziemlich sicher, dass ich meinen Job behalte, aber meine monatlichen Verpflichtungen sind ziemlich horrend.»

*Sind wir jetzt «monatliche Verpflichtungen»?,* denkt sie.

«Ich meine, wenn das Baby da ist, werde ich wahrscheinlich nicht mehr so viel zahlen können wie bisher.»

Darauf herrscht kurze Stille.

«Wie bitte?»

«Ich meine, ich zahle mehr, als ich muss, wenn es nach dem Gesetz geht.»

«Dan, es sind deine Kinder.»

«Ich weiß. Und ich weiß, dass du eine Schreibblockade hattest, deshalb habe ich ja versucht, so viel zu zahlen, wie ich kann. Aber ich habe mit einer Anwältin gesprochen, und sie sagt, ich habe die gesetzliche Pflicht, dafür zu sorgen, dass alle Kinder gleichbehandelt werden.»

«*Alle* Kinder?»

«Na ja, Marja und ich sind jetzt ein Paar. Also muss ich mich auch um Hugo kümmern. Sein Vater ruft dabei nämlich nicht gerade als Erster «Hier». Also sind vier Kinder zu unterhalten, das sind ziemlich viele. Marja und ich brauchen definitiv noch ein zusätzliches Zimmer. Wir haben hier nur drei, wie du weißt, und du wohnst in einem Haus mit fünf Schlafzimmern ...»

«Dan, ich werde dieses Haus nicht verkaufen.»

«Ich erwarte ja auch nicht, dass du das Haus verkaufst.»

«Ich habe es mit dem Geld für mein Buch bezahlt. Es ist das *Zuhause* unserer Kinder.»

«Ich weiß. Ich sage ja auch gar nichts über dein Haus. Nur, dass ich nicht mehr so viel zur Unterstützung zahlen kann.»

Sie blinzelt. «Wie viel weniger?»

«Vielleicht fünfhundert im Monat.»

Die Summe verschlägt ihr die Sprache.

«Ich muss eine weitere Hypothek aufnehmen. Und bei den Zinsen im Moment werde ich vermutlich kein gutes Angebot bekommen. Es tut mir wirklich leid, Lils. Aber die finanzielle Situation ist eben, wie sie ist. Du hast immer mehr verdient, und ich hatte kein Problem damit, dass du und die Mädchen in dem Haus bleiben.»

«Meinem Haus. Unserem Haus. Und ich verdiene kaum etwas.»

«Wie auch immer. Ich wollte dir vorher Bescheid geben. Ich stelle fest, zu welcher Zahlung ich verpflichtet bin, und hoffentlich kann ich dir ein bisschen mehr geben als das.»

Sie legt auf. Sie fühlt sich wie erschlagen. Sie sieht die Ausgaben vor sich, die sie schon mit Dans Beitrag kaum stemmen konnte, und jetzt? Das ist doch nicht fair! Sie würde am liebsten losschreien. Wie kann es fair sein, dass du abhauen und eine glückliche neue Familie haben kannst und wir alle darunter leiden müssen? Sie lässt den Kopf in die Hände sinken.

Dann taucht Bill an der Tür auf. «Tut mir leid, wenn ich störe, Lila, Liebes, aber Jensen ist da.»

Sie sieht blinzelnd auf.

«Der Landschaftsgärtner.»

Hinter Bill erscheint das Gesicht eines Mannes. Es ist nicht so scharfkantig, wie sie es in Erinnerung hat. Eine sandfarbene Haarsträhne hängt über die etwas mit Schmutz besprützte Wange. «Hi ... ich wollte nur fragen, ob Sie fünf Minuten haben, um kurz rauszukommen, damit wir besprechen können, was zu tun ist. Ach, und Ihr Baum vor dem Haus fängt an, sich zu neigen. Da müssten Sie was unternehmen.»

«Ich weiß. Ich muss wegen allem was unternehmen», blafft sie, und Bills Augenbrauen schießen in die Höhe.

Jensen scheint es nicht mitbekommen zu haben. «Es könnte sein, dass er abstirbt. Auf jeden Fall würde ich empfehlen, dass da mal ein Baumpfleger einen Blick draufwirft. Ich kenne jemanden, dessen Preise nicht *zu* astronomisch sind.»

Sie bekommt kaum mit, was Jensen über ihren Garten sagt. Der Abend ist ungewöhnlich mild, und die Sonne leuchtet golden durch das Geäst der Bäume, während er herumgeht und gestenreich von Hochbeeten und Kieswegen spricht. Ihr schwirrt noch der Kopf von den Konsequenzen dessen, was Dan ihr gesagt hat. Es ist nicht nur die Sorge um das Geld – es ist die Ungerechtigkeit der Situation. Am liebsten würde sie sich vor sein Haus stellen und den ganzen Abend pausenlos schreien: *Wie kannst du uns das antun?*

«Und dann dachte ich, Sie könnten vielleicht ein Wasserspiel bauen. In Kent gibt es einen tollen Recyclinghof, auf dem sie Stücke haben, die super aussehen würden. Sie sind nicht mehr so billig wie früher – inzwischen sind alle darauf gekommen, dass Altmaterial angesagt ist –, aber das würde einen wirklich schönen Blickfang abgeben.»

«Wir könnten die Bank danebenstellen», sagt Bill.

«Die Kacke-Bank?», kommt es hoffnungsvoll von Violet. Irgendwie hat sie die Cola light entdeckt, die Lila in dem Schrank mit den Reinigungsmitteln versteckt hatte, und schlürft geräuschvoll aus der Dose.

«Kacke-Bank?», sagt Jensen.

«Frag lieber nicht», sagt Bill. «Vielleicht könnten wir zwei Wasserspiele bauen. An beiden Seiten dieses schönen Ahorns. Wenn wir ein paar von diesen Rankpflanzen entfernen, ergibt sich bestimmt ein schöner Platz darunter.»

Oh Gott, denkt Lila. Was ist, wenn Dan beschließt, dass er nicht mehr in der Nähe wohnen kann? Marjas Sohn ist noch klein genug für einen Schulwechsel. Wenn sie ein größeres Grundstück wollen und Geldprobleme haben, ziehen sie vielleicht in einen Vorort. Dann müssen Celie und Violet den Bus nehmen, um zu ihrem Vater zu kommen. Dann ist es nicht mehr einfach die Straße runter, sondern in einem ganz anderen Bezirk. Und was ist, wenn er aufs Land zieht? Was ist, wenn Marja das Haus bekommt, das Lila immer haben wollte, mitten im Nirgendwo, mit Wiesenblumen und Kaminfeuer und einem Klinkerboden in der Küche?

«Lila?»

Bills Hand liegt auf ihrem Oberarm. Sie hebt ruckhaft den Kopf, und er sieht sie an, erwartet offenkundig eine Antwort.

«Mmh … ja», sagt sie, ohne zu wissen, was sie gefragt worden ist. Ja ist normalerweise die passende Antwort.

In diesem Moment sieht sie aus dem Augenwinkel Celie durch die Küche gehen. Sie trägt ihre kurze Bomberjacke, und ihre Augen sind mit schwarzem Kajal umrandet.

«Eigentlich nein.»

«Nein?»

«Celie?», ruft sie durch den Garten. Celie blickt kurz zu ihr hinüber, dreht sich dann aber um, eindeutig, weil sie eilig das Haus verlassen will. «Celie! Wohin gehst du?»

Celie bleibt stehen.

«Raus.»

«Wohin ‹raus›?»

«Magst du keine Wasserspiele?», fragt Bill. «Der Springbrunnen bei meinem Haus hat dir doch immer so gut gefallen.»

Lila läuft auf ihre Tochter zu.

«Celie! Wag nicht wegzugehen, bevor wir miteinander gesprochen haben!»

Celie hebt das Kinn, wie es diejenigen tun, deren Pläne ständig durchkreuzt werden. «Oh mein Gott, bist du jetzt auch noch meine Gefängniswärterin?»

«Ich will nur wissen, wo du hingehst!»

«Warum?»

«Es muss ja kein Wasserspiel sein», sagt Bill mit erhobener Stimme. «Ich dachte nur, eine Statue deiner Mutter wäre ein bisschen übertrieben.»

«Rauchst du wieder Gras?»

«Gras?», fragt Bill.

Jensen geht ein paar Schritte auf Lila zu. «Also, ich kann auch ein anderes Mal wiederkommen, wenn es jetzt nicht so gut passt.»

«Es passt nie gut», sagt Lila. «Im Moment passt überhaupt nichts gut. Nicht, dass mein Baum umfällt, nicht, dass meine Klos verstopft sind, nicht, dass mich mein eigenes Buch jeden verdammten Tag zur Lachnummer macht, und ganz bestimmt nicht, dass mein Mann seine viel jüngere Geliebte auf ihrem verdammten Noguchi-Couchtisch schwängert.»

«Okay», sagt Jensen.

Celie stampft zu Lila und baut sich vor ihr auf. «Ich gehe mich im Park besaufen, okay? Ich werde mich komplett mit Gras zudröhnen, von dem du Heuchlerin sagst, es wäre schlecht, obwohl du dir selber gern mal welches reinziehst. Ich werde literweise Alkohol trinken und eine Tonne Gras rauchen, anschließend lasse ich mich von fremden Männern betatschen, während ich im Drogenrausch bin. Ist das okay? Oder willst du deswegen womöglich Theater machen?»

«Klingt nach einem guten Abend!», sagt eine Stimme. Lila wirbelt herum. Sie starrt den Mann an, der gerade durch die hintere Gartentür hereingekommen ist, einen verschrammten Rollkoffer hinter sich herzieht und dessen breites Lächeln eine Reihe unmöglich weißer Zähne sehen lässt.

Celie sieht ihn an, dann Lila, die sprachlos und mit leicht offenem Mund dasteht.

«Mum ...?», sagt Celie unsicher.

«*Gene*?», sagt Lila. Und dann schießt Truant aus der Terrassentür wie eine riesige, haarige Kugel und versenkt ohne Zögern seine Zähne in das Bein des Mannes.

## SECHSTES KAPITEL

## Celie

Celie steht in der Ecke der Küche, während sich der Gärtner um die Wunde des alten Mannes kümmert. Er kniet vor ihm wie ein Leibeigener aus dem Mittelalter. Er hat eine Verbandsrolle neben sich liegen und besprüht das Bein des Mannes großzügig mit Desinfektionslösung. «Hundebisse können alle möglichen Bakterien übertragen», sagt er. «Ich habe die Stelle mit Kochsalzlösung gereinigt, aber Sie sollten darauf achten und sofort in die Notaufnahme gehen, wenn es nicht heilt.»

Der alte Mann sitzt zurückgelehnt auf dem Küchenstuhl und wirkt seltsam fröhlich. Celie schätzt, dass er zu den Männern gehört, die gern im Mittelpunkt der Aufmerksamkeit stehen, selbst wenn sie dafür einen Hundebiss in Kauf nehmen müssen. «Katzen sind schlimmer», sagt er nun mit ausgeprägt amerikanischem Akzent. «Ich habe mal mit einem Typ in Tennessee gearbeitet, der am Set zwischen zwei Takes von einer streunenden Katze gekratzt wurde. Sein ganzer Arm ist angeschwollen, und er konnte wochenlang nicht an den Dreharbeiten teilnehmen. Der Regisseur hat seinen ganzen Text einem Statisten gegeben. Er war allerdings ein Arsch. Wenn ich das gewusst hätte, dann hätte ich ihm einen ganzen Haufen Katzen in den Wohnwagen gesetzt. Hätte mir eine Menge Kummer erspart.»

Während der Alte weiterschwatzt, steht Celies Mum mit steinerner Miene am Wasserkocher. Aber ihr Gesichtsausdruck ist noch die reinste Willkommen-Fußmatte verglichen mit Bills. Er steht mit vor der Brust verschränkten Armen da, die Beine leicht gespreizt, wie ein zweitklassiger Politiker. Er hat den Amerikaner keinen Moment aus den Augen gelassen, seit er hereingekommen ist, als würde er halb damit rechnen, dass der Mann aufspringt und mit dem abhaut, was vom Familienschmuck noch übrig ist.

Meena fragt sie dauernd per SMS, wann sie kommt, aber Celie ignoriert das Summen in ihrer Hosentasche. Meena ist zurzeit ziemlich launisch, und Celie weiß nicht, ob sie ihr noch vertrauen kann.

«Ich denke, das war's», sagt der Gärtner und steht auf. Er lächelt. Abgesehen von dem alten Mann ist er der Einzige im Raum, der lächelt. «Wie gesagt, vielleicht gehen Sie sicherheitshalber in die Notaufnahme. Für eine Bisswunde ist es ziemlich tief.»

«Einen richtigen Wachhund hast du hier, Lila.» Der alte Mann mustert den Verband.

«Er hat vorher noch nie jemanden gebissen», sagt Violet schnell.

«Der Hund hat einen tadellosen Geschmack», murmelt Bill, und Violets Kopf fährt herum. Bill sagt nie etwas Gemeines über irgendwen.

«Schön, dich zu sehen, Bill», sagt der alte Mann.

«Ich wünschte, ich könnte das Gleiche sagen, Gene», gibt Bill zurück.

Gene wendet sich an den Gärtner und streckt ihm seine kräftige, gebräunte Hand hin. Die Venen treten hervor, als wären es Würmer. «Ich bin Ihnen sehr verbunden, junger Mann. Vielen Dank für Ihre Mühe.»

«Nicht der Rede wert.»

Celie schaut ihre Mutter an, die immer noch mit versteinerter Miene dasteht.

«Gehören Sie zu unserer Familie?», fragt Celie schließlich.

«Allerdings! Und du musst Celia sein. Als ich dich das letzte Mal gesehen habe, warst du ein Dreikäseho...»

«Ein Baby», unterbricht ihn Lila. «Sie war ein Baby. Als du sie zum letzten Mal gesehen hast. Und sie heißt Celie. Schon immer.»

Bill ist der einzige Mann, den es in Celies Familie noch gibt. Sie hat noch einen anderen Großvater, den Vater ihres Dads, aber Granny und Grandpa Brewer wohnen oben in Derby in einem kleinen, furchtbar ordentlichen Haus, zu dem sie selten fahren, weil Granny Brewer Unordnung und Chaos nicht mag und ihr Haus zu klein für Besuch ist, und besonders für Kinder, die die akkurat drapierten Gardinen durcheinanderbringen und Schmutz in den Teppich eintreten. Bei ihrem letzten Besuch dort war Violet noch klein und hat in das Gästebett gepieselt, das keinen Matratzenschoner hatte, und man hatte ihnen erklärt, dass sie das nächste Mal in einem Hotel übernachten müssten. Sie waren ganz anders als dieser große, laute Mann mit dem dunklen Schopf, Filmstarlachfältchen und einem ... ist das ein Nirvana-T-Shirt?

«Und du bist die kleine Violet! Komm her, Schätzchen!», sagt er und breitet die Arme aus. Und Violet, ohne nachzudenken, lässt sich von ihm umarmen. «Es ist einfach großartig, endlich bei euch zu sein!» Celie beobachtet, dass das Gesicht ihrer Mutter weiter vollkommen ausdruckslos bleibt. Bill verlagert sein Gewicht von einem Bein auf das andere und stößt ein leises Knurren aus, als müsse er sich beherrschen, um nicht einzuschreiten.

«Ich … ich bin dann weg», sagt der Gärtner und greift nach seiner Jacke.

«Nein», sagt Bill. «Bleib noch auf einen Tee, Jensen.»

«Das wäre schön, Bill, ich muss nur …»

«Bleib», wiederholt Bill richtig nachdrücklich. Nach einem Augenblick sieht sich Jensen nach einem Küchenstuhl um und setzt sich mit unbehaglichem Gesichtsausdruck. Bill füllt den Wasserkocher, und sogar sein Rücken strahlt Unmut aus.

«Sieh dich mal an, bist du nicht hinreißend?», sagt Gene zu Violet. «Du siehst genauso aus wie deine Grandma. Sie hatte auch diese großen, blauen Augen.» Er wendet sich an Celie. «Und du auch! Die reinste Augenweide! Schau sich einer euch beide mal an!»

«Was tust du hier, Gene?», fragt Mum kühl.

«Schätzelein! Ich habe ein kurzes Gastspiel in einem Londoner Theater, also habe ich gedacht, ich komme bei der Familie vorbei! Ich fasse es nicht, wie groß sie geworden sind!»

«Ja», sagt Mum. «Soll vorkommen in sechzehn Jahren.»

«Ich meine, ich wäre gern früher zurückgekommen, aber es war alles ein bisschen kompliziert mit der Arbeit und …»

«Barb?», sagt Mum.

«Barb?» Er runzelt die Stirn. «Oh nein. Barb und ich, das war keine große Sache. Sie ist … warte … 2007 nach Ohio zurückgegangen.»

«Brianna? War das nicht die Nächste?»

«Nein. Brianna und ich … nun, das ist nicht gut ausgegangen.»

«Lass mich raten. Sie ist zurück in die Tittenbar. Jane?»

«Mit Jane habe ich noch Kontakt!», sagt er beinahe erleichtert. «Sie ist wieder hier. Ich glaube, die Westküste war nicht ihr Fall.»

«Die Westküste», wiederholt Mum.
«Der Lifestyle.»
Mum nickt vor sich hin.
«*Tittenbar!*», sagt Violet entzückt, und dann wiederholt sie es noch zweimal und schaut dabei die Erwachsenen an, als hoffe sie auf eine Reaktion.
«Wie dem auch sei! Hier bin ich! Ich freue mich so, euch alle wiederzusehen, und ich hoffe, dass ich diese beiden prachtvollen Mädchen ein bisschen kennenlerne, während ich hier bin.»
«Während du wo bist?», sagt Bill und gibt Jensen einen Becher, der ihn eilig nimmt, anscheinend froh, etwas zu haben, auf das er sich konzentrieren kann.
«Hier», sagt Gene. «In England.»
«Und wo genau in England?», fragt Bill. Er benimmt sich wirklich seltsam.
«Nun, London. Sag mal, könnte ich einen Kaffee bekommen, wenn du schon dabei bist?»
«Ich mach das», sagt Mum sofort und nimmt Bill die Arbeit ab, der aussieht, als wäre er überall lieber als hier, aber gleichzeitig irgendwie nicht gehen will. Dann fügt sie hinzu: «Du musst mich daran erinnern, wie du ihn trinkst.»
«Oh, schwarz bitte, Schätzelein. Hab mir die Sahne abgewöhnt, seit die Ärzte sagen, ich muss auf die alte Pumpe aufpassen. Könnte ich vielleicht auch ein paar Chips oder so bekommen? Ich habe nichts mehr gegessen, seit ich aus dem Flugzeug gestiegen bin.»
Mum stutzt, dann greift sie ins Regal nach der Keksdose. Sie stellt die Dose vor ihn auf den Tisch, ohne sie zu öffnen. «Wir haben keine Chips.»
Alle sitzen schweigend da. Jensen der Gärtner trinkt seinen Tee, so schnell er kann, obwohl er eindeutig noch ko-

chend heiß ist. Celie beobachtet, wie er nippt, zusammenzuckt und wieder nippt. Von oben kommt gedämpft das ständige wütende Gebell Truants, der in Mums Schlafzimmer eingesperrt ist. Celie fragt sich kurz, ob der Amerikaner verlangen wird, dass der Hund eingeschläfert wird.

«Truant ist ein guter Hund», hört sie sich sagen. «Ich meine, normalerweise beißt er nicht. Es lag wahrscheinlich daran, dass nie jemand durch die hintere Gartentür kommt.»

«Oh, er hat es nicht böse gemeint. Ich habe mich noch nie über einen alten Hund geärgert.» Er wirft Bill einen kurzen Blick zu. «Na ja, fast nie.»

«Es wäre trotzdem vernünftig, das von einem Arzt anschauen zu lassen», sagt Bill. «Nicht, dass es zu einer bakteriellen Infektion kommt.»

«Oh nein, keine Sorge. Ich bin sicher, dass Jensen das sehr gut gemacht hat.» Gene klopft sich aufs Bein.

«Ich habe den Hund gemeint», sagt Bill und verlässt die Küche.


Celie schreibt Meena vom Badezimmer aus, dass sie nicht kommen kann. Notfall in der Familie. Es ist eigentlich kein Notfall, aber es herrscht eine wirklich merkwürdige Atmosphäre im Haus, und das macht Celie neugierig.

Mum spricht nie über die restliche Familie. Bei den wenigen Gelegenheiten, bei denen die Sprache darauf gekommen ist, hat sich ihr Gesicht auf die gleiche Art verschlossen wie jetzt, wenn Dad an der Tür auftaucht, um sie abzuholen. Als würden ihr eine Million Gedanken durch den Kopf gehen, und sie wollte keinen einzigen davon verraten.

Aber das hier ist heftiger als die Art, wie Mum zurzeit mit Dad umgeht. Das hier ist wie eine erkaltete, alte Sache, so als würde Mum abwesend an einer verschorften Wunde herumpicken und es nicht einmal mitbekommen, wenn sie wieder zu bluten beginnt.

> Du musst kommen. Spence ist da und hat das Zeug mitgebracht!

Sorry, tippt Celie und hängt einen ganzen Pulk schulterzuckender Emojis an.

Davon abgesehen weiß sie nicht genau, ob sie heute im Park kiffen will. Sie weiß nicht genau, ob sie die anderen sehen will. Sie bekommt inzwischen Magenschmerzen bei ihren Treffen, bei ihren vielsagenden Blicken, den netten Bemerkungen, die keine netten Bemerkungen sind, dem Gefühl, dass hinter ihrem Rücken ein Dutzend anderer Gespräche laufen. In ihrer WhatsApp-Gruppe passiert nichts mehr, und Celie hat das schreckliche Gefühl, dass eine neue Gruppe ohne sie aufgemacht wurde. Das ist ihr tägliches Dilemma – mit ihnen abzuhängen und die ganze Zeit das Gefühl zu haben, die Zielscheibe eines Witzes zu sein, den ihr niemand erklärt, oder nicht mit ihnen abzuhängen und zu wissen, dass sie Witze über sie reißen. Celie schiebt ihr Handy zurück in die Tasche.

Als sie wieder nach unten kommt, hat Bill den anderen den Rücken zugewandt. Normalerweise kocht er an der alten Kücheninsel, um mit ihnen plaudern zu können, aber heute hat er sein Schneidebrett auf den schmalen Platz neben dem Ablaufgestell gelegt, schnippelt entschlossen und hört nicht einmal seine übliche klassische Musik. Mum sitzt in Bills Armsessel mit der geraden Rückenlehne. (Warum wollen alle alten Leute abends aufrecht wie eine Statue sitzen? Celie und Mum liegen meistens auf den beiden Sofas, die Füße entweder auf dem abgewetzten Ledersitzkissen oder der

Länge nach ausgestreckt, eine Schale Mikrowellenpopcorn zwischen sich.) Aber Gene nimmt ein Sofa in Beschlag, das verletzte Bein auf den Polsterhocker gelegt, und hält eine ziemlich einseitige Plauderei über das Haus am Laufen, darüber, wie pittoresk es ist, wie viel Charakter es hat und wie sehr Mum es lieben muss.

«Es muss noch viel Arbeit hineingesteckt werden», sagt Mum, als ihr Schweigen wirklich nicht mehr tragbar ist. Gene sieht auf, als Celie auf sie zukommt. «Hallo, Schätzchen! Schön, dass du uns Gesellschaft leistest. Deine Mum hat mich zum Abendessen eingeladen. Jensen hat es für das Beste gehalten, wenn ich das Bein eine Weile hochlege.»

Celies Blick zuckt zu Mum, deren Miene eher zu sagen scheint, dass sich Gene selbst eingeladen hat.

«Was gibt's zum Abendessen?», fragt Celie Bill.

«Erbsen-Spargel-Risotto», sagt er, und sie atmet auf. Kein Fisch und keine Linsen. Sofort wirkt der Abend ein wenig freundlicher. «Mit Chicorée-Fenchel-Salat.»

Celies Schultern sacken herab.

«Wie kommt es, dass du kochst, Bill?», fragt Gene.

Bill dreht sich nicht um. *Schnipp, schnipp, schnipp.* «Ich koche jeden Abend», sagt er knapp. *Schnipp, schnipp, schnipp.*

«Kommst du jeden Abend hierher?»

«Nein, ich wohne hier.»

Celie schaut kurz ihre Mutter an. Niemand hat das bisher so direkt ausgesprochen, aber die Miene ihrer Mutter bleibt ausdruckslos.

«Ich ... helfe einfach ein bisschen mit den Mädchen. Lila hat gerade ziemlich viel am Hals.»

Genes freundliche Miene verrutscht bei diesen Worten ein wenig. «Na dann», sagt Gene. Und dann noch einmal. «Na dann. Wie gemütlich!»

«Kennt ihr euch schon lange?» Celie schaut von einem alten Mann zum anderen.

«Lange genug», kommt es kurz angebunden von Bill.

«Könnte man sagen», sagt Gene, und dann wird es still im Raum.

Truant liegt vor Mums Füßen, die Augen auf Gene gerichtet, als warte er nur auf den nächsten Vorwand, um ihn wieder anzuspringen. Celie lässt sich im Schneidersitz neben ihm nieder und streichelt ihn dicht bei seinem Halsband, nur für den Fall, dass er einen Versuch unternimmt. Sie will nicht, dass dieser Mann dafür sorgt, dass ihr Hund eingeschläfert wird, ganz gleich, was er vorhin gesagt hat. Gene setzt sich besser zurecht, und Truant stößt ein warnendes Knurren aus.

«Habe ich es richtig verstanden, dass Sie Schauspieler sind?», fragte Celie.

Augenblicklich kehrt Genes Lächeln zurück. Er widmet es ihr wie einen Sonnenstrahl. «Ja! Hast du je *Star Squadron Zero* gesehen?»

Celie schüttelt den Kopf, und sie sieht Enttäuschung in seinem Gesicht aufblitzen.

«Ich war jahrelang Captain Troy Strang, der Befehlshaber der Vereinten Weltraumtruppen. Du solltest es dir auf YouTube ansehen oder was ihr jungen Leute heute so habt. Es war eine große Sache, musst du wissen. ‹Captain Strang meldet sich zum intergalaktischen Dienst›, das war mein Standardspruch. Die Leute sagen es immer noch zu mir, egal wo ich hinkomme.» Er hebt seine Hand zu einem zackigen Salut, und Truant stößt ein schwaches Protestgewinsel aus.

«*Star Squadron Zero*?»

«Das war der Grund, aus dem ich in L. A. bleiben musste, Celia. Ich hatte das Glück, auf eine Goldgrube zu stoßen, weißt du? Das kommt nicht oft vor in einem Schauspielerleben. Die meisten haben nie so viel Glück. Ich habe den verdammten Captain acht Jahre lang gespielt. Bin einmal für einen Emmy nominiert worden. Unsere Einschaltquoten sind durch die Decke gegangen.»

Violet ist ins Wohnzimmer gekommen und hat sich neben Gene gesetzt. Er legt den Arm um sie. «Willst du es mal sehen, Violet?»

Violet nickt. Sie mag ihn offenbar.

«Hast du ein Smartphone?»

«Mum erlaubt mir keins», sagt sie.

«Weil sie erst acht ist», erklärt Celie zur Verteidigung.

«Hast du eins, Celia?»

«Sie heißt Celie», sagt Mum durch zusammengebissene Zähne.

«Ja, natürlich.»

Celie will ihm ihr Handy nicht geben. Es könnten wer weiß was für Nachrichten ankommen, während er es hat. Also schüttelt sie den Kopf und schiebt das Handy tiefer in die Vordertasche ihrer Kapuzenjacke.

Darauf herrscht kurzes Schweigen. Mum seufzt. «Violet, hol das iPad.»

Als der Clip schließlich gefunden ist, nachdem Gene ständig die Augen zusammengekniffen hat, weil er offensichtlich nicht gut sieht, setzt sich Celie auf Genes andere Seite, sodass sie mitschauen kann. Sie fühlt sich wie eine Verräterin, auch wenn sie nicht genau weiß, warum. Mum, die das Video eindeutig schon einmal gesehen hat, geht in die Küche, um Bill zu helfen. Celie versteht nicht, was sie sich zumurmeln, aber irgendwann streckt Bill die Hand aus und legt sie Mum auf den Rücken.

Und dann ertönt eine blecherne Titelmusik aus dem iPad, und Gene ruft freudig: «Das ist es! Zur erfolgreichsten Zeit haben das jedes Wochenende vierundzwanzig Millionen Amerikaner eingeschaltet. Ist das nicht eine großartige Titelmelodie? Da-dadadadada-da-DAAAA ... da-DAAAA.» Er schwingt den rechten Arm wie ein Dirigent.

Und dann ist er zu sehen, das Gesicht schlanker und faltenfrei, das Haar schwarz und glatt am Kopf zurückgekämmt. Er trägt eine blaue Uniformjacke aus Polyester mit goldenen Epauletten und dem Hoheitszeichen eines Planeten an der Brust. «*Ich habe nicht geglaubt, dass ich dich nach der Saturn-Katastrophe wiedersehe*», sagt er leise und sanft mit seinem amerikanischen Akzent.

Eine wunderschöne junge Schwarze mit silberfarben angespraytem Haar sieht mit riesigen Augen zu ihm empor. «*Sie haben zu mir gesagt, Sie ... wären im Kampf getötet worden, Captain. Warum haben sie das nur getan?*»

«Ist sie nicht schnuckelig? Das war Marni Di Michaels. Wir haben uns ... eine Zeit lang sehr nahegestanden. Irgendwann hat sie dann einen Footballspieler geheiratet. Kennt ihr die Chicago Bulls? Oder war er bei den Braves? Wie hieß er bloß noch mal ...»

Celie starrt die Frau an, die den jungen Gene anschaut, als würde sie ihn am liebsten flachlegen. Oh Gott, das hat sie vermutlich schon. Celie wirft einen verstohlenen Blick auf den alten Gene, der wieder in seine Filmwelt versunken ist und tonlos den Text mitspricht.

«Die Folgen, in denen Captain Strang und Vuleva zusammen waren, hatten die höchsten Einschaltquoten der gesamten Serie. In der dritten Staffel haben sie Vuleva sterben lassen, und ich habe dem Regisseur erklärt, was das für ein Fehler war. Und wisst ihr was? Ich hatte recht, weil ...»

«Abendessen», sagt Bill laut. Und fängt mit lautem Geklapper an, den Tisch zu decken.

Beim Abendessen fällt kaum ein Wort, bis Mum endlich etwas sagt.

«Warum hast du dich nicht blicken lassen, als Mum gestorben ist?»

Nach einer kurzen Pause sagt Gene seufzend: «Es tut mir so leid, Liebling. Ich hatte so viel Arbeit und hab keinen Flug bekommen, also ...»

«Sie war deine Frau.»

«Nicht sehr lange.»

«Warte mal, was war das eben?» Celies Gabel ist auf halbem Weg zu ihrem Mund in der Luft stehen geblieben.

«Aber sie war es. Zehn Jahre lang. Ich bin der lebende Beweis dafür. Du hättest Respekt zeigen können, indem du dich blicken lässt. Ein einziges Mal in deinem Leben.»

Die Mädchen starren Gene an und dann sich gegenseitig.

«Du bist Mums *Dad*?», sagt Celie. Sie will gerade hinzufügen, *wir dachten, du bist tot*, aber dann wird ihr bewusst, dass das vermutlich nicht besonders nett wäre. Stattdessen sagt sie: «Aber ... aber wie kommt es, dass du nicht auf den Hochzeitsbildern von Mum und Dad bist?»

Gene reibt sich das Ohr. «Na ja. Ich konnte nicht von einem Dreh weg. Es war ... kompliziert. Die Filmindustrie, verstehst du? Ein echter Moloch. Ich hatte überhaupt keine Wahl.»

Mums Gesicht wirkt wie aus Marmor gemeißelt. Zeigt nicht die kleinste Regung. Violet klappt den Mund zu, als wäre ihr gerade erst wieder eingefallen, dass sie einen hat, dann sagt sie langsam: «Du siehst nicht aus wie ein Großvater.»

«Ohh, dieses Wort hat mir nie so richtig gefallen. Du kannst mich Gene nennen.»

«Und ‹Dad› hat dir auch nie so richtig gefallen, wenn ich

mich recht erinnere.» Mum sieht nicht von ihrem Teller auf.

Celie ist geschockt. Das Einzige, was sie über ihren Großvater weiß, ist, dass Mum nie trinkt, weil er getrunken hat. Dass er weggegangen ist, als Mum klein war. Dass er unzuverlässig war und Grandma allein mit allem fertigwerden musste, aber darüber wurde nicht gesprochen. Außerdem weiß sie, dass Bill das glatte Gegenteil von ihm ist und dass er und Grandma aus genau diesem Grund so glücklich miteinander waren. Sie ist nicht sicher, warum sie geglaubt hat, dass Gene tot wäre, sicher ist nur, dass bis heute nie jemand in ihrem Beisein seinen Namen ausgesprochen hat.

Genes Lächeln ist versöhnlich, seine Stimme sanft. «Jetzt komm, Liebes, das ist doch schon Ewigkeiten her. Kann ich nicht einfach das Abendessen mit meinen Mädchen genießen?»

Bill sagt in einem Ton, den Celie noch nie zuvor gehört hat: «Sie sind nicht ‹deine› Mädchen.»

Genes Stimme wird etwas schärfer. «Und deine auch nicht, mein Freund.» Die beiden alten Männer messen sich über den Tisch hinweg mit Blicken, und Celie wird plötzlich von dem seltsam aufregenden Gefühl überwältigt, dass sie sich prügeln könnten. Und dann beugt Mum sich vor und greift nach einer Schüssel, die zwischen den beiden steht. «Wer möchte noch Chicorée-Salat?» Der Moment geht vorbei.

Ein Abendessen wie dieses hat Celie noch nie erlebt. Sie hat noch nie diese Vene gesehen, die an Bills Kiefer pulsiert, nie diesen seltsam abgehackten Tonfall bei ihrer Mutter gehört. Das ist ihr Großvater! Ihr richtiger Großvater! Immer wieder sieht sie ihn verstohlen an, sucht nach so etwas wie Familienähnlichkeit, aber mit seinem unnatürlich dunklen Haar und seinen Zähnen und seiner Bräune sieht er überhaupt nicht wie ein Verwandter aus. Er redet weiter im Plauderton, seine Stimme tief und rhythmisch, erzählt von Engagements, die er gehabt hat (nur kleine Rollen, die sie hier drüben vermutlich nicht gesehen hatten), ruft Mum Leute namens Hank und Betsy ins Gedächtnis, an die sie sich nicht erinnert, fragt Celie und Violet nach der Schule, ihren Freunden und nach dem, was sie hier so «treiben». Es ist gleichzeitig faszinierend und langatmig.

Schließlich steht Mum auf und räumt die Teller ab, und Celie, die nie etwas im Haus tut, wenn sie nicht dazu angetrieben wird, hilft mit, einfach weil die Stimmung so eigenartig ist, dass sie das Gefühl hat, irgendetwas tun zu müssen. Sie ist nicht sicher, dass Mum es überhaupt mitbekommt. Hinter ihnen fängt Violet eindeutig an, sich zu langweilen, und schaltet im Fernsehen einen Kinderkanal an, den sie normalerweise nicht sehen darf. Schließlich ist Mum mit dem Abwasch fertig, legt das Geschirrtuch ordentlich auf die Arbeitsfläche und geht zurück zum Tisch. Sie hält einen Moment inne, dann stützt sie sich mit den Händen auf die Tischplatte, als wollte sie sagen, dass das Abendessen vorbei ist und sie sich nicht wieder hinsetzen wird.

«Also, Gene. Wo wohnst du? Wir können dir ein Uber rufen, wenn du mit dem Bein nicht laufen möchtest.»

Gene sieht zu ihr auf. Sein Lächeln schwankt kurz. «Oh, ja, darüber wollte ich noch mit dir sprechen, Liebes. Wie sich herausgestellt hat, ist mein Hotel überbucht worden, und da habe ich mich gefragt, ob ...»

«Oh nein», sagt Bill und schüttelt den Kopf. «Oh nein.»

«Hey, jetzt sieh sich einer das an!», sagt Gene plötzlich und schaut auf das schreckliche Bild der alten, nackten Frau, das Bill an die Wand gehängt hat. «Francesca, wie sie leibt und lebt!»

Das war der Moment, dachte Celie später, in dem es so richtig übel wurde. Bill war aufgesprungen, hatte wild mit den Händen vor dem Bild herumgewedelt und Gene verboten, es anzuschauen. Es ihm tatsächlich verboten.

«Soll das ein Witz sein?», hatte Gene gesagt. «Das ist ein Gemälde!»

«Francesca würde nicht wollen, dass du sie ansiehst, wenn sie nackt ist!» Bills Stimme war seltsam heiser. «Wage es nicht, sie anzusehen! Dieses Recht hast du schon vor vielen Jahren verwirkt!»

«Aber sie hier mit ihrer Pussy in ein Wohnzimmer zu hängen, wo jeder andere sie sehen kann, ist okay oder was? Meine Güte, Bill, jetzt mach dich mal locker.»

Irgendwann war Violet vom Fernseher aufgestanden. Sie starrte zu der Wand hoch, als hätte sie das Bild erst jetzt wahrgenommen. «Ist das *Grandma*?», sagte sie und sah aus, als wüsste sie nicht, ob sie lachen oder weinen sollte. «Aber ... aber man kann ihre *Mumu* sehen!»

Damit war für Bill offenbar die Grenze erreicht. Er war mit langen Schritten zu dem Bild gegangen, hatte den Rahmen gewaltsam von der Wand gerissen und das Wohnzimmer verlassen. Sie hörten, wie er das Bild mühsam ächzend die Treppe hinaufschleppte. Und nach einer langen, unbehaglichen Pause hatten sie gehört, wie er seine Schlafzimmertür zuknallte.

Lila setzt sich erst mal hin. «Also wirklich, Gene.»

«Was? Was hab ich denn gemacht? Er hängt ein Nacktbild von deiner Mum an die Wand, und jetzt soll *ich* plötzlich der Böse sein?»

«Ich glaube, du gehst besser», sagt Mum und schließt für eine gefühlte Ewigkeit die Augen.

Gene geht zu ihr, und seine Knie krachen beinahe wie

Pistolenschüsse, als er in die Hocke geht, um ihr ins Gesicht schauen zu können. «Süße. Liebes. Ich brauche wirklich ein Bett heute Abend. Das Hotel hat mein Zimmer doppelt vergeben, und alle anderen Hotels im Zentrum von London überfordern mein Budget ein bisschen. Und es ist ziemlich schwierig, herumzulaufen und nach einem Hotel zu suchen, jetzt, wo mein Bein ...»

«Ich habe kein Zimmer.»

«Ich brauche kein Zimmer. Ich kann einfach hier auf dem Sofa pennen.»

Mum sieht ihn an, und ihr Gesicht hat diesen Ausdruck, als würde sie gleich etwas tun, was sie absolut nicht tun will. Er wirkt plötzlich ein bisschen mitleiderregend.

«Bitte», sagt er, weil er vielleicht eine momentane Schwäche wittert. «Ich habe richtige Schmerzen. Es würde mir so helfen. Und ich würde ... ich würde es wirklich zu schätzen wissen, wenn ich noch ein paar Stunden mit den Mädchen verbringen könnte.»

Mum sieht Celie an, dann Violet.

«Er ist unser Grandpa», sagt Violet schließlich. Celie ist weniger sicher, zuckt aber mit den Schultern. Es könnte immerhin ganz nützlich sein, wenn sie einmal einen Abend lang aus der Schusslinie wäre.

«Na gut», sagt Mum schließlich und hebt ergeben die Hände. «Na gut. Aber morgen früh bist du weg. Und was Bill und dich angeht, ich will nicht, dass ihr euch noch einmal so hochschaukelt.»

«Zwei Nächte?», sagt er hoffnungsvoll.

«Treib es nicht zu weit», sagt Mum und geht raus in den Garten.

## SIEBTES KAPITEL

## Lila

Lila Kennedy war sieben Jahre alt, als Bill McKenzie in ihrem Leben auftauchte. Sie war eines Nachmittags vom Spielen bei Jennifer Barratt zurückgekommen, und da hatte ihre Mutter neben einem fremden Mann mit militärischem Haarschnitt und einem von diesen traditionellen irischen Pullovern auf dem Wohnzimmersofa gesessen. Vor den beiden auf dem Couchtisch hatte ein Tablett mit leeren Kaffeetassen gestanden, und als Lila den Raum betrat, waren die zwei auf eine Art ein wenig auseinandergerückt, die Lila stutzen ließ.

«Hallo, Liebling», hatte ihre Mum strahlend gesagt. «Komm, sag Bill Guten Tag. Er hat im Arbeitszimmer gerade die absolut prachtvollsten Regale aufgebaut.»

Lila konnte sich nicht vorstellen, wie man so etwas Langweiliges wie ein Bücherregal «prachtvoll» nennen konnte. Aber ihre Mutter war bei ihren Beschreibungen immer ziemlich melodramatisch, also nahm Lila an, dass sie sich einfach so verhielt wie üblich. Francesca Kennedy war, wie ihr Bill einige Zeit später erklärte, «eine Enthusiastin des Lebens». Ein Himmel war nie blau, es war «das perfekteste Azur, wie das, was man von einer griechischen Insel aus sieht». Die Nachbarskatze war «einfach himmlisch griesgrämig. Ich bete sie an.» Lila rutschte auf ihrem Stuhl herum, wenn ihre Mutter aß, besonders, wenn es Weichkäse war, denn dann schloss sie lächelnd die Augen und sagte so etwas wie «Oh Gott, wie cremig! Das ist der reinste Orgasmus» und stieß leise Lustgeräusche aus.

Nach mehreren Wochen, in denen Bill wiederholt aufgetaucht war, um Schränke zu reparieren, Türen zu ölen und sich um den tropfenden Wasserhahn im Badezimmer zu kümmern, verkündete Francesca, Bill sei «der freundlichste, liebenswerteste Mann überhaupt. Ich habe wirklich das Gefühl, dass sich die Welt besser dreht, wenn er hier ist.» Da wurde Lila langsam klar, dass der etwas steife, höfliche Schreiner vermutlich eine Weile bleiben würde.

Das machte ihr nichts weiter aus. Zu dieser Zeit konnte sich Lila kaum noch an ihren Vater erinnern, der zum Arbeiten nach Amerika zurückgegangen war, als sie vier Jahre alt gewesen war, und einfach wegblieb. Sie konnte sich an ein paar kurze, übertrieben fröhliche Telefonanrufe erinnern, die jeweils mit «Oh, Herzchen, der Regieassistent ruft nach mir. Muss Schluss machen. Hab dich lieb!» unterbrochen wurden. Ungefähr alle halbe Jahre platzte er für Kurzbesuche in ihr Leben hinein, brachte extravagante Spielsachen aus Amerika mit und Marshmallows oder Chocolate Kisses von Hersheys, und dann saß Lila mit ihm im Wohnzimmer, während ihre Mutter an der Tür stand und sie mit seltsamer Miene beobachtete oder sie «in Ruhe ließ», während sie einkaufen ging. Doch der Abstand zwischen den Besuchen wurde immer länger, und beim letzten kam es unten im Flur zu einem tränenreichen Streit mit gezischten Vorwürfen, und als Bill auftauchte, hatte Lilas Vater seine Besuche komplett eingestellt, schickte ihr nur gelegentlich mit einer Woche Verspätung eine Karte zum Geburtstag oder ein Geschenk, das nicht zu ihrem Alter passte.

Trotzdem wusste Lila anfangs nicht, was sie davon halten sollte, dass ihre enge Gemeinschaft mit ihrer Mutter von diesem Mann mit seinen gestärkten Kragen und seiner klassischen Musik gestört wurde (Lila und ihre Mutter hatten vorher gern in der Küche zu den Beatles und Marianne Faithfull getanzt), diesem Mann mit seinen Gymnastikübungen und seinen morgendlichen Jogginrunden, von denen er schweißüberströmt und leicht euphorisch zurückkam. Er brachte Müsli mit, das aussah wie das, was sich auf dem Boden des Papageienkäfigs in der Schule ansammelte, und fremdartige Zutaten wie Tahini und Curryblätter, und dauernd kochte er Gerichte, die ihre Mutter dazu brachten, dieses peinliche Gesicht zu machen und zu verkünden, er sei «ein richtiges kulinarisches Genie. Du raffinierter, raffinierter Mann.» Dabei wurden Bills Ohren rot, so freute er sich, und er sah sie an, als würde er buchstäblich wegschmelzen. Lila wurde dabei richtig verlegen.

Doch selbst Lila musste zugeben, dass das Leben ein bisschen besser wurde, als Bill schließlich einzog. Was im Haus nicht funktionierte, wurde sofort in Ordnung gebracht, ihre Mutter weinte nicht mehr, und er ging achtsam mit Lila um, fragte sie nach ihrer Meinung und mischte sich nie ein oder tat so, als wäre er ihr Dad. Und an ihrem achten Geburtstag, als ihr Vater es wieder einmal nicht geschafft hatte, auch nur eine Karte zu schicken, war sie von der Schule nach Hause gekommen und hatte entdeckt, dass ihr Bill ein Puppenhaus gebaut hatte, in dem es sogar elektrisches Licht und Schiebefenster gab. Lila war verzaubert gewesen von diesem Haus, das in der Ecke ihres Kinderzimmers stand wie das Tor zu einer anderen Welt. Sie hatte ihre Schultasche fallen lassen, sich vor das Haus gekniet und angefangen, behutsam die Möbel zurechtzurücken und die winzigen Quiltdecken zurückzuschlagen und festzustellen, welche Teile sich wie in einem richtigen Haus bewegen ließen (Es gab sogar einen verspiegelten Miniatur-Badezimmerschrank mit einer kleinen Zahnpastatube aus Holz! Und eine winzige Trittleiter in einen Dachboden!). Zehn Minuten hatte sie sich kaum von der Stelle gerührt, die Welt um sich vergessen. Und als sie sich schließlich zu dem Paar an der Tür umdrehte, darauf wartete, dass ihre Mum verkündete, das sei «absolut superb. Ein Traum!», hatte Bill mit fragender Miene seinen Arm um sie gelegt, und ihre Mum tupfte sich ein wenig traurig die Augen ab und sagte: «Ich weiß, ich weiß, ich bin dumm. Es ist nur so, dass es genau das ist, was ich immer für sie gewollt habe.»

Es war sehr lieb, was ihre Mutter sagte. Aber bis dahin, wurde Lila später klar, hatte sie gar nicht gewusst, dass irgendetwas fehlte.

Gene muss schließlich doch nicht auf dem Sofa schlafen. Lila kann die Vorstellung nicht ertragen, dass er mitten im Wohnzimmer schnarcht, während Bill grollend und murrend den Vormittag hinter sich bringt.

Lila klappt das alte Schlafsofa oben in ihrem Arbeitszimmer auf, schiebt mühsam ihren Schreibtisch zur Seite, sodass sie es ganz ausziehen kann, und macht die Extra-Bettdecke in einem der Umzugskartons ausfindig, die noch nicht ausgepackt sind. Sie macht das Bett, während Gene an der Tür steht, ausruft, wie großartig es ist, hier zu sein, wie nett von ihr, ihn unterzubringen, wie dankbar er ihr ist, und sogar der Klang seiner Stimme geht ihr auf die Nerven. Während in ihrem Hinterkopf der Ärger brodelt und das Gespräch ausblendet, denkt sie, dass sie ihm seine ständige Abwesenheit fast verzeihen könnte und dass er es versäumt hat, sich nach den Geburten ihrer Kinder zu melden, oder seine komplette Unzulänglichkeit als Großvater. Aber dass er selbst nach Francescas Tod nicht aufgetaucht ist, hatte etwas für sie verändert, steckte wie ein radioaktives Projektil in ihr fest, hatte jeden Sinn für Großzügigkeit oder Freundlichkeit ausgelöscht. Francesca, die ihm nie etwas Böses getan hat, die sein Kind aufgezogen hat, sodass er gehen und das beschissene hedonistische Leben in Los Angeles führen konnte, für das er sich entschieden hatte. Francesca, die sich drei Jahre lang allein mit ihrem Gehalt als Aushilfslehrerin durchgekämpft hat, bis ihre Eltern starben und ihr genug Geld hinterließen, um ein kleines Haus zu kaufen. Lila hatte an ihrem Grab gestanden, flankiert von ihren Mädchen, als ihre Mutter sanft in die Erde hinabgesenkt worden war, eine einzelne rot erblühte Pfingstrose auf ihrem Sarg, hatte die gebrochene Gestalt Bills auf der anderen Seite betrachtet, wie er versuchte, sich unter der Last seines Kummers aufrecht zu halten, und da hatte sie gespürt, dass sich jedes Gefühl, was ihr noch für ihren biologischen Vater geblieben war, in Eis verwandelt hatte.

«Um wie viel Uhr gehst du morgen los?», fragt sie und versucht, nichts von ihren Gedanken durch ihre Stimme zu verraten. Er hat sich schwer auf das Schlafsofa gesetzt und schält sich aus seiner abgewetzten Lederjacke.

«Oh, irgendwann am Vormittag.»

«Die Mädchen stehen um halb acht auf. Es kann sein, dass sie dich aufwecken, weil hier oben das einzige funktionierende Bad ist.»

«Mich wecken sie nicht, Liebes. Keine Sorge. Vor elf bin ich nicht unter den Lebenden.»

«War klar», gibt sie knapp zurück. Nach einer Pause fügt sie hinzu: «Und hast du Proben?»

«Ja, aber sie fangen erst um die Mittagszeit oder so an.

Also tut einfach so, als wäre ich nicht hier, und ich kümmere mich um mich selbst.»

Lila gibt ihm zwei Handtücher, hält sie ihm mit ausgestrecktem Arm entgegen, als wolle sie ihm keinen Schritt näher kommen. «Im Schrank ist eine Zahnbürste, falls du eine brauchst.» Sie mustert ihn kurz, während er die Handtücher nimmt, registriert die erschlaffte Haut um sein Kinn, die verzweigten Krähenfüße um seine Augen, auch wenn das Nirvana-T-Shirt darauf schließen lässt, dass er diese Alterserscheinungen nicht wahrhaben will.

Er erwidert ihren Blick, und sein Ausdruck wird plötzlich weich. «Es ist wirklich gut, die Mädchen zu sehen.»

«Ja.» Sie verschränkt die Arme vor der Brust. «Sie sind großartig.»

«Sie machen dir alle Ehre. Und die Sache mit deiner Ehe tut mir wirklich leid.»

Sie schluckt.

«Ja», erklärt sie kühl. «Mir auch.»

Sein Blick sucht ihren, als hoffe er auf eine Lücke in ihrem Panzer, durch die er zu ihr durchdringen kann. Aber sie will verdammt sein, wenn er das verdient hat.

«Ich weiß das wirklich zu schätzen, Lila.» Er hält inne. «Ich meine, ich weiß, dass ich nicht ...»

Sie reibt sich die Hände. «Ich muss ins Bett. Muss früh raus und so weiter.»

«Oh. Klar.»

Sie kämpft gegen ein unbestimmtes Schuldgefühl, als sie das Gesicht des alten Mannes vor sich hat, die Verlegenheit und die leichte Melancholie, die darin aufflackert. Erst als sie die Tür hinter sich zuzieht, wird ihr bewusst, dass er die ganze Treppe hinaufgegangen ist, ohne ein einziges Mal auf sein verletztes Bein Rücksicht zu nehmen.

## ACHTES KAPITEL

«Aber ist es denn kein bisschen schön, ihn wiederzusehen?»

«Nein.» Lila tritt zur Seite, um eine Frau mit Hund vorbeizulassen. Truant knurrt den Labradoodle an, und Lila lächelt entschuldigend, während die Frau mit nervöser Miene eilig vorbeigeht. Eleanor und Lila machen diesen Spaziergang zweimal in der Woche; Lila meist an den Vormittagen, an denen sie die Mädchen nicht hat, und Eleanor, weil sie nach zwanzig Jahren als Visagistin beim Film nie länger als bis fünf Uhr schläft.

«Er hat sich überhaupt nicht verändert. Ist hereinspaziert, als hätte es die letzten fünfzehn Jahre gar nicht gegeben. Als hätte unsere gesamte Beziehung als Erwachsene nicht bloß aus einem halben Dutzend Geburtstagskarten bestanden, von denen die meisten am falschen Tag angekommen sind. Ehrlich, El, ich habe ihn beim Essen immer wieder angeschaut, und alles, woran ich denken konnte, war der Platz, den ich bei Mums Beerdigung für ihn freigehalten hatte. Echt, ich hasse ihn.» Lila hat im Bett noch zwei Folgen *La Familia Esperanza* geschaut. Möglicherweise hat Estella mit dem attraktiven Schießtrainer geschlafen, aber Lila kann sich kein bisschen an die Handlung erinnern.

«Wie haben die Mädchen reagiert?»

«Oh, er hat sie mit seinem Charme eingewickelt, glaube ich. Das Übliche. Hat seine alten YouTube-Videos vorgeführt – ‹Captain Strang meldet sich zum intergalaktischen

Dienst›.» Sie ahmt Genes Aussprache nach. «Violet war begeistert. Aber Violet mag jeden, von dem sie glaubt, er könnte sich bestechen lassen. Celie war sich nicht so sicher, glaube ich, aber wahrscheinlich bearbeitet er sie genau jetzt in diesem Moment. Es ist pathologisch. Wenn er auch nur den Hauch von Abwehr spürt, macht er einfach immer weiter, bis er eine Schwachstelle entdeckt.»

«Na ja, ist ja nur für ein paar Tage.»

Sie sind ganz allein im Wald. Lila lässt Truant von der Leine und sieht ihm zu, wie er unter dem Blattwerk davontrabt, das gerade anfängt, sich zu verfärben, und dabei wachsam immer wieder einen Blick zurückwirft, um sicher zu sein, dass sie noch da ist.

«Ja. Und dann sehe ich ihn wieder zehn Jahre nicht. Wahrscheinlich, bis ich eine Einladung zu seiner Beerdigung bekomme. Zu der ich vermutlich nicht gehen werde.»

«Meine Güte, erinnere mich daran, mich nie mit dir zu zerstreiten.»

Beide trinken ihren Kaffee aus, und Eleanor steckt die Becher in ihren Rucksack.

«Keine Chance», sagt Lila. «Ich werde bis in alle Ewigkeit an dir festkleben wie Fuchskacke.»

«Du lässt das wirklich nach herrlichen Aussichten klingen.»

Lila zieht ihre Freundin in eine Umarmung. «Ich muss dich für immer in meinem Leben haben, El. Ich glaube, ich würde sterben, wenn all dieser Mist auf mich zukommen würde, und du wärst nicht da, um zu verhindern, dass ich verrückt werde.»

«Ich bin nicht sicher, dass meine Superkräfte so weit reichen.»

«Es ist ganz schön viel, oder? Verflixt noch mal.»

«Wir sind eben in diesem Alter. Da passiert immer eine Menge.» Eleanor dreht sich mit einem fröhlichen Lächeln um. «Deswegen musst du dir ja auch ein bisschen Spaß gönnen. Zum Ausgleich.»

«Oh Gott. Bitte sag nicht, dass ich bei einem Dreier mitmachen soll. Ich glaube nicht, dass ich noch mehr von deinen sexuellen Eskapaden verkrafte.»

«Es war *so* ein Spaß. Wir waren bei einer Fetischparty. Das Latexkostüm fand ich nicht so toll, darin schwitzt man nämlich wie verrückt, außerdem habe ich Unmengen von Talkumpuder verbraucht, um überhaupt reinzukommen, aber die Leute waren total nett. Dann haben wir uns was vom Vietnamesen bringen lassen. Die Männer hätten am liebsten Curry gegessen, aber wir haben gesagt, dass wir uns Sorgen darüber machen, wie wir in die Gummiklamotten rein- und wieder rauskommen sollen. Ich meine, Biryani, das bläht mich auf wie einen Ballon.»

«Was du da beschreibst, hört sich an wie ein total ekliger Fiebertraum. Ich möchte Curry und Latexkostüme nicht mal im selben Satz hören.» Lila fällt auf, dass sie diese Gespräche inzwischen richtig hasst. Sie weiß nicht genau, ob es daran liegt, dass sie ihr das Gefühl geben, als würde sich ihre Freundin von ihr entfernen, oder ob sie sich dabei vorkommt, als würde das Leben an ihr vorbeiziehen. Wahrscheinlich beides. «Fühlst du dich dabei wirklich kein bisschen seltsam, El? Ich meine, bist das wirklich du?»

«Bin ich das wirklich?» Eleanor bleibt stehen, um über diese Frage nachzudenken. «Ich bin zurzeit nicht sicher, ob ich selber weiß, wer ich bin. Ich dachte, ich hätte einen Plan für mein restliches Leben: Eddie und ich, ein paar Kinder und ein hübsches Haus mit einem Gartenzaun. Oder zumindest eine schöne Wohnung im Stadtzentrum. Und was ist daraus geworden? Jetzt versuche ich einfach, jeden Tag ganz aufgeschlossen und unvoreingenommen zu leben und zu sehen, was passiert.»

«Selbst wenn das Currys und Fremde in Gummiklamotten bedeutet.»

«Ich weiß, dass das nicht dein Geschmack ist, Lils, aber man kommt nie weiter, wenn man nicht anfängt, nach vorn zu schauen. Im Ernst. Dan hat einen Haufen schrecklicher Sachen getan, aber wenn du dich davon zu lange runterziehen lässt, hast du absolut miese Zeiten vor dir. Ich meine es nur gut.»

«Ich soll also alles vergessen, was er und mein Dad getan haben und einfach nur reizend zu ihnen sein, ganz egal, wie sie mit mir umgehen.»

«Einen Versuch ist es immerhin wert.»

«Oh Gott. Ich schätze, in sechs Monaten startest du einen Selbsthilfe-Podcast.»

Eleanor strahlt sie erneut an. «Oh. Das ist eine gute Idee … Wie befreie ich mich selbst durch Tantra-Orgasmen.»

«Wie behandle ich wund geriebene Oberschenkel, wenn ich nicht mehr aus meinem Latex-Bodysuit rauskomme.»

Eleanor fixiert sie. «Warum es glücklich macht, sich auf neue Erfahrungen einzulassen.»

«Warum es Scheidenpilze macht, sich auf dubiose Versicherungsvertreter namens Sean einzulassen.»

«Du bist wirklich der reinste Sonnenschein, Lils», sagt Eleanor und stapft auf dem Weg voraus.

«Genau dafür liebst du mich ja», sagt Lila und verfällt kurz in Laufschritt, um zu ihr aufzuholen.

Manchmal, wenn sie in einer besonders masochistischen Stimmung ist, denkt Lila darüber nach, dass ihr Mann die

Beziehung mit Marja in einer Phase angefangen haben muss, in der er vermeintlich ihre größte Unterstützung war. Er hatte eine dreimonatige Auszeit von der Arbeit genommen, was bei der Zeitschrift *Get Ripped!* allen Angestellten gewährt wurde, die länger als zehn Jahre dabei waren, und der Zeitraum war sehr günstig mit der Abgabephase ihres Buchs zusammengefallen. So konnte sie in diesen für sie so kostbaren drei Monaten die unerhörte Freiheit genießen, jeden Nachmittag am Schreibtisch zu bleiben, statt aufspringen und zur Schule rennen zu müssen, weil ihr Mann mit den anderen Müttern vor der Schule darauf wartete, dass ihre quengeligen Kinder aus der roten Flügeltür kamen. Manchmal war er sogar nach der Schule mit ihnen in den Park gegangen – «damit du mehr Zeit zum Schreiben hast», hatte er gesagt, und ihr war beinahe schwindelig geworden vor Dankbarkeit und Liebe. Aber natürlich nur, bis klar wurde, dass Marja bei all diesen Gelegenheiten ebenfalls im Park gewesen war. Und dass während dieser drei Monate ein bisschen mehr stattgefunden hatte als das übliche Vertreiben elterlicher Langeweile oder das normale Zusammensitzen auf einer Parkbank, wo man sich mit Feuchttüchern und Trinkpäckchen aushalf, Kinder jammerten und sich die Knie aufschrammten. Vielleicht hatte sich Marja besondere Mühe mit ihrem Aussehen gegeben, war in ihrem Yoga-Outfit erschienen, um ihre schlanke Gestalt zur Geltung zu bringen, hatte sich mit teurem Parfüm besprüht, bevor sie losgegangen war, um Hugo abzuholen. Vielleicht hatte sich auch Dan besondere Mühe gegeben – Lila hatte in dieser Zeit nicht viel mitbekommen, war zu sehr von ihrem täglichen Arbeitspensum in Anspruch genommen, von ihrer Panik, nicht rechtzeitig fertig zu werden. Es musste einen Tag gegeben haben, an dem Dan, auf der Parkbank sitzend oder Violet auf der Schaukel im Blick behaltend, Marja anvertraut hatte, dass er nicht glücklich war oder dass er zu wenig Aufmerksamkeit bekam oder dass er sich einfach entliebt hatte. Vielleicht hatten sie über Sex gesprochen, beziehungsweise über das Fehlen von Sex. Dann hatte ihm Marja vermutlich ihren klaren Blick zugewendet und ihm mitleidig ihre perfekt manikürte Hand auf den Arm gelegt. Vielleicht hatte sie sich selbst als stark dargestellt, die alleinerziehende Mutter, deren Partner in die Niederlande zurückgekehrt war und nun kaum etwas tat, um sie zu unterstützen. Bestimmt hatte sie gelächelt. Sich an ihn gelehnt. Wie hinreißend sie gewirkt haben musste, besonders im Vergleich zu der mürrischen Frau in Jogginghosen zu Hause, die ihn anmeckerte, weil er auf dem Nachhauseweg mal wieder vergessen hatte, die Tabs für den Geschirrspüler mitzubringen.

Und dann, eines Tages, musste eine weitere Grenze überschritten worden sein. Lila weiß noch immer nicht, wann genau das war. Vielleicht nach dem Ende seiner Auszeit, in einer Mittagspause, oder an einem der vielen Abende, an denen er behauptet hatte, er müsse länger arbeiten. Sie weiß nicht, wann Marja und er angefangen haben, miteinander zu schlafen, oder wann sie sich zum ersten Mal gesagt haben, dass sie sich lieben.

Sie weiß nur, was danach kam. Der Tag, an dem er ihr mit beinahe komischer Förmlichkeit mitgeteilt hat, dass es mit ihrer Ehe vorbei war. Der Tag – einige Zeit später –, an dem sie den Grund dafür begriffen hat, als sie die beiden zufällig eng aneinandergeschmiegt in einem geparkten Auto an der Garwood Street sah. Manchmal wünscht sie sich, jemand würde ihre Standhaftigkeit anerkennen, mit der sie weiter jeden Tag zur Schule geht, und zwar ohne einen Flammenwerfer und eine kleine Söldnerarmee. Sie findet, dass sie es ziemlich gut geschafft hat, einfach durchzuhalten. Sie findet, dass sie einen Orden verdient, weil sie ihre Beine jeden Tag dazu bringt, sich zur Schule zu bewegen, dafür, dass sie dasteht und lächelt und so tut, als hätte sie das alles nicht halb umgebracht. Nein, von außen betrachtet, denkt sie, merkt womöglich niemand mehr etwas.

Allerdings hat sie es bisher nicht fertiggebracht, wieder zu dem Spielplatz zu gehen. Kein einziges Mal.

Lila kommt um neunzehn Minuten nach drei bei der Schule an, in letzter Sekunde, bevor sie die Kinder rauswerfen. Violet hatte sie um eine Zimtschnecke von der netten skandinavischen Bäckerei angebettelt, und Lila hat leichte Schuldgefühle, weil sie nicht widerstehen konnte und auch für sich selbst eine gekauft und sie direkt vor der Bäckerei gegessen hat. Seit Bill da ist, essen sie und die Mädchen Zuckerhaltiges hastig und verstohlen im Auto vor den Läden, wie Junkies, die sich einen Schuss setzen.

Marja steht mit den anderen Müttern zusammen, hält eine Tupperdose mit Cupcakes für irgendeinen Kuchenverkauf in der Hand, für den Lila garantiert die Rundmail nicht gelesen hat, irgendjemand bespricht Verabredungen zu Spielenachmittagen, und Lila geht sofort ans andere Ende des Wartebereichs und starrt entschlossen ihr Handy an. Sie hat lange über Eleanors Worte nachgedacht, hat versucht, ihr Leben positiver auszurichten. Jeden Tag, an dem ich das mache, betet sie sich vor, tue ich einen Schritt in Richtung eines besseren Lebens. Jeden Tag, an dem ich das mache, ist ein Tag näher an dem Tag, an dem Dan und Marjas kleines Psychodrama Schnee von gestern werden. Immer wieder hat sie das für sich während der Stunden wiederholt, in denen sie hätte schreiben sollen. Dann denkt sie plötzlich an das

Baby, das bald da sein wird. Marja wird Dans Baby jeden Tag im Kinderwagen an ihr vorbeischieben, und all die anderen Frauen werden sich gurrend darüberbeugen. Vielleicht wird Dan sie am ersten Tag begleiten, wie es viele Ehemänner tun, voll Stolz und Beschützerinstinkt gegenüber ihrer unglaublichen Partnerin, die *so tapfer war und so stark. Im Ernst, ich habe Ehrfurcht vor ihr.*

«Entschuldigen Sie.»

Sie sieht auf. Ein Mann steht vor ihr. Er ist groß und schlank, mit glattem kastanienbraunem Haar und traurigen Augen hinter einer Brille. Er ist auf die leicht konfuse Art sexy, die Lila magisch angezogen hat, bevor sie Dan kannte. Sie blinzelt. Ihr wird bewusst, dass er etwas gesagt hat, was nicht bei ihr angekommen ist.

«Wie bitte?»

«Ich habe gefragt, woher Sie das haben.» Er deutet auf die Tüte mit der Zimtschnecke. «Meine Tochter liebt diese Dinger. Wir sind neu hier. Also ... ich weiß nicht, wo die guten Läden sind.»

«Oh.» Sie schaut auf die Tüte. Als sie wieder aufblickt, denkt sie mit leichtem Unbehagen, dass sie wahrscheinlich ein bisschen rot geworden ist. Er hat einen bemerkenswert direkten Blick. «Die ist von Annika.»

«Heißt so Ihre Tochter?»

«Nein. Die Bäckerei. Sie heißt Annika's. Ich glaube aber nicht, dass dort wirklich eine Annika arbeitet. Ich glaube, sie haben den Laden so genannt, weil es ein schwedischer Name ist. Damit wir alle wissen, dass es schwedisch ist. Und dort Zimtschnecken gebacken werden. Sie ist am Ende der High Street. Aber ich bin ziemlich sicher, dass es in Finchley auch eine Filiale gibt ... sie heißt auch Annika ...» Sie beendet den Satz nicht. «Und ... in welche Klasse geht Ihre Tochter?»

Er sagt etwas, aber es ist nicht Violets Klasse, und seine Ausstrahlung scheint alles um ihn in eine Art Vibration zu versetzen, und beinahe sofort wird Lila bewusst, dass sie ihm nicht richtig zugehört hat, also nickt sie einfach nur lächelnd. Und dann nickt sie noch einmal, für alle Fälle.

«Wann hat sie angefangen?»

«Letzte Woche. Sie findet gerade alles ein bisschen herausfordernd, deswegen wollte ich sie aufmuntern.»

«Oh, das tut mir leid.»

Er zuckt mit den Schultern. «Es ist ... na ja ... sie hatte in den letzten anderthalb Jahren ziemlich viele Veränderungen zu verkraften.»

Er erklärt es nicht weiter. Senkt einen Moment den Blick auf seine Füße.

Lila weiß nicht, was sie sagen soll. Also hält sie ihm die Zimtschnecke entgegen. «Nehmen Sie.»

«Was?»

«Für Ihre Tochter. Ich kann auf dem Rückweg eine neue besorgen.» Das ist eine halbe Meile Umweg.

«Nein ... nein. Das kann ich nicht annehmen.» Er lächelt, und es kommt so unerwartet, dass es ihn kurzfristig von zerzaust sexy in die Höhen von atemberaubend sexy hinaufkatapultiert.

«Trotzdem, das war unheimlich nett von Ihnen.»

«Ich bestehe darauf.» Sie drückt ihm die Tüte in die Hand. «Bitte. Ich sollte Violet das sowieso nicht geben. Wir ... wir essen normalerweise Fisch und Linsen.»

«Wir haben in letzter Zeit so viel bei Deliveroo bestellt, dass ich bestimmt bald die goldene Kundenkarte bekomme.»

*Warum lässt er sich das Essen vom Lieferdienst bringen? Bedeutet das, dass bei ihm keine Frau im Haus ist?* Sofort nach diesem Gedanken verflucht sich Lila für ihren tief verwurzelten Männerhass. Sie überlegt, was sie zu Deliveroo sagen könnte, doch plötzlich sieht sie Violet aus dem Schulgebäude kommen. «Violet! Oh Gott, sie darf die Tüte nicht sehen. Das würde sie mir nie verzeihen. Ich gehe besser ... Tschüs. War nett, Sie kennenzulernen ...»

«... Gabriel.»

«Gabriel. Ich bin ...» Sie muss kurz überlegen, bevor ihr wieder einfällt, wie sie heißt. «... Lila! Ha! So viel zu Fisch als Gehirnfutter. Hab meinen eigenen Namen vergessen!» Sie stößt ein seltsam schrilles Lachen aus, das sie noch nie gehört hat, dann dreht sie sich um und geht schnell auf Violet zu. *Wieso benehme ich mich wie eine Fünfzehnjährige, wenn ich alt genug bin, um langsam einen Hals wie ein Truthahn zu bekommen?*, flucht sie in Gedanken.

«Hast du mir eine Zimtschnecke mitgebracht?», fragt Violet und drückt ihr den Rucksack in die Hand. Lila spürt die kurzen, verstohlenen Blicke der Schulhof-Mütter um Marja auf sich. *Ja, ich bin es, die gerade mit diesem heißen neuen Typen geredet hat. Erstickt dran, ihr Schlampen.* «Ich dachte, wir können auf dem Rückweg eine besorgen.»

«Oh Mum, du nervst dermaßen!» Violet legt den Kopf zurück und stößt ein verzweifeltes Jammern aus. «Der Laden ist meilenweit weg. Und ich bin so *müde!*»

Lila wirft den Müttern ein Lächeln zu. Marja steht mit dem Rücken zu ihr. Sie steht dieser Tage meistens mit dem Rücken zu ihr. «Weißt du was?», sagt Lila. «Wir gehen auf dem Rückweg zum Mini-Markt und gönnen uns einen Donut.»

Es ist vermutlich ein Beweis dafür, wie wenig männliche Aufmerksamkeit Lila während der vergangenen anderthalb

Jahre erhalten hat, dass ihr auf dem gesamten Weg zum Mini-Markt und bis nach Hause so etwas wie winzige freudige Stromstöße durch den Körper fahren, wenn sie an ihr Gespräch mit Gabriel denkt. An seinen offenen Blick. Das beinahe schüchterne Lächeln, als sie ihm die Tüte mit der Zimtschnecke in die Hand gedrückt hat. Sie denkt in den Momenten darüber nach, in denen Violets unaufhörliches Geplapper kurz von dem Donut bezwungen wird, den sie mit größtem Vergnügen isst, während sie sich beim Gehen den Zucker von den Fingern leckt.

Es hat eindeutig zwischen ihnen geknistert, oder? Hätte er Lila angesprochen, wenn er sie nicht zumindest ein bisschen anziehend gefunden hätte? Er hätte ja auch zu den anderen Müttern gehen können. Er hätte nicht so viel lächeln oder ihr so viel von sich erzählen müssen. Dann bremst sie sich, kommt sich lächerlich vor. Sie ist eine zweiundvierzigjährige Frau, die sich in etwas hineinsteigert wie ein Schulmädchen. Und das nach allem, was sie hinter sich hat. Er ist einfach ein Mann, der eine Zimtschnecke haben wollte. Diese Sichtweise hält sie insgesamt zwanzig Schritte lang durch. Dann kehren ihre Gedanken wieder zurück zu ihm, und sie denkt an die Lachfältchen hinter seiner Brille, seinen bezaubernden Haarschopf, die unerwartete Vorfreude auf das nächste Mal, wenn sie zur Schule geht.

Dieser Kreislauf aus Freude und Ordnungsrufen an sich selbst kommt zum Stillstand, als sie ihre Haustür erreicht und es ihr wieder einfällt. Gene ist hier. Gene, mit seinem unstillbaren Bedürfnis nach Aufmerksamkeit und Anerkennung, der wieder in ihr Leben hineingeplatzt ist, ohne auch nur die Andeutung einer Entschuldigung für sein vollständiges Versagen als Vater.

Sie schließt vor der Haustür einen Moment lang die Augen, atmet tief ein, und dann öffnet sie die Tür und betritt das Haus.

«Der Klempnernotdienst ist hier», verkündet Bill, als sie in die Küche kommt. Violet geht an ihnen beiden vorbei, lässt sich vor den Fernseher plumpsen und schnappt sich die Fernbedienung, und das weitere Gespräch mit Bill muss Lila über die Streiterei aufgekratzter amerikanischer Teenager hinweg führen, die sich auf dem Flur einer Schule anbrüllen.

«Was? Warum denn?»

Bill schält eine bunte Ansammlung dreckiger, aber zweifellos biologisch angebauter Kohlrüben. Lila überlegt mit leichter Beklemmung, die kleinkariert und gleichzeitig vollkommen gerechtfertigt erscheint, was er zum Abendessen vorbereitet.

«Dieser Kerl hat das Klo mit Toilettenpapier verstopft. Ich verstehe nicht, warum er eine halbe Rolle verbrauchen muss. Jedenfalls konnte ich die Verstopfung nicht beseitigen.»

Bills Miene spricht Bände über die zweifache Beleidigung, sowohl Genes tatsächliches als auch sein metaphorisch angerichtetes Chaos wegräumen zu müssen.

«Meine Güte. Wie viel das wohl wieder kostet?», stöhnt Lila und setzt sich neben die in ihre Sendung vertiefte Violet. «Wo ist er?»

«Keine Ahnung. Ich hoffe, auf dem halben Weg nach Los Angeles.»

Ruckartig hebt sie den Kopf.

«Er hat gesagt, er kommt nach den Proben zurück.» Bill spricht «Proben» mit so viel Widerwillen aus, als hätte sich Gene auf den Weg zu einer öffentlichen Steinigung gemacht. «Ich schätze, ich muss ihn heute beim Abendessen einplanen.»

«Es ist ja nur noch ein Abend, Bill.»

Bills Schweigen zeigt deutlich genug, was er von dieser Vorstellung hält. Dann sagt er: «Ich wäre dir dankbar, wenn du mit ihm über die ... Toilettenproblematik reden würdest. Ich möchte morgen nicht wieder den Klempner anrufen müssen.»

Lila will vor dem Abendessen noch ein paar Stunden arbeiten. Aber als sie in ihr Arbeitszimmer kommt, hat sie das ausgezogene Schlafsofa vor sich, auf dem die zerknautschte Bettdecke herumliegt, und stellt verärgert fest, dass sie mit Bill und Gene im Haus keinen Platz mehr für sich selbst hat. Also geht sie in ihr Schlafzimmer. Plötzlich fühlt sie sich unglaublich erschöpft und legt sich auf den Teppich, starrt zur Zimmerdecke empor und lauscht auf das gedämpfte Gespräch zwischen Bill und dem Klempner im Stock über ihr. *Ein Leben, in dem ich jetzt irgendwo mit jemandem bei einer Flasche Rosé draußen sitze, das würde mir gefallen*, denkt sie. *Nicht einem schlecht gelaunten alten Mann zuzuhören, der mit einem Klempner über eine verstopfte Toilette verhandelt, und nichts, auf das ich mich freuen kann, außer irgendeiner Kohlrüben-Variation.* Sie seufzt vernehmlich. Sie denkt daran, dass Marja vermutlich nie auf dem Boden liegt, als würde sie am liebsten nie mehr irgendeinen Menschen sehen. Im Moment liegt Marja wahrscheinlich auf einem Sofa und lässt sich von Dan die Füße massieren. Er war immer gut in Schwangerschafts-Fußmassagen. Oder vielleicht gehört sie zu den Frauen, deren Hormone in den ersten Monaten verrücktspielen, und sie liegen jetzt im Bett und ...

Lila schließt die Augen und zählt bis zehn. Und dann nimmt sie ihr Handy. Sie checkt den Mailverteiler der Schule, was sie nur selten tut, und sieht die Nachricht, dass in der zweiten Klasse ein neues Kind aufgenommen wird – Elena

Mallory. Sie hält einen Moment inne, dann tippt sie versuchshalber «Gabriel Mallory» in eine Suchmaschine.

Architekt Gabriel Mallory gewinnt Preis für sein «revolutionäres» Resozialisierungszentrum. Die Jury lobt seinen «menschlich und sozial zukunftsweisenden Entwurf».

Sie starrt das Bild an, auf dem er den Preis in der Hand hält. Na klar, er ist ein preisgekrönter Architekt. Was sonst.

Sie rollt sich auf den Bauch und googelt «Gabriel Mallory Frau». Keine Ergebnisse, nichts zu ihm jedenfalls. Es gibt haufenweise andere Gabriel Mallorys – Männer mit Sport-Sonnenbrillen von Oakley und Surfbrettern, bärtige IT-Entwickler, kleine Jungs in den Armen stolzer blonder Mütter. Sie tippt «Gabriel Mallory Scheidung» und dann, als wieder kein Ergebnis kommt, «Gabriel Mallory Frau tragischer Tod».

«Was machst du da?»

Lila zuckt zusammen.

Violet steht vor ihr, starrt Lilas Handy an.

«Mein Gott, Violet. Du kannst dich nicht so anschleichen.»

«Deine Brüste sehen richtig schwammig aus, wenn du auf dem Bauch liegst.»

«Danke.»

Lila rappelt sich zum Sitzen auf. Sie schaut auf ihre Brüste herunter, überlegt, ob sie schwammiger aussehen als die einer gewissen Person.

«Ich wollte nur sagen, das Abendessen ist fertig, und Gene ist zurückgekommen, und Bill sagt, er riecht wie ein Säufer. Und ich esse nicht zu Abend, weil da Rüben drin sind, also kann ich eine Pizza bestellen?»

Ein paar Jahre lang, als die Kinder klein waren, sind Lila und ihre Mutter einmal die Woche gemeinsam in den Supermarkt gegangen. Francesca begleitete sie vorgeblich, um sie zu unterstützen, ihr zu helfen, wenn eines der Kinder schrie, oder um Sachen aufzuheben, die pummelige Händchen aus dem Einkaufswagen geworfen hatten. Manchmal tranken sie danach zusammen einen Kaffee, wenn sie keine Tiefkühlwaren eingekauft hatten. Sie behielten die Gewohnheit bei, auch als die Kinder längst in der Schule waren und es keine Notwendigkeit mehr gab, um gemeinsam einzukaufen. Francesca war immer fröhlich und sah den wöchentlichen Ausflug zum Supermarkt als großartige Gelegenheit, um neue und exotische Dinge kennenzulernen. Lila schob ihren Wagen resolut an dem Regal mit den Frühstücksflocken entlang, überlegte, um was die Mädchen am wenigsten streiten würden, wog die erschreckenden Mengen an enthaltenem Zucker gegen die Wahrscheinlichkeit ab, dass die beiden überhaupt nichts davon essen würden, und hörte Francesca aus zehn Metern Entfernung rufen: «Lils! Sieh dir das an! Was meinst du, wie man *Nduja* ausspricht? Oh, Litschis! Ich habe seit meiner Kindheit keine Litschis mehr gegessen! Ich muss Bill unbedingt eine Schale davon mitbringen.»

Einmal, als Lila nach einer schlaflosen Nacht oder einem Streit mit Dan besonders schlecht gelaunt war, hatte Francesca sie wiederholt aufgefordert, ein fröhlicheres Gesicht zu machen, das Positive zu sehen, die Fülle an wunderbaren Sachen direkt vor ihrer Nase wahrzunehmen und sich klarzumachen, wie glücklich sie sich schätzen konnten – bis Lila sie angefaucht hatte. *Warum lässt du mich nicht einfach in Ruhe? Ich bin nicht wie du, Mum. Ich bin nicht die ganze verdammte Zeit über gut gelaunt.*

Francesca hatte sie einen Moment lang eigenartig angesehen, ihre grauen Locken hatten auf ihren Schultern getanzt, und dann hatte sie heiter verkündet: *Gut! Dann mache ich das!* Und unter Lilas ungläubigem Blick war sie plötzlich mit ihrem Einkaufswagen losgerannt, mit beiden Füßen aufgesprungen und zum anderen Ende des Gangs gesaust, während ihr andere Einkäufer hastig und erbost auswichen. Und während sie so davonfuhr, hatte sie sich zu Lila umgedreht und theatralisch den Arm gehoben. *Ich gehe! Ich lasse dich in Ruhe!*

Lila hatte fassungslos dagestanden, während ihre Mutter um die Ecke rollte, nicht sicher, ob sie sich für sie schämen oder ob sie darauf stolz sein sollte, dass sich Francesca kein bisschen darum scherte, was irgendwer in dem Laden über sie dachte. Sie hatte sich wieder der Auswahl an Schoko-Müslis zugewandt, und nach einigen Minuten ertönte ein Ruf, und Francesca zischte auf ihrem Einkaufswagen wieder zu ihr. «Yum Yums!», rief sie und sprang in dem Moment ab, in dem ihr Einkaufswagen ins Nudelregal fuhr. «Es ist biologisch UNMÖGLICH, mürrisch zu sein, wenn man ein Yum Yum gegessen hat. Hier.»

Lila hatte den zuckrigen Teigfinger gegessen, während ihre Mutter sie mit der gespannten Erwartung einer Wissenschaftlerin beobachtete, die weiß, dass das Experiment ihr recht geben wird. «Siehst du?», hatte sie gesagt, als sich Lila die Finger ableckte und reumütig lächelte. «Siehst du? Sind sie nicht die fantastischsten Freudenbringer? Ich *wusste*, dass Widerstand zwecklos ist.»

Lila starrt die beiden älteren Männer an, die jetzt an den Stirnseiten ihres Tisches sitzen, sich gezielt ignorieren, während sie sich durch einen Teller mit gewürzten Rübenpommes essen, und sie fragt sich, wie eine Frau, die imstande war, aus jeder beliebigen Situation ein solch unglaubliches Maß an Lebensglück herauszuholen, bei einem von diesen beiden landen konnte. Bill hat die Lippen zu einer dünnen Linie zusammengepresst, und er redet nur, um Wasser anzubieten oder um Lila zu fragen, ob sie findet, dass genügend Salz am Essen ist. Er spricht Gene nicht an, als könnte Gene dadurch, dass er ignoriert wird, einfach in Rauch aufgehen und verschwinden.

Gene ist eindeutig ein bisschen betrunken. Seine Bewegungen haben so etwas Gewolltes, und von Zeit zu Zeit nickt er, und seine Augenbrauen heben sich, als wäre er in ein lautloses Gespräch mit jemandem vertieft, den kein anderer sehen kann. Violet, die sich keine Pizza bestellen durfte, schiebt missmutig ihre Rübenpommes auf dem Teller herum und wirft Lila einen wütenden Blick zu, als wäre sie für diesen kulinarischen Betrug verantwortlich.

«Und? Wie waren die Proben, Gene?», fragt Lila. Sie bemerkt, dass ihre Stimme aufgesetzt klingt, so wie man reden würde, wenn man zufällig mit einem Nachbarn auf den Zug wartet und sich verpflichtet fühlt, ein paar Worte mit ihm zu wechseln.

«Oh. Gut. Sehr gut. Der Regisseur ist sehr zufrieden.»

«Was probt ihr denn?»

Gene blinzelt und kaut einen Moment lang nachdenklich. «Einfach was ... mit einem schwedischen Regisseur. Ich glaube nicht, dass ihr schon einmal von ihm gehört habt.»

«Regisseur? Oder Autor?»

«Wie?»

«Du hast gesagt, es ist ein schwedischer Regisseur.»

«Nein. Er ist Engländer.»

Lila senkt kurz den Blick auf ihren Teller. «Und ... was für ein Stück ist es?»

«Sag mal, habt ihr Ketchup? Ich könnte hier drüber ein bisschen Soße vertragen.»

Bill schaut auf.

«Das ist pikant frittiertes Gemüse. Und da steht ein Joghurtdressing. Da braucht es keinen Ketchup.»

«Tja, aber ich mag Ketchup.»

«Dazu passen keine Tomaten. Und schon gar keine industriell verarbeiteten Tomaten mit haufenweise Zucker.»

«Vielleicht mag ich aber industriell verarbeitete Tomaten mit haufenweise Zucker.»

Lila schaut von einem zum anderen. Keiner gibt nach. Dann steht sie seufzend auf und geht zur Speisekammer. Sie entdeckt den Ketchup ganz hinten im Schrank zwischen drei Jahre alten Dosen mit Kokosmilch und bringt ihn Gene an den Tisch. Bill sieht sie an, als wäre sie eine Verräterin. «Wenn er Ketchup möchte, kann er welchen haben, Bill.»

«Klar, ich bin ja nur der Depp, der eine Stunde damit zugebracht hat, die Zutaten so zu kombinieren, dass sich ein ausgewogenes Geschmackserlebnis ergibt. Warum sollte es mich da stören, wenn er dieses Klebzeug von der Lebensmittelindustrie draufschüttet?»

«Kann ich auch ein bisschen Klebzeug von der Lebensmittelindustrie haben?» Violet schnappt sich die Flasche und verteilt Ketchup über ihre Gemüsepommes.

Bill erstarrt.

Lila beugt sich vor. «Es ist köstlich, Bill», sagt sie. «Danke.»

Um Viertel nach acht klingelt es an der Tür. Lila ist dabei, den Tisch abzuräumen, und Bill steht schon an der Spüle, sein steifer Rücken ein einziger Vorwurf wegen der vergangenen Stunde. Gene geht an die Tür, und Lila hört eine gedämpfte Unterhaltung. Dann wird es laut. Lila stellt die Teller ab und geht nachsehen, was los ist.

«Ich habe gesagt, ich komme *zu dir*. Später.»

Eine Frau schleppt einen Koffer die Vordertreppe hinauf, dann zwei Pappkartons, die sie mit befriedigtem Schwung auf den Fliesenboden plumpsen lässt.

«Aber ich hatte das Auto. Also dachte ich, auf die Art kann ich dafür sorgen, dass es auch wirklich passiert.» Sie sieht auf, als Lila an die Tür kommt.

«Oh, hallo, Lila. Wie geht's?»

Lila muss zwei Mal hinsehen, während sie darüber nachdenkt, warum ihr diese Frau bekannt erscheint. «Jane?» Die erste englische Freundin ihres Vaters nach ihrer Mutter – oder jedenfalls die erste, von der Lila weiß. Jane, eine Heilmasseurin mit langem, welligem blondem Haar, die in England und den USA ungefähr fünfzehn Jahre eine On-off-Beziehung mit Gene geführt hatte, Jane, die Lilas Knieprellung mit Arnika behandelt hat und deren gesamtes Haus nach Patschuli roch. Sie war mit Genes Verhalten umgegangen, als sei es bei einem Mann von seinem Genie einfach normal, und hatte stets heiter gelächelt. Sie war der ausgeglichenste Mensch, dem Lila je begegnet war.

Das Haar der Frau, die jetzt vor ihr steht, ist lang und ergraut, aber immer noch dick, ihre kräftigen Hände wirken, als könne sie gut zupacken. Sie trägt weiterhin kein Make-up, ihre Arme sind sehnig und muskulös, und ihre breiten Füße stecken in einem Paar bequemer roter Sandalen, die irgendwie nach Kindermode aussehen.

Sie schiebt Gene einen Karton hin, wirft ihr langes Haar zurück, während sie sich aufrichtet, und klopft sich die Handflächen ab, als wäre sie froh, diese Last los zu sein.

«Ich weiß schon gar nicht mehr, wie lange die bei mir herumgestanden haben. Ich habe einen Blick in den Koffer geworfen, bevor ich gekommen bin, und erstaunlicherweise ist nichts verschimmelt oder von Motten angefressen worden. Ich glaube, das liegt an dem Lavendel, den ich reingelegt hatte.»

«Um ... was geht es hier?»

«Gene hat angerufen und gesagt, dass er jetzt hier wohnt. Also dachte ich, das wäre ein guter Moment, um endlich die Sachen loszuwerden, die er vor ... mmh ... dreiundzwanzig Jahren in meinem Haus zurückgelassen hat. Es wäre ein Wunder, wenn dir die Sachen noch passen, Gene, aber ich schätze, du kannst die Grateful-Dead-T-Shirts auf dem Flohmarkt verkaufen.»

«Wie war das?», sagt Lila, die Mühe hat mitzukommen. «Wo soll er wohnen?»

«Ich habe nicht wohnen gesagt», erklärt Gene, der auf einen Schlag nüchtern geworden scheint.

«Doch, das hast du», sagt Jane. «Du hast zu mir gesagt, dass du bei deiner Tochter wohnst. Und zwar gestern, bei deinem Anruf. Das war überhaupt das Erste, was du gesagt hast. Übrigens: Ich glaube, ich habe noch mehr Kartons von dir auf dem Dachboden.»

«Nein ... nein ... warte mal», sagt Lila. «Er übernachtet hier nur. Und zwar nur noch heute.»

Jane lässt Gene nicht aus den Augen. Ihr Blick hat etwas leicht Beunruhigendes an sich. «Verstehe», sagt sie. «Übernachten.»

Gene wendet sich Lila mit einem Hundert-Watt-Lächeln zu und legt ihr die Hand auf die Schulter. «Ich wollte dich noch danach fragen, Liebes. Ob ich vielleicht ein paar Tage länger bleiben kann. Es hat ein Problem mit dem Hotel gegeben, und ich ...»

Sie hört entfernt das «*Oh nein*» aus der Küche, bevor Gene den Satz beendet hat.

«Nur solange die Proben laufen», sagt Gene, immer noch strahlend.

Lila schaut von Jane zu Gene, fühlt sich irgendwie ausmanövriert. Es ist Jane, die das Schweigen bricht.

«Ich ... denke, das müsst ihr unter euch klären», erklärt sie fröhlich. «Ich muss los, ich habe um halb neun eine Klientin. Lila, es war wirklich toll, dich wiederzusehen. Ich habe mich oft gefragt, wie es dir wohl geht. Sehr schönes Haus übrigens. Gene, es war ... tja, viel Glück.» Sie klopft ihm auf den Arm, winkt Lila kurz zu und geht.

Lila und Gene stehen im Hausflur.

«Ich ... hatte ein paar Schwierigkeiten», setzt Gene an. «Mit der Finanzabteilung.»

Lila verdreht die Augen.

«Also, das ist nur kurzfristig. Sehr kurzfristig. Nur, bis ich bezahlt werde. Aber es ist kompliziert, ein Hotel zu bekommen, weil ich meine Kreditkarte nicht mehr habe und mein Bargeld anscheinend nicht ausreicht, um eine Anzahlung zu hinterlegen.»

Lilas Kiefer hat sich geschlossen wie ein Schraubstock. Sie spürt jeden einzelnen ihrer Zähne.

«Und deswegen, Liebling, wäre ich dir wirklich dankbar, wenn ich bleiben könnte, bis ich bezahlt werde. Dann kann ich auch ein bisschen Zeit mit dir und den Mädchen verbringen.»

Als Lila nicht reagiert, redet er weiter.

«Ich wäre dir nicht im Weg. Ich kann einfach oben schlafen und mich rarmachen. Vielleicht könnte ich auch helfen, Celia zu unterstützen ...»

«Celie. Sie heißt Celie. Wie in *Die Farbe Lila*. Und Violet.»

«Wir brauchen keine Unterstützung», kommt es aus der Küche.

Lila rührt sich nicht.

«Entweder das, oder ich lande auf der Straße», zieht er seine Trumpfkarte mit der Zuversicht – oder Verzweiflung – eines Mannes, der weiß, dass Lila wahrscheinlich nicht willensstark oder gefühlskalt genug ist, um einen über Siebzigjährigen auf die Straße zu setzen.

«Kannst du denn nicht bei Jane wohnen?»

«Ihr Lebensgefährte mag mich nicht.»

«Überraschung», hallt es aus der Küche.

«Und andere Freunde hast du nicht.»

«Ich wäre lieber bei der Familie.»

«Oh, auf einmal sind sie die Familie.» Die Stimme aus der Küche.

«Kannst du das mal sein lassen, Bill?», sagt Gene. «Das ist eine Sache zwischen mir und meiner Tochter.»

«Du hast schon vor Jahren das Recht verwirkt, sie deine Tochter zu nennen.»

«Wer hier das Recht dazu garantiert nicht hat, bist du.»

Lila hört Schritte. Bill taucht an der Küchentür auf, ein Geschirrhandtuch über der Schulter. «Und du hast kein Recht, Lila um irgendetwas zu bitten, überhaupt kein Recht.»

«Hey, Kumpel, halt dich raus. Wenn mir meine Tochter einen Platz zum Schlafen geben will, geht dich das verdammt noch mal nichts an. Du hast dich doch selber hier breitgemacht, soweit ich sehe.»

«Hier breitgemacht? Ich bin seit fünfunddreißig Jahren Teil dieser Familie. Mindestens drei Mal so lange, wie du es je warst.»

«Du weißt nicht das Geringste über mich!» Gene stößt Bill mit dem Zeigefinger vor die Brust, sodass Bill erschrocken einen Schritt zurückweicht.

«Oh, ich weiß sogar sehr viel über dich!» Bill reißt sich

das Geschirrtuch von der Schulter und lässt es in Genes Richtung vorschnellen. Mit einem scharfen Klatschen trifft es Genes Kinn. Gene bleibt der Mund offen stehen, und er fasst sich ans Gesicht. Truant, der die Anspannung bis in die Küche gewittert hat, zischt laut bellend in den Flur und schnappt nach den Fersen der Männer.

«Hast du mir gerade eine verpasst, Kumpel? Oh Mann. Ich verdresche dir deinen faltigen alten Arsch.»

Sie fangen an, sich zu schubsen, während Lila versucht, den Hund festzuhalten, damit er niemanden beißt.

«Du willst mir den Arsch verdreschen? Du bist ja zu betrunken, um dich aufrecht zu halten.»

«Warte, jetzt zeig ich's dir.»

Sie haben die Fäuste gehoben und pendeln angriffslustig mit den Oberkörpern hin und her. Lila schwirrt der Kopf. Sie geht dazwischen und schiebt die beiden auseinander. «Jetzt reißt euch zusammen!», schreit sie. «Verdammt noch mal.»

«Er hat angefangen!»

Lila stoppt einen zugegeben schwachen Hieb von Gene, und er duckt sich, wechselt auf ihre andere Seite, wie ein Boxer an Deck eines schwankenden Schiffs.

«Ja, und wie in den letzten fünfunddreißig Jahren bin ich derjenige, der es zu Ende bringt.»

«Bill!» Lila schiebt ihn zurück.

«Mum!»

Kurz herrscht Stille. Dann kommt noch einmal: «Mum?»

Violet steht mit untypisch verunsicherter Miene an der Wohnzimmertür. Lila schiebt die beiden erneut auseinander und funkelt sie an, damit sie wissen, dass es ihr ernst ist. Dann beugt sie sich vor, zieht Violet an sich und setzt ein breites Lächeln auf. Violets Blick zuckt zwischen den Männern hin und her.

«Alles in Ordnung, Liebling. Sie haben nur so getan, als würden sie sich schlagen. Es war ein Schaukampf.»

Violets Stimme zittert. «Sie sehen aber nicht so aus, als wäre es nur Spaß.»

Die lastende Stille hält den Bruchteil einer Sekunde länger an, als es gut wäre.

Dann knipst Gene sein Lächeln an. «Klar war es das, Herzchen! Bill und ich kennen uns schon ziemlich lange, oder, Bill? Wir sind immer zu einem Scherz aufgelegt.»

Bill braucht einen Moment länger, um seine Beherrschung wiederzufinden. Er zieht seine Krawatte gerade, die ihm Gene bei dem Gerangel aus dem Kragen gezogen hat. «Ja, wir machen nur Spaß», sagt er mit einem Lächeln, das seine Augen nicht erreicht. «Keine Sorge, Violet. Das ist wirklich nur ein kleiner Scherz zwischen Gene und mir.»

«Genau», sagt Gene.

«Weil Gene es in Wahrheit liebt, wenn ich das mache.» Unvermittelt lässt Bill das Geschirrtuch wieder vorschnellen. Es trifft Gene an der Nase. Lila beobachtet, wie Gene kurz die Gesichtszüge entgleisen. Dann bringt er ein Lächeln zustande.

«Genau. Wir sind einfach ein paar Spaßvögel. Und Bill liebt es, wenn ich das hier mache!» Er packt Bills Krawatte, zieht sie unter dem Pullover heraus und von rechts nach links, sodass Bills Kopf in seinen Hemdkragen sinkt.

«Ha ha ha», sagt Bill heftig blinzelnd.

«Ha ha ha», sagt Gene.

«Er ist ein echter Rowdy», sagt Bill.

«Und jetzt beenden sie ihren Schaukampf endgültig. Wir haben nämlich für heute Abend allesamt genug Spaß gehabt», sagt Lila. «Findet ihr beide nicht auch?»

Gene lächelt übers ganze Gesicht und geht einen Schritt

auf seine Enkelin zu. «Klar. Siehst du, Violet? Alle hier verstehen sich bestens. Sag mal, sollen wir zwei uns eine Folge *Star Squadron Zero* anschauen? Die mit dem Aufstand der Marsianer gefällt dir garantiert.»

Violet scheint sich etwas zu entspannen. Sie sieht zu Lila auf, um sich zu vergewissern, dass alles in Ordnung ist, und Lila lächelt aufmunternd. Violet ist trotz all ihrer Großtuerei immer noch ein kleines Mädchen, das mit vielen Umwälzungen zurechtkommen muss.

«Ja, macht das. Ihr beide setzt euch aufs Sofa und schaut *Star Squadron Zero*. Und ich helfe Bill in der Küche.»

«Noch eine Nacht», zischt sie Gene im Vorbeigehen zu und versucht, seine erschrockene Miene nicht zur Kenntnis zu nehmen.

«Du solltest ihm sagen, dass er sofort gehen muss», murmelt Bill, als sie Violet und Gene mit dem iPad aufs Sofa gesetzt hat. Sie hört, wie Gene bei der blechernen Titelmelodie mitsummt.

«Noch eine Nacht», sagt Lila und wehrt sich dagegen, niedergeschlagen zu sein, als Bill langsam und sorgfältig das Geschirrtuch über das Abtropfgestell legt und sich anschließend demonstrativ in sein Zimmer zurückzieht.

## NEUNTES KAPITEL

Obwohl sie angeblich vollkommen unterschiedlich sind, herrscht eine seltsame Gleichförmigkeit in sämtlichen Empfangsbereichen von Verlagen und Literaturagenturen. Helle Holzböden, Regale mit den neuesten Bestsellern und nicht so gut verkauften Büchern, die täglich zur Schmeichelei oder Beruhigung der Autorinnen oder Autoren umsortiert werden, die an diesem Tag erwartet werden. Ein farbenfrohes Sofa, eventuell von Ikea. Und im Fall von Anoushka Mellors, Film- und Literaturagentin, ein Endlos-Karussell identischer Empfangsdamen. Reizende Frauen in den Zwanzigern mit hübscher Frisur und entgegenkommendem Lächeln, deren Namen sich Lila nie merken kann. Sie setzt sich auf das türkisfarbene Sofa, checkt ihre Ausgabe von «Erneuerung» auf dem Bestsellerregal und lehnt den angebotenen Kaffee ab. Sie ist seit fünf Uhr früh wach, hat schon drei Tassen Kaffee getrunken, bevor sie aus dem Haus gegangen ist, und denkt, dass sie mit einer weiteren Tasse die Grenze von «etwas aufgeregt» zu «komplettes Nervenbündel» überschreiten könnte.

«Sie ist in einer Minute da», sagt die reizende Empfangsdame zum dritten Mal. «Sie musste nur gerade den Anruf einer sehr wichtigen Verlegerin annehmen.»

«Kein Problem», sagt Lila.

Bill war an dem Morgen nach dem Streit total wütend gewesen. Das hatte er, wie bei ihm üblich, durch verdrossenes

Schweigen und einen Porridge zu erkennen gegeben, der so fest war, dass die Mädchen ihre Löffel minutenlang umgekehrt in die Luft gehalten hatten, um zu testen, ob etwas davon in ihre Schalen zurückfiel. Das war nicht passiert. Violet hatte sie endlos nach dem Schaukampf ausgefragt, hatte wissen wollen, ob es wirklich ein Spiel war, wenn jemand einem anderen richtig fest ein Geschirrtuch an die Nase knallte (ja), ob Gene und Bill sich wirklich mochten (natürlich taten sie das) und was Grandma gesagt hätte, wenn sie noch da wäre (darauf hatte Lila keine Antwort gewusst).

Und dann war sie an ihrem Arbeitszimmer vorbeigegangen, als sie sich die Zähne putzen wollte, und wie erstarrt an der Tür stehen geblieben. Gene und seine Tasche waren verschwunden.

Einen Moment hatte sie einfach nur dagestanden, den verlassenen Raum vor sich, das Bett – natürlich ungemacht –, und sich gefragt, wie man gleichzeitig von solcher Erleichterung und so zwiespältigen Gefühlen erfüllt sein konnte. Wieder war ihr Vater weg. Typisch. Er verschwand immer vor den komplizierten Gesprächen und bevor von ihm verlangt wurde, Verantwortung zu übernehmen. Sie überlegte, ob er jemanden aus dem Filmteam gefunden hatte, bei dem er übernachten konnte. Vielleicht eine abgekämpfte Geschiedene, für die er immer noch den Abglanz eines Stars besitzt. Plötzlich hatte sie eine fast überwältigende Melancholie erfasst. Und dann hatten die Mädchen angefangen, darüber zu streiten, wem eine bestimmte Haarbürste gehörte, und damit Genes Verschwinden aus ihren Gedanken verdrängt. Allerdings war sie auf dem Weg hinaus über seine Kartons im Flur gestolpert, was irgendwie allzu gut passte.

Gabriel Mallory war seit zwei Tagen nicht an der Schule gewesen, als sie Violet abgeholt hatte.

«Ich hoffe, Sie finden mich nicht aufdringlich, aber Ihr Buch hat mir wirklich gut gefallen.»

Lila hebt ruckartig den Kopf. Die Empfangsdame beugt sich mit einem schüchternen Lächeln ihrer wunderbar konturierten Lippen an ihrem Schreibtisch vor. «Hoffentlich ist es nicht unprofessionell, das zu sagen.»

«Überhaupt nicht. Danke», sagt Lila. «Das ist ... sehr nett von Ihnen.»

«Mein Freund und ich hatten da gerade ein paar Probleme – wir neigen dazu, uns gegenseitig zu triggern. Er ist der ängstliche Bindungstyp, und ich bin der ausweichende Bindungstyp – und ich habe gelesen, was Sie darüber schreiben, wie man mit seinem Partner sprechen sollte, und das hat uns wirklich geholfen.»

Lila wird es schwer ums Herz. «Das ist schön zu hören», sagt sie. Dann senkt sie ihren Blick auf ihr Handy.

«Ich hoffe, wir sind wie Sie, wenn wir zwanzig Jahre zusammen sind.» Die junge Frau lächelt jetzt ganz offen, fast verschwörerisch. «Diese Sache, dass man bis fünfzehn zählen soll, bevor man reagiert. Das tue ich jetzt immer. Es macht einen Riesenunterschied. Und das mit der echten Akzeptanz, und dass man nicht versuchen soll, seinen Partner zu ändern. Sie beide sind richtig *weise*.»

Lila öffnet den Mund und schließt ihn wieder.

Die junge Frau schaut sie erwartungsvoll an.

«Ehrlich gesagt, sind wir nicht mehr zusammen», erklärt Lila schließlich.

Das Lächeln der jungen Frau erlischt. «Meinen Sie, überhaupt nicht mehr zusammen? Also, richtig getrennt?»

«Nein. Ich meine, ja.»

«Aber warum?»

Lila lächelt. «Er ... er ist mit einer anderen abgezogen.»

Die junge Frau reißt die Augen auf. «Das ist nicht Ihr Ernst.»
«Doch. Sie ist schwanger von ihm.»

Die Frau starrt sie an, als wäre das ein schrecklicher Witz und sie würde auf die Pointe warten.

«Oh», sagt sie schließlich. «Oh.»

«Sorry», sagt Lila. Sie weiß nicht, warum sie sich entschuldigt, aber sie hat irgendwie das Gefühl, die junge Frau enttäuscht zu haben.

«Schon okay.» Tatsächlich zittert die Unterlippe der Empfangsdame. «Es ist nur so traurig. Oh mein Gott, hatten Sie nicht Kinder?»

Lila schluckt. «Es läuft gut. Wirklich. Es geht ihnen gut. Es geht uns allen gut.» Als die Frau nicht überzeugt wirkt, fügt sie hinzu: «Ich schreibe sogar ein neues Buch. Darüber, wie viel Spaß man als Single hat. Deshalb bin ich ja hier, um das mit Anoushka zu besprechen.»

Darauf folgt eine kurze Stille. Die junge Frau starrt die Papiere auf ihrem Schreibtisch an. «Ich habe das Leben als Single gehasst. Es hat mich richtig trübsinnig gemacht.»

Das Telefon klingelt. Die Frau schaltet sofort auf Arbeitsmodus um und setzt das Headset wieder auf.

«Anoushka Mellors Literaturagentur», trällert sie. «Einen Moment. Ich stelle Sie zur Lizenzabteilung durch.»

«Liebes, wie geht's? Du siehst *fantastisch* aus.»

Lila sieht nicht fantastisch aus. Nach vier Stunden Schlaf sieht sie aus wie die Frau, die vor der U-Bahn-Station Camden Town Bier trinkt und Plastiktüten an den Füßen trägt, aber Lila lächelt und nickt, als könnte es wahr sein.

«Wie geht es deinen hinreißenden Mädchen?»

«Gut», sagt Lila automatisch. «Ich hatte meine beiden Väter bei mir im Haus. Das war so richtig lustig.»

«Deine *beiden* Väter?» Anoushka sieht sie blinzelnd an, kurz abgelenkt von ihrem Bildschirm. Sie trägt eine türkisfarbene Bluse und dazu passende Ohrringe. Sie gehört zu den Frauen, für die Kleidung immer ein Statement ist.

«Mein Stiefvater, Bill, und mein biologischer Vater, Gene.»

«Meine Güte! Wie modern! Zwei Großväter mütterlicherseits! Ich wette, die Mädchen sind begeistert.»

Lila lächelt vage, erinnert sich daran, wie sich die beiden Männer im Flur herumgeschubst haben und das Geschirrhandtuch vorgeschnickt wurde. «Es war … interessant. Wie auch immer, mein ‹richtiger› Vater ist wieder weg. Also ist wieder nur Bill bei uns.» Bill, dessen gesamtes Verhalten sofort vergnügter geworden ist, der jetzt morgens vor sich hin pfeift und sich mit neuem Eifer dem sogenannten Gedenkgarten widmet.

«Wie reizend. Also. Kommen wir zum Geschäft! Ich habe großartige Neuigkeiten.»

«Wirklich?»

«Der Regent-House-Verlag will unbedingt dein neues Manuskript lesen. Anscheinend sind sexy Wechseljahre zurzeit der letzte Schrei.»

«Wechseljahre?» Lila blickt über den Schreibtisch. «Aber ich … bin nicht in den Wechseljahren.»

«Einem geschenkten Gaul schaut man nicht ins Maul, Liebes. Und bis das Buch auf den Markt kommt, bist du es vermutlich. Und sie sind total auf Geschichten von erfahrenen attraktiven Frauen auf der Pirsch aus, die sich ihren Spaß gönnen, nachdem sie ihren langweiligen Partner losgeworden sind. Ich habe gesagt, dein Buch ist vollgepackt mit erotischen Abenteuern, und nach dem Erfolg von ‹Erneuerung› denken sie darüber nach, ein Angebot zu machen.»

Lila setzt sich in ihrem farbenfrohen Stuhl zurecht. «Obwohl sie noch keine Zeile gelesen haben?»

«Du stehst auf der Bestsellerliste der *Sunday Times*, Herzchen. Sie wissen, dass du schreiben kannst. Und du wirst ihnen bestimmt liefern, was sie haben möchten. Aber sie wollen die ersten drei Kapitel sehen. Wie weit bist du?»

Lila setzt ein nachdenkliches Gesicht auf, als hätte sie so viel geschrieben, dass sie sich gar nicht genau erinnern kann. «Mh ... drei Kapitel sind es noch nicht ganz.»

«Also, ich schlage vor, dass du das dritte Kapitel so schnell wie möglich fertigstellst. Das Thema ist gerade total angesagt, und wir wollen das Eisen schmieden, solange es heiß ist. Wenn du mir bis Ende der Woche etwas schicken könntest, wäre das toll. Dann könnten wir bis Mitte Oktober einen Vertrag haben.»

«Über wie viel reden wir?», fragt Lila.

«Oh, definitiv sechsstellig», sagt Anoushka.

«Sechsstellig?»

Ihre Agentin lächelt herzlich. «Wie gesagt, genau das wollen gerade alle haben. Vielleicht kriegen wir sogar einen USA-Vertrag für dich hin. Und hör mal, wenn du ein bisschen einfließen lassen könntest, wie du deine Dates um die Betreuung alter Eltern herum organisieren musst, wäre das wirklich das i-Tüpfelchen. Es gibt heutzutage so viele Frauen, die sich gleichzeitig um Kinder und die Eltern kümmern müssen. Und du gibst dann das leuchtende Beispiel dafür ab, wie man alles unter einen Hut bringt.» Sie hebt die Hand. «*Treppenlifte, Elternabende und heiße Dates: Wie ich zum Midlife-Luder wurde*. Ich sehe es direkt vor mir. Wenn wir Glück haben, interessiert sich die *Mail* für einen Abdruck in Fortsetzungen. Sie zahlen unwahrscheinlich gut für so was.»

«Ich bin aber kein Midlife-...»

«Du müsstest vielleicht eins von diesen scheußlichen kobaltblauen Kleidern tragen, die sie Frauen immer aufnötigen, und grässliche Sandalen mit Keilabsatz, aber damit zahlst du einen kleinen Preis.»

«Stimmt», sagt Lila, die an die letzte Rechnung vom Klempner denkt. «Sechsstellig.»

«Männer wie dein nichtsnutziger Dan werden schäumen vor Wut, weil sie ihre Frauen haben gehen lassen. Du leistest einen Dienst an der Öffentlichkeit. Großartig! Sollen wir Freitag sagen?» Anoushka beugt sich verschwörerisch vor. «Und jetzt mal ganz ehrlich: Riecht es hier noch ein bisschen nach Kotze? Gracie hat heute Morgen wieder ihr Frühstück von sich gegeben. Dieses Mal hat sie es nicht mal bis zum Papierkorb geschafft. Ehrlich, wenn das so weitergeht, muss ich das Büro wechseln.»

Sechsstellig. Ein sechsstelliges Honorar würde ihre Probleme lösen. Dans geringere Zahlungen würden sich weniger katastrophal auswirken. Die Renovierung der Badezimmer könnte bezahlt werden, selbst wenn das Geld in Tranchen kam. Sechsstellig würde bedeuten, dass sie immer noch groß im Geschäft war. Lila denkt auf dem gesamten Heimweg über das Angebot nach und ist so vertieft ins Ausgeben ihres imaginären Geldes, dass sie beinahe in Jensen hineinläuft, der eine Schubkarre voller Strauchschnitt durch den Vorgarten schiebt. Er bleibt stehen und beschirmt die Augen mit der Hand. Er hat das zerzauste Haar eines Schuljungen, und unter seinen Fingernägeln zeigen sich schmale Halbmonde aus Gartenerde.

«Bill hat das angeleiert. Er sagte, es wäre gut, wenn ich schon mal mit der Arbeit anfange. Ich hoffe, das ist okay.»

«Ja, in Ordnung.» Lila versucht, freundlicher zu klingen,

als sie eigentlich reagieren wollte. Sie ist noch immer nicht sicher, was sie von dem Gedenkgarten hält oder von der Tatsache, dass Bill jetzt Entscheidungen zu ihrem Haus trifft.

«Oh, und da gibt es ein kleines Problem in Ihrem Schuppen.»

«Was für ein Problem?»

Er zieht ein Gesicht, das Gesicht eines Handwerkers, der gleich sagt, dass es richtig teuer wird. Der Schuppen muss abgerissen und ersetzt werden. Der Betonsockel ist rissig und gefährlich und muss erneuert werden. Der Schuppen beherbergt eine große Rattenfamilie, sodass ein kostspieliger Kammerjäger gerufen werden muss. Lila trifft eine spontane Entscheidung. Nicht jetzt, nicht, wenn ihr gerade ihre finanzielle Rettung vor die Nase gehalten worden ist wie dem Esel die Karotte. Nicht jetzt.

«Ich will es nicht wissen.»

Jensen strafft sich ein wenig. «Sie wollen es nicht wissen?»

«Nein», sagt sie forsch. Sie hat zwei ruhige Tage gehabt und einen guten Termin. Sie weiß besser als irgendwer sonst, dass man kleine Erfolge für sich schützen muss, wenn es sie einmal gibt. «Trotzdem danke.»

Jensen starrt ihr nach, als sie die Haustür aufschließt.

Oh, was für ein Genuss ist ein ruhiges Haus. Lila bleibt im Flur stehen, nimmt die vollkommene Stille in sich auf, die nur von Truant unterbrochen wird, der mit sanftem Schwanzwedeln auf sie zukommt, um sie freudig zu begrüßen. Sie geht in die Hocke, reibt ihm über den Hals, ist plötzlich von einem unerwarteten Glücksgefühl erfüllt. Es ist niemand in ihrem Haus, und sie hat vier Stunden, um an den Kapiteln zu schreiben, die den nächsten Abschnitt ihres Lebens einleiten werden. Alles ist machbar.

Eine Viertelstunde später sitzt sie an ihrem Schreibtisch.

Sollte sie über «Erneuerung» schreiben? Sollte sie Einblick in alles geben, was ihr widerfahren ist? Lila weiß allzu gut, dass das katastrophale Liebesleben von Frauen ein gefundenes Fressen für die Leserschaft ist. Niemand will etwas über eine Frau lesen, die alles hat; die Leute denken dann, sie hätten sich einfach nicht genug angestrengt. Sie wollen lesen, wie schwer es jemand hat, von gebrochenen Herzen und Liebesdramen, und dabei große Augen machen, während sie ihrem eigenen Glück entgegensteuern. Erfolg ist nervend; ein Leben voller Reinfälle und Unglück ist ... nachvollziehbar.

*Vor zwei Jahren*, beginnt sie, *schrieb ich ein Buch über das, was ich für meine glückliche Ehe hielt. Und zwei Wochen nach dem Erscheinen dieses Buchs verließ mich mein Mann.*

Sie starrt die Worte an, ihre Finger liegen auf den Tasten. Wenn sie das macht, denkt sie, wird Dan rasen vor Wut. Er wird sie dafür hassen, sein Privatleben an die Öffentlichkeit gezerrt zu haben. Und die Mädchen werden vielleicht auch wütend. Es ist so persönlich, geht so unter die Haut. Sie kann nicht über ihre Ehe schreiben, ohne auf die Kinder Bezug zu nehmen. Aber was habe ich sonst? Sie denkt nach. Ihr fällt ein Zitat ein, das sie einmal im Internet gelesen hat: *Wenn du nicht willst, dass ich Mist über dich schreibe, hättest du mich besser behandeln sollen.* Sie atmet durch.

*Es gibt kaum etwas Demütigenderes, als die ganze Welt in sein Eheleben einzuladen, um allen eine Lektion darüber zu erteilen, wie man dauerhaftes Glück aufrechterhält, nur um dann festzustellen, dass alles, was man veröffentlicht hat, Lüge war.*

Plötzlich fließen die Worte, drängen sich in ihren Kopf und über ihre Finger hinaus in einem stetigen Strom, unaufhaltsam, lebendig. Sie wählt und verwirft Metaphern, schreibt trockene, humorvolle Anspielungen auf ihre eigene Überheblichkeit. Sie taucht ab in eine Welt, in der es nur ihren Bildschirm und ihre Tastatur gibt, verliert das Zeitgefühl. Das ist es, wird ihr bewusst, was sie schreiben muss. Eine Befreiung. Sie hat schon immer mit Worten ihre Eindrücke verarbeitet, und jetzt braucht sie die Worte, um dieses Geschehen zu verarbeiten. Sie schreibt tausend, zweitausend, dreitausend Worte. Sie unterbricht sich kurz, um sich einen Tee zu machen, dann lässt sie ihn auf ihrem Schreibtisch kalt werden, versunken in ihre Betrachtungen. Als sie das nächste Mal aufsteht, hat sie dreitausendsiebenhundertachtundfünfzig Worte geschrieben und damit ihr erstes Kapitel.

Sie schaut auf die Wortzählung, und ein ungewohntes Triumphgefühl steigt in ihr auf. «Ich schaffe das», sagt sie laut. «Verdammt, ich schaffe das.»

Sie hat leichte Schuldgefühle, weil sie mit Jensen so schroff umgegangen ist, also macht sie einen Becher Tee für ihn und geht nach draußen. Jensen steht ganz am Ende des Gartens auf einer Leiter und schneidet sorgsam den Fliederbusch zurück. Er trägt ein verwaschenes T-Shirt und Shorts mit Tarnmuster. Seine Bräune ist die eines Bauern, sie endet am Ausschnitt und den Ärmeln des T-Shirts und hat den tiefen Karamellton eines Menschen, der die meiste Zeit im Freien verbringt. Sie geht über die Wiese, Truant auf den Fersen, und wartet am Fuß der Leiter ab, bis Jensen sie bemerkt.

Er hält inne, steigt von der Leiter und nimmt dankbar den Becher entgegen. «Sieht gut aus», sagt sie lächelnd, obwohl sie in Wahrheit keine Ahnung hat, ob der Busch gut aussieht oder nicht.

Er mustert den Flieder. «Ja. Ich lichte ihn nicht zu stark aus, obwohl ein paar sehr wüchsige Triebe dabei sind. Ich könnte ihn wahrscheinlich einen Meter einkürzen, und nächstes Jahr wäre er wieder genauso groß.»

Sie nickt, als würde sie etwas davon verstehen.

«Tut mir leid wegen vorhin. Ich meine, es ist im Moment selten, dass ich das Haus für mich habe, also musste ich einfach reingehen und ... Abgabetermine ...» Sie bricht ab.

Er schüttelt den Kopf, als hätte es ihm nichts ausgemacht, und trinkt einen Schluck Tee. Lila erlebt einen Moment des Friedens, eine Art Frieden, an den sie sich kaum erinnern kann. Es ist, als würde sie einen Duft aus ihrer Kindheit riechen, eine Erinnerung daran, dass es in ferner Vergangenheit einmal eine ganz andere Lila gab, eine, die sie beinahe vergessen hat.

«Ich habe Ihr Buch gelesen.»

Sie braucht einen Moment, bis bei ihr ankommt, was er gesagt hat. «Sie haben mein Buch gelesen?»

«Ich meine, nicht das ganze Buch. Ich bin kein sehr schneller Leser. Aber ich habe es zum großen Teil gelesen. Also überflogen.»

«Es ist wahrscheinlich am besten, wenn Sie es nicht komplett lesen. Wie sich herausgestellt hat, war eine Menge davon nur erfunden.» Sie lächelt. Sie kann jetzt darüber lächeln. Mit den neuen Worten, die sie geschrieben hat, scheint es beinahe schon so, als würde «Erneuerung» in weite Ferne rücken.

«Ja. Bill hat es mir erzählt. Tut mir leid, wie das gelaufen ist. Oh, sehen Sie mal, da ist ein Eichhörnchen.»

Sie wartet darauf, dass er weitere Fragen stellt, aber er beobachtet nur das Eichhörnchen, und danach hat er das Thema offenbar vergessen. In diesem Moment fällt ihr auf, dass er einen Ehering trägt. Sie fragt sich, ob sie ihr restliches Leben darauf achten wird, welche Männer einen Ehering tragen. Es fehlt ihr immer noch, ihren eigenen nicht mehr zu tragen. Er war das einzige Schmuckstück, das sie nie verloren hat.

«Wie lange arbeiten Sie eigentlich schon als Gärtner?»
«Ungefähr vier Jahre.»
«War das Ihr Traumberuf?»
«Nein. Ich wollte Model werden. Aber David Gandy hat mich aus der Stadt verjagt. Wollte keine Konkurrenz haben.»
«Ja, das passt zu ihm», sagt Lila. «Er ist sehr unsicher.»
«Schrecklich. Wissen Sie, er fürchtet sich vor einem Bierbauch.»

Sie fängt an zu lachen.

«Was denn? Finden Sie etwa ...?» Jensen sieht an sich herunter. Sein Bauch ist nicht dick, aber er streckt ihn ein wenig heraus, spielt bei dem Witz mit.

Lila legt den Kopf schräg. «Die Sache mit dem Baum anstarren tut mir auch leid. Hier in der Nachbarschaft hat es Einbrüche gegeben, und ...»

«Und ich habe eine stark kriminelle Ausstrahlung. Verstehe. Aber machen Sie sich keine Sorgen. Sie haben Bill.»

Sie wirft ihm einen Seitenblick zu.

Er trinkt seinen Tee aus. «Im Ernst. Er würde einen guten Oberlehrer abgeben. Da legt man sich besser nicht mit ihm an.»

«Ja, er kann sehr streng sein.»

«Er hat mir eine richtige Ansprache gehalten, bevor ich angefangen habe. Dass Sie gerade viel durchmachen. Und dass wir alle Ihnen viel Freiraum lassen sollen.»

«Das hat er gesagt?»

«Er liebt Sie.» Er sagt es einfach so. Lila fällt plötzlich auf, wie selten sie einen Mann offen und direkt über die Liebe reden hört. Dan hat ihr nach der ersten Zeit nur noch selten gesagt, dass er sie liebte. Wenn sie ihn danach fragte, sah er sie mit einer Mischung aus Verwunderung und Gereiztheit an, als wollte er sagen: *Warum fragst du mich das?* Manchmal denkt sie, dass sie immer das Gefühl hatte, ihm ein bisschen zu viel zu sein; zu bedürftig, zu wütend, zu traurig, zu hysterisch.

Wie eine Welle brandet die Liebe zu Bill mit seiner unaufdringlichen Zuneigung in ihr auf.

«Ich bin froh, ihn hier zu haben», sagt sie einfach.

Jensen gibt ihr den leeren Teebecher. «Ja. Aber ich klaue Ihr Auto trotzdem.»

Wieder lacht sie. Sie ist schon halb durch den Garten, als er ihr nachruft: «Hey! Was ich Ihnen sagen wollte ... mit dem Schuppen ...»

Da spürt sie es, diese unvermittelte Verkrampfung, dieses Gefühl, dass sie einfach niemals ein paar unkomplizierte, vergnügte Stunden haben darf. Und das Wort kommt über ihre Lippen, bevor sie darüber nachgedacht hat.

«Nein», sagt sie.

«Nein?»

Sie bleibt stehen und dreht sich um. «Ich will nicht über den Schuppen sprechen. Ich will nichts unternehmen, was den Schuppen angeht. Das kann warten.» Es hört sich ein bisschen grimmiger an, als sie beabsichtigt hat, aber sie reagiert einfach aus dem Bauch heraus. Sie will nicht hören, für was sie jetzt noch zusätzlich die Verantwortung übernehmen muss. Sie möchte einfach nur einen ruhigen Tag haben. Ist das wirklich zu viel verlangt? «Hören Sie, ich verstehe, dass das Ihre Arbeit ist. Es ist ein Auftrag für Sie. Und wahrscheinlich denken Sie, ich sollte Geld ausgeben, damit alles besser oder funktioneller oder schöner wird, aber das kann ich im Moment gerade nicht. Okay? Ich bin nicht mal sicher, dass ich mir das hier leisten kann. Mir fehlen die Kapazitäten dafür und das Geld sowieso.»

«Ich habe nicht ...», fängt er an, doch sie fällt ihm ins Wort.

«Der verdammte Schuppen steht dort seit mindestens zwanzig Jahren, so wie er aussieht. Was auch immer damit nicht stimmt, kann einfach ... warten.»

Dieses Mal ist der herzliche Ausdruck aus seiner Miene verschwunden. Er sieht sie einen Moment lang an, mustert sie, dann presst er die Lippen zusammen, hebt die Augenbrauen, nickt vor sich hin und geht, die Hände aneinanderreibend, zurück zu seiner Schubkarre.

«Ich muss los, Violet abholen», sagt sie, während sich ein unbehagliches Gefühl in ihr breitmacht. Und dann Ärger darüber, dass sie so fühlt. Es ist ihr Haus. Sie hat das Recht, Grenzen zu setzen.

«Danke für den Tee», sagt er, eine Hand hebend. Er dreht sich dabei nicht zu ihr um.

Es ist natürlich reiner Zufall, dass Lila sorgfältig geschminkt ist, als sie Violet abholt. Und dass sie ihr frisch geföhntes Haar noch nicht zu dem üblichen Pferdeschwanz zusammengenommen hat. Und das Outfit von ihrem Termin bei Anoushka anbehalten hat, statt in ihre übliche Jeans oder die Jogginghose zu schlüpfen (die Uniform der Schriftsteller, wie Dan gern gesagt hat). Aber es ist möglicherweise kein Zufall, dass Gabriel Mallory, nachdem sie sich auf dem Schulgelände nach links zu den Spielgeräten gewandt hat, wo er steht, statt nach rechts, wo sich die übrigen Mütter versammeln, anerkennend sagt: «Sie sehen aber gut aus.»

«Wirklich?» Sie klingt überrascht. Sie hat den unbehaglichen Wortwechsel in ihrem Garten vergessen. Gabriel Mallory trägt ein weiches blaues Hemd und teure Sneaker, eine Öko-Marke. Seine Brille ist eins von diesen schlichten, eleganten Modellen mit Metallgestell, von denen Lila argwöhnt, dass sie Gesichter noch attraktiver und architektenmäßiger aussehen lassen.

«Oh, stimmt», sagt sie munter. «Ich hatte heute Morgen einen Termin in der Stadt. Hatte keine Lust, mich danach umzuziehen.»

«Sie sollten jeden Tag Termine haben», sagt er, «das steht Ihnen. *Luminosa*.» Dann hält er ihr eine Tüte hin. «Für Sie.»

Sie schaut die Tüte an. Es ist eine Papiertüte von Annika's. Dem Gewicht nach zu urteilen, enthält sie zwei Zimtschnecken.

«Also», er lächelt ein bisschen schief, «die sind für Sie und Ihre Tochter. Tut mir leid, ich habe ihren Namen vergessen.»

«Violet», sagt sie und versucht, nicht vor Freude zu erröten.

«Es war wirklich nett von Ihnen. Hat Lennie richtig Auftrieb gegeben.»

«Lennie?»

«Na ja, eigentlich Elena. Aber sie will im Moment ein Junge sein, also möchte sie Lennie genannt werden.»

«Das ... muss ich mir merken.» Sie dreht die Papiertüte in den Händen, vermeidet es, ihn anzusehen. Dieser Mann hat etwas physisch Überwältigendes an sich, so als wollte sich ihr gesamter Körper einfach in seine Arme werfen, sodass ihr Kopf an seinem weichen Hemd liegt. Eine sehr verwirrende Empfindung. «Wie kommt sie zurecht?», fragt sie und bemüht sich, ihre innere Unruhe zu verbergen.

Er schaut zur Schule hinüber. «Es ... geht schon. Sie vermisst ihre Mutter.»

Lila öffnet den Mund, um zu fragen, aber da wirft er ihr einen befangenen Blick zu und sagt: «Sie ... sie ist nicht mehr bei uns.»

«Sie meinen ...»

Er nickt, und ihr bleibt kurz die Luft weg «Oh. Das tut mir sehr leid.»

«Schon gut.» Er lacht bitter auf. «Das heißt, es ist nicht gut. Es war ziemlich schrecklich. Aber ... es ist, wie es ist.»

«Wenn es Ihnen hilft, da drüben steht die neue Freundin meines zukünftigen Ex-Manns. Ist von ihm schwanger.»

Er hebt die Augenbrauen. «Alles klar.» Darauf folgt eine kurze Stille. «Ich schätze, dann ist bei uns beiden eine Menge los», sagt er.

«Das kann man wohl sagen.»

«Tja, Sie schaffen es offenkundig, sehr erwachsen damit umzugehen.»

Lila will gerade antworten, doch da öffnen sich die Türflügel, und die Kinder strömen heraus, drängen sich in einem Getümmel aus bunten Ranzen und schon halb vergessenen Eindrücken des Schultages an dem Lehrer vorbei und schweißen sich augenblicklich an ihre jeweiligen Eltern wie Pinguine, die über die Eiswüste zurückkehren.

«Auf die süßen Sünden also», sagt Gabriel Mallory und salutiert zum Abschied spielerisch.

«Ja, auf die süßen Sünden», gibt Lila zurück, und irgendwie klingt ihre Stimme eigenartig schrill.

Auf dem gesamten Heimweg murmelt sie «süße Sünden» vor sich hin und schwankt dabei zwischen Wut und Verzweiflung.

Welche therapeutisch wirkenden Holzarbeiten Bill in den vergangenen paar Tagen auch immer in seinem Gartenschuppen gemacht hat, sie scheinen sich positiv auf seinen Gemütszustand ausgewirkt zu haben, denn er hat sofort ein Lächeln im Gesicht, als Lila und Violet nach Hause kommen, und er erwähnt gerade erst zum dritten Mal, dass es schön gewesen wäre, wenn sich Gene die Mühe gemacht hätte, das Bett abzuziehen.

Lila, die sich mit schlechtem Gewissen vor der Haustür noch schnell die letzten Zuckerkrümel von den Lippen gewischt hatte, erwidert sein Lächeln. Es war, denkt sie überrascht, ein ziemlich gelungener Tag. Celie hat verhältnismäßig gute Laune – oder geruht jedenfalls zwei Mal während des Abendessens zu sprechen, zu dem es Brathähnchen und Salat anstelle von Fisch und Linsen gibt –, und Violet, die sich immer noch über die verheimlichten Zimtschnecken freut, schafft es, während der gesamten Mahlzeit nur eine einzige obszöne Anspielung zu machen. Selbst als Dan während des Essens anruft, um diese Woche seine Tage mit den Mädchen zu tauschen, weil Marjas Mutter aus Holland kommt, lässt sich Lila nicht die Laune verderben. Die Mädchen essen ohne Theater, Bill erzählt von einem Freund aus seinem Lehramtsstudium, der über Facebook mit ihm Kontakt aufgenommen hat, und Lila träumt sich beinahe die ganze Zeit am Tisch in die Arme eines Mannes mit schiefem Grinsen und klebrigen Zimtschnecken.

Weil sie so tief in diese Fantasievorstellung versunken ist, dauert es eine ganze Weile, bevor sie mitbekommt, dass Truant wieder einmal angefangen hat zu bellen. Die Terrassentür steht offen, und Lila hört das Stakkato, das der Hund für unschuldige Briefträger und Lieferanten reserviert hat. Er hat sich seit ein paar Tagen wieder sehr schlecht benommen, es ist, als wäre er in höchster Alarmbereitschaft, und dauernd warnt er sie, als würde gleich der Himmel einstürzen.

«Du musst wirklich mit ihm zur Hundeschule, Lila», murmelt Bill.

«Ich weiß», sagt sie und fügt lautlos hinzu: *Das mache ich in derselben freien Zeit, in der ich zur Pediküre, zum Waxing und zum Meditationskurs gehe.* Sie steht vom Tisch auf, als sie den Lärm nicht länger ignorieren kann, und geht hinaus in den Garten, der nach Jensens Einsatz im Grunde immer noch ein Schlachtfeld aus frisch umgegrabener Erde und Natursteinplatten ist. Truant hat mit gesträubtem Nackenfell und gefletschten Zähnen vor der Tür des Schuppens Aufstellung genommen. Oh Gott, denkt sie, wir haben tatsächlich Ratten. Jensen hatte es ihr erzählen wollen, und sie hatte ihn einfach abgebügelt. Und jetzt bekommt sie die Quittung dafür. Sie sieht Violets hellblauen Baseballschläger im Gras liegen und nimmt ihn für den Fall, dass die Ratten ihr an die Kehle springen. Sie weiß nicht genau, ob Ratten überhaupt so was machen, aber es scheint ihr, als würde das zu ihnen passen.

Truants Gebell ist inzwischen noch eindringlicher geworden, und sie versucht, ihn zur Ruhe zu bringen, macht sich Sorgen, dass er in ein schreckliches Blutbad unter Tieren verwickelt wird. Lila geht einen Schritt auf die Tür zu. Sie hört Bill aus der Küche. «*Was ist los? Lila? Warum bellt er denn?*» Sie hebt die Hand, wie um ihm zu sagen, dass alles in Ordnung ist und er sich keine Gedanken machen muss. Sie zieht die Tür mit dem Fuß einen Spaltbreit auf, dann hört sie von drinnen ein lautes Klappern. Mit rasendem Herzschlag reißt sie die Tür weit auf – und da ist Gene, halb versunken in die Polster der Gartenmöbel, die auf dem Boden aufgestapelt sind. Er sieht sie blinzelnd an.

«Gene?»

Er trägt einen Pulli, eine Lederjacke und nicht gerade

frisch wirkende Boxershorts. Er setzt sich auf. Leider verschiebt er damit den Stapel mit Polstern, sodass eine leere Lackdose von einem Regal auf seine Schulter fällt.

«Autsch ... Hey, hallo, Liebling», sagt er mit verschwommenem Lächeln, während er sorgsam die Dose neben sich stellt.

«Was zum Teufel tust du in meinem Schuppen?»

Er sieht sie an, als würde er über diese Frage ernsthaft nachdenken. Dann scheint er sie zu vergessen. In seinem Schoß liegt eine leere Chipstüte, die er anblinzelt, als würde er sie gerade erst bemerken, und dann versucht er, die übrigen Krümel in den Mund zu befördern. Er schüttet daneben.

«Weißt du», sagt er und sinkt in Zeitlupe wieder in die Polster zurück. «Das Gras, das in diesem Land hier verkauft wird, ist viel zu stark. Das müsste wirklich verboten werden.»

Falls die Nachbarn von Truants Gebell gestört wurden, war das nichts gegen den Anblick eines Fünfundsiebzigjährigen, der in Unterhosen durch den Garten geführt wird und dabei lauthals *Go Tell It on the Mountain* singt. Die Vorhänge der Nummer 47 zucken so heftig, als hätte das ganze Haus eine Art Anfall. Lila kann Gene schließlich davon überzeugen, nach oben ins Arbeitszimmer zu gehen, wo sie das Schlafsofa neu bezieht, das sie keine zwei Stunden zuvor abgezogen und zusammengeklappt hat. Danach verspricht sie ihm weitere Kartoffelchips, wenn er vorher ein bisschen schläft. «Ist es nicht großartig, dass wir wieder beieinander sind?», sagt er, während seine mit hervortretenden Adern überzogenen Hände Lilas Hände umklammern wie ein Sandwich. «Das alte Team, wieder beisammen.» Lila versichert ihm, dass das wirklich toll ist, und ja, was für ein Team, aber jetzt ist es definitiv Zeit für ein Nickerchen, vielen Dank.

Bill bringt zur Entschuldigung für die Unruhe erneut Wein zu den Nachbarn und bleibt entmutigend lange weg. Und während sie auf ihn warten, sitzen Lila und Celie im Wohnzimmer und hören Violets irritierend guter Nachahmung von Gene zu, bei der sie durch den Raum stolpert und immer wieder stehen bleibt, um aus voller Kehle den Refrain des Liedes zu schmettern.

Nachdem Lila Bill beruhigt und ihm versichert hat, dass sie keine Ahnung hatte und dafür sorgen wird, dass Gene geht, sobald er wieder klar im Kopf ist, verschwindet sie nach oben in ihr Schlafzimmer.

War Gene das Problem im Schuppen?

Jensen antwortet prompt.

Ja. Hat geschlafen wie ein Baby. Ich habe versucht, es Ihnen zu sagen.

Darauf folgt eine Pause, und dann tippt er wieder. Sie beobachtet die pulsierenden Pünktchen.

Ich glaube, er war schon ein paar Tage dort.

Lila starrt die Nachricht an. Dann schließt sie die Augen und legt sich auf den Boden.

## ZEHNTES KAPITEL

Penelope Stockbridge trägt Haarspangen mit kleinen grünen und türkisfarbenen Glasschmetterlingen. Solche, wie man sie normalerweise bei kleinen Mädchen sieht, doch Penelope Stockbridge richtet sich bei ihrer Kleidung nicht nach den üblichen Normen für Frauen über sechzig, und jedes Mal, wenn sie ihren Thunfisch-Nudelauflauf bringt – und das ist der dreizehnte Thunfisch-Nudelauflauf dieses Jahr –, ist etwas leicht Unkonventionelles an ihrer Aufmachung, was Lila seltsam bezaubernd findet. Zwei Wochen zuvor waren es Gummistiefel mit Blumenmuster, einmal ein Mohairschal in Pink und Lila, der bis zu ihren Knien herabhing, und gelegentlich trägt sie – zu Violets Entzücken – eine kleine Cross-Body-Handtasche in Form eines Kätzchenkopfs.

«Das ist für Bill», sagt sie wie immer mit ihrer sanften, klaren Stimme. «Ich mache mir Sorgen, ob er auch richtig isst. Sie wissen schon, jetzt, wo *Francesca* nicht mehr da ist.» Sie flüstert Francescas Namen immer, als könnte sein bloßer Klang schon zu quälend wirken.

«Das ist sehr nett von Ihnen, Penelope», sagt Lila und nimmt die große, weiße, rechteckige Backform entgegen, die mit Alufolie abgedeckt ist. Der Boden ist noch warm. «Er wird sich unheimlich freuen. Soll ich ihn holen?»

«Oh, nein. Ich möchte keine Umstände machen», sagt Penelope, doch dann bleibt sie erwartungsvoll vor der Tür stehen, ein schmerzhaft hoffnungsvolles Lächeln im Gesicht.

Lila ruft Bill, der gerade ein anderes Bild anstelle der nackten Francesca über den Fernseher hängt. Als er durch den Flur kommt, hat er noch den Hammer in seiner kraftvollen Faust, und als Penelope diese offenkundige Zurschaustellung entfesselter Männlichkeit sieht, wird sie ein bisschen zittrig. «Penelope», sagt er höflich. «Wie schön, Sie zu sehen.»

Sie neigt den Kopf zur Seite, sodass die Schmetterlinge im Licht blitzen. Lila nimmt schwachen Parfümgeruch wahr, ein blumiger, süßer Duft. «Ich wollte nur ... es ist nur eine Kleinigkeit. Falls Sie Hunger haben.»

«Das ist unheimlich nett», sagt er. «Ich fühle mich sehr geehrt. Aber wirklich, Lila kümmert sich gut um mich. Ich möchte Ihnen keine Mühe machen.» Er lächelt Lila an, als würde sie rasend viel im Haushalt tun, um für ihn zu sorgen.

«Das macht keine Mühe. Überhaupt nicht. Wie ich sehe, sind Sie beschäftigt.» Sie nickt in Richtung des Hammers. «Was machen Sie denn Interessantes?»

«Oh, so dies und das.»

Lila steht zwischen ihnen und überlegt, ob sie sich verdrücken soll. Aber für Bill sind zwanglose Gespräche immer noch mühsam, besonders mit Nachbarn, die Geschenke bringen, daher fühlt sie sich verpflichtet dabeizubleiben.

«Und was machen die Schüler?», fragt Bill, als sich die Stille zu lange ausdehnt. Penelope Stockbridge ist Klavierlehrerin. Lila hat einmal versucht, Celie bei ihr anzumelden, aber dann war ihr das tägliche Protestgejammer zu viel geworden, und nach sechs Klavierstunden hatte sie den Kampf aufgegeben.

«Oh, das können Sie sich ja denken. Meistens erfinden sie Gründe, aus denen sie nicht üben konnten. Manchmal finde ich ihre Ausreden richtig unterhaltsam. Letzte Woche hat eine Schülerin gesagt, sie hätte keine Zeit gehabt, weil ihr

Goldfisch täglich eine Hautbehandlung brauchte. Können Sie sich so was vorstellen?»

«Hautbehandlung für einen Goldfisch», sagt Bill. «Sehr einfallsreich.»

Penelopes Blick wandert zwischen ihnen hin und her und dann auf ihre Füße, wie es jemand tut, der ständig Sorge hat, länger zu bleiben, als er willkommen ist. Sie hat ein schmales, ernstes Gesicht mit großen, ausdrucksvollen Augen. Sie war früher verheiratet, hat sie Lila einmal erzählt. Ihr Mann war an Leukämie gestorben, bevor sie Kinder bekommen konnten. Sie hat nie vergessen, wie erschütternd die ersten Monate ihrer Witwenschaft waren. Ein Lächeln flackert in ihrer Miene auf. «Wie auch immer. Ich möchte Sie nicht aufhalten. Ich wollte einfach ... na ja. Ich hoffe, es ist eine Unterstützung. Sagen Sie es bitte, wenn ich das lieber nicht tun soll.»

«Aber nein», sagt Bill sanft. «Es ist wirklich sehr aufmerksam von Ihnen. Und sehr erfreulich, wenn so freigiebig an einen gedacht wird.»

Penelopes Ohren röten sich ganz leicht.

«Ich bringe die Backform anschließend zurück», sagt Lila. «Vielen Dank.»

«Das hat keine Eile.» Penelope wedelt mit ihrer schlanken Hand. «Sie können sie bis zum nächsten Mal behalten, wenn Sie möchten.»

Nächstes Mal. Lila sieht Penelopes hoffnungsvolle Miene, die schüchterne Zuneigung, die von diesen Thunfisch-Nudelaufläufen symbolisiert wird – die Bill in Wirklichkeit nicht einmal gern isst –, und ihr wird das Herz schwer. Wird sie in zwanzig Jahren auch so sein? So sehnlich auf der Suche nach Kontakt oder Zuwendung, dass ihr nichts anderes übrig bleibt, als praktisch Fremden kulinarische Gaben an die Tür zu bringen?

«Also, ich gehe dann wieder», sagt Penelope. Sie berührt eine ihrer Haarspangen, prüft vielleicht, ob sie noch richtig sitzt. Mit einem Mal fragt sich Lila, ob ihre ungewöhnliche Aufmachung nicht nur eine Frau zeigt, die sich kleidet, wie es ihr gefällt, sondern ihre modischen Details winzige Bitten um Aufmerksamkeit sind, und ihr wird das Herz noch schwerer.

«Es war schön, Sie zu sehen», sagt Bill höflich, und sobald sie weg ist, dreht er sich um und trägt resigniert den Auflauf in die Küche. Er wird sich verpflichtet fühlen, ihn an diesem Abend auf den Tisch zu bringen. Die Mädchen werden begeistert sein. Wieder ein Tag, an dem sie vor Fisch und Linsen gerettet sind.

Lila wartet auf Gene, als er um halb zwölf aus dem Bad kommt. Sie hat sich im Arbeitszimmer auf die Armlehne des Schlafsofas gesetzt, dessen zerknüllte Laken und Chipskrümel von unruhigem Schlaf nach Gras und Alkohol erzählen, und er schreckt bei ihrem Anblick zusammen. Er trägt ein Handtuch um die Hüfte, das etwas zu klein für seinen Umfang ist, und sie registriert seinen tätowierten, leicht erschlafften Körper und wie er plötzlich den Bauch einzieht, als könnte er es nicht ertragen, so gesehen zu werden, nicht einmal von seiner eigenen Tochter.

«Also», sagt sie.

Er seufzt leise, als wäre er auf eine Gardinenpredigt gefasst. Sie bemerkt, wie er sich nach sauberer Kleidung umschaut, und deutet wortlos auf das Grateful-Dead-T-Shirt, das sie gewaschen an die Tür gehängt hat.

«Ich habe alles gewaschen, was in deiner Tasche war», sagt sie. «Die Asseln waren reingekommen. Und sämtliche Sachen waren voller Chipskrümel.»

«Danke», murmelt er und dreht ihr den Rücken zu, während er sich anzieht.

«Hör zu», sagt er, als er fertig ist. Er setzt sich auf die andere Seite des Betts. «Ich weiß, dass es ziemlich blöd von mir war, dort einzubrechen, aber es schien mir eine gute Lösung für ein paar Tage zu sein. Es ist nur, bis ich von der Produktionsfirma bezahlt werde, und du weißt ja, wie das läuft. Sie brauchen immer Ewigkeiten ...»

«Was für eine Produktion ist es?», fragt sie.

«Wie bitte?»

«Der Film. In dem du die Hauptrolle hast. Ich möchte mitkommen und mir das ansehen.»

Er zögert nur den Bruchteil einer Sekunde, doch das sagt ihr alles, was sie wissen muss. Sie legt die Hände auf die Knie und atmet tief aus. «Es gibt gar keinen Film, oder, Gene?»

«Doch ... doch, klar gibt es ...»

«Bitte nicht. Du hast kaum ein wahres Wort gesagt, seit du hier aufgetaucht bist. Ich finde, das Mindeste, was du mir schuldest, ist eine Erklärung dafür, was du hier tust.»

Gene schluckt. Er versucht ein Lächeln, das in sich zusammenfällt, als er ihren Gesichtsausdruck sieht. «Es ist nicht so, dass es keine *aktuelle Produktion* gibt. Es ist einfach ...»

«Gene.»

«Okay. Okay.» Er hebt die Hände, wie um sie aufzuhalten. «Es ist zu Hause ziemlich kompliziert für mich geworden. Nadira hat mich rausgeworfen – ich habe diesen Typen ein bisschen Geld geschuldet, und sie waren langsam richtig angepisst deswegen –, und da dachte ich, es wäre besser, wenn ich eine Weile hier arbeiten würde, weißt du, mit meiner doppelten Staatsbürgerschaft und allem, bis sich alles wieder beruhigt hat, also musste ich einfach ...»

«Wie viel Geld?»

«Was?»

«Wie viel schuldest du ihnen? Und wem überhaupt?»

«Es ist keine große Sache.»

«Wie viel?»

Er senkt den Blick. «Ungefähr fünfzig Riesen.» Er sieht sie an. «Aber in Dollar, nicht in Pfund. Also ist es nicht so schlimm.»

«*Fünfzigtausend Dollar?*»

«Das sind miese Typen. Sie sind aus Florida. Ich hab im Mai so einen verrückten Casino-Trip gemacht. Ich glaube, sie haben mir irgendwas in den Drink geschüttet. Und arbeitsmäßig herrschte Flaute. Es gab nicht viele Jobs, und ich hatte nur diese Rolle in einer Low-Budget-Produktion, aber der Regisseur war ein Arsch, und wir haben uns gestritten, und er hat mich gefeuert. Und wegen dieses Autounfalls musste ich die Krankenhausrechnung von so einem Typen bezahlen, obwohl ich schwöre, dass ihm nichts fehlte, aber ich hatte vergessen, die Autoversicherung zu bezahlen, und obwohl es nur eine dämliche kleine Beule war, hat der Typ gedroht, mich zu verklagen, und dann hat Nadira Schulgeld für ihr Kind gebraucht und ...»

«Nadira. Von der habe ich noch gar nichts gehört. Lass mich raten. Unter dreißig?»

«Nein!»

«Fünfunddreißig.»

Er schüttelt den Kopf. «Okay, sie war vierunddreißig. Aber in ihr steckt eine alte Seele! Wir waren ein tolles Paar!»

Lila lässt den Kopf in die Hände sinken. «Was willst du, Gene?»

«Nur einen Platz zum Schlafen für eine Woche. Vielleicht zwei.»

«Also stelle ich die Frage noch einmal.»

«Okay. Ein Monat. Gib mir einen Monat. Dann kann ich mir ein paar Termine zum Vorsprechen verschaffen und den Casting-Typen hier in Erinnerung bringen, wer ich bin, und dann kann ich mir eine andere Unterkunft besorgen und ...»

Lila hat weiter den Kopf in die Hände gesenkt.

«Ich werde mit den Kindern helfen. Ich werde dir nicht im Weg sein. Ich brauche einfach nur eine Pause.»

Sie spürt seinen Blick auf sich. Sie hebt erschöpft den Kopf.

«Du glaubst also wirklich, dass du hier Arbeit findest.»

«Ich weiß, dass ich das kann. Am Freitag habe ich einen Termin mit einem Agenten. Er sagt, es gibt eine Menge Möglichkeiten für jemanden wie mich. Und weißt du, mit meiner Geschichte bei *Star Squadron Zero* ...»

Jede Zelle in ihrem Körper drängt sie, Nein zu sagen. Bill wird schäumen vor Wut. Und es wird nicht bei einem Monat bleiben. Sie weiß nicht genau, ob er die Wahrheit sagt, was seine Arbeitsmöglichkeiten angeht. Aber er ist ein fünfundsiebzig Jahre alter Mann, der verzweifelt genug ist, um in einem Schuppen zu schlafen. Und er ist ihr Vater. Verdammt.

Sie atmet tief ein und dann wieder aus. «Du kannst erst mal bleiben», sagt sie. «Dann werden wir sehen, wie es läuft.»

«Wirklich? Liebling, du bist die Größte. Du wirst nicht einmal mitbekommen, dass ich hier bin ...»

Sie hebt die Hand, um ihn zu unterbrechen.

«In meinem Haus wird nicht gesoffen und nicht gekifft. Wenn ich mitbekomme, dass du dagegen verstößt, setze ich dich augenblicklich auf die Straße, und dann ist es mir egal, wo du landest, weil ich nämlich zwei verletzliche Töchter habe.» Plötzlich denkt sie daran, dass sie Violet am Morgen auf dem Schulweg daran hindern musste, fröhlich den Song «Smack My Bitch Up» zu singen, und verdrängt es gleich wieder.

«Du wirst dich in ihrer Nähe tadellos benehmen. Und du wirst nett zu Bill sein, er ist nämlich immer noch in Trauer.»

«Hey, er ist nicht der Einzige, der ...»

«Und zwar wirklich nett. Sie waren sehr lange glücklich verheiratet, und er ist ein guter Mann. Und du musst jeden Tag das Sofa hier zusammenklappen, damit ich meinen Arbeitsplatz benutzen kann, und du musst im Haushalt helfen, wenn du nicht auf Arbeitssuche bist. Das sind meine Bedingungen.»

«Ich nehme sie an», sagt er strahlend, und dann schließt er sie in die Arme, bevor sie ausweichen kann. Lila versteift sich, lässt es sich aber gefallen. «Lila», sagt er, «du bist ein guter Mensch.»

*Ich bin eine Idiotin*, denkt sie. Und dann geht sie notgedrungen nach unten, um Bill zu informieren.

## ELFTES KAPITEL

*Die Ehe, das habe ich in fünfzehn Jahren gelernt, ist eine endlose Abfolge sich ständig verändernder Kompromisse. Ihr Partner wird sich nicht immer so verhalten, wie Sie es möchten. Und Sie selbst verhalten sich vermutlich auch nicht immer so, wie er es möchte. Der Trick besteht darin, das große Ganze im Blick zu behalten, zu fragen: Wie kommen wir hier weiter? In Begriffen von «uns» zu denken. Solange Sie sich als Einheit betrachten, haben Sie dasselbe Ziel: zusammen zu sein, und zusammen glücklich zu sein. Das ist im Grunde das Wichtigste. Spielt es also wirklich eine Rolle, wenn Sie lieber* Schlaflos in Seattle *sehen würden, während er sich das Rugby-Match anschaut? Spielt es eine Rolle, dass er den Geschirrspüler auf eine Art einräumt, die Ihnen auf die Nerven geht? Macht es einen großen Unterschied, wenn sein Vater oder seine Mutter für eine Woche zu Besuch kommen und Sie die Zähne zusammenbeißen und sie willkommen heißen müssen, obwohl Sie das eigentlich nicht wollen? Man findet so etwas schnell problematisch: Wenn ich jetzt nachgebe, werde ich dann irgendwann bei allem nachgeben? – Vorausgesetzt, Sie leben in einer Beziehung, die auf gegenseitigem Respekt basiert, lautet die Antwort Nein. Der Schlüssel zum Weiterkommen ist, sich selbst in solchen Momenten zu fragen: Will ich recht haben? Oder will ich glücklich sein?*

«Das ist ja wohl ein schlechter Witz», sagt sie.

«Ich möchte in der Nähe der Mädchen bleiben. Ich möchte, dass sie nach der Schule zu Fuß zu mir kommen können, so wie jetzt. Und die einzige Möglichkeit, durch die wir uns ein größeres Haus hier in der Gegend leisten können, ist eine höhere Hypothek. Wie gesagt, der Anwalt hat mir erklärt, dass ich im Moment mehr zahle als das, wozu ich gesetzlich verpflichtet bin.»

«Wie großzügig von dir, Dan.»

«Und deshalb tut es mir leid, aber ich kann nicht anders. Hoffentlich bekommst du bald einen neuen Buchvertrag, der es einfacher für dich macht. Aber in der Zwischenzeit muss ich auch einkalkulieren, dass Marja eine Weile mit der Arbeit aussetzen wird, sobald das Kind da ist.»

«Sehr schön. Also hoffen wir darauf, dass ich mehr arbeiten kann, weil Marja todsicher keine Lust darauf hat.»

«Sie ist schwanger, Lila. Sie sitzt nicht faul auf ihrem Hintern. Jetzt komm, du weißt, wie schwer es war, als die Mädchen klein waren.»

«Ich habe gearbeitet, Dan! Ich habe weitergearbeitet, falls du das vergessen hast. Ich habe sogar weitergeschrieben, als ich nur zwei Stunden Schlaf bekommen und mir gegen die geschwollenen Brüste Kohlblätter in den BH gesteckt habe. Ich habe als Freiberuflerin weitergemacht, damit ich zugleich arbeiten und mich um die Kinder kümmern konnte. Und nach alldem soll ich eine katastrophale Einbuße in unserem Einkommen hinnehmen, weil deine Freundin nicht arbeiten will? Außerdem ist es noch weniger, als du zuerst gesagt hast, und das war schon schlimm genug.»

«Ich zahle, was ich mir leisten kann.»

«Wir kommen nicht mehr hin, wenn du den Unterhalt so stark reduzierst.»

«Dann musst du eben in ein kleineres Haus ziehen.»

Er hat es gesagt. Er hat es tatsächlich gesagt. In der kurzen Stille, die darauf folgt, sinkt bei beiden die Tatsache ein, dass er tatsächlich so weit gegangen ist.

Als Lila wieder etwas sagt, ist ihre Stimme eisig. «Aha. Nur, damit das ganz klar ist: Du willst, dass ich und deine Töchter ihr Zuhause verkaufen, um in ein kleineres Haus zu ziehen, damit du ein größeres Haus für deine neue Familie kaufen kannst.»

«Jetzt hör aber auf! Dreh mir nicht das Wort im Mund herum ...», fängt er an.

Aber sie hat das Gespräch schon unterbrochen.

Lila schreibt an diesem Nachmittag weitere dreitausend Worte. Sie stellen sich bemerkenswert mühelos ein.

Die ersten Tage von Genes Aufenthalt können nicht gerade als voller Erfolg bezeichnet werden. Er schläft lange, erhebt sich dann wie ein Bär aus dem Winterschlaf, stößt sich an den Möbeln und hinterlässt feuchte Handtücher und Kaffeeflecken. Er scheint nicht imstande, sich um sich selbst zu kümmern, abgesehen von grundlegender Hygiene, und selbst die ist schwankend. Er lebt von Kaffee, Zigaretten, Keksen und Chips. Sie hat ihm drei Mal erklärt, wie die Waschmaschine funktioniert, und jedes Mal sagt er, ja, Liebling, ich hab's verstanden, aber hinterher schrumpft er seine T-Shirts in der Kochwäsche auf Kindergröße oder schafft es irgendwie, den Schleudergang abzuschalten. Er beteuert jeden Tag, dass er sich nach Arbeit umsieht, lässt sich aber leicht ablenken, ein alter Narr, dauernd auf der Suche nach Publikum, der Jensen im Garten mit Erzählungen vom alten Hollywood von der Arbeit abhält oder ungeduldig auf die Rückkehr der Mädchen wartet, damit er mit Violet *Star Squadron Zero* anschauen kann. An den ersten Abenden ist er ruhelos, geht raus in den Garten, um Zigaretten zu rauchen, von denen Lila hofft, dass sie nur Tabak enthalten, oder verschwindet ins Crown and Duck in der High Street, wo er sich mit ein paar Bier beruhigt. Wenn er zum Essen wiederkommt, gewöhnlich zu spät, ist er so leutselig und geschwätzig, dass Bill, der ohnehin total angespannt ist, so fest die Zähne zusammenbeißt, dass es aussieht, als würde er seinen Kiefer gleich zu Staub zermahlen.

Es nervt Lila, dass Gene in den Pub geht, es nervt sie, dass er irgendwie Geld für Bier hat, ihr aber nichts für Unterkunft und Essen anbietet. Doch die Erleichterung darüber, ihn ein paar Stunden aus dem Haus zu haben, ist größer als ihre Genervtheit, also sagt sie nichts, abgesehen davon, dass sie noch einmal erklärt, wie Mülltrennung funktioniert, oder darum bittet, dass er das Schlafsofa zusammenklappt, damit sie an ihren Schreibtisch kann. Und sie betet darum, dass er bald wieder auf eigene Füße kommt.

Denn selbst wenn das Sofa zusammengeklappt ist, hat seine Anwesenheit in Lilas Arbeitszimmer – der Geruch seines Aftershaves und Kleiderhaufen – eine beunruhigende Wirkung auf sie. Es ist, als würde sie von einem Geist aus der Vergangenheit heimgesucht. Also arbeitet sie häufig in einem der Kinderzimmer, während die Mädchen nicht da sind.

«Wie kommt Bill mit ihm klar?», fragt Eleanor. Es regnet heftig, und sie haben sich unter einen Baum gestellt, von wo aus Truant verdrossen ins Weite schaut.

«Na ja, nicht besonders.» Lila denkt an Bills stets missbilligend zusammengepresste Lippen, daran, dass er immer den Raum verlässt, wenn Gene hereinkommt. Daran, dass er sich oft an Lila als Vermittlerin wendet, auch wenn Gene in Hörweite ist. «Glaubst du, er isst heute Abend mit uns? Falls seine Trinkgewohnheiten das erlauben?»

«Bill hatte deine Mum mehr als dreißig Jahre für sich allein. Warum ist er denn so sauer auf Gene?»

«Keiner der beiden kann es gut sein lassen. Ich schätze, Gene hasst Bill, weil er immer geglaubt hat, er könnte mit Mum wieder was anfangen, so wie er es mit all seinen Freundinnen macht. Aber dabei ist ihm Bill in die Quere gekommen. Und Bill hasst Gene vor allem, weil er Mum so verletzt hat, denn so wie ich es sehe, musste er tatsächlich die Scherben aufkehren. Außerdem hat ihm Mum im Lauf der Jahre bestimmt immer wieder davon erzählt, wie schrecklich Gene war. Sie hat ihn wirklich durchschaut. Also sieht er Gene nur durch diese Brille.» Lila zieht die Kapuze vom Kopf.

«Wow», sagt Eleanor. «Das werden lange vier Wochen.»

«Violet mag ihn. Also gibt es wenigstens etwas … Gutes.»

«Vermutlich bringt er ihr bei, wie man einen Joint dreht. Hey, was ist eigentlich aus dem sexy Architekten geworden? Gibt's was Neues?»

Es hatte frustrierend wenig Neues an der Sexy-Architekten-Front gegeben. Gabriel Mallory schickt häufig eine Babysitterin, um seine Tochter abzuholen, eine junge Frau um die zwanzig von mediterranem Aussehen, die Lennie gut zu kennen scheint, so wie sie sich sofort an der Hand nehmen und sich beim Weggehen lebhaft unterhalten. Manchmal kommt auch eine ältere Frau, die Lila für seine Mutter hält. Eine forsche, grauhaarige, gut gekleidete Dame mit der kompetenten, sachlichen Ausstrahlung einer Oberschwester. Bei den wenigen Gelegenheiten, bei denen er selbst zum

Abholen gekommen ist, hat er Lila Hallo gesagt, ist aber so knapp vor Schulschluss gekommen, dass keine Zeit für ein richtiges Gespräch war.

Es kommt Lila inzwischen ein bisschen albern vor, dass sie sich überhaupt einen Funken Interesse seinerseits eingebildet hat. Violet jeden Tag abzuholen, ist ohnehin immer schwieriger für Lila geworden, jetzt, wo Marjas Schwangerschaftsbauch sichtbar wird. Es gibt nur noch ein Thema unter den Müttern, wenn jemand schwanger ist, und von ihrer Position auf der anderen Seite des Schulhofs sieht Lila täglich, wie der Bauch befühlt wird, und kann sich die Gespräche über Ultraschallbilder und die Weitergabe von Babykleidung vorstellen, und dabei fühlt sich etwas in ihr wie abgestorben an. Daher hat Lila an den beiden vergangenen Tagen Bill darum gebeten, Violet abzuholen. Sie selbst verkriecht sich stattdessen jeweils dort im Haus, wo am wenigsten mit schlecht gelaunten alten Männern oder Teenagern mit Stimmungsschwankungen zu rechnen ist, und schreibt, gibt langsam den drei Kapiteln Gestalt, die sie wenigstens von einer der zahlreichen Katastrophen befreien werden, die inzwischen ihr Leben bestimmen.

Die Nachricht kommt abends um Viertel vor zehn. Lila liegt gerade in der Badewanne, hat geräuschunterdrückende Kopfhörer auf den Ohren und versucht, das Abendessen zu vergessen, bei dem sich Bill und Gene über die Tatsache gestritten haben, dass Bill die Kartons von Gene aus dem Flur in den Schuppen geräumt hat. Gene zufolge befinden sich unbezahlbare *Star Squadron Zero*-Kostüme und andere Devotionalien in diesen Kartons, und sie sollten nicht in einem feuchten, käferverseuchten Schuppen abgestellt werden, Himmelherrgott noch mal! Bill zufolge waren Genes Hände anscheinend nur an seine Arme gemalt, denn sonst konnte er keinen Grund sehen, aus dem Gene nicht einfach in den Garten rausging und die verdammten Dinger selbst in sein Zimmer trug.

Lila zufolge war alles einfach nur anstrengend, und sie verstand nicht, warum sie plötzlich zusätzlich zu ihren beiden Kindern noch zwei mehr bekommen hatte. Celie zufolge war sie *genau genommen* kein verdammtes Kind mehr, und die Tatsache, dass sie ständig wie eines behandelt wurde, war die halbe Erklärung dafür, dass sie es hasste, in diesem blöden Haus zu wohnen. Violet zufolge war kein Ben-&-Jerry's-Eis mehr da. Aber in Genes Zimmer stand ein leerer Becher mit einem Löffel. Das konnte der erste Moment gewesen sein, an dem sich Violets innige Gefühle für ihren Großvater ein wenig abkühlten.

Hallo – ich hoffe, es stört Sie nicht, dass ich Ihre Nummer aus dem Schul-WhatsApp benutze. Hatte Sie nur in letzter Zeit nicht an der Schule gesehen und hoffe, dass es Ihnen gut geht. Gabriel

Lila starrt auf die Nachricht, dann schiebt sie sich in der Badewanne hoch, liest sie noch einmal.

Sie überlegt kurz, dann schreibt sie:

Mir geht es gut, danke. Das übliche Chaos. Hatte einfach nur sehr viel Arbeit.

Alleinerziehend zu sein, bedeutet pausenlosen Einsatz, was? Schön, noch jemand anderen aus dem Schützengraben kennenzulernen.

Hah! Ich stehe hier unter Dauerbeschuss. Ich hoffe, Ihnen ergeht es besser.

Umso besser, mit Ihnen zu sprechen, schreibt er zurück, und Lilas Kopfhaut prickelt vor Freude.

Geht mir umgekehrt genauso.

Halten Sie durch, kommt die Reaktion. Vielleicht bis morgen.

Lila gibt als Antwort zwei Kuss-Smileys ein und löscht sie wieder. Dann fragt sie sich den restlichen Abend lang, ob sie die Smileys hätte abschicken sollen.

## ZWÖLFTES KAPITEL

## Celie

Zwanzig Minuten lang hat sie Meenas Hinterkopf beobachtet. Er ist stets nach links geneigt und ihr langes braunes Haar eben noch sichtbar zwischen den beiden Sitzen zwei Reihen vor Celie, wo Meena anscheinend auf Chinas Handy schaut. Alle paar Minuten kichern die beiden verschwörerisch oder brechen in Gelächter aus. Bei jedem dieser Lachanfälle verkrampft sich Celies Magen, weil sie weiß, dass die beiden entweder über einen Witz lachen oder, schlimmer, dass es in diesem Witz um sie geht. Manchmal stehen Ella und Suraya auf, um zu sehen, worüber die beiden lachen, und stimmen mit ein, bis ihnen Mr. Hinchcliffe, dessen Geduld nach dem Schulausflug erschöpft ist, zubrüllt, dass sie sich setzen sollen, solange der Bus fährt. Es war die längste Busfahrt in Celies Leben.

Die Stimmung war schon länger frostig, aber seit Celie an dem Abend zu Hause geblieben ist, an dem ihr Grandpa auftauchte, statt zum Kiffen in den Park zu kommen, herrscht Eiszeit. Es gibt kein Lebenszeichen mehr in ihrer ehemaligen Freundschafts-WhatsApp-Gruppe. Der letzte Kommentar stammt vom dritten März, ein wehleidiges *Wo treffen wir uns denn jetzt?* von Celie, das nie beantwortet wurde.

Die Mädchen haben eine abgeschottete Gruppe gebildet, die weder auf ihre Anwesenheit reagiert noch darauf, dass überhaupt etwas nicht stimmt. Die anderen lächeln sie vage an, sagen *Hi*, aber ihre Blicke sind kalt und leer. Celie hat keine Ahnung, was sie falsch gemacht hat oder warum sie das tun. Sie trägt die richtigen Klamotten, hört die richtige Musik. Vor zwei Monaten hat sie Meena eine Nachricht mit der Frage geschickt, ob irgendetwas los sei, ob alle noch mit ihr redeten. Die Antwort war ein einfaches *Alles cool* gewesen. Jetzt traut sie sich nicht mehr zu fragen, ahnt, dass auch das zum Anlass von gehässigem Gelächter wird. Celie hat in den Augen der Clique, der sie seit Jahren angehört hatte, einfach aufgehört zu existieren.

Sie starrt auf ihr Handy, tut so, als würde sie sich etwas ansehen. Manchmal steigen ihr Tränen in die Augen, aber sie fürchtet, dass jemand im Bus sie sehen könnte, und blinzelt sie wütend weg oder wischt sich verstohlen mit dem Ärmel über die Augen. Sie ist die Einzige, die im Bus allein sitzt. Sie ist bei dem Zoobesuch die ganze Runde allein gegangen, ein paar Meter hinter Meena und Ella und Suraya und den anderen, hat den Reißverschluss ihrer Jacke bis über ihren Mund zugezogen, wollte sich nicht ansehen lassen, wie total verlassen sie war, aber gleichzeitig war ihr bewusst gewesen, dass die anderen aus ihrer Klasse ihre beschämende Ausgrenzung wahrnehmen konnten.

Wenn sie morgens aufwacht, ist ihr schlecht, und wenn sie schlafen geht genauso, weil sie weiß, dass sie ausgestoßen worden ist, und gleichzeitig keine Ahnung hat, was diese Entfremdung ausgelöst hat. Ein paarmal hat sie einfach die Schule geschwänzt – es schien leichter, nicht hinzugehen –, aber seit Mum sie beim Kiffen erwischt hat, sind die Lehrer wachsamer, also hat sie keine Wahl, als zu jeder Stunde zu kommen, sich allein ganz nach hinten zu setzen und sich vor jeder Frage der Lehrerin zu fürchten, weil eine richtige Antwort sie als Streberin dastehen lassen könnte und, falls sie nicht antwortete, klar würde, dass sie vor Beschämung die Sprache verloren hat.

«Die ist heftig, oder?» Ein weiterer Lachanfall zwei Reihen vor ihr.

Sie starrt auf ihr Handy, scrollt blind durch Instagram, versucht, sich auf die Worte zu konzentrieren. Sie hat in dem Zoo allein gegessen, die halbe Essenspause auf dem Klo verbracht, damit keiner mitbekam, dass sich niemand zu ihr setzen wollte, bis Mrs. Baker nach ihr gesucht und gefragt hatte, ob es ein Problem gab.

*Nein, Mrs. Baker. Es gibt kein Problem.*

Was hätte sie auch sagen können? Die anderen reden nicht mit mir? Beziehungsweise sie reden schon mit mir, aber irgendwie ist es anders? Welche Schule würde so etwas sanktionieren? Sie hatten im Schulunterricht über Online-Mobbing gesprochen, waren davor gewarnt worden, wie grausam es ist. Aber das hier ist etwas anderes, oder? Manchmal wünschte sich Celie, dass eine von ihnen sie einfach schlagen würde, damit sie verstand, worum es ging, damit sie etwas hatte, gegen das sie sich wehren konnte.

Sie denkt an Charlotte Gooding, ein hübsches, kräftiges Mädchen, das bis zur siebten Klasse bei ihnen in der Schule war, daran, wie jemandem aufgefallen ist, dass Charlotte beim Essen ein seltsames Geräusch machte. Eine Art *Mmm Mmm*, das sie selbst nicht zu hören schien. Bald wurde dieses Geräusch zum Einzigen, was alle an Charlotte noch wahrnahmen. Jedes Mal, wenn sie beim Mittagessen zusammensaßen, hatten Celie und die anderen schweigend Blicke gewechselt, kaum das Lachen unterdrücken können. Und dann war dieses eine kleine Geräusch zum Auslöser dafür geworden, dass andere grässliche Sachen an Charlotte bemerkt wurden. Wie sie ihre Schnürsenkel immer doppelt band, wie sie manchmal Schlaf in den Augen hatte (*Wusch sie sich nicht mal?*) oder wie sie ihre Fingernägel manchmal in einer total beknackten Farbe lackierte. In der Treibhausatmosphäre der Schule wurden Charlottes vermeintliche Fehler zu reinsten Menschheitsverbrechen aufgebauscht und aufaddiert, bis es beim Mittagessen am Tisch keinen Platz mehr für sie gab. Celie denkt daran, wie niemand, der Charlotte eigentlich mochte, etwas zu ihr sagte, weil sie fürchteten, die ablehnende Haltung könnte auf sie abfärben, und daran, wie sich Charlotte immer weiter zurückgezogen und schließlich die Schule gewechselt hatte. All das fällt Celie ein, und sie windet sich vor Scham und Angst. Denn ihr wird klar, dass nun sie an der Reihe ist. Es muss irgendeine Kleinigkeit gegeben haben, und niemand wird ihr sagen, was es ist. Ihr ganzer Körper strahlt Beklemmung aus, jede Bewegung Verunsicherung, bei jedem Blick in den Spiegel sucht sie verzweifelt nach der Ursache, die sie zur Zielscheibe gemacht hat. Inzwischen fühlt sie sich nur noch annähernd normal, wenn sie kifft, weil sie das entspannt und vergessen lässt, was in Wirklichkeit gerade läuft. Aber Mum erfindet ständig einen Vorwand, um in ihr Zimmer zu kommen, und Celie kann sich genau vorstellen, wie sie es nach Drogen durchsucht, wenn sie nicht da ist, also kann sie im Moment nicht mal kiffen.

Es hat keinen Sinn, Mum zu erzählen, was los ist. Sie würde einfach sagen, Celie solle sich andere Freunde suchen – *Das können keine echten Freundinnen sein, wenn sie dich so gemein behandeln, Liebes* –, oder sie würde sich aufregen und die anderen Mütter anrufen und ihnen erklären, sie sollten ihre Töchter dazu bringen, nett zu Celie zu sein. Und das würde *garantiert* helfen. Oder noch schlimmer, sie würde sich selbst die Schuld geben und noch deprimierter wegen Dad und der Scheidung und dem neuen Baby werden und alles auf sich beziehen.

Es hat keinen Sinn, mit irgendwem darüber zu reden. Es würde sie nur wie eine Idiotin dastehen lassen. Schließlich gibt es überhaupt keine Beweise für irgendwas. Es ist wie ein Kampf im Nebel. Gegen etwas, das gar nicht da ist, gegen halblautes Geflüster, gegen das ständige Gefühl, dass etwas ganz und gar nicht stimmt. Das ist die Mauer, gegen die sie immer wieder anrennt. Sie ist keins von den Mädchen, denen so etwas passiert. Wieso passiert es ihr dann?

Celie wird klar, dass sie zu lange auf ihr Handy gestarrt hat. Auf einmal ist ihr schlecht. Sie checkt, wie spät es ist. Noch fünfundzwanzig Minuten, bis der Bus an der Schule ankommt. Sie sieht auf, aber alle sind mit ihren Handys beschäftigt oder unterhalten sich. Sie ist die Einzige mit einem leeren Platz neben sich. Die Übelkeit steigt wie eine Welle in ihr auf, und plötzlich ist sie sicher, dass sie sich übergeben muss. Normalerweise schaut sie im Bus nie auf ihr Handy, davon wird ihr immer schlecht. Ihr Haaransatz prickelt, sie spürt, wie ihr der Schweiß auf die Stirn tritt. Sie kneift die Augen zusammen, wünscht sich mit aller Kraft, dass sich die Übelkeit legt. *Bitte nicht hier. Bitte nicht jetzt.* Der Bus fährt über eine Bodenwelle, und sie spürt, wie etwas Verdorbenes, Saures in ihre Kehle aufsteigt. *Oh Gott, es passiert.* Sie öffnet ihre tränenden Augen und braucht einen Moment, um klar zu sehen. Vor ihr ist eine bedruckte Papiertüte. Sie starrt die Tüte einen Moment lang an, dann sieht sie auf. Die Tüte wird ihr von Martin O'Malley vor die Nase gehalten, dem blassen, rothaarigen Jungen, der in der fünften Klasse gehänselt wurde. Sein Blick drückt so etwas wie ein mitleidiges Schulterzucken aus, ein Wissen darüber, wie es ihr gerade geht und dass sie da jetzt einfach durchmuss. Wieder kommt es ihr hoch, dieses Mal unaufhaltsam. Alles ist unaufhaltsam.

Sie schnappt sich die Tüte und übergibt sich.

Celie liegt auf ihrem Bett, als ihr Großvater hereinkommt. Er klopft nicht an; er klopft nie an. Er röhrt wie zur Vorwarnung ihren Namen – er nennt sie IMMER NOCH Celia –, dann kommt er einfach rein, mit diesem dämlichen Grinsen im Gesicht. Vermutlich hat Mum ihn geschickt, um nach ihr zu sehen.

«Hey, Schätzchen! Wie geht's?»

«Gut.»

Es geht ihr nicht gut. In Wahrheit möchte sie am liebsten sterben. Martin hat sie vor der Gruppe abgeschirmt, indem er sich in seinem Sitz umgedreht hat, damit die anderen möglichst wenig sehen können, aber den Gestank von Erbrochenem kann man nicht verbergen, und obwohl er die Tüte zugefaltet und ihr ein Päckchen Taschentücher gegeben hatte, war ein Raunen durch den Bus gegangen. Ein geflüstertes *Hat jemand gekotzt? Oh mein Gott, riechst du das? OH MEIN GOTT*. Kevin Fisher hatte laute Würgegeräusche gemacht und Mr. Hinchcliffe zugerufen, dass er bei dem Geruch kotzen müsse, und die Mädchen hatten angefangen, zu kreischen und in Schnappatmung zu verfallen, und auch wenn niemand etwas zu Celie gesagt hat, weiß sie, dass die Geschichte davon, wie sie den Bus vollgekotzt und vollgestunken hat, morgen Vormittag in der ganzen Schule die Runde machen wird. Sie hatte mit dem Aussteigen gewartet, bis alle anderen draußen waren. Martin hatte die Kotztüte unter seiner Jacke versteckt und wortlos in einen Abfalleimer an der Straße geworfen. Sie war ihm dankbar, aber na ja, es war eben *Martin*. Er ist so uncool, dass sie irgendwie befürchtet, ihr Ansehen würde noch weiter sinken, wenn sie bloß neben ihm sitzt.

«Ich habe überlegt, ob du Lust auf einen Spaziergang mit deinem Kumpel Gene hast.» Er nennt sich selbst nie Grandpa. Er glaubt anscheinend, mit seinen verwaschenen Rocker-T-Shirts die Tatsache abwehren zu können, dass er alt und klapprig ist. «Willst du mir die Nachbarschaft zeigen? Für mich sehen in diesem Viertel nämlich sämtliche Straßen gleich aus.»

«Nein danke.»

Er geht nicht. Er setzt sich einfach ungebeten auf die Bettkante und lässt seinen Blick über die Poster und Fotos in ihrem Zimmer wandern. Neben ihrem Bett hängt immer noch die Pinnwand mit den Bildern von ihr und den ganzen anderen Mädchen, obwohl sie bei dem Anblick am liebsten heulen würde. Aber wenn sie die Pinnwand abhängt, ist es, als würde sie zugeben, dass sie keine Freundinnen mehr hat.

«Hübsches Zimmer.» Er sieht sie an, als würde er eine Antwort erwarten. Sie zuckt mit den Schultern. «Als ich in deinem Alter war ...» Oh Gott, warum fangen alle alten Leute die Hälfte ihrer Sätze mit *Als ich in deinem Alter war* an?

«... haben Dinosaurier dein Zimmer aufgefressen?»

Er blinzelt überrascht, dann lacht er. «So ungefähr. Ich schätze, für euch Kids bin ich ein Dinosaurier. Ich wollte sagen, dass ich in deinem Alter Bilder von meinen Lieblingsschauspielern an den Wänden hatte. Marlon Brando, James Dean, Steve McQueen – die ganzen Rebellen. Ich schätze, es ist netter, stattdessen Bilder von seinen Freunden zu haben.»

«Sie sind nicht meine Freunde.»

Der Satz ist ihr herausgerutscht, bevor sie ihn aufhalten kann. Gene schaut sie an und dann die Fotos.

«Sie sehen ... ganz sympathisch aus.»

«Tja, das sind sie aber nicht. Nicht mehr.»

«Habt ihr euch zerstritten?»

«Oh, warum willst du mich ausfragen? Du wohnst doch nur hier, weil du nirgendwo anders hinkannst. Du musst nicht so tun, als würde dich das irgendwie kümmern. Es ist doch offensichtlich, dass du dich für niemanden von uns interessierst.»

Die Grausamkeit ihrer Worte erschreckt sie selbst. Aber er scheint sich davon überhaupt nicht stören zu lassen.

«Ja», sagt er, ohne von den Bildern wegzuschauen. «Ich schätze, in diesem Bereich habe ich wirklich keine Glanzleistung gezeigt. Aber hey, es ist nie zu spät, oder?»

«Vielleicht solltest du darüber lieber mit Mum reden.»

«Aber jetzt rede ich mit dir.»

«Tja, aber vielleicht möchte ich nicht mit dir reden.»

«Bist eine ganz schöne Kratzbürste, was?» Sie funkelt ihn böse an, aber er wirkt belustigt. «Das ist okay, Kleines. Ich schätze, ich hätte mich in deinem Alter auch nicht von einem steinalten Kerl über mein Leben ausfragen lassen wollen. Hey, willst du eine Cola? Der alte Bill unten scheint nur Kräutertee und Wasser zu haben, aber ich brauche Zucker!»

Sie muss beinahe lachen, als er Bill «alt» nennt, so als wäre er selbst beinahe noch ein Teenager. «Komm schon, ich könnte etwas Unterhaltung vertragen. In diesem Haus ist es viel zu still und trübsinnig, um seine ganze Zeit hier zu verbringen.» Er reckt ein wenig den Hals. «Und abgesehen davon muss ich mich mit Chips versorgen, bevor wir den nächsten verflixten Salat vorgesetzt bekommen.»

Vielleicht liegt es daran, dass ihr im Moment die Vorstellung zu viel ist, einen weiteren Abend mit den Bildern ihres Lebens, wie es früher war, in ihrem Zimmer zu verbringen. Vielleicht liegt es daran, dass er der Einzige ist, der nicht versucht hat, ihr blödsinnige Lösungsvorschläge zu machen.

Oder vielleicht liegt es auch einfach daran, dass sie tatsächlich Lust auf eine Cola hat. Jedenfalls schiebt sich Celie vom Bett – ohne zu lächeln, dazu ist sie nicht bereit – und folgt dem alten Mann aus ihrem Zimmer und die Treppe hinunter.

Im Rückblick sieht Celie diesen Abend als verschwommene Abfolge von Bildern. Die U-Bahn-Fahrt nach Soho, die Art, auf die Gene (sie kann sich noch nicht dazu bringen, ihn Grandpa zu nennen) mit den Leuten im Waggon redet, als wären sie alle seine Freunde, oder wie ihn eine alte Frau anstarrt und sagt: «Entschuldigen Sie, sind Sie der Mann aus *Star Squadron Zero*?» Und wie Gene darauf sofort zehn Zentimeter zu wachsen scheint und ihr mit einer Ehrenbezeigung aus der Trash-Serie zuruft: «*Captain Strang meldet sich zum intergalaktischen Dienst, Ma'am!*» und wie die Frau darauf rot angelaufen ist und ihn am Arm gepackt hat, damit ihre Tochter ein Foto macht, und es ihr vollkommen egal war, dass sie alle Leute in der U-Bahn anglotzten.

Und dann Soho, wo sie nur einmal als Kind gewesen war, ein Gewirr schmuddeliger Straßen, in denen massenhaft Leute, die schon am frühen Abend tranken, aus den Pubs strömten und den Bürgersteig verstopften, sodass Celie auf der Straße gehen musste, und Gene, der sie in dieses Café und jenen Pub zog und die ganze Zeit erzählte, wie es hier früher gewesen war und mit wem er abgehangen hatte; Schauspieler, von denen sie noch nie gehört hatte. Und wie er vor dem Gay-Sexshop mit den ganzen Geschirren und Nieten stehen geblieben war und stirnrunzelnd den Kopf zur Seite geneigt und gesagt hatte: «Eigentlich würde man bei eurem Wetter hier denken, dass sie einen Pullover oder so in dieses Lederzeug einnähen würden, was?» Und dann hatte er sie dazu herausgefordert, mit ihm hineinzugehen.

«*Oh mein Gott! Warum?*», hatte sie gesagt, knallrot vor Verlegenheit, während dieser alte Mann durch die Rauchglastür spähte.

Er hatte mit den Achseln gezuckt. «Warum nicht? Man muss doch neugierig sein, oder? Oder was soll es sonst für einen Zweck haben, hier zu sein?» Also hatte sie sich bei ihm eingehängt und war hineingegangen, hatte versucht, nicht über den gelangweilten Muskelprotz mit dem Freddie-Mercury-Schnurrbart hinter dem Verkaufstresen zu lachen, der offensichtlich sofort wusste, dass sie keine echten Kunden waren. Er musterte sie mit halb gesenkten Lidern und murmelte schließlich seufzend: «Kann ich Ihnen irgendwie helfen?»

Und Gene hatte mit seiner gedehntesten amerikanischen Aussprache gesagt: «Ich weiß nicht, Kumpel. Haben Sie irgendetwas da, was dem reifen Typ etwas mehr schmeichelt?»

Und der Mann mit dem Schnurrbart hatte gesagt: «An was hatten Sie gedacht?»

Und Gene hatte sie angesehen und gesagt: «Ich weiß nicht. Ich frage meine Enkelin. Was würde mir stehen, Liebling?» Und sie hatte wirklich geglaubt, sie müsste sich bepissen, weil er komplett ernst geblieben war und seinen Zeigefinger über die Lippen gelegt hatte, als würde er wirklich darüber nachdenken, also hatte sie gesagt: «Ich ... ich bin nicht sicher. Ich glaube, wir sollten Mum fragen. Sie kennt sich mit so was besser aus.»

Und dann gingen sie wieder hinaus in die Herbstsonne, und sie konnte nicht aufhören zu lachen, und Gene grinste sie an, als wäre das der größte Spaß aller Zeiten gewesen. Und sie hatten in einem winzigen Café Pastel de Nata gegessen und einen ekelhaft starken Kaffee getrunken, von dem sie Herzrasen bekam, und waren dann durch Chinatown geschlendert und hatten vor einem Tattoo-Studio angehalten, wo Gene, wie er ihr erzählte, sein drittes Tattoo herhatte, das er ihr unbedingt zeigen wollte und von dem er sagte, es sei für Grandma gewesen, die er *Francie* genannt hatte, aber der Typ hatte es nicht richtig verstanden und stattdessen *Fancy* geschrieben. Das dunkelblaue Tattoo auf dem blassen Oberarm war total verschwommen und überhaupt nicht «fancy». *Vielleicht hatte ich was getrunken*, murmelte Gene. *Tja, so ist das Leben, was?*

Und sie hatten Nudeln in einem vietnamesischen Imbiss gegessen, und Gene hatte ihr all die Theater gezeigt, in denen er gearbeitet hatte, und ihr erzählt, welche Stars in Wahrheit richtig dämlich gewesen waren und in welche er sich verliebt hatte. *Geh bloß nie mit einem Schauspieler aus, Liebling*, sagte er. *Wir verknallen uns viel zu schnell.* Und auf dem Heimweg in der U-Bahn hatten ihn wieder zwei Leute erkannt, und Gene hatte auch für ihre Fotos posiert wie eine Berühmtheit, und als sie vor dem Haus waren, hatte Gene den Zeigefinger über die Lippen gelegt, als wollte er sagen *Kein Wort zu niemandem*, aber da war ihr plötzlich aufgefallen, dass es Viertel nach acht war und sie das Abendessen verpasst hatten, und Mum war ausgeflippt und hatte geschrien *Wo zum Teufel wart ihr zwei? Celie, warum bist du nicht an dein Telefon gegangen? Ich war kurz davor, die Polizei anzurufen!* Und Celie wurde klar, dass sie nicht ein Mal daran gedacht hatte, auf ihr Handy zu schauen. Kein einziges Mal. Und Gene hatte die Handflächen nach oben gedreht und allen gesagt, sie sollten sich abregen, also genau das, was man Leuten sagt, damit sie komplett durchdrehen. Und Truant hatte geknurrt, und auf dem Tisch stand die Schüssel mit kalten Linsen, und auf einmal war Celie richtig, richtig froh über die Nudeln. Und in genau diesem Moment hatte Mum das Tattoo an der Innenseite von Celies Arm gesehen.

«Das darf doch nicht ...», begann sie, und ihre Stimme erstarb. Sämtliche Farbe war aus ihrem Gesicht gewichen. «Oh nein.»

«Ich glaub's einfach nicht. Wie kann man bloß so unverantwortlich ...», fing Bill an.

«Gib mir die Schuld», hatte Gene ganz sanft und ruhig gesagt, und Violets Augen, die Celies Arm anstarrten, waren so groß geworden wie Untertassen.

«Sie ist nicht mal achtzehn!», rief Mum und hielt sich den Kopf. «Was zum Teufel hast du dir dabei gedacht, mit meiner Tochter in ein Tattoo-Studio zu gehen?»

«Hat es wehgetan?» Violet hängte sich an sie und fuhr mit dem Zeigefinger über das Tattoo.

«Komm mit rauf, dann erzähl ich's dir», sagte Celie. Und sie waren die Treppe raufgerannt und hatten Gene mit all dem Geschrei und der Aufregung allein gelassen. Eingeschlossen in Celies Zimmer, erzählte sie ihrer kleinen Schwester, worüber Gene und sie unten Stillschweigen vereinbart hatten. Es ist kein echtes Tattoo. Es ist abwaschbare Tinte, die ihr der Tätowierer als Geschenk aufgemalt hat, nachdem er Gene nach dreißig Jahren wiedererkannt hatte. Sie hatten gefunden, dass es lustiger wäre, es nicht zu sagen. Violet quietschte vor Vergnügen, schlug zwei Purzelbäume auf Celies Bett. «Ich will auch eins!», kreischte sie und trommelte mit den Füßen an die Wand. «Ich will auch eins!»

Es ist, wird Celie bewusst, als es unten schließlich ruhig wird, weil Gene offenkundig erzählt, wie es wirklich ist, und ihre Schwester in ihr Zimmer verschwindet, wo sie sich garantiert über und über mit einem Kugelschreiber bemalen wird, das erste Mal seit Wochen, dass sie gelacht hat.

## DREIZEHNTES KAPITEL

## Lila

AnoushkaMellors@amagency.co.uk
An: LilaKennedy@LilaKennedy.com

Und? Wie läuft es, Liebes? Regent House hat heute früh noch mal angerufen, sie wollen unbedingt die drei Kapitel und eine Zusammenfassung.
Liebe Grüße
Anoushka xx


LilaKennedy@LilaKennedy.com
An: AnoushkaMellors@amagency.co.uk

Super! Fast fertig zum Losschicken.
Lila x

Lila hat die drei Kapitel tatsächlich fertig. Sie sind das Ehrlichste, Mutigste und aus ihrer Sicht das Beste, was sie je geschrieben hat. Sie hat ihr Innerstes nach außen gekehrt, den Schock, die Wut, die Scham und die Verletztheit, die sie seit der Veröffentlichung von «Erneuerung» mit sich herumträgt. Sie hat sich bei jeder Wendung in der Handlung dazu herausgefordert, noch ehrlicher zu sein, Schicht um schmerzhafte Schicht abzutragen, alles freizulegen, selbst wenn das ihre eigene öffentliche Erniedrigung bedeutet. Es ist brutal, vielleicht sogar (denkt sie in zufriedenen Momenten) herzzerreißend. Es ist die nackte Wahrheit darüber, wie es ist, wenn man für jemand anderes verlassen wird, wenn man den Mann, den man liebt, in direkter Sichtweite eine neue Familie gründen sieht. Ihre Töchter sind für Außenstehende nicht zu identifizieren (wie zuvor nennt sie die beiden einfach Kind A und Kind B), aber sie war absolut ehrlich in Bezug auf sich selbst und Dan. Nachdem sein Name schon im Zusammenhang mit ihrer Geschichte (sie wünschte, vonseiten der Literaturbeilagen hätte genauso viel Interesse bestanden) auf mehreren Klatschseiten im Internet gestanden hat, sieht sie keinen Grund, plötzlich zu verschleiern, wer er ist. Marja hat sie einfach als «die Geliebte» bezeichnet. Warum auch nicht? Das ist sie schließlich. Das hat sie sich ausgesucht.

Und davon abgesehen, was schuldet sie ihnen überhaupt? Das hier ist ihre Chance, ihre Geschichte wieder selbst zu erzählen, für alle Frauen zu sprechen, die verlassen wurden und die versuchen, ihre Restfamilie inmitten einer Abfolge von katastrophalen Entscheidungen und Alternativen, die sie selbst nicht gewollt haben, über Wasser zu halten.

Sie hat ihre Worte wieder und wieder gelesen, überarbeitet, verfeinert, ausgedruckt und versucht, sie zu lesen, als wäre sie jemand anderes, hat sorgfältig nach zu viel Selbstmitleid gesucht und allem anderen, das sie verbittert klingen lässt, allem, das den Leuten einen Grund liefern kann, sie abzuschreiben. Andere Frauen werden das begreifen, denkt sie, als sie schließlich die drei Kapitel in eine E-Mail packt und leicht zittrig auf *Senden* drückt. Andere Frauen werden es verstehen und sich damit identifizieren. Sie sind es, für die ich das mache, sagt sie sich so oft, dass sie es beinahe selbst glaubt.

Lilas erwartungsvolle Anspannung wird noch durch die

Tatsache gesteigert, dass ihr Gabriel Mallory in der vergangenen Woche mehrere Nachrichten geschrieben hat. In einigen geht es einfach um Schulangelegenheiten, andere sind persönlicher. Ihr gesamter Umgangston ist persönlicher und vertrauter geworden. Bei jedem *Pling* ihres Handys bekommt sie einen kleinen Adrenalinschub, wenn sein Name auftaucht.

> War schön, dich heute zu treffen, und noch dazu so incantevole aussehend.

Google zufolge bedeutet das *zauberhaft*.

An diesem Tag hatte Lila nur zwei Stunden gebraucht, um sich für den Weg zur Schule fertig zu machen.

> Hey – Lennie möchte wissen, ob Violet mal vorbeikommen will. Anscheinend haben sie in der Mittagspause zusammen Würmer ausgegraben. Klingt nach einer guten Basis für eine Freundschaft.

(Violet hatte auf Lilas Nachfrage genervt reagiert. «Was? Warum denn? Die ist ein Jahr unter mir!» und «Mum, der Wurm war nicht mal lebendig!») Lila hat sie mit zehn Pfund bestochen, damit sie zustimmt. Wahrscheinlich wird es sie noch mal zehn Pfund kosten, wenn sie sicherstellen will, dass sich Violet nicht einfach vor den Fernseher setzt, wenn sie wirklich losgehen.

Und das Beste:

> Tut mir leid, dass du keinen guten Tag hattest. Dein Ex ist eindeutig ein Idiot, falls ich dir damit nicht zu nahe trete.

Dan war unerwartet mit Marja zur Schule gekommen, die Hand besitzergreifend auf ihren unteren Rücken gelegt, seine Miene liebevoll und besorgt. Sie kamen von einem Arzttermin zurück, den Gesprächsfetzen nach zu schließen, die Lila auf der anderen Seite des Schulhofs aufschnappte. Es war ein ungewöhnlich warmer Herbsttag, und Marja hatte ein leichtes, schwarzes Jerseykleid getragen, das ihren üppigen Busen und ihren Babybauch zur Geltung brachte. Sie gehört zu den Frauen, die unerklärlicherweise das ganze Jahr über zartgolden gebräunt sind, und das Kleid war ihr von einer Schulter gerutscht, sodass man den weichen, wohlgeformten Armansatz sah. Dan hatte Lila unbehaglich zugenickt, als sie mit gesenktem Kopf schnell auf die andere Seite des Schulhofs gehastet war, wo Gabriel stand.

«Ah, das ist er also», hatte Gabriel gesagt, der die Szene mitbekommen hatte, und Lila war so wütend und so traurig bei Dans und Marjas Anblick geworden, dass sie nicht hatte antworten können. Gabriel und sie hatten schweigend die sieben unendlich langen Minuten nebeneinandergestanden, die es dauerte, bis sie ihre Kinder in Empfang nehmen konnten. Als er ging, hatte er sie mit einer solidarischen Geste kurz am Ellbogen berührt.

Überhaupt nicht. Und danke x, hatte sie geantwortet. Und sich plötzlich sehr viel besser gefühlt.

Manchmal denkt sie daran, ihn nach einem Date zu fragen. Ein richtiges Date. Eleanor sagt, es klingt, als sei er interessiert, also warum nicht? «Echt jetzt, Lila, wenn es einen Vorteil hat, in unserem Alter zu sein, ist es, dass man aussprechen kann, was man denkt. Du magst ihn, und er mag dich offensichtlich auch, also frag einfach. Was kann denn schon passieren? Los – du bist ein großes Mädchen.»

Er könnte Nein sagen, denkt Lila. Er könnte sie peinlich berührt und erschrocken ansehen, als wäre er einfach nur nett gewesen, und erklären, dass er sich geschmeichelt fühlte, aber eine Single-Mutter in den Vierzigern mit zwei launischen Töchtern eigentlich nicht zu seinen Vorstellungen passte. Sie könnte mit ihrer Frage die Abholsituation noch viel unbehaglicher für sich selbst machen, als sie es ohnehin schon war.

Im Moment dagegen kann sie sich auf einen winzigen Teil ihres Tages beinahe freuen, kann im Bad von seinem glatten, kastanienbraunen Haar träumen, von seinem verwundeten Blick, den sie bestimmt ändern könnte, von seinen langgliedrigen, sensiblen Künstlerhänden. Sie kann die Augen schließen und eine Million Szenen durchspielen, in denen Gabriel Mallory und sie am Ende zusammen sind, er sie sacht über den Schulhof steuert, den Arm leicht um ihre Schulter gelegt, während Philippa und Marja und all die anderen gemeinen Mütter zusehen. Möglicherweise, während er ihr etwas auf Italienisch zuraunt. Nein, denkt sie, es ist besser, die Aussicht auf etwas Schönes zu behalten, statt es auf die Probe zu stellen und ganz zu verlieren. Und so sagt sie nichts.

«Ich dachte, ich könnte meinen alten Steinway herbringen», sagt Bill, der ihr hilft, den Müll hinauszubringen.

«Was?», sagt Lila und hievt die stinkende schwarze Tüte in die Tonne. Der Anblick von Marja in ihrem schwangeren Zustand, Dans Hand auf ihrem Rücken, verfolgt sie immer noch. Bill hat sämtlichen Plastikmüll abgespült und trocknen lassen, bevor er ihn in die Recyclingtonne kippt. «Das Klavier? Wirklich?»

«Das Spielen fehlt mir. Es ist sehr ... tröstlich.»

Sie wischt sich mit dem Handrücken über die Stirn. Eigentlich will sie sagen: *Könntest du nicht einfach in deinem Haus spielen?* Aber Bill bittet um so wenig und gibt so viel, und er toleriert Genes Anwesenheit wenn auch nicht mit Gleichmut, so doch immerhin mit etwas wie grimmiger Gelassenheit.

«Aber ... wo soll es stehen?»

Darüber hat sich Bill eindeutig schon länger Gedanken gemacht.

«Ich dachte, ich könnte diese Bank im Flur wegstellen, dann kann es dorthin. So wäre es dir nicht im Wohnzimmer im Weg. Und du könntest einfach die Tür zumachen, wenn ich spiele.»

Lila wird schwer ums Herz. Zwei Jahre zuvor hat sie geschluchzt, als Dan ein paar Sachen zum Anziehen, seine Bücher und seine Computersachen aus dem Haus geholt hat. Obwohl er kaum Möbel mitnahm, hatten die Lücken, die ein Bild oder Bücher hinterließen – und in der Garage sogar das Fehlen des viertausend Pfund teuren Fahrrads mit Carbonrahmen, das sie immer gehasst hatte –, ihr das Gefühl einer umfassenden, unfassbaren Leere gegeben. Doch jetzt gibt ihr das Haus perverserweise das Gefühl, als würde es sich wieder auffüllen. Mit Menschen, mit ihren Sachen. Es gibt keinen Fleck, der nicht mit dem einen oder dem anderen überladen ist. Und diese Sache jetzt – wird ihr mit leichtem Unbehagen klar, das sie nicht gern vor sich zugibt – bedeutet, dass Bill bleibt. Niemand transportiert ein Klavier durch die Gegend, wenn er nicht endgültig bleiben will. Sie wird auf unabsehbare Zeit mit einem leicht depressiven alten Mann zusammenwohnen.

«Geht in Ordnung, Bill», sagt sie und hofft, dass ihr Lächeln bis zu ihren Augen reicht.

Während der nächsten paar Tage wird Lilas gute Laune immer wieder zerstört, wie fröhlich aufsteigende Seifenblasen, die an einer Stechpalme zerplatzen. Das Klavier kommt, wird auf zwei Rollbrettern von Bill, Jensen und zwei polnischen Bekannten die Straße heraufgeschoben, die Selbstgedrehte rauchen und angesichts der Stufen vor der Haustür mit Leidensmienen die Köpfe schütteln. Nach vierzig Minuten Schwitzen und Fluchen ist das Klavier im Flur, und als die Rollbretter weggezogen werden, landet es mit einem dissonanten Akkord und schrecklicher Endgültigkeit an seinem Platz.

An diesem Nachmittag stößt Jensen beim Anlegen der neuen Beete auf eine Betonschicht, und ab halb fünf ist die Luft vom Lärm seines Pressluftbohrers erfüllt. Das hat zwei ärgerliche Anrufe von Nachbarn zur Folge und die eilige Ablieferung von Lilas letzten Notfall-Geschenk-Weinflaschen. Celie kommt schlecht gelaunt von der Schule zurück und rauscht mit einer Miene wie Donnergrollen unter einer Gewitterwolke aus Haar durchs Haus, ohne mit irgendwem zu sprechen, bevor sie die Tür zu ihrem Zimmer zuknallt und sich weigert, wieder herauszukommen. Bill setzt sich wie immer im Wohnzimmer vor die Sechs-Uhr-Nachrichten, aber Violet und Gene haben sich vor dem Lärm im Garten ebenfalls ins Wohnzimmer geflüchtet und stören ihn mit ihren YouTube-Episoden von *Star Squadron Zero*, bei denen Gene lautstark kommentiert, wie es war, diese Rolle zu spielen, welche Späßchen sich die Crew ausgedacht hat und dass der Gastregisseur ein Arsch war. Um zwanzig nach sechs hat Bill die Konkurrenz des Fernsehers mit dem iPad offenbar satt und zieht sich in den Flur zurück, wo er eine schwungvolle Interpretation von *Strangers In The Night* anstimmt, die das gesamte Haus erfüllt. Das veranlasst Gene nur, die Lautstärke des iPads noch weiter aufzudrehen. Vor diesem Hintergrund aus Klaviermusik, altmodischem Science-Fiction-Sound und dem Pressluftbohrer ruft Anoushka an. Lila steht in der Küche, hält sich das freie Ohr zu und versucht zu verstehen, was sie sagt.

«... es großartig finden, aber sagen, es ist nicht ganz das, was besprochen wurde ...»

«Wie bitte?», sagt Lila, als Truant, verrückt gemacht von dem Lärmpegel, beschließt, ihn mit rasendem Stakkato-Gebell zu ergänzen.

«... Sex! ... wollen mehr Abenteuer ...»

«Wie bitte? Sorry, Anoushka, ich kann dich kaum verstehen.»

«... Sex-Eskapaden ... Beispiel ...»

«Sex-Eskapaden?»

«Du ... Extrakapitel ... nur, damit sie ganz ...»

«Meine Güte», kommt Genes dröhnende Stimme aus dem Wohnzimmer, als Bills Klavierspiel einen Höhepunkt erreicht, «wir versuchen hier, unsere Serie zu sehen!»

«Und ich versuche, Klavier zu spielen!»

«Oh, nennt man das jetzt so? Ich dachte, Truant bringt eine Katze um.»

«Kann irgendwer in diesem verdammten Haus mal für eine Minute die verdammte Klappe halten, damit ich einen verdammten beruflichen Anruf annehmen kann!?», brüllt Lila.

«Ich mache doch überhaupt nichts!», kommt Celies aufgebrachte Stimme gedämpft von oben.

«Ich weiß, Liebling. Sorry, Anoushka, könntest du das noch mal wiederholen?»

Kurz herrscht Stille, bevor Jensen, der einen Gehörschutz trägt, wieder mit dem Pressluftbohrer anfängt. Lila beobachtet, wie sein ganzer Körper mit dem Bohrer vibriert, wie er vor Anstrengung die Kiefer zusammenbeißt.

«Sie wollen ein Erotik-Kapitel. Bisher gibt es nur jede Menge Trübsal, von den lebensfrohen Aspekten ist noch gar nichts dabei. Sie wollen einfach nur ein Beispiel für die frivolen Eskapaden. Hast du denn schon angefangen, an diesem Teil zu arbeiten?»

«Oh ... klar!»

«Und wann kannst du es mir geben?»

Lila starrt durch das Fenster auf Jensen.

«Ende nächster Woche?», sagt sie einfach, ohne zu überlegen.

«Großartig. Der Rest gefällt ihnen übrigens sehr gut, aber sie wollen sicher sein, dass es nicht zu eintönig ist, verstehst du? Wir wollen es auch aufmunternd und frivol! Wie ein literarischer Push-up-BH!»

«Push-up-BH», echot Lila.

«Fantastisch! Das ist SO aufregend! Kann nicht erwarten, es zu lesen! Adieu, Liebes!»

Es dauert kaum sieben Sekunden, bis der Lärm wieder einsetzt. Mit dem iPad fängt es an, die verschwommen-elektronische Titelmelodie von *Star Squadron Zero* erfüllt das Wohnzimmer, gefolgt von Bills entschlossenem Klavierspiel im Flur, bei dem nun mit Pedaleinsatz für Extra-Betonung gesorgt wird. Celie oben beschließt, ihren Teil mit einem besonders düsteren Song von Phoebe Bridgers beizutragen.

Lila hat Kopfschmerzen.

Jensen schaltet den Pressluftbohrer ab. Lila öffnet die Terrassentür und geht nach draußen. Sie schreibt eine Nachricht an Gabriel. Sie tippt schnell, damit sie nicht weiter darüber nachdenken kann.

Hast du Lust, irgendwann mal was trinken zu gehen?

*Ich bin eine erwachsene Frau, die imstande ist, nach dem zu fragen, was sie will*, sagt sie sich, während sie auf *Senden* drückt und Adrenalin durch ihren Körper schießt. *Es geht nur um einen Drink, das ist überhaupt keine große Sache.* Sie schaut zum Himmel empor und dann wieder auf ihr Handy, wartet auf die pulsierenden Punkte, die anzeigen, dass er zurückschreibt. Sie wartet eine Minute, zwei Minuten, drei, kann den Blick nicht mehr von ihrem Handy abwenden. Und schließlich breitet sich ein flaues Gefühl in ihrem Magen aus, und sie schiebt das Handy in die Hosentasche. Dann geht sie ans Ende des Gartens und setzt sich auf die Bank.

«Bill sagt, Ihr Ex wird tatsächlich Vater. Ich dachte, Sie hätten einen Witz gemacht.» Jensen hat sein Werkzeug weggeräumt. Er lässt sich schwer am anderen Ende der Bank nieder, trinkt einen Schluck aus einer Wasserflasche und wischt sich mit dem Unterarm über die Stirn.

«Nein. War kein Witz. Anscheinend hat das Maß an öffentlicher Demütigung noch nicht ausgereicht.» Sie lächelt leicht. *Warum habe ich diese Nachricht losgeschickt? Warum? Was habe ich mir dabei gedacht?*

Sie fragt sich, ob sie einfach Eleanors Erfahrungen nutzen kann, ohne ihr etwas davon zu sagen. Irgendwann wird Eleanor das Buch lesen, aber vielleicht kann sie ihre Identität verschleiern. Es wird wenigstens ein Jahr dauern, bevor Eleanor etwas davon zu sehen bekommt. Sie zieht das Handy aus der Tasche und legt es mit dem Display nach unten neben sich. Ihr ist ein wenig mulmig.

«Alles okay mit Ihnen?»

Sie starrt ihn an. Niemand stellt ihr jemals diese Frage, wird ihr bewusst. Niemand fragt einfach mal, ob mit ihr alles okay ist. Nicht Bill, nicht Gene, nicht ihre Kinder, nicht einmal Eleanor. Alle erklären ihr, was sie tun solle oder dass schon alles in Ordnung komme oder dass sie nicht so unglücklich sein solle, nicht so mürrisch, nicht so wütend – aber niemand stellt ihr je diese einfache Frage.

«Nein», sagt sie. «Meistens nicht, um ehrlich zu sein.»

«Wissen Sie, als ich einen Nervenzusammenbruch hatte ...», fängt er an.

Sie braucht einen Moment, bevor sie versteht, was sie gerade gehört hat.

«Tja. Vor fünf Jahren war das.»

«Oh», sie hebt die Hand an den Mund, «das tut mir leid.»

«Mir nicht. Ich meine, es war nicht gerade lustig. Aber es hat mir gezeigt, wie sehr mein Leben aus dem Gleichgewicht geraten war. Also versuche ich, es als nützliche Erfahrung zu sehen, jetzt, wo ich es hinter mir habe.»

Er schaut auf seine verschrammten Arbeitsstiefel. «Egal. Jedenfalls hat mir ein Kollege ein Rilke-Zitat geschickt, als ich den Nervenzusammenbruch hatte: ‹Verzage nicht. Kein Gefühl währt ewig.› So ungefähr. Und daran denke ich immer, wenn es hart kommt. Kein Gefühl währt ewig. Die Zeiten bleiben nicht bis in alle Ewigkeit beschissen. Selbst, wenn es den Eindruck macht.»

Sie lächelt schief. «Das kann man wohl sagen.» Sie spürt seinen Blick auf sich.

«Harter Tag?»

«Ja. Und was richtig nervt, ist, dass ich das nicht erwartet habe.»

Einen Moment lang sitzen sie schweigend da. In ihrem Garten, denkt sie, sieht es aus wie nach der Schlacht an der Somme. Was einmal eine irgendwie reizvolle Wildnis aus wuchernden Pflanzen und ungemähtem Rasen war, ist jetzt ein Durcheinander aus Gräben, Erdhügeln und Beton.

«Sie sehen aus, als könnten Sie einen Drink vertragen.»

Sie richtet ihre Aufmerksamkeit wieder auf ihn. Und schüttelt den Kopf. «Na ja ... das gehört eigentlich nicht zu meinen Lastern.»

Er hebt eine Augenbraue.

«Oh, das meine ich nicht. Ich bin keine Alkoholgegnerin oder so. Es ist nur ... wissen Sie, mein richtiger Vater hat getrunken. Trinkt. Und deswegen hat meine Mutter ihn gehasst. Und er hat damit so ziemlich sein Leben verpfuscht.» Vom Haus klingt Bills entschlossenes Klavierspiel herüber. «Und er verpfuscht es anscheinend immer weiter. Also hat das für mich nie einen Reiz gehabt.»

«Sie waren noch nie betrunken?»

«Doch, ein paarmal. Aber ich habe einfach nicht gern das Gefühl ... die Kontrolle zu verlieren.» *Und wenn ich anfangen würde zu trinken, wenn ich mich so fühle wie jetzt*, denkt sie, *würde ich wahrscheinlich nie wieder aufhören.*

«Verständlich. Trotzdem hart, nie Urlaub von seinen Gedanken zu haben.»

«Ich kiffe. Um schlafen zu können. Manchmal», sagt sie, für den Fall, dass sie zu prüde geklungen hat. «Aber jetzt kann ich das nicht mehr machen, weil ich meine Tochter dabei erwischt habe. Ich muss ja anscheinend ein gutes Vorbild abgeben.»

«Was für ein Furcht einflößender Gedanke.» Er lacht.

Sie fragt, ob er Kinder hat, und er schüttelt den Kopf.

«Wollte Ihre Frau keine? Nein, vergessen Sie, dass ich das gefragt habe. Das ist furchtbar aufdringlich. Genau so etwas, das man nicht sagen sollte. Tut mir leid.»

«Meine Frau?»

Sie schaut auf seine Hand. Der Ehering ist verschwunden. «Ich ... dachte, Sie hätten einen Ehering getragen.»

Er schaut auf seine Hand. «Oh. Das ist der alte Ring von meinem Dad. Er ist mir ein bisschen zu weit an der rechten Hand, also stecke ich ihn bei der Gartenarbeit an die linke, damit ich ihn nicht verliere.»

«Oh.»

Die Feststellung, dass er Single ist und sie es nun weiß, scheint sie beide kurz zum Verstummen zu bringen. Lila sitzt auf der Bank, die Bill für ihre Mutter gebaut hat, und lässt die Hand sanft über die Armlehne gleiten. Sie spürt das sorgsam geschliffene Holz, all die Stunden Arbeit, die Liebe, die in diese Bank eingeflossen sind. Plötzlich geht ihr durch den Sinn, wie unvorstellbar es für sie ist, dass jemals irgendwer eine Bank für sie baut. Sie schüttelt den Kopf, um den Gedanken loszuwerden.

«Ich gehe besser rein», sagt sie und versucht, fröhlicher zu klingen, als sie ist. «Zurück an die Arbeit.»

«Ich höre für den Moment mit dem Bohren auf. Bin sowieso schon fast durch damit.»

Während sie sich ihren Weg durch den aufgegrabenen Garten sucht, ruft er: «Wissen Sie, das wird richtig schön.»

Sie dreht sich zu ihm um, beschirmt ihre Augen gegen die Sonne mit der Hand.

«Der Garten. Er wird richtig schön.» Als sie nichts sagt, fügt er grinsend hinzu: «Manchmal laufen die Dinge einfach auf etwas ... Schönes hinaus.»

Ich habe ihn nach einer Verabredung gefragt.
Und er hat nicht reagiert.

Eleanors Antwort kommt innerhalb von Sekunden.

Wann hast du ihm geschrieben?

Vor zwei Stunden.

Das ist gar nichts. Er könnte in einer Konferenz sein.

Nicht, wenn man jemanden mag. Man antwortet sofort, wenn man jemanden mag.

Lila, du hattest seit fast zwanzig Jahren kein Date mehr. So läuft das heutzutage.

Außerdem muss ich in meinem neuen Buch über haufenweise wilde Sex-Dates schreiben. Kann ich mir deine Erfahrungen ausleihen und so tun, als wäre ich du?

Nur unter einer Bedingung

Und was?

Vorher lässt DU dich flachlegen.

Das versuche ich ja! Gerade eben habe ich dir geschrieben, dass ich den heißen Architekten nach einem Date gefragt habe.

Viel Glück! Lass mich wissen, wie du vorankommst. Xx

Eleanor kann manchmal *richtig* nerven.

El, ich muss dieses Kapitel SOFORT schreiben. Da kann ich vorher wohl kaum eine Beziehung anfangen, oder?

In welchem Jahrhundert lebst du denn? Wer hat was von einer Beziehung gesagt?

Anoushka hat eine Mail mit Passagen aus der ursprünglichen Mail von Regent House nachgeschickt.

Wir finden dieses Projekt absolut großartig und sind begeistert von Lilas Schreibstil, aber wir hatten alle das Gefühl, dass es in den ersten Kapiteln ein bisschen zu negativ war. Sie handeln hauptsächlich von Verletzung und Untreue und sind ein bisschen düsterer, als wir erwartet hatten. Wir fänden es toll, wenn das Buch zum Beispiel mit einer von ihren verrückten Eskapaden anfangen würde, damit die Leserinnen wissen, dass es um eine Erlösung geht, um einen sexy Phönix aus der Asche, bevor wir in die Vorgeschichte eintauchen. Außerdem sind wir alle unheimlich gespannt darauf zu lesen, wie viel Spaß das Leben auf der anderen Seite machen kann – und wir wissen, dass es vielen Leserinnen genauso gehen wird! Wir freuen uns schon sehr auf die Lektüre – je wilder, desto besser!

Lila schaut von ihrem Bildschirm weg auf ihr Handy. Es ist jetzt zwei Stunden und sechsundvierzig Minuten her, dass sie die Nachricht abgeschickt hat, und Gabriel hat nicht geantwortet. Vielleicht windet er sich genau in diesem Moment bei der Überlegung, wie er ihr möglichst schonend eine Abfuhr erteilen kann. Bis auf Routine-Abstriche hat sie seit beinahe drei Jahren keinen Intimkontakt mehr gehabt. Plötzlich überwältigt sie das Gefühl, dass diese Buch-Idee scheitern wird, dass sie eine Zusage gegeben hat, die sie unmöglich einhalten kann. Sie muss es ihnen sagen. Sie muss Anoushka die Wahrheit sagen. Was zum Teufel hat sie sich nur dabei gedacht? Nein, denkt sie und setzt sich aufrechter hin. Sie lässt sich durch den Kopf gehen, was Eleanor geschrieben hat.

Es gibt einen anderen Weg.

## VIERZEHNTES KAPITEL

Auch wenn ein Klavier im Flur ein bisschen stört, muss Lila zugeben, dass es eindeutig seinen Reiz hat, zwei Leute *Someone to watch over me* spielen zu hören. Seit mittlerweile zwanzig Minuten hat sie am Schreibtisch innegehalten, nur dem Klang der Tasten gelauscht und Penelope Stockbridges leicht atemlosem Gelächter – und ihren Entschuldigungen bei jedem Lachen, als müsste man sich für so viel unverhüllte Emotion schämen. Bills Antwort kann Lila nicht verstehen, aber er klingt gut gelaunt. Lila ist nie in den Sinn gekommen, dass Bill nach ihrer Mutter eine neue Beziehung haben könnte, aber irgendwo im Hinterkopf stellt sie fest, dass es ihr vermutlich nichts ausmachen würde, wenn es Penelope wäre.

«Oh, ich habe einen Fehler bei der linken Hand gemacht. Tut mir leid.»

«Keine Sorge. Fangen wir noch mal bei Takt zwölf an.»

Sämtliche Geräusche in diesem Haus hallen durch das mittig gelegene Treppenhaus nach oben. Man hört noch im obersten Stock, wenn sich unten jemand unterhält, daher hätte Lila nach dem Klappen der Haustür auch so gewusst, dass es Gene war, selbst wenn er nicht *Hallo, bin wieder da!* gebrüllt hätte. Er scheint doppelt so viel Lärm zu machen wie ein normaler Mensch, seine Schritte sind lauter, das Türenschließen schwungvoller. Es ist, als sei er entschlossen, jeder Umgebung seinen Stempel aufzudrücken. Es vermiest

Lila immer ein klein wenig die Laune, wenn er zurückkommt.

*Hey! Ihr spielt Klavier! Soll ich mitsingen? Ich habe mal Ella Fitzgerald getroffen, wisst ihr? In so einer kleinen Bar in Los Feliz ...*

Gene beharrt darauf, dass er zu Vorsprechterminen geht, aber Lila hat den Verdacht, dass er nur im Pub sitzt, weil sie ihn nie etwas einstudieren hört. Wenn sie ihn fragt, wo die Termine stattfinden, antwortet er, sein Agent sei sicher, dass sich bald etwas ergebe. Und dann wechselt er unweigerlich das Thema.

Und irgendwas an Genes Anwesenheit im Haus macht es ihr unmöglich zu arbeiten. Es ist, als wäre sie ständig auf so etwas wie eine Explosion gefasst oder auf das Klirren von Scherben oder auch nur auf das unaufhörliche Protestgebell des Hundes. Sie starrt eine Viertelstunde ihren Bildschirm an, dann steht sie mit einem resignierten Seufzer auf.

Sie ist auf dem Weg nach unten, um sich noch einen Becher Tee zu machen, als die Musik schlagartig unterbrochen wird. Sie hört Bills Stimme. «Sind das meine Socken?»

Genes Stimme, unschuldig und überrascht. «Mh ... Keine Ahnung?»

«Du trägst meine Socken!»

«Oh. Die sind bestimmt in der Wäsche verwechselt worden.»

«Du weißt genau, dass sie nicht dir gehören. Du trägst diese grässlichen weißen Billig-Sportsocken, und die haben überall Löcher. Das sind meine Falke-Strümpfe aus hundert Prozent Wolle.»

«Okay, Kumpel, reg dich nicht auf.»

Lila bleibt auf der letzten Treppenstufe stehen. Penelope sitzt auf einem Stuhl neben Bill, die Hände noch am Notenheft, weil sie offenbar gerade hatte umblättern wollen. Gene steht in einer Lederjacke und Jeans mit zurückgezogenen Schultern, die Beine leicht gespreizt da, eine Haltung, die er nur gegenüber Bill einzunehmen scheint. Bill steht so unvermittelt auf, dass der Klavierhocker mit einem kreischenden Geräusch über die Bodenfliesen schrammt.

«Jetzt reicht's endgültig. Du kannst dir nicht einfach die Socken von jemand anderem nehmen!»

Gene beachtet ihn nicht, sondern wendet seine Aufmerksamkeit Penelope zu. Er verbeugt sich übertrieben und streckt seine große Hand aus. Penelope, die nicht weiß, was sie tun soll, legt ihre winzige, schmale Hand in seine.

«Gene Kennedy, nachdem der alte Bill hier offensichtlich zu unhöflich ist, um uns vorzustellen. Sehr erfreut, Sie kennenzulernen.»

Penelope reagiert wie alle Frauen, die Genes Charme mit voller Wucht ausgesetzt sind. Sie flattert mit den Augenlidern und erwidert geschmeichelt sein Lächeln. Gene hält ihre Hand einen kleinen Moment zu lange fest, und auf ihrem Hals tauchen zartrosa Flecken auf. «Penelope Stockbridge», sagt sie.

«Ich bin Lilas Vater.»

Diese Neuigkeit bringt sie ein bisschen aus dem Konzept, und sie stößt vor Überraschung ein leises «Oh!» aus. Bill bringt diese Bemerkung eindeutig aus dem Konzept, denn er setzt sich wieder auf seinen Hocker und sagt verärgert: «Wenn es dir nicht zu viel ausmacht, Gene, wir sind mitten in einer Klavierstunde.»

«Du bist doch derjenige, der sie unterbrochen hat, Kumpel. Ich versuche nur, höflich zu sein. Sagen Sie mal, Penelope, schauen Sie manchmal fern? Sie könnten mich aus der ...»

«Hör einfach auf, dir meine Socken zu nehmen! Und falls du noch andere in diesem Saustall versteckst, den du dein Zimmer nennst, wäre ich dir dankbar, wenn du sie herunterbringen würdest.»

«Das sind nur Socken, Bill. Meine Güte. Ich hab noch nie erlebt, dass sich jemand wegen Socken so ins Hemd macht. Pass auf, ich schenke dir eins von meinen Grateful-Dead-T-Shirts. Glauben Sie, dann würde er sich wieder ein bisschen einkriegen, Penelope? Reizend, Sie kennenzulernen. Das ist übrigens ein sehr hübsches Kleid. Ich hoffe wirklich, dass Sie bald wieder vorbeikommen.»

Penelope errötet noch heftiger und streicht sich unbewusst mit den Fingerspitzen über den Halsansatz. Bill sitzt ganz still auf dem Klavierhocker, an seiner Schläfe pulsiert eine winzige Vene. Gene, der eindeutig zu dem Schluss gekommen ist, dieses Scharmützel gewonnen zu haben, wartet kurz mit strahlender Miene ab, und dann schlendert er geradezu Richtung Küche. «Oh, hallo, Lila! Hattest du einen schönen Tag, Liebling?»

Lila hat festgestellt, dass in der letzten Zeit aus jeder Interaktion zwischen ihren Vätern ein Kampf mit einem Gewinner und einem Verlierer geworden ist. Gene ist gewöhnlich der Sieger, ein Meister der Manipulation, der es mit seinem angeborenen Charme und seinem instinktiven Gespür für die Schwächen anderer versteht, jeden Schlagabtausch zu seinen Gunsten zu drehen. Lila ist nicht einmal sicher, ob er das bewusst macht. Bill kann meistens nur noch stottern vor Zorn, obwohl er normalerweise im Recht ist. Allerdings ist Lilas Mitleid begrenzt, denn es ist, als würde man mit zwei ganz besonders bockigen Kleinkindern zusammenleben. Und wenn sie die beiden in die Schranken weist, streiten sie ab, dass es ein Problem gibt.

*Ich habe überhaupt nichts gemacht. Wenn Bill sich streiten will, kann ich nichts dafür.*

*Lila, ich lasse den Kerl (Bill nennt ihn nur selten Gene) tun, was er will. Ich kümmere mich um meine eigenen Angelegenheiten.*

In Anwesenheit der Mädchen benehmen sich beide etwas besser, es ist, als würden sie um ihre Zuneigung konkurrieren und wüssten, dass sie ihre Konflikte besser nicht vor ihnen austragen sollten. Dadurch, dass Gene jeden Abend mit Violet *Star Squadron Zero*-Folgen schaut, hat er sie eindeutig auf seine Seite gezogen, und auch bei Celie hat er durch den Ausflug nach Soho Fortschritte gemacht. Aber Celie ist alt genug, um zu wissen, was Bill für sie getan hat, und immunisiert von den sechzehn Jahren, in denen sie die Liebe Bills und ihrer Großmutter erfahren hat. Und so sitzt sie immer noch eher mit Bill in den Überresten des Gartens oder spielt mit dem Hund (sie ist keine große Rednerin), während Bill das Gemüse fürs Abendessen schnippelt.

Eine unerwartete Auswirkung der nun zwei Hausgäste ist, dass Celie meistens zum Abendessen herunterkommt – statt zu behaupten, dass sie keinen Hunger hat, und in ihrem Zimmer zu bleiben. Es ist, als wäre der ständige Hickhack zwischen den beiden eine Ablenkung für sie, durch die sie ihren eigenen Gedanken entkommt – aber vielleicht zieht es auch einfach Lilas Aufmerksamkeit von ihr ab, sodass Celie nicht mehr ständig mit Fragen nach ihrem Befinden genervt oder ermahnt wird, etwas zu essen. Stattdessen wird Lila in pseudohöfliche Diskussionen darüber verwickelt, ob Kartoffelchips als Gemüse durchgehen oder ob Bills Büste von Virginia Woolf wirklich aussieht, als hätte man ihr gerade in einer dunklen Gasse an den Hintern gefasst.

«Sie spielen wirklich unheimlich gut», sagt Penelope zu

Bill und lehnt sich auf ihrem Stuhl zurück, sodass sie ihn ansehen kann. «Ihr Fingersatz ist ausgezeichnet.»

Das scheint Bills gute Laune wiederherzustellen. «Vielen Dank», sagt er und lächelt unwillkürlich. «Ehrlich gesagt, genieße ich es, jeden Tag diszipliniert zu üben.»

«Ich wünschte, all meine Schüler wären so wie Sie», sagt Penelope und errötet erneut.

Lila beobachtet sie, bis sie aufblicken und sie bemerken, dann murmelt sie eilig etwas von Tee und verschwindet in die Küche. Alle, denkt sie, wirklich alle schauen nach vorne, nur ich nicht.

Und dann denkt sie: Es muss etwas passieren.

## FÜNFZEHNTES KAPITEL

*Er war dunkelhaarig, hatte einen leichten spanischen Akzent, und als ich in die Bar kam, sah ich ihn an einem Tisch sitzen und war so nervös, dass ich mich beinahe umgedreht hätte und wieder gegangen wäre. Aber dann hatte ich die Stimme meiner besten Freundin im Ohr und sagte zu mir selbst: Komm schon, Lila, du musst dich wieder rauswagen. Betrachte es als Experiment.*

*Das hört sich einfach an, aber wenn du zweiundvierzig bist und den größten Teil deines Erwachsenenlebens in einer monogamen Beziehung verbracht hast (jedenfalls auf deiner Seite), ist das einfacher gesagt als getan. Ich hatte zwei Stunden dafür aufgewandt, mich fertig zu machen; mir die Beine zu rasieren, die absolut yetimäßig ausgesehen hatten, mir das Haar zu föhnen und mich zu schminken. Ich hatte sieben Outfits anprobiert und wieder weggelegt, befürchtet, ich würde zu prüde wirken, zu ordinär, zu sehr, als wäre ich zu bemüht oder zu nachlässig. Immerhin war mein letztes Date Jahrzehnte her. Aber die eigentliche Herausforderung waren nicht die Äußerlichkeiten, sondern das, was in meinem Inneren vorging. Ich fürchtete mich davor, von einem fremden Mann beurteilt und für unzulänglich befunden zu werden, nachdem mein Selbstvertrauen einen solchen Schlag erlitten hatte, fürchtete, dass das Date schlecht laufen würde und wir uns nichts zu sagen hätten. Im Grunde genommen graute mir davor, dass er einen Annäherungsver-*

*such unternehmen würde, aber genauso graute mir davor, dass er es nicht tun würde.*

*In der Dating-App hatte Juan humorvoll gewirkt. Er war Anwalt. Er war – einvernehmlich – seit sechs Jahren geschieden. Er hatte in dieser Zeit zwei Beziehungen gehabt, eine ernsthaft, eine nicht. Er beschrieb sich als jemanden, der «Spaß und Gesellschaft» suchte, und scherzte darüber, dass er zum ersten Mal auf einer Datingplattform war und sich so nichtssagend wie möglich ausgedrückt hatte, weil er wirklich nicht wusste, was er hinschreiben sollte.*

*«Lila», sagte er und stand auf, um mich zu begrüßen, und sein Lächeln war so herzlich und sein Akzent so hinreißend, dass etwas in mir nachgab. Das hier, sagte ich mir, würde gut laufen.*

*Wir unterhielten uns zwei Stunden lang. Normalerweise trinke ich keinen Alkohol, bestellte aber ein Glas Wein, um meine Nerven zu beruhigen. Und dann noch eins, weil ich mich tatsächlich amüsierte. Und vielleicht lag es daran, dass ich nichts gegessen hatte, oder an seinem Charme und seinem guten Gesprächsstil, jedenfalls dachte ich, als er vorschlug, den Abend bei ihm zu Hause fortzusetzen, warum nicht? Er wirkte nett – er hatte mir auf seinem Handy Fotos von seinen Kindern, seinem Hund und seinen Eltern gezeigt und mir seine Visitenkarte gegeben. Ich hatte das Gefühl, ihn schon gut zu kennen. Und als wir die Bar verließen und er mir die Hand auf den Rücken legte, um mich sanft zu einem Taxi zu steuern, geschah etwas mit mir. Ich spürte Erregung, die Wärme seines Körpers neben meinem. Mir wurde bewusst, dass ich diesem Mann nah sein wollte.*

*Ab dem Moment, in dem wir in das Taxi stiegen, änderte sich alles. Er begann, mich zu küssen – zuerst zärtlich und dann immer leidenschaftlicher. Ich ließ meine Angst los, vergaß alles um mich herum, alles außer seiner Haut, seinen Händen, seinem Mund. Seine Küsse wurden fordernd, bestrafend. Mein Körper wurde gegen die Rücklehne gedrückt, zuckte wie von Stromstößen.*

Lila hält mit den Fingern auf der Tastatur inne. Sie starrt den blinkenden Cursor an. «Oh, zum Teufel», murmelt sie. Und löscht alles.

*Nichts an Michael deutete darauf hin, wie der Abend verlaufen würde. Äußerlich betrachtet wirkte er durchschnittlich. Er arbeitete in der IT-Branche. Er war jünger als ich, strahlte Ruhe und Gelassenheit aus. Er war groß, mit breiten Schultern, die von regelmäßigen Besuchen im Fitnessstudio zeugten, und hatte eine unaufdringliche Art. Wir trafen uns in einem italienischen Restaurant in der Nähe meiner Wohnung, und bald wurde mir bewusst, dass ich den Großteil des Gesprächs bestritt, was mir normalerweise nicht gefallen hätte. Aber etwas an der Art, auf die er mich musterte, an der Intensität seines Blicks, ließ mich neugierig werden. Nicht nur neugierig, es erregte mich auch ein wenig. Doch als wir aus dem Restaurant gingen, flüsterte er mir ins Ohr: «Stehst du auf BDSM?»*

«Oh Gott», sagt Lila laut, «das ist ja widerlich.» LÖSCHEN.

*Ich lernte Richard in einem Club kennen, in dem ich den größten Teil des Abends getanzt hatte, um meine Sorgen im stampfenden Beat zu vertreiben. Ich hatte getanzt, bis mir das Kleid am Körper klebte und der Schweiß von meinen Haaren herabtropfte. Richard packte mich am Handgelenk, als ich zur Toilette wollte, und etwas an seinem brennenden Blick ...*

*Jean-Claude war ein Dichter aus Paris ...*

*Vince war Bauarbeiter, über und über tätowiert, und sein muskulöser Oberkörper ...*

Seit mittlerweile drei Tagen versucht sie nun schon, sich Sex-Abenteuer einfallen zu lassen, und jedes davon klingt nach geschmackloser Pornografie übelster Sorte. Manchmal denkt sie, ihre Distanz zu dem, was sie da beschreibt, verhindert, dass sie sich in eine Situation versetzen kann, die sexy und authentisch ist. Und manchmal gibt sie Gabriel die Schuld, der auf ihre einfache Einladung zu einem Drink nicht reagiert hat und dem sie seither aus dem Weg gegangen ist, indem sie Bill gebeten hat, Violet diese Woche von der Schule abzuholen.

Und manchmal denkt sie, es liegt daran, dass sie schon so lange keinen Sex mehr hatte, dass sie sich nicht mehr vorstellen kann, welche Stimmungen damit überhaupt verbunden sind.

Lila legt ihren Kopf auf die Tastatur und lässt ihn dort ruhen. *Vince war Bauarbeiter, über und über tätowiert, und sein muskulöser Oberkörper fffffhjjjkjkjkjkkkkkkkkkkkkkkkkllllllllllllld sffffffffffffhihihjhjhjhhjhjkhhjhk*

«Also, das sind die Kostüme, die wir brauchen.»

Lila hat sich endlich überwunden, Violet wieder selbst abzuholen, und natürlich ist Gabriel gar nicht da, aber dafür Mrs. Tugendhat. Sie trägt eine braune Latzhose mit Paisleymuster und drückt Lila eine Liste in die Hand. Sie sieht aus wie eine leicht bösartige Moderatorin im Kinderfernsehen.

«Es wäre ideal, wenn wir sie nach den Ferien hätten, aber ich sehe ein, dass das bei dieser Menge nicht unbedingt klappt. Wenn Sie nicht alle schaffen, würden Sie dann einfach die ersten acht machen?»

Lila schaut auf die Liste, hat keinen Schimmer, wovon Mrs. Tugendhat spricht. *Peter Pan und die verlorenen Jungs* steht da. Und plötzlich fällt ihr wieder die Bitte um die Kostüme von vor sechs Wochen ein.

«Acht?», wiederholt sie.

«Wir haben noch mehr als genug Zeit, wirklich», sagt Mrs. Tugendhat. «Wir sagen immer, selbst genäht ist am besten, aber», sie wirft einen Blick über die Schulter und senkt die Stimme, «wenn Sie auf eBay suchen, finden Sie bestimmt Secondhandsachen, die genauso gut sind. Es gibt viele Eltern, die dort alte Kostüme von Schulaufführungen verkaufen. Aber von mir haben Sie das nicht gehört!» Sie tippt sich mit einem verschwörerischen Grinsen an die Nase, bevor sie sich abwendet, um sich jemand anderen auf ihrer Liste zu krallen.

Lila starrt beim Weggehen so konzentriert auf die Liste – grüne Tunika und Strumpfhose für Peter Pan, großer falscher Schnurrbart, Piratenjacke, Haken für Captain Hook –, dass sie geradewegs in eine der Mütter hineinläuft.

Nur dass es keine Mutter ist.

«Hey!», sagt Gabriel, als sie erschrocken aufsieht. «Wie geht's? Lange nicht gesehen.»

«Mir geht's gut», sagt sie schnell und will zu Violet.

«Was ist das?»

Sie möchte eigentlich nicht mit ihm reden, aber es ist zu schwierig, sich wegzubewegen, weil Violet, die plötzlich in ein Gespräch mit Lennie vertieft ist, wie angewurzelt vor ihr steht. Nach links kann sie ebenfalls nicht ausweichen, weil sie dann direkt auf die Müttergruppe zugehen würde, außerdem sieht sie aus dem Augenwinkel Marjas schimmerndes blondes Haar.

«Oh», sagt sie, ohne ihn anzusehen. «Nur etwas für die Schulaufführung.»

«Ach ja, die Aufführung. Lennie hat auch eine Rolle. Ich weiß nicht mehr, was sie gesagt hat. Vielleicht ist sie einer von den verlorenen Jungs. Sie ist jedenfalls schon ganz aufgeregt.»

«Schön», sagt sie und sieht ihn immer noch nicht an. Sie fühlt sich, als würde ihr am gesamten Körper die Haut kribbeln. Es ist zu unerträglich, in seiner Nähe zu sein, zu demütigend. Sie starrt weiter seine veganen Sneaker an. «Gehen wir lieber los, wir sind spät dran ...»

«Wofür?», fragt Violet, die Verräterin.

«Oh ... Grandpa will einen Ausflug mit dir machen.»

«Grandpa Gene?»

«Ja.»

«Wohin?»

Seine Jacke aus Knitterleinen sieht teuer aus. Sie steht zu dicht davor. Zu dicht vor ihm.

Sie spürt Marjas Nähe, riecht den fruchtigen Duft, den sie immer trägt, etwas Frisches, Meloniges. Lila kommt sich vor wie der ungewollte Belag im übelsten Sandwich der Welt. «Das hat er nicht gesagt, Liebling», murmelt sie.

«Nimmt er mich mit, damit ich ein Tattoo kriege?»

«Hey.» Sie fühlt seine Hand auf ihrem Arm und hebt ruckartig den Kopf. Er lächelt sie an. Seine Miene ist freundlich, sein Blick aufmerksam. «Ich schulde dir eine SMS.»

«Oh, kein Stress», sagt sie mit einem Lächeln, das kein Lächeln ist. «Kein Problem. Ich muss los. Wir sehen uns!»

Sie schubst Violet geradezu an ihm vorbei, ignoriert ihren Protest und ihre wiederholte Frage danach, wohin Grandpa Gene mit ihr gehen will. *Weißt du, er mag es nicht, wenn wir ihn Grandpa nennen. Er hat gesagt, wir sollen Gene zu ihm sagen. Und als ich ihm erklärt habe, dass das ein Mädchenname ist, war ihm das total egal.* Lilas Wangen brennen, sie bekommt auf dem gesamten Nachhauseweg kaum etwas von Violets Monolog mit. Seine freundliche, sorglose Miene. Das leichte Erstaunen, mit dem er sie angesehen hat, als wäre nichts Falsches daran, dass er nicht geantwortet hat. All ihre SMS, ihre Gespräche auf dem Schulhof haben ihm offenkundig überhaupt nichts bedeutet. Als sie nach Hause kommt, unterhält sich Bill im Garten mit Jensen, und seine ärgerlichen Gesten Richtung Haus lassen vermuten, dass ihn Gene wieder einmal mit irgendetwas gekränkt hat. Lila gibt Violet zwei Schokokekse aus ihrem Geheimvorrat in der Werkzeugschublade und rennt hinauf in ihr Arbeitszimmer.

Sie hat vier neue E-Mails. Eine ist aus der Zahnarztpraxis, eine Erinnerung an Violets Folgetermin in der kommenden Woche, eine ist vom Klempnernotdienst, eine Erinnerung daran, dass die Rechnung für die Beseitigung der letzten Verstopfung noch nicht bezahlt ist, eine ist vom Gaswerk – eine neue Rechnung –, und die letzte ist von Anoushka.

> Schätzchen, wann kann ich ihnen sagen, dass sie das neue Kapitel bekommen?

Lila wirft einen Blick über die Schulter auf das Schlafsofa, das Gene – trotz seiner Beteuerungen – nicht gemacht hat. Durch das offene Fenster hört sie Bill laut und wiederholt erklären, dass *Zigarettenrauch in die Küche zieht*. Und dann Genes gebrüllte Antwort, er sei *extra ans Ende des Gartens gegangen, verflucht noch mal*.

Lila verkraftet kein weiteres Abendessen mit diesen beiden alten Männern.

Sie schaut auf ihr Handy.

Sie meinten doch, fängt sie an zu tippen. Dann denkt sie kurz nach, löscht die Worte und setzt neu an.

Du meintest doch, ich sehe aus, als könnte ich einen Drink vertragen.

## SECHZEHNTES KAPITEL

Der Pub ist in Hampstead, mitten in einem der engen, von der Hauptstraße abzweigenden Sträßchen, wo Antiquariate mit Delikatessenläden um den Platz konkurrieren, die exotische Salate mit Aubergine für fünfzehn Pfund das Schüsselchen verkaufen. Lila muss sich an einem riesenhaften, grimmig aussehenden Mann mit zwei Zwergspitzen vorbeischieben, um den Pub zu betreten, aber als sie erst einmal drinnen ist, erweist sich der Pub als beruhigend schäbig mit seinem Schummerlicht, den abgewetzten Wänden und den wackligen Holztischen. In solchen Kneipen war sie ständig, bevor sie Kinder bekommen hat. Jensen ist schon da, er steht an der Bar und wirkt irgendwie herausgeputzt in seinem blauen Hemd und dunklen Jeans, und einen Moment ist es ihr peinlich, dass sie sich nicht die Mühe gemacht hat, sich zu schminken oder auch nur die Haare zu bürsten. Aber wozu? Sie braucht nur eine kleine Auszeit in Gesellschaft. Muss nur mal zu Hause raus. Und ihr Gärtner war buchstäblich der einzige Mann, der ihr dafür eingefallen war.

Violet hatte sie beinahe schockiert angesehen, als sie meinte, sie würde ausgehen. *Aber wohin?* Und dann: *Warum darf ich nicht mit?*

Lila hatte ihre Frage mit der fröhlichen Bemerkung abgetan, dass sie alle sehr gut ohne sie zurechtkommen würden, und war gegangen, bevor irgendjemand protestieren konnte. Sie war mit grimmiger Entschlossenheit die zwanzig Minuten Fußweg den Hügel hinaufgegangen und hatte nicht auf ihr Handy geschaut, dessen periodisches Vibrieren von einer Menge Fragen und Einsprüche kündete, die unweigerlich auf ihr Weggehen folgten. Nein, sie ist eine erwachsene Frau, und sie kann tun, was ihr gefällt. Ab und zu.

Jensen bemerkt sie und deutet auf einen Tisch, an dem seine abgewetzte Segeltuchjacke über der Lehne eines Stuhls hängt. Sie setzt sich, schaut die anderen Gäste an, die sich, von mehreren Drinks in Stimmung gebracht, lebhaft unterhalten oder schweigend in ihre Biergläser schauen. Sie atmet Hefegeruch ein, versucht, ihren Puls zu beruhigen.

«Was trinkst ... du?» Jensen stellt sein Glas auf einem quadratischen Bierdeckel ab.

«Oh. Eine Cola light, bitte.» Sie ist dankbar, dass er ihren Wunsch nicht infrage stellt. Am Anfang ihrer Beziehung hatte Dan gesagt, es sei bewundernswert, dass sie keinen Alkohol trinke. Er hatte es sogar selbst eine Zeit lang aufgegeben, besonders, als die Kinder klein waren. Er hatte befürchtet, einer ihrer Töchter könnte etwas passieren und er wäre nicht imstande, sie ins Krankenhaus zu fahren. Er war als Vater anfangs erstaunlich übervorsichtlich gewesen. Doch während der letzten paar Jahre ihrer Ehe hatte Dan wieder angefangen, Alkohol zu trinken – allerdings nur «cleane» Getränke wie Wodka mit Slimline-Tonic, weil er einen immer größer werdenden Teil seiner Freizeit in Lycraklamotten auf seinem Carbon-Fahrrad verbracht hatte und in Form bleiben wollte. Ihren Verzicht auf Alkohol schien er als einen Vorwurf an sich aufzufassen, oder vielleicht sah er darin ein Symptom ihrer freudlosen Art. Er bot ihr vor Freunden einen Drink an, obwohl er wusste, dass sie ablehnen würde, und verdrehte die Augen, wenn sie es tat, als wolle er ihnen vorführen, was für eine Prüfung das Zusammenleben mit ihr war. Ob er mit

Marja Alkohol trinkt? Ob sie sich abends zuerst bei einer teuren Flasche Wein entspannen und dann ...

Jensen reicht ihr lächelnd ein Glas Cola.

«Weißt du, es war eine ziemliche Überraschung, als die SMS ...»

«Das ist kein Date», sagt sie hastig.

Er runzelt die Stirn. «Okay.»

«Ich meine ... sorry ... du bist ein sehr netter Mann. Ich wollte nur klarstellen, dass wir von Anfang an offen miteinander sind. Ich musste nur ... ich musste einfach nur aus dem Haus.»

«Und ich bin der einzige Mensch, der dir dafür eingefallen ist?»

«Nein. Ich habe Freunde. Sehr viele sogar.»

Er wirkt verwirrt.

«Ich meine, normalerweise würde ich mich mit meiner Freundin Eleanor treffen. Aber sie geht zu einer Sexparty in Richmond. Nein, in Rickmansworth. Irgendwas mit R war es jedenfalls.» Sie trinkt einen Schluck. «Ich meine, ich habe auch noch andere Freunde. Aber ... ehrlich gesagt, ist es so verkrampft mit ihnen geworden, seit mich Dan verlassen hat, dass ich alle nur noch anstrengend finde. Alle, die uns als Paar gekannt haben, meine ich. Ich habe mich zurückgezogen, könnte man sagen. Es ist, als müsste ich ständig irgendwas erklären und darüber reden, was passiert ist, dabei muss ich mich immer noch an den Gedanken gewöhnen, dass er die Kurvenreiche Junge Geliebte geschwängert hat, und das zu erklären kann ich mir erst recht nicht vorstellen ... ich habe diese grässlichen mitleidigen Blicke so satt. Aber vielleicht zeigt sich darin auch nur ihre Erleichterung darüber, dass das nicht ihnen passiert ist. Und du weißt es eben schon. Ich wollte mich nur bei einem Glas entspannen und nichts ... erklären müssen.»

Sie starrt auf ihre Cola light.

«Tut mir leid», sagt sie nach einem Moment. «Mir ist gerade klar geworden, dass ich keine Ahnung habe, was ich hier eigentlich tue.»

Jensen denkt kurz nach. «Hattest du schon viele Nicht-Dates?», fragt er. «Weil ... vielleicht solltest du an deiner Eröffnung arbeiten.»

«War das mit der Sexparty zu viel?»

«Nein. Das war toll. Ich hätte ein paar mehr Details vertragen können, aber hey, sehen wir mal, wie die Cola light wirkt.»

Er wirkt völlig gelassen. Sie atmet langsam und hörbar aus. «Sorry. Ich hatte seit 2004 kein Date – oder Nicht-Date.»

«Wann hast du das nächste?»

«Wahrscheinlich 2044.»

«Ich kann dir von meinem letzten erzählen, wenn du dich dann besser fühlst.»

«Lieber nicht. Nicht, wenn sich die Geschichte um knisternde Erregung, ein fantastisches Essen und anschließenden perfekten Sex dreht.»

«Sie dreht sich um überteuerte Pizza und darum, dass mein Date in Tränen ausgebrochen ist und mir alles über ihren Ex-Freund erzählt hat. In den sie definitiv, definitiv und garantiert nicht mehr verliebt ist.»

Lila zieht ein Gesicht. «Autsch.»

«Das war mein erster und letzter Versuch mit Dating-Apps. Ich hätte gleich wissen sollen, dass wir nicht zusammenpassen, als sie bei ihren Interessen ‹Make-up› angegeben hat. Ich weiß auch nicht. Ich weiß nicht, ob ich für Beziehungen geschaffen bin. Jedenfalls nicht für ‹moderne› Beziehungen. In dieser Hinsicht habe ich den Laden dichtgemacht.»

Lila beginnt zu lachen. «Oh Gott. Das ist alles so … schrecklich. Eleanor hat mich letztes Jahr dazu gebracht, mir eine von diesen Apps herunterzuladen, aber es war, als würde man im Supermarkt die Produkte anschauen, bei denen die Mindesthaltbarkeit bald abläuft. Alle in meinem Alter sahen aus, als hätten sie ihr Verfallsdatum längst hinter sich oder wären so ramponiert, dass sie nur jemand nehmen würde, der total verzweifelt ist.»

Sein Lachen klingt wie ein Bellen, sodass sich die Leute nach ihm umdrehen. «Wie alt bist du denn eigentlich?», fragt er.

«Zweiundvierzig. Und du?»

«Neununddreißig.»

«Oh, das wird schon bei dir», sagt sie und lehnt sich auf ihrem Stuhl zurück. «Du siehst dich nach Frauen Anfang dreißig um. Mit deinen neununddreißig giltst du als Mann in den besten Jahren.» Wie Dan, denkt sie. «Gut aussehend, jung, da bist du im Nullkommanichts in festen Händen. Und sie ist jung und hinreißend.»

Er sieht sie seltsam an. «Warum machst du das?»

«Was?»

«Ich bin genau genommen drei Jahre jünger als du. Womöglich weniger. Aber du redest mit mir, als wäre ich dein Neffe.»

«Ich weiß nicht.» Sie fängt an, mit dem Bierdeckel herumzuspielen. «Vielleicht … fühle ich mich einfach alt.»

«Nein, daran liegt es nicht.» Er denkt nach. «Du brauchst Abstand.»

«Wie bitte?»

«Du musst jeden wegstoßen, bevor er dir nahekommen kann. Oder einfach so tun, als wäre es unmöglich, dass zwischen dir und deinem Gegenüber etwas passiert, sodass du auf jeden Fall nicht verletzt werden kannst, besonders, wenn kein Annäherungsversuch stattfindet.»

Sie spürt, dass sich etwas in ihr sträubt. «Was soll das denn heißen?»

«Das ist keine Beurteilung. Ich sehe nur die Muster. Kommt von der jahrelangen Therapie, schätze ich.»

Lila schneidet eine Grimasse. «Analysier mich nicht.»

«Tue ich nicht. Ich beobachte nur.»

«Du kannst beobachten, was du willst. Das heißt nicht, dass du recht hast.»

«Nein, tut es nicht.» Er nippt an seinem Glas. «Aber ich habe trotzdem recht.» Er lächelt.

«Wow. Du kannst einen ja richtig nerven.»

«Das sagt meine Schwester auch immer. Aber das war genau dein Verhalten, als wir uns kennengelernt haben, weißt du noch?»

Sie verschränkt die Arme. «Nein, war es nicht. Ich war nicht *übermäßig freundlich* bei dieser Gelegenheit, weil ich dachte, du willst mein Auto klauen.»

«Du bist in deinem Pyjama rausgestürmt und hast mir praktisch befohlen zu verschwinden, weil ich mir deinen Baum angesehen habe. Der krank ist, nebenbei bemerkt. Du musst ihn fällen lassen.»

Lila schließt die Augen. «Können wir das sein lassen? Kann ich einfach mal eine einzige Stunde haben, in der es nicht um irgendetwas geht, was ich regeln muss und was mich Geld kosten wird?»

Die Stimmung zwischen ihnen schwankt, und Lila weiß nicht recht, ob sie in eine freundliche oder eine gereizte Richtung tendiert. Entspannt ist sie jedenfalls nicht. Vielleicht nimmt auch er das wahr, denn er hält einen Moment inne, dann beugt er sich vor und stellt sein Bier ab. «Du siehst übrigens sehr gut aus. Ich sage das auf eine Nicht-Date-, positiv und altersgerecht gemeinte Art.»

Lila ist so erbittert, dass sie einen Friedenszweig nicht erkennt, wenn er ihr vor die Nase gehalten wird. «Das ist sehr nett. Und eine absolute Lüge. Ich habe seit zwei Tagen meine Haare nicht gewaschen und bin nicht geschminkt.»

«Na ja, dafür interessiere ich mich wie gesagt nicht besonders. Jetzt komm schon. Tut mir leid, wenn ich dich analysiert habe. Ich bin nicht besonders gut im Small Talk, falls du das noch nicht bemerkt hast. Aber ich kann es versuchen, wenn es was hilft.» Er richtet sich auf. «Schöne ... Einrichtung hier drin, oder?»

Sie folgt seinem Blick. «Ich mag alte Pubs», sagt sie. «Die mit nikotingelben Tapeten und dem schalen Geruch von verschüttetem Bier. Es gefällt mir, wenn man Orten ihre Geschichte ansehen kann.»

Er nickt.

«Ich weiß nicht, ob du die alten Badezimmer in unserem Haus gesehen hast, aber die mag ich tatsächlich auch. Obwohl mir jeder sagt, dass wir sie herausreißen und modernisieren müssen. Sie sind nicht schick, aber sie sind skurril. Ich mag diese Auffassung nicht, dass wir ständig alles verändern und immer höher aufsteigen müssen.»

Er sieht sie weiter einfach nur an.

«Oh Gott, das wirst du jetzt nicht auch noch analysieren, oder?»

Er schüttelt den Kopf. «Nein. Obwohl ich hoffe, dass du zu würdigen weißt, wie schwer es mir fällt, der Versuchung zu widerstehen. Ich mag auch keine neuen Sachen. Als ich die neue Küche in meine Wohnung habe einbauen lassen, haben meine Schwester und ich eine Stunde lang an die Schränke getreten, damit sie nicht mehr so neu aussehen.»

«Ist das dein Ernst?»

«Es waren Holztüren, aber mit dieser grässlichen perfekten Lackierung. Sie mussten einfach ein bisschen verschrammt aussehen, damit ich mich zu Hause fühlen konnte.»

«Genau! Dan haben die abgenutzten Sachen und das Chaos in unserem Haus in den Wahnsinn getrieben. Aber ich habe gern alte, abgenutzte Stühle in Trödelläden gekauft oder Bilder, die mir gefallen haben, und das konnte er nicht ausstehen. Er wohnt jetzt in einem minimalistischen Paradies mit schätzungsweise zwei perfekten Möbelstücken in jedem Raum.»

«Da würde er sehr gut mit meiner Ex-Verlobten auskommen. Bei ihr musste alles zusammenpassen. Irgendwann hatten wir zwei cremefarbene Sofas, einen cremefarbenen Marmor-Couchtisch und cremefarbene Vorhänge. Es kam mir vor, als müsste ich duschen, bevor ich es wagen konnte, das Wohnzimmer zu betreten.»

«Du warst verlobt?» Sie hatte nicht so überrascht klingen wollen. Er wirkt nur einfach nicht wie jemand, der sich verloben würde, und schon gar nicht mit jemandem, der auf cremefarbene Sofas steht.

«Nur kurz. Ihr hat die Sache mit dem Nervenzusammenbruch nicht so richtig gefallen. Und dann habe ich auch noch als Aktienhändler aufgehört, und ihr ist klar geworden, dass ich kein Geld mehr machen werde, also … zwei Rückschläge, und ich war raus.» Er trinkt einen Schluck Bier. «Oh, und dann war da noch die Sache mit meinem Kollegen, den sie gevögelt hat.»

«Oh. Das tut mir leid.»

«Mir nicht. Wir haben überhaupt nicht zusammengepasst. Bloß ist das nicht aufgefallen, bevor es schwierig wurde.»

«Ich habe immer gedacht, dass Dan und ich sehr gut zusammenpassen.»

Sie schweigen eine Weile. Lila senkt den Blick auf ihre Cola light.

«Man kann jemanden lieben und trotzdem nicht mit ihm zusammenpassen», sagt er dann.

«Oder zusammenpassen, aber ... einfach nicht mehr lieben?»

Er denkt nach. «Das auch. Aber das hier ist jetzt gefährlich nah am Therapie-Sprech. Möchtest du noch eine Cola?»

Sie unterhalten sich noch vierzig Minuten, bevor der Anruf kommt. Es gefällt Lila, ihm zuzuhören, und ihr wird bewusst, wie selten sie jemanden über seine eigenen Probleme sprechen hört. Es ist seltsam beruhigend, etwas von den Problemen und Fehlern eines anderen zu hören. Er erzählt ihr von seiner Arbeit im Devisenhandel, von Liquidität und Volatilität und Sicherungsgeschäften, und wie er sich schließlich verlobt hat, nachdem er eines Morgens festgestellt hatte, dass seine Freundin mit Lippenstift «Tu es oder vergiss es» auf die Windschutzscheibe seines Autos geschrieben hatte. «Im Rückblick betrachtet ist das vielleicht nicht die günstigste Art, eine Ehe anzufangen.» Und dann hatte er den Nervenzusammenbruch gehabt und war kurz in der Reha gewesen. Er berichtet darüber so ruhig und ironisch, als würde er über Ereignisse sprechen, die jemandem widerfahren sind, dem er nie begegnet ist. Sie überlegt gerade, ob sie ihn ein bisschen anstacheln soll – die fordernde Freundin mit dem Lippenstift fasziniert sie schon ein bisschen –, als ihr Telefon klingelt. Es ist Violet.

«Mum, du musst heimkommen.»

Sie hebt den Blick zu ihm und verdreht die Augen. Es war ja klar gewesen, dass sie ihr keine zwei Stunden Zeit für sich selbst gönnen würden. Glasklar. «Violet, ich trinke nur ein Glas mit einem Freund. Ich darf auch einmal ...»

«Nein. Du musst kommen. Bill hat ein Foto von seinem und Grandmas Hochzeitstag auf die Wohnzimmerkommode gestellt, und dann hat Gene ein Foto von sich und Grandma an *ihrem* Hochzeitstag danebengestellt, und als Bill das gesehen hat, ist er ausgeflippt und hat geschrien, und Gene hat gesagt, also, er fände, dass Grandma auf seinem Bild glücklicher wirkt, und da hat ihn Bill mit so einem Hackding in den Garten gejagt, und Gene ist über die Betonbrocken gestolpert, und jetzt liegt er auf dem Boden und sagt, er kann nicht mehr aufstehen, und Bill weigert sich, aus seinem Zimmer zu kommen.»

Lila starrt in die Ferne. Sie hat vielleicht bis zehn gezählt oder bis zehntausend, das weiß sie nicht. Sie atmet tief ein.

«Okay, Schatz. Ich bin gleich da.»

Es ist, als hätte sich ein winziges Fenster in ein anderes Leben geöffnet und wäre ihr dann abrupt wieder vor der Nase zugeschlagen worden. Womöglich von jemandem, der alle zum Narren hielt. Als sie den Blick hebt, sieht Jensen sie an, die Lippen mitfühlend zusammengepresst.

«Ich glaube, das Wesentliche habe ich mitbekommen», sagt er. «Los, komm. Ich fahre dich nach Hause.»

## SIEBZEHNTES KAPITEL

Der junge Arzt in der Notaufnahme erkennt Gene sofort. «Ich weiß, wer Sie sind!», sagt er und sieht von seinem Papierkram in der kleinen Vorhangkabine auf.

Genes Miene erhellt sich wie immer, er richtet sich etwas in dem Bett auf und salutiert. «*Captain Strang meldet sich zum intergalakti...*»

«Nein ...», sagt der Arzt. «Der Hundebiss, oder? Vor ein paar Wochen? Wie kommen Sie zurecht?»

Aufgrund seines Alters kommt Gene relativ schnell an die Reihe. Jedenfalls innerhalb von drei Stunden, was, wie Jensen anmerkt, so ziemlich der Rekord in der Notaufnahme ist. Es ist anscheinend kein Knochenbruch, obwohl sich Gene von Jensen helfen und stützen lassen muss, während er wilde Grimassen zieht und vor Schmerzen stöhnt. Aber der Knöchel ist schlimm verstaucht, sodass der Fuß eine Woche geschont und gekühlt werden muss. Als sie gehen können – Gene zufolge mit enttäuschend schwachen Schmerztabletten versorgt –, dankt er dem Stationsteam mit der leicht übertriebenen Grandezza eines Menschen, der es genießt, im Mittelpunkt zu stehen, und lässt sich auf der zwanzigminütigen Fahrt endlos darüber aus, wie nett sie waren und wie großartig es ist, nicht für alles eine Versicherung zu brauchen.

Lila schweigt dazu, überlässt die Unterhaltung Jensen und Gene und nutzt die Zeit für eine SMS an Celie, um zu fragen, ob sie und Violet ihre Hausaufgaben gemacht haben, ihnen zu versichern, dass alles in Ordnung ist, und sie schließlich, weil es langsam spät wird, ins Bett zu schicken. Selbst als sie ihre SMS beendet hat, schweigt sie weiter, im Kopf das Summen unterdrückter Wut, die das beiläufige Gespräch übertönt.

Bill ist dabei zu putzen. Er hat die Küche seit Genes Ankunft unermüdlich mit der demonstrativen Entschlossenheit eines Hundes geschrubbt, der sein Revier markiert. Als Lila die Tür öffnet, steht in seiner Miene teils Verlegenheit und teils Ärger darüber, dass Gene irgendwie wieder ins Haus zurückgekehrt ist. Die beiden alten Männer schauen sich an, dann wendet Bill betont den Blick ab. «Er lebt also doch noch», sagt er mit gespielter Überraschung.

«Du hast mir fast das Bein gebrochen, du Arsch.»

«Ich habe überhaupt nichts getan. Du wärst nicht über den Schutt gestolpert, wenn du nicht den halben Nachmittag im Pub verbracht hättest.»

«Ich wäre nicht gestolpert, wenn du nicht mit einem Tranchiermesser hinter mir her gewesen wärst.»

«Das war ein Pfannenwender! Wenn du in diesem Haus jemals etwas anderes tun würdest, als Chaos anzurichten und anderer Leute Socken zu klauen, wüsstest du das!»

«Haltet die KLAPPE!»

Mit einem Knall lässt Lila ihre Tasche auf den Boden fallen. Plötzlich herrscht Stille. Sie schaut Bill an, dann Gene, dem Jensen auf den Sessel hilft. «Also, wann hört das auf?»

Alle drei Männer sehen sie an.

«Das ist *irrsinnig*. Das alles ist *Irrsinn*. Ihr geht beide auf die achtzig zu. Meine Mutter liegt unter der Erde. Ihr habt euch seit Jahrzehnten nicht gesehen. *Wann hört das auf?*»

«*Ich* bin noch lange nicht achtzig», murmelt Gene.

Sie schreit jetzt, kann sich nicht mehr zurückhalten. «Ich habe die Nase voll. Ich habe die Nase gestrichen voll. Ich kann nicht mit euch beiden zusammenwohnen, wenn ihr euch wie Kleinkinder benehmt wegen etwas, das vor ... fünfunddreißig Jahren passiert ist. Ich stecke in einer Lebenskrise, meine Kinder haben zu kämpfen, und ich kann keinen einzigen weiteren Tag mit dem Versuch verbringen, zwischen zwei lächerlichen alten Männern zu vermitteln, die sich weigern, die Vergangenheit loszulassen.»

Sie atmet tief ein. «Also werden wir Folgendes tun: Wenn ihr beide hierbleiben wollt, in meinem Haus, dann findet ihr heraus, wie ihr friedlich zusammenleben könnt, und wenn ihr das nicht könnt, dann geht ihr alle beide. Es ist nämlich nicht fair, mich – eure Tochter – all die erwachsenen Entscheidungen treffen zu lassen, zum Beispiel, wer von euch gehen soll. Habt ihr das verstanden?»

«Aber Lila ...», fängt Bill an.

«Nein. Ich will nichts hören. Ihr seid beide erwachsen, auch wenn ihr das vergessen zu haben scheint. Ihr klärt das zwischen euch, oder ihr sucht euch eine andere Bleibe. Oh, und ihr könnt euch auch gleich nützlich machen und auf die Mädchen aufpassen, während ihr eure Verhandlungen anfangt, weil ich jetzt nämlich was trinken gehe. Beziehungsweise mein Glas austrinke, von dem ich so unsanft weggeholt worden bin. Jensen?»

Jensen, der leicht fassungslos wirkt, wirft einen Blick auf seine Uhr und zieht die Augenbrauen hoch. «Mmh ... okay.»

Bevor noch irgendwer etwas sagen kann, nimmt Lila ihre Tasche, verlässt das Haus und geht zu Jensens Pick-up.

«Also, wir könnten versuchen, wieder in den Pub zu kommen, aber eigentlich war schon Sperrstunde.» Jensen fährt die Straße entlang, eine Hand am Steuer, eine auf dem Schaltknüppel. «Tolle Standpauke übrigens. Ich weiß nicht, ob ich Bill schon mal so kleinlaut gesehen habe.»

Lila bekommt kaum mit, was er sagt. Ihr klingeln noch immer die Ohren von ihrem eigenen Geschrei. Aber vor allem denkt sie nach. Sie klappt die Sonnenblende herunter, überprüft ihr Aussehen in dem kleinen Spiegel. Dann kramt sie in ihrer Handtasche nach einer alten Wimperntusche. Sie findet einen Hundekuchen, den Kugelschreiber aus dem Hotel, in dem sie 2017 übernachtet hat, und einen Tampon, der sich aus der Verpackung gelöst hat und der leicht mit Krümeln paniert ist. Also wischt sie sich nur unter den Augen entlang und hofft, dass sie nicht zu schrecklich aussieht.

«Hast du Alkohol?»

«Ob ich Alkohol habe?»

«In deiner Wohnung.»

«Wahrscheinlich ein paar Flaschen Bier. Aber du trinkst doch kei...»

«Heute Abend schon», sagt sie. «Halt einfach beim nächsten Laden.»

Lila hat schon so lange keinen Alkohol mehr getrunken, dass sie keine Ahnung hat, was sie kaufen soll. Und sie weiß nicht, ob es in diesem rund um die Uhr geöffneten Laden etwas gibt, das wesentlich über die Qualität von Feuerzeugbenzin hinausgeht. Sie mustert die Regale hinter dem Kassentresen, beobachtet von dem Verkäufer mit der wachsamen Miene desjenigen, der aus eigener Erfahrung weiß, dass sich selbst harmlos aussehende zweiundvierzigjährige Frauen auf die Kasse stürzen, eine Nationalhymne anstimmen oder sich neben der Kühltruhe einnässen können. Lila widmet ihm ein beruhigendes Lächeln, um zu signalisieren, dass sie nichts davon tun wird. Sie hat Rotwein noch nie gemocht, aber von

Bier muss sie vielleicht rülpsen, also deutet sie schließlich auf eine Halbliterflasche Wodka und reicht dem Verkäufer eine Flasche Tonic. «Und was möchtest du?» Jensen steht hinter ihr. Er nimmt ein paar Flaschen alkoholfreies Bier. «Ich fahre dich später zurück», sagt er, als hätte sie das vergessen.

Es regnet heftig, als sie die Westling Street hinunterfahren, und als sie an Bills und Francescas Bungalow vorbeikommen, schaut sie nicht hin. Aber es erwischt sie, selbst jetzt noch. Sie hat ihre Mutter vor sich, die ihr von der Veranda aus zuwinkt, die Art, auf die sie sich immer die Hände an den Jeans abgestreift hat, während sie durch den Vorgarten auf Lila zuging, als wäre sie jedes Mal bei irgendeiner Beschäftigung unterbrochen worden. Lila war erst bewusst geworden, welche Geborgenheit sie aus ihren wöchentlichen Besuchen in diesem Haus gezogen hatte, als ihre Mutter gestorben war. Plötzlich bekommt sie mit, dass Jensen sein Jackett abklopft. Als er ein kurzes Stück weiter die Straße hinunter anhält, hat er jede Tasche wenigstens zwei Mal abgetastet und wirkt besorgt. Er stellt den Motor ab und schiebt die Hände tief in die Taschen, während der Regen auf der Windschutzscheibe die Sicht verschwimmen lässt. Dann beugt er sich zum Handschuhfach hinüber, kramt darin herum und stößt einen leisen Fluch aus. Sie sieht ihn an.

«Hausschlüssel», sagt er. «Sie sind nicht da. Ich hatte es eilig, als du geschrieben hast, und ich habe das schreckliche Gefühl ... ich glaub, ich hab sie liegen gelassen.»

«Hast du keine Ersatzschlüssel?»

«Doch ... im Haus.»

Er starrt durch die Windschutzscheibe auf das Wohnhaus, als könnte er die Tür irgendwie durch Willenskraft öffnen. «Meine Schwester hat auch einen Satz Schlüssel, aber sie arbeitet nachts. Es ... tut mir wirklich leid.»

Lila überkommt ein so richtig trostloses Gefühl. Alles, was sie geplant hat, ist ins Wasser gefallen. Wieder einmal. Sie weiß, dass diese Reaktion kindisch ist, aber sie würde jetzt am liebsten heulen und vor Wut aufstampfen.

Jensen lehnt sich zurück, denkt kurz nach, beugt sich plötzlich wieder zum Handschuhfach und tastet darin herum. Er zieht einen Schlüssel an einem kleinen Lederanhänger heraus. «Wir könnten in Bills Haus gehen, oder?» Sie betrachtet den Sicherheitsschlüssel auf seiner Handfläche. «Er hat mir seinen Ersatzschlüssel gegeben, nachdem ... Ich glaube, er möchte einfach, dass jemand ins Haus kann, falls es notwendig ist.»

Lila schaut nach hinten, wo sie gerade noch den Bungalow hinter der säuberlich gestutzten Ligusterhecke erkennen kann. Still und verlassen, die Fenster wie leere Augenhöhlen. «Das ... kann ich nicht. Nicht dort. Ich meine ... da hat meine Mutter gewohnt. Seit sie gestorben ist, fühle ich mich dort immer ... ich kann einfach nicht. Tut mir leid.»

Er nickt, drängt sie nicht. Er schaut zum Autodach empor, auf das der Regen hämmert, während der Motor tickend abkühlt, und beide versinken kurz in ihren Gedanken. Lila spürt die Wodkaflasche unverhältnismäßig schwer auf ihrem Schoß liegen. Sie überlegt, ob sie einen Schluck nehmen soll oder ob sie sich dann noch schlechter fühlen wird. Eine Frau in den Vierzigern, die in einem Pick-up harten Alkohol aus der Flasche trinkt.

«Könntest du mich einfach ... nach Hause fahren?»

«Bills Werkstatt», sagt er unvermittelt. «Er bewahrt den Schlüssel zum Schuppen in der Küche auf. Das ist nur sein Raum, oder? Nicht der von deiner Mutter. Würdest du dich dort auch komisch fühlen?» Und mit einem Mal wird Lila wieder munter.

Jensen braucht ein paar Minuten, um aufzuschließen und dann die Seitentür zum Garten zu öffnen. Lila springt aus dem Wagen, schlägt die Tür zu und rennt, die Jacke über den Kopf gehängt, mit den Flaschen unter dem Arm durch den Regen zur Werkstatt. Jensen schaltet das Licht an, schüttelt Regentropfen von seinen Schultern, und die Neonröhre erwacht flackernd zum Leben, beleuchtet Werkzeugregale, den Arbeitstisch, die Schraubzwingen und Stichsägen. In einer Halterung an der Wand steckt ein Sortiment Schleifpapier, der Boden ist übersät mit Holzspänen und Sägemehl. Ein Bogen Millimeterpapier mit ein paar Maßen und die Bleistiftzeichnung eines Tischs liegen am Rand der Arbeitsfläche neben einem Maßband und einem Handhobel mit glänzendem Holzgriff. Im Gegensatz zu Bills unbeugsamer Ordnungsliebe zu Hause herrscht in seiner Werkstatt ein beruhigendes kreatives Durcheinander. Vor seinem Tisch steht ein Hocker und neben der Tür eine frisch fertiggestellte Gartenbank, vermutlich ein weiteres Projekt für einen Nachbarn. Seit er nicht mehr berufstätig ist, hat Bill regelmäßig Stücke auf Bestellung angefertigt. Lila hatte schon immer vermutet, dass er das tun würde und dass es dabei nicht an erster Stelle um Geld geht. Für Bill ist die Arbeit mit Holz meditativ und beruhigend. Sie kann sich an keinen Tag erinnern, an dem er nicht mit der Herstellung irgendeines Stücks beschäftigt war. Selbst am Beerdigungstag ihrer Mutter hatte er einen kleinen Vogel geschnitzt, den er auf Francescas Sarg legte. Jensen winkt sie zu der Bank und zieht für sich den Hocker herüber.

«Ich habe dir einen Becher aus der Küche mitgebracht», sagt Jensen. «Ich wusste nicht, wo er die Gläser hat.»

«Sehr stilvoll», sagt sie, während er ihr etwas Wodka und dann Tonic einschenkt. Die Neonröhre summt leise über ihren Köpfen, ihr Licht lässt sie blass und hohläugig wirken.

«Sehe ich genauso schrecklich aus wie du?», fragt sie mit einem Blick nach oben.

«Um einiges schlimmer. Ich bin immer kameratauglich.»

Sie schaut sich um. «Oh, sieh mal.» In der Ecke stehen zwei dunkelgrüne Petroleumlampen. Kein Wunder. Bill ist auf jede Eventualität vorbereitet. Stromausfälle, Lebensmittelknappheit, Erdbeben und Atombomben. Sie zündet die Lampen an und macht das Neonlicht aus, und mit einem Mal herrscht in der kleinen Werkstatt eine seltsam intime Atmosphäre. So!, denkt sie. Und trinkt drei kräftige Schlucke von ihrem Wodka-Tonic, ohne Jensens überraschten Blick zu beachten. *Jetzt zeig ich's dir, Eleanor.*

Der Geschmack und die Stärke des Alkohols sind durch den Tonic so abgemildert, dass sie erst nach dem zweiten Becher irgendeine Wirkung feststellt. Es ist eigentlich ziemlich angenehm, sich so bedusel zu fühlen, während sich zugleich die Härten des Tages erfreulich abschwächen. Jensen trinkt neben ihr auf dem Hocker sein alkoholfreies Bier, der Regen trommelt auf das Flachdach der Werkstatt, und sie ist in einem nach Holz duftenden Kokon, weit weg von allem Stress und dramatischen Auseinandersetzungen. Warum trinke ich nicht öfter Alkohol?, denkt sie und nimmt den nächsten Schluck. Sie ist nicht ganz sicher, ob sie das durchziehen wird, aber jetzt gerade ist es äußerst angenehm, hier zu sein, an diesem Ort, mit einem Mann, in dessen Gesellschaft sie sich wohlfühlt, während er von einem Garten erzählt, den er in Winchester instand gesetzt hat.

«Und jetzt», sagt sie und hebt ihren Becher, «erzähl mir etwas Interessantes über dich.»

«Etwas Interessantes? Öden dich meine Gartengeschichten dermaßen an?»

«Der Nervenzusammenbruch. Erzähl mir, wie es dazu gekommen ist.» Er sieht sie wieder etwas erstaunt an, deshalb fügt sie hinzu: «Nur wenn du möchtest, natürlich. Ich meine ... ich bin nicht neugierig.»

«Doch, ein bisschen schon.»

«Ich mache Konversation.»

«Ach ja? ‹Erzähl mir von dem traumatischsten Erlebnis in deinem ganzen Leben›?»

«Dann erzähl mir etwas anderes. Erzähl mir ... von der Lippenstiftfrau. Deiner Ex-Verlobten.»

Während er spricht, beobachtet sie, wie sich seine Schultern unter seinem T-Shirt bewegen, betrachtet seine breiten Hände. Wie würden sich diese Hände auf ihrer Haut anfühlen? Wie wäre es, Sex mit jemandem zu haben, der nicht Dan war? Als sie mit Dan zusammengekommen war, hatten sie ganze Tage im Bett verbracht, die Bettdecke mit Seiten aus der Sonntagszeitung übersät, die Laken voller Toastkrümel. Im ersten Monat hatten sie so viel Sex gehabt, dass sie eine Blasenentzündung bekommen und sich zwei Tage gekrümmt und literweise Cranberry-Saft getrunken hatte. Dann denkt sie an die letzten sechs Monate, die sie zusammengelebt hatten, an die Einsamkeit mit jemandem im Bett, der sie nicht mehr wahrzunehmen schien, an das Gedankenkarussell, an die endlosen, im Kopf ausgefochtenen Streitereien, an das Gefühl von Untergang angesichts des Rückens, der ihr jede Nacht zugedreht wurde.

«Langweile ich dich?»

Ihr wird bewusst, dass Jensen sie anschaut. Er hat ein schönes Gesicht, denkt sie. Vielleicht hatte sie das früher nur nicht richtig wahrgenommen. «Nein», sagt sie. «Nein. Ich habe nur ... nachgedacht.»

«Jedenfalls ging es im Grunde um sehr viel Alkohol, sehr

viele Drogen und sehr viele Abende, die damit endeten, dass ich angestrengt versucht habe, mich an den Namen von irgendwem zu erinnern. Und dann kam es zu der Beziehung mit Irina, die ziemlich explosiv war, also ich meine, ich wusste nie, worüber sie sich als Nächstes aufregen würde. Aber irgendwas in mir hat gesagt: Das ist besser als die Frauen, an deren Namen ich mich nicht erinnern kann, also bin ich mit ihr zusammengeblieben. Aber es war einfach nur den ganzen Tag Stress und dann auch noch Stress die ganze Nacht – sie war eine von denen, die sich gern bis fünf Uhr morgens streiten, weißt du? Da gewöhnt man sich irgendwann an das ständige Theater.»

Er hat schönes Haar, denkt sie. Sie könnte mit ihren Fingern durch dieses Haar fahren.

Er seufzt. «Und als wir verlobt waren, wurde es bei der Arbeit hektischer, und mein Körper hat angefangen zu streiken. Und dann habe ich herausgefunden, dass sie mit meinem Kollegen ins Bett geht, und mein Gehirn war einfach ... wie im Schleudergang. Meine Gedanken sind nur noch wie irre umeinandergekreist. Ich konnte nicht mehr schlafen, habe Panikattacken bekommen, stand die ganze Zeit unter Hochspannung. Aber ich dachte, ich könnte mich durchackern. Bis ich es nicht mehr konnte.»

«Was ist passiert?», fragt sie.

«Jemand hat mich katatonisch in der Herrentoilette gefunden. Ich konnte nicht aufstehen. Konnte nicht sprechen. Dann bin ich nach Hause und konnte nicht aufhören zu weinen. Bin drei Wochen im Bett geblieben. Ehrlich gesagt, erinnere ich mich nicht einmal daran.»

Er sieht sie kurz an und wendet den Blick wieder ab, als sei ihm dieser Teil seiner Erzählung unangenehm. «Meine Eltern haben es nicht verstanden. Aber meine Schwester hat sich eingeschaltet. Nach der Reha hat sie mich zur Therapie gebracht, ist für zwei Monate bei mir eingezogen und hat den Kampfhund jedem gegenüber gespielt, der mit mir Party machen wollte. Und ein Ergebnis der Therapie war, dass ich einfach meinen Job hasste. Richtig hasste. Jedes Mal, wenn ich daran dachte zurückzugehen, wurde ich wieder krank. Also ...» Er richtet sich auf. «Also habe ich eine Weiterbildung besucht und mache jetzt das hier.»

Er wartet darauf, dass sie etwas sagt, aber sie hat keine Worte. Sie ist plötzlich überwältigt von dem Gefühl, dass sie ihm unbedingt näher sein will.

«Und wie sich herausstellt, ist es gut für mich, einfach den ganzen Tag in einem Garten zu sein. Klar verdiene ich nicht viel, aber ...»

«Möchtest du auf der Bank sitzen?», unterbricht sie ihn und rückt zur Seite, um ihm Platz zu machen.

Er mustert sie eine Weile. «Du möchtest, dass ich neben dir sitze?»

«Möchtest du das nicht?»

Er studiert immer noch ihre Miene, als wäre sie ein Rätsel, das er nicht so recht lösen kann. Er sagt nichts, steht aber auf und setzt sich auf die Bank, wobei er ein paar Zentimeter Abstand zwischen ihnen lässt – eine winzige Lücke, um mögliche Absichten glaubhaft abstreiten zu können. Sie schenkt sich nach und trinkt einen großen Schluck.

«Ich finde, wir brauchen Musik», verkündet sie. Dann steht sie auf und geht an Bills Transistorradio auf der Werkbank. Möglicherweise ist sie etwas unsicher auf den Beinen, aber sie hofft, dass er es nicht bemerkt hat. Sie schaltet das Radio an, und sofort erklingt Radio 3 – sanfte, klassische Streichmusik in Moll. Plötzlich scheinen Absichten im Raum zu stehen.

«Das ist …»

«… nett?», fragt sie hoffnungsvoll.

«Nett ist ein grässliches Wort. Ein hübsch dekorierter Kuchen ist nett. Deine Oma ist nett.»

«Ich bin kein Kuchen. Oder eine Oma.»

«Ganz bestimmt nicht. Ich bin nur nicht sicher, was …»

An diesem Punkt macht sie einen schnellen Schritt auf ihn zu und küsst ihn. Es ist nicht so, dass sie Leidenschaft überkommen hat, eher ist ihr klar geworden, dass sie nicht weiß, was sie noch sagen soll, und sich vor dem fürchtet, was über ihre Lippen kommen könnte. Außerdem hat sie seit drei Jahren niemanden mehr geküsst und will wirklich, wirklich wissen, ob sie es noch kann.

Wie sich herausstellt, kann sie es noch. Seine Lippen sind voller und weicher als Dans. Sie stellt fest, als seine Lippen ihre berühren, dass sie und Dan sich jahrelang nicht richtig geküsst haben. Nicht so. Irgendwie sind echte Küsse das Erste, was in einer scheiternden Beziehung verloren geht, das erste Opfer lang gehegter Verstimmung und fehlender ungezwungener Zuneigung. Jensen riecht nach Seife und einem Shampoo, das sie kennt, dessen Name ihr aber nicht einfällt, und schmeckt schwach nach Bier, und da ist eine Zunge im Spiel, und das ist ein bisschen schockierend, und dann ist es eine Offenbarung und dann einfach … traumhaft. Sie hatte vergessen, tatsächlich vergessen, wie gut sich das anfühlt. Sie versinkt in dem Kuss, ihr Denkvermögen löst sich auf, auch wenn eine Stimme in ihrem Hinterkopf wie die einer Zwölfjährigen schreit: Ich küsse jemanden! Ich küsse tatsächlich wieder jemanden! Nach einer gefühlten Ewigkeit zieht er sich zurück und sieht sie blinzelnd an.

«Okay. Das war … überraschend.»

«Aber … nett?»

«Nein.»

Sie spürt, wie ihre Haut vor Verlegenheit kribbelt, und er sagt schnell: «Nett ist ein viel zu unzulängliches Wort, um das zu beschreiben.»

Sie atmet erleichtert aus. «Ich habe seit drei Jahren niemanden mehr geküsst.»

«Ich kann dir sagen, dass du es noch draufhast.»

Sie spürt das Lächeln, das ihr Gesicht erhellt, albern und unaufhaltsam. «Wirklich?»

Er runzelt die Stirn, überdenkt es. «Ehrlich gesagt, bin ich nicht hundert Prozent sicher. Ich müsste es noch einmal versuchen, nur zur Sicherheit.»

Dieses Mal zieht er sie sanft an sich. Es ist ein Kuss voller Gewissheit, durchdrungen von wirklichem Verlangen. Sie hatte vergessen, wie absolut wunderbar es ist, begehrt zu werden, und das Gefühl glättet alle Falten des Unbehagens, die sie noch in sich trägt, und sie glaubt zu spüren, wie sich ihr Körper verflüssigt. Sie küssen sich, und seine Hände berühren sie, ihr Haar, umfassen ihr Gesicht, seine Finger verschränken sich mit ihren, gleiten zu ihrer Hüfte hinab. Sie gibt sich alldem hin, lange schlafende Zellen ihres Körpers erwachen Funken sprühend zum Leben, sein Gewicht, angenehm fest, schiebt sich auf sie, als sie sich auf der Bank zurücklegt. Ich kann das tun, denkt sie, als er ihren Hals küsst, sodass sie lustvoll erschauert, und sie ihn an sich zieht. Einen Moment flackert Beklemmung in ihr auf, als sie an die Unterwäsche denkt, die sie trägt – sie ist ziemlich sicher, dass es nichts Exotischeres ist als ein Baumwollslip von Marks & Spencer aus dem Fünferpack –, aber dann beschließt sie, dass Jensen wahrscheinlich kein Mann ist, der sich über Luxus-Dessous Gedanken macht. Er hat mit einer Hand behutsam die Knöpfe ihrer Bluse geöffnet, ohne seine Lippen von ihr zu lösen, und als er ihre Brust berührt, biegt sie sich unwillkürlich seiner Hand entgegen, eine Sklavin ihres eigenen Körpers, seines ...

Abrupt stützt er sich auf seine Ellbogen. «Ich muss einfach fragen. Wie betrunken bist du?»

Sie öffnet die Augen.

«Wie? So betrunken bin ich nicht.»

«Ich meine, ich bin nicht ganz sicher, was das hier eigentlich ist. Weil wir mit deiner sehr deutlichen Äußerung dazu angefangen haben, dass das kein Date ist und ...»

Sie legt ihm die Hand in den Nacken und zieht ihn zu sich, sodass ihre Gesichter nur Zentimeter voneinander entfernt sind. Leise sagt sie: «Müssen wir diese Unterhaltung ausgerechnet jetzt führen?»

«Na ja ... ja?»

«Das ist nicht sehr sexy.»

«Genauso wenig, wie morgen mit dem Gefühl aufzuwachen, jemanden ausgenutzt zu haben. Ich mag dich, Lila. Ich weiß, dass du viel Mist durchgemacht hast, und ich ... will einfach nicht der nächste ... Mist sein.»

«Du wirst absolut kein Mist sein.» Als er nicht überzeugt wirkt, streckt sie die rechte Hand aus und tastet in ihrer Tasche nach ihrem Handy. Sie drückt auf Voice Memo und sagt, ohne ihn aus den Augen zu lassen: «Hier spricht Lila Kennedy, die zu Protokoll gibt, dass sie eine erwachsene Frau bei klarem Verstand ist, die von Jensen absolut nicht ausgenutzt wird ...» Unvermittelt hält sie inne. «Ich kenne deinen Familiennamen nicht.»

«Das ist skandalös», sagt er. «Was für eine Sorte Frau bist du eigentlich?»

«Eine Frau, die versucht, dich zu beruhigen, und die eine hervorragende Nummer schieben will.»

«Tja, damit hast du ein ganz neues Element eingeführt, um Druck zu machen.»

«Okay, eine mittelmäßige Nummer. Einfach eine Nummer. Sag mal, warum machst du es so kompliziert?»

«Phillips. Ich heiße Phillips.»

Er küsst sie wieder und lacht gleichzeitig, was seltsam ist, aber nett, und dann hört er auf zu lachen, und sie entspannt sich, und dann spürt sie etwas ganz, ganz anderes als Entspannung, und dann, als er aufhört, sie zu küssen, und anfängt, seine Lippen in Richtung ihres Bauchs zu bewegen, lässt sie ihr Handy fallen und stellt das Denken ein.

## ACHTZEHNTES KAPITEL

## Celie

Heute Morgen vor der Schule passierte die seltsamste Sache aller Zeiten. Zuerst musste Celie darüber lachen, dann wurde sie traurig, weil es etwas war, das sie Meena sofort am Telefon erzählt hätte, als sie noch befreundet waren, und dann hätten sie sich zusammen kaputtgelacht.

Sie war im Badezimmer und versuchte, einen nervigen Pickel an ihrem Kinn abzudecken, der einfach nicht verschwinden wollte – er sah echt aus wie ein rotes Blinklicht an einer Baustelle –, und sie konnte richtig spüren, wie er pulsierte. Sie wusste, dass jeder den Pickel bemerken würde, und dann würden alle über sie lästern; dass ihr ein zweiter Kopf wuchs oder dass sie die Pest hatte. Celie hatte gerade eine zweite Schicht Abdeckcreme aufgetragen und mit Puder überdeckt und wollte sich die Haare machen, aber Violet hatte ihre gute Bürste gemopst – die, mit der man die Knoten entwirren kann, ohne dass man anfängt zu schreien, weil es so zieht –, und sie wollte in Violets Zimmer rennen und ihr erklären, dass sie sie umbringen würde, als sie hörte, wie die Haustür ins Schloss fiel. Die Stille, die darauf folgte, war irgendwie komisch – nicht mal Truant bellte –, also ging sie ein paar Stufen die Treppe hinunter, um zu sehen, was los war, und da stand Mum und starrte etwas an, das Celie nicht sehen konnte. Ihr Haar war im Nacken total zerzaust und voller Staub – oder Mehl oder Sägespäne oder so –, und sie war blass und trug dieselben Sachen, die sie gestern angehabt hatte, als sie Hals über Kopf aus dem Haus gerannt war, aber alles wirkte zerknittert, als hätte sie darin geschlafen. Celie starrte sie einen Moment lang einfach nur an, weil sie eigentlich gedacht hatte, Mum würde sich in dem anderen Badezimmer die Zähne putzen oder im Garten Hundekacke wegmachen oder irgendwas. Sie hatte sie zwar nicht gesehen, aber das wollte nichts heißen, doch dann wurde Celie klar, dass Mum ... über Nacht woanders gewesen war.

Und dann ging sie noch zwei Stufen weiter nach unten und spähte über das Treppengeländer dorthin, wo Mum mit fassungsloser Miene hinschaute, als könnte sie nicht glauben, was sie sah. Und da war Bill, der wie immer Krawatte und glänzend geputzte Schuhe trug, sogar morgens um Viertel nach sieben, und hielt einen Holzlöffel in der Hand, auf dem noch Porridge war. Und neben ihm stand Gene, in einem Joni-Mitchell-T-Shirt und echt schäbigen Boxershorts, in der Hand eine Schachtel Zigaretten. Und beide starrten Mum an, und als sie gerade etwas sagen wollte, schauten sich die zwei an und dann wieder Mum und sagten – genau im selben Moment und so richtig missbilligend: «Wo zum Teufel bist du gewesen?»

NEUNZEHNTES KAPITEL

## Lila

«Das ist echt zum Totlachen. Wie alt bist du noch mal?»

Lila und Eleanor sind in der Umkleidekabine des Fitnessstudios. Sie haben gerade ein Training absolviert – seit Eleanor vierzig geworden ist, achtet sie peinlich genau darauf, in Form zu bleiben –, und Lila ist an Stellen verschwitzt, von denen sie gar nicht wusste, dass man dort schwitzen kann (es kommt ihr vor, als würden sogar ihre Augenlider Schweiß absondern), und ihr T-Shirt trieft geradezu vor Feuchtigkeit.

«Sechzehn, wie es aussieht.» Sie ist immer noch außer Atem.

«Und sie haben dich tatsächlich AUSGESCHIMPFT?»

Lila reibt sich das Gesicht mit einem Handtuch ab. «Gene hat mir einen Vortrag darüber gehalten, dass es nicht klug ist, einfach zu verschwinden, wo es doch alle möglichen bösen Männer da draußen gibt, und dass ich nicht wisse, was Frauen passieren könne, die spätnachts allein draußen unterwegs sind.»

«Aber sie wussten doch, mit wem du zusammen warst.»

«Ja. Aber sie hatten angenommen, Jensen hätte mich abgesetzt, und außerdem sei ich nicht an mein Telefon gegangen. Und als ich erklärte, dass ich tatsächlich mit Jensen zusammen war, meinte Bill ziemlich hochtrabend, er schätze Jensen sehr und er hoffe, dass ich ihm sein gutes Verhältnis zu ihm nicht verpfuschen würde. Und dann hat er hörbar die Luft eingezogen – so richtig verurteilend – und hinzugefügt, dass es vielleicht nicht die beste Idee ist, mit jemandem zu schlafen, mit dem ich ein Arbeitsverhältnis habe.»

Eleanor lacht gackernd.

«Tja, jetzt weißt du's.»

«Und DANN hat Bill gesagt, dass das vielleicht nicht das beste Vorbild für die Mädchen wäre.»

Lila hatte ihn mit glühenden Wangen angestarrt. «Ich bin zweiundvierzig Jahre alt», hatte sie gesagt. «Ich hatte seit zwanzig Jahren kein Date mehr. Ich war nämlich zu sehr damit beschäftigt, hier alles zusammenzuhalten, während der Vater der Mädchen damit beschäftigt war, eine viel jüngere Frau zu schwängern. Ich verbringe den lieben langen Tag damit, dafür zu sorgen, dass sie ein Dach über dem Kopf und etwas zu essen haben. Und ihr beide übrigens auch. Also haltet euch zurück mit euren Verurteilungen – alle beide.»

Zumindest ist es das, was sie am liebsten gesagt hätte. Was wirklich passierte, war, dass sie anscheinend auf ihr sechzehnjähriges Selbst zurückgeworfen wurde, einen Moment lang verstummte, dann «Vielen Dank auch für eure Meinung» murmelte und mit hochroten Wangen an den beiden Männern vorbei die Treppe hinaufstampfte, um zu duschen.

«Und jetzt die wirklich wichtige Frage: Wie war es?» Eleanor schält sich mit der Unbekümmertheit derjenigen aus ihrem Trainingsoutfit, die es gewohnt sind, sich nackt vor Fremden zu zeigen. Sie schlendert geradezu in Richtung der Spinde, so als ginge sie über einen Laufsteg.

Lila starrt ihr Handtuch an. «Ich hatte ... Spaß. Ich meine, es waren keine heißen Fifty-Shades-Faxen, nicht so was wie bei dir. Aber wir haben einfach viel gelacht. Und der Sex war mehr so eine ... Randerscheinung.»

Sie konnte Eleanor nicht richtig erklären, wie es gelaufen war. Wie Jensen es schließlich abgelehnt hatte, wirklich Sex zu haben, aber diese Sache mit ihr gemacht hatte, zu der es mit Dan in fünfzehn Jahren nicht gekommen war (er hatte ihr einmal gesagt, dass er es nicht wirklich mochte, dass er dabei klaustrophobisch wurde). Und sie hatte sich zuerst extrem unbehaglich und entblößt gefühlt, und dann ein bisschen panisch, und dann war er so gut darin gewesen, dass ihr Unbehagen verschwunden war, zumindest für die Zeit, die sie brauchte, um geräuschvoll zu kommen. Peinlich geräuschvoll, allerdings konnte sie in diesem Moment nichts dagegen tun. Und danach war sie darauf gefasst gewesen, sich erneut unbehaglich zu fühlen, aber er hatte sie zum Lachen gebracht und schien sich mit ihren Körpern und ihren Geräuschen und verirrten Haaren vollkommen wohlzufühlen, und er hatte ihr erklärt, dass er beim ersten Mal nicht «das volle Programm durchführen» könne, weil sie a) kein Kondom hätten und er sich b) zurückhalten müsse, weil sie sonst denken könnte, er sei leicht zu haben, was sie wieder zum Lachen gebracht hatte.

Sie hatten sich bis beinahe drei Uhr morgens unterhalten, zu spät für Lila, um zurückzugehen, ohne alle zu wecken. Sie hatten auf ein paar Gartenstuhlpolstern geschlafen, und er hatte sie mit seiner Jacke zugedeckt. Er war beinahe sofort eingeschlafen. Sein Arm hatte schwer auf ihrer Taille gelegen, und von seiner Seite war nur noch ein gelegentliches leises Schnarchen gekommen. Sie selbst hatte kaum geschlafen. Ihr ganzer Körper vibrierte von der ungewohnten Situation, einen beinahe nackten Mann neben sich zu haben. Den gesamten nächsten Tag hatte sie immer wieder seinen hellbraunen Schopf zwischen ihren Beinen vor sich gesehen und war dabei von kleinen Schauern überlaufen worden.

Eleanor reckt ihren Kopf über die Trennwand der Duschkabine.

«Und ... war es okay für dich? Nach der langen Zeit mit Dan?»

Genau das war ja so eigenartig. Es war tatsächlich okay. Lila fand es seltsam, dass sie sich gut damit fühlte, mit jemandem geschlafen zu haben, in den sie nicht verliebt war. Im Nachhinein war ihr aufgefallen, dass Dan in den letzten Jahren ihrer Beziehung mit Sex umgegangen war wie mit seinem Carbon-Fahrrad. Nachdem er das Vorspiel hinter sich gebracht hatte, zog er den Kopf Richtung Schultern, spannte den ganzen Körper konzentriert an und pumpte sich im Grunde nur noch zum Finish. «Es war eigentlich sehr ... nett.»

«Nett?»

«Unbeschwert. Unbeschwerter Sex. Ich kann es nicht so richtig beschreiben. Ich meine, er ist vom Äußeren her nicht mein Typ, und er hat kein Interesse an einer Beziehung, und außerdem ist er ein leicht nerviger Gärtner ohne Geld. Aber wenn es darum geht, dass ich wieder auf Trab kommen will, war es praktisch perfekt.»

Als er sie vor dem Haus absetzte, hatte er ihr gesagt, dass er eine Weile zu seinen Eltern nach Yorkshire fahren müsse. «Wie passend», hatte sie gespottet, und er hatte die Augen verdreht und erklärt, es gehe nicht anders, Bill wisse schon Bescheid. Es tat ihm leid, dass sie jetzt mit dem ganzen Chaos im Garten dasaß, aber weißt du, Eltern sind eben Eltern. Ja, das wusste sie allerdings. Am nächsten Tag hatte er ihr in einer SMS geschrieben, dass er die Nacht toll gefunden hatte und sie gern wiedersehen würde, «zumindest, wenn ich nicht gerade in einem Graben in deinem Garten stehe», aber sie hatte Bills Bemerkung über die Vermischung von Arbeit und Vergnügen im Kopf gehabt und nicht gewusst, was sie zurückschreiben sollte. Und das war inzwischen drei Tage her, wodurch die Tatsache, dass sie nicht gleich geantwortet hatte, zu etwas Bedeutungsvollerem und Peinlicherem geworden war.

«Also», Eleanor grinst übers ganze Gesicht, «ich würde sagen, das war ein ziemlich guter erster Versuch.»

«Bedeutet das, dass ich deine spärlich getarnten Sexabenteuer in meinem Buch verwenden kann?»

Eleanor wäscht sich das Haar, die Finger tief in dem Schaum auf ihrem Kopf vergraben. Sie hält kurz inne und schneidet eine Grimasse.

«Eigentlich, Lils ... würde es dir etwas ausmachen, das nicht zu tun? Ich habe darüber nachgedacht, und es kommt mir einfach ein bisschen schräg vor. Selbst wenn du vorgibst, dass es um dich geht, glaube ich, dass Leute, mit denen ich Spaß hatte, Einzelheiten wiedererkennen könnten oder sich mir gegenüber komisch verhalten würden, und dann könnte ich nicht mehr mit ihnen ausgehen. Es kommt mir einfach vor, als wäre das ein bisschen ... daneben?»

Lila sieht sie mit der Enttäuschung an, die einem ins Gesicht geschrieben steht, wenn man gerade aus vollkommen verständlichen und vernünftigen Gründen davon abgehalten wurde, etwas zu tun.

«Okay», sagt sie und versucht, nicht verärgert zu klingen.

«Sorry», sagt Eleanor.

«Schon gut. Ich lasse mir was einfallen.»

«Und du hast ja jetzt eigene Sachen, über die du schreiben kannst, oder?»

«Schätze schon.»

Lila nimmt ihre Tasche aus dem Spind, um nachzusehen, ob die Mädchen sich gemeldet haben, und plötzlich erstarrt sie.

Hey, sag Bescheid, wann du etwas trinken gehen möchtest. Tut mir leid, dass ich so lange nicht geantwortet habe – es türmt sich alles, kennst du ja.
Gestern vor der Schule hast du übrigens *raggiante* ausgesehen. x

Seit ihrem Nicht-Date mit Jensen ist etwas Merkwürdiges passiert. Es herrscht zwar nicht gerade freundliches Einvernehmen zwischen Lilas Vätern, aber auch eindeutig kein Kriegszustand mehr. Wenn sie nachmittags mit Violet von der Schule kommt, bemüht sich Bill sehr um fröhlichen und freundlichen Umgang, fragt nach Lilas und Violets Tag, kocht ab und zu weniger komplizierte Gerichte und zeigt Lila kleine Veränderungen, die er im Haus vorgenommen hat – das Pinnbrett, das er aufgehängt hat, damit die Mädchen jeden Tag wissen, was sie in die Schule mitnehmen müssen, oder die Anschaffung eines neuen Schlosses für die Badezimmertür im ersten Stock, damit niemand mehr einfach so hereinplatzen konnte, wenn sie im Bad war (wobei «sie» für Bill stand und «jemand» für Gene). Außerdem gibt es deutlich seltener gereiztes Türenknallen und passiv-aggressives Klavierspiel.

Gene unterdessen steht zu beinahe normalen Zeiten auf (halb zehn), klappt ordentlich das Schlafsofa zusammen, ist den größten Teil des Tages nicht da, und wenn er zurückkommt, achtet er darauf, Bill demonstrativ zu begrüßen.
*Hey, Bill! Wie war dein Tag?*
*Sehr angenehm, danke, Gene. Und deiner?*
Lila ist nicht ganz sicher, dass dieser Austausch auch statt-

findet, wenn sie nicht in Hörweite ist. Doch eines Abends wuschen die beiden Männer nach dem Essen zusammen ab, und von Bill kam keinerlei Kommentar, als Gene die Töpfe in den falschen Schrank räumte. Und am nächsten Tag führten die beiden beim Abendessen ein Gespräch über ein Leck in einem der Bäder, an dem sonst niemand am Tisch beteiligt war, und falls bei dieser Art von Small Talk ein bisschen Zähneknirschen im Spiel ist, bedeutet das alles zumindest, dass Lila ihren Tag nicht mehr in dem Gefühl verbringen muss, eine Spezialistin für Bombenentschärfung zu sein, die jeden Augenblick mit der nächsten Explosion rechnet.

Und das ist auch gut so. Lila hat sich nämlich drei Tage lang in das zurückgezogen, was früher ihr Arbeitszimmer war, ihr Eröffnungskapitel überarbeitet, mit dem sie inzwischen zu spät dran ist und das sie Anoushka bis Freitag versprochen, nein, hundertprozentig zugesichert hat.

*Vor zwei Jahren war ich eine nahezu abstinente verheiratete Frau mit zwei Kindern, die einen anderen Mann niemals auch nur angesehen hatte. Ich hatte fürs Leben geheiratet, sah meine Familie als meine ganze Welt an und war vermutlich ein bisschen voreingenommen Menschen gegenüber, die nicht so waren wie ich. Wie konnte es also dazu kommen, dass mein erstes Date mit einem jüngeren Mann auf dem Fußboden einer Werkstatt endete, wo ich mit Sägespänen im Haar und vor lauter Wodka albern kichernd den besten Sex meines Lebens hatte?*

Sie hatte ihn in diesem Kapitel J genannt und seinen Beruf nicht verraten, weil sie annahm, dass er auf diese Art so ziemlich jeder sein könnte. Und sie hatte von vornherein die Episode «Wie wir meinen alten Vater ins Krankenhaus brachten» weggelassen und den Tag nur als miesen Tag im Büro beschrieben. Doch alles andere hatte sie beinahe wörtlich wiedergegeben. Wie sie sich in dem Pub aus ihrem Leben erzählt hatten, wie er seine Schlüssel vergessen hatte und davon, dass sie entschlossen gewesen war, wieder «zurück in den Sattel zu kommen». Von dem Moment, in dem ihr bewusst geworden war, dass sie nicht einmal seinen Nachnamen kannte, hatte sie genauso geschrieben wie von ihrer Angst und Aufregung und Erregung bei dem Gedanken, wieder nackt mit einem anderen Menschen zusammen zu sein. Sie genießt den Prozess des Niederschreibens richtig, er gibt ihr die Möglichkeit, den gesamten Abend in allen Einzelheiten nachzuerleben, sich an Details zu erinnern, die sie vergessen hatte (wie sich sein Manschettenknopf in ihrem Haar verfangen hatte oder wie er danach in den verregneten Garten hinausgerannt war, um zu pinkeln), und es dann aus der Entfernung mitanzusehen – es war die Geschichte einer Frau, die ihr Leben und ihre Sexualität zurückerobert. Sie hatte es ein bisschen frisiert, die Gefühle verstärkt, sein Aussehen in dunkelhaarig geändert und das Kapitel mit einem pointierten Satz enden lassen: *«Also», sagte meine beste Freundin, «ich würde sagen, das war ein ziemlich guter erster Versuch.»*

Doch daran, wie sie sich in dem Moment gefühlt hatte, waren keine Änderungen nötig gewesen; an dieser unerwarteten Leichtigkeit von allem, an dem Lachen, dem Sägemehl, dem Geruch der Petroleumlampe und dem endlosen Trommeln des Regens auf dem Dach und daran, wird ihr jetzt bewusst, dass sie sich kein einziges Mal Gedanken darüber gemacht hatte, wie sie aussah oder wie sie auf ihn wirkte.

*Er war ein großartiger Kerl und absolut nicht mein Typ, und er hat mich gelehrt, dass anders als in meinen Zwanzigern, als Sex immer mit allen möglichen Geschlechterdebatten zu tun hatte – was mein damaliger Freund vorher gesagt oder getan hatte, ob wir eine «Beziehung» hatten, wie betrunken ich war oder wie viele Komplexe ich hatte –, Sex in meinen Vierzigern etwas ganz anderes war. Ich war ganz ich selbst in meinem Körper, fürchtete mich nicht davor, meine Wünsche auszusprechen, fühlte mich wohl bei der Vorstellung, dass mit jemandem Sex zu haben nicht bedeutete, mein restliches Leben mit ihm verbringen zu müssen. Eigentlich sogar im Gegenteil: dass ich eine sexuelle Beziehung in dem Wissen eingehen konnte, nicht mein restliches Leben mit jemandem verbringen zu wollen. Es war der erste Schritt meiner Befreiung und jede Stunde auf diesen speckigen Gartenpolstern und das Sägemehl in meinem Haar wert ...*

Nimm das, Dan, denkt sie. Sie druckt das Kapitel aus, um nach Rechtschreib- und Grammatikfehlern zu suchen – sie sind auf einer ausgedruckten Seite irgendwie leichter zu erkennen –, und dann, als sie überzeugt ist, dass es keine gibt, hängt sie das Kapitel an eine E-Mail an, gibt Anoushkas Adresse ein und drückt auf SENDEN. Dann klappt sie mit einem merkwürdig befriedigten Gefühl ihren Laptop zu. Sie ist eine erwachsene, unabhängige Frau, die über ihre sexuellen Abenteuer schreibt. Sie schaut nach vorn, sorgt für ihre Familie und gewinnt ihre finanzielle Unabhängigkeit zurück. Sie hat nichts erfinden müssen. Selbst dass Truant auf die Treppe gepisst hat (weil niemand außer Lila je mit ihm Gassi geht), kann ihre gute Laune nicht trüben.

Klingt gut! An wann hattest du gedacht?

Bin diese Woche ziemlich im Stress mit der Arbeit, aber wie wäre es mit Donnerstagabend? Lennie geht zu meiner Mutter.

Donnerstag ist sehr gut.

Gabriel und sie haben wieder angefangen, sich an den Abenden SMS zu schicken, kleine Bemerkungen über das Geschehen am Schultor oder über Sachen, die ihre Kinder vorhatten.

Wie geht es der schönsten Frau vom Schulhof?

Er gibt besonders gern Kommentare zu ihrem Aussehen ab, erklärt, ihre Frisur sei hübsch oder dass sie in diesen Jeans umwerfend aussehe. Dabei benutzt er oft italienische Wörter, die sie später nachsieht. Er beachtet winzige Details, die Dan niemals an ihr bemerkt hätte. Er ist freundlich, aufmerksam, sich des Psychodramas eindeutig bewusst, das sie durchmacht, wenn sie jeden Tag mit Marja konfrontiert ist.

Ich weiß, es geht mich nichts an, aber ich verstehe einfach nicht, dass Dan dir dieses Mädchen vorgezogen hat. Sie hat überhaupt keine Ausstrahlung, jedenfalls im Vergleich zu dir.

Es gefällt ihr, dass er «dieses Mädchen» geschrieben hat, als sei Marja völlig unbedeutend. Seine SMS sind unvorhersehbar und kommen zu den ungewöhnlichsten Uhrzeiten, manchmal auch zwei oder drei innerhalb einer Stunde, und dann wieder kommt überhaupt keine Antwort. Sie stellt sich vor, wie stressig sein Alltag als verwitweter Vater ist und wie schwierig, eine Arbeit als Spitzenarchitekt zu bewältigen und zugleich den emotionalen Bedürfnissen seiner Tochter gerecht zu werden.

Manchmal kann man sich ganz schön einsam fühlen, oder?, wagt sie sich eines Abends vor, während sie in der Badewanne liegt.

Seine Antwort kommt zwanzig Minuten später. Ihr Badewasser wird langsam kalt.

Allerdings. Ich weiß, dass du das verstehst. X

Er scheint sie auf eine Art zu sehen wie niemand anderer. Es ist, als hätte sie einen geheimen Verbündeten, einen, der nur ihre besten Seiten sieht. Persönlich wechseln sie meistens nur ein paar höfliche Worte – natürlich will niemand die Röntgenblicke der Schulhofmütter auf sich ziehen –, aber er schaut sie bedeutungsvoll an, und jedes Mal, wenn sie eine SMS von ihm bekommt, überläuft sie ein kleiner Schauer, und sie liest sie mehrere Male, genießt die Wärme seines digitalen Blicks.

Ich habe heute bei der Arbeit eine Frau gesehen, die beinahe so aussah wie du. Ich habe mir fast gewünscht, du wärst es ... dann hätten wir einen Kaffee trinken gehen können.

Das war ich. Ich verberge mich in deinem Büro in einer Million Verkleidungen. So läuft das bei mir.

Du bist so witzig. Einer deiner vielen Reize. Sie hat auf alle Fälle nicht halb so gut ausgesehen wie du. X

Sie schreiben sich jetzt beinahe jeden Tag, und sie flirten eindeutig miteinander. Auf dem Weg zur Schule ist Lila ein bisschen aufgedreht, ihr bevorstehendes Date ist wie ein glühender Taschenwärmer, den sie zu fest umklammert, eine geheime Quelle der Wärme und des Trostes. Als Philippa ihr einen ihrer leicht mitleidigen Blicke zuwirft – eine Kombination aus *Es tut uns allen unheimlich leid für dich* und *aber es ist absolut verständlich, warum Dan dich gegen Marja austauschen wollte* –, erwidert Lila ihn mit einem Lächeln und geht entspannt hinüber in Gabriels Ecke, wie sie die Stelle für sich nennt, selbst wenn er gar nicht da ist. Also unerfreulicherweise an den meisten Tagen. Sie ist so guter Laune, dass sie, als ein Autofahrer hupt, damit sie schneller über den Zebrastreifen geht, einfach stehen bleibt und drei Hampelmänner vor ihm vollführt, obwohl sie von Rechts wegen ein Dutzend hätte machen sollen.

«Und wohin geht ihr?», fragt Eleanor, die auf einen Kaffee vorbeigekommen ist und auch, um ihr neues Tattoo vorzuführen. Es ist ein Phönix, der anscheinend aus der Asche ihres Hüftknochens aufsteigt.

Lila würde am liebsten fragen, ob das eine Anspielung auf Osteoporose ist, aber sie ahnt, dass es darum eigentlich nicht geht. «Mmh … weiß ich noch nicht genau.»

«Aber das Date hat er bestätigt, oder?»

Das war es ja gerade. Gabriel war in den vergangenen sechsunddreißig Stunden irritierend schweigsam gewesen. Bei seiner letzten Erwähnung des Dates hatte er etwas über seine Arbeit gesagt, aber auch, dass er es ganz bestimmt schaffen würde, und sie will jetzt nicht diejenige sein, die ihm hinterherläuft. Sie vermutet nämlich, dass die Leute, mit denen er sich sonst umgibt, viel zu cool sind, um anderen wegen Einzelheiten zu Dates nachlaufen zu müssen.

«So ziemlich, ja. Er hat Donnerstag vorgeschlagen.»

«Wann war das?»

«Mmh … am Sonntag?»

Eleanor sieht sie nur an.

«Guck nicht so! Er hat SMS geschickt, und überhaupt war er es, der es vorgeschlagen hat.»

«Nachdem du es warst, die ihn ursprünglich zu einem Drink eingeladen hat.»

«Na ja, ja, aber das war doch längst vergessen. Er hätte es auch einfach ignorieren können. Aber er war derjenige, der gesagt hat, lass uns ausgehen.»

Eleanor zieht das Gesicht, das Leute machen, wenn sie nicht sagen wollen, was sie eigentlich sagen wollen.

«Ich bin sicher, dass er sich vor morgen meldet», sagt Lila entschieden.

Der entfernte Klang des Klavierspiels, das den Hintergrund ihres Gesprächs gebildet hatte, ist verstummt, und nun bekommt Lila mit, wie sich Penelope Stockbridge verabschiedet und dann die Haustür geöffnet und wieder geschlossen wird. Einen Moment später betritt Bill die Küche. Er begrüßt Eleanor herzlich und merkt an, als ihm Eleanor ihr Tattoo auf der Hüfte zeigt, dass es wirklich ... allerhand ist. Und nachdem sein Angebot, noch einen Tee zu machen, höflich abgelehnt wurde, bereitet er sich selbst einen Earl Grey zu und setzt sich an den Küchentisch. Die Zeitung liegt vor ihm, aber er schaut nachdenklich vor sich hin.

«Alles in Ordnung?», fragt Lila, nachdem sie mit Eleanor einen Blick gewechselt hat.

«Bestens!», sagt er. «Alles bestens, danke.»

«Er bläst Trübsal, weil er die Piano-Lady mag und nicht weiß, wie er damit umgehen soll.» Gene schlendert vom Garten herein und trinkt dabei den Rest aus einer Dose Cola. Der Tag ist ungewöhnlich warm, und er trägt ein ausgewaschenes Bob-Marley-T-Shirt. Lila hatte nicht mitbekommen, dass Gene überhaupt da war.

«Das ist es nicht», sagt Bill.

«Doch. Er mag sie, aber er hat ein schlechtes Gewissen wegen deiner Mum.»

«Ich mag Penelope als Freundin.»

«Tja, das solltest du aber nicht. Sie ist total heiß auf dich, mein Freund. Hängt bei jedem Wort an deinen Lippen. Sieht dir beim Klavierspielen zu, als wünschte sie, es wäre sie, die du ...»

«Oh, jetzt reicht's aber, Gene. Nicht jeder hat die ganze Zeit schmutzige Gedanken.»

Gene grinst selbstzufrieden.

«Sie kommt wirklich häufig her», stellt Lila fest.

Penelope kommt zwei oder drei Mal die Woche. Anscheinend immer nur, um Bill bei seinen Tonleiterübungen zu helfen. Er ist ein unheimlich guter Schüler. Das ist wirklich eine dankbare Aufgabe für sie. Diese Woche hat sie zudem einen Nudelauflauf mitgebracht, ein Tablett mit Scones und ein paar Blumen, die ihre Beete vollgewuchert haben. Sie wären nur verkümmert. Lila hat das ziemlich charmant gefunden. Penelope ist so zurückhaltend und bemüht, so darauf aus zu gefallen, dass es schwer ist, ihr etwas übel zu nehmen.

«Ich finde das schön, Bill», sagt sie. «Ich glaube nicht, dass es Mum stören würde, falls du mehr als ... eine Freundin in ihr siehst.»

Bill schaut mit gerunzelter Stirn auf seine Zeitung, was bei ihm der deutlichste Ausdruck eines tief sitzenden, existenziellen Traumas ist, zu dem er fähig ist. «Sie ist eine sehr nette Lady», sagt er nach einer Weile. «Ich glaube, sie hat es nicht immer leicht gehabt im Leben. Und ich genieße ihre Gesellschaft. Aber ehrlich gesagt ... ich wüsste nicht, wie ich da vorgehen sollte ... ich weiß nicht recht.»

«Mann! Mach's dir doch nicht so schwer! Du denkst zu viel nach», sagt Gene, während er sich in der Achselhöhle kratzt. «Frag sie einfach an einem Abend, ob sie zum Essen bleiben möchte. Diese Gelegenheit wird sie augenblicklich beim Schopf packen.»

Bills Blick scheint zu sagen, dass er darüber nachdenkt, ob Gene bei diesem Abendessen dabei wäre.

«Wenn du sie zum Abendessen einladen willst, könnten wir uns alle verdrücken, oder, Gene?», sagt Lila. «Damit Bill ein bisschen Privatsphäre hat.»

«Oh. Aber sicher! Ich würde nicht wollen, dass du dich meinetwegen verkrampft ausdrückst.» Gene versetzt ihm einen kräftigen Schubs, was Bill gleichmütig hinnimmt.

«Ich weiß nicht recht ...», sagt Bill erneut.

«Jetzt komm schon, Mann. Wer weiß, wie viel Zeit wir noch haben. Du musst leben, solange du es kannst. Hey ... was hätte Francie getan? Sie verstand es zu leben, stimmt's? Sie hat aus jedem Moment etwas für sich herausgeholt.»

Der Gedanke an sie lässt alle kurz verstummen.

«Das stimmt allerdings.» Bill stößt einen zittrigen Seufzer aus.

«Das ist kein Treuebruch. Es ist das, was sie gewollt hätte. Wir alle müssen nach vorne schauen! Das bedeutet schließlich nicht, dass wir weniger an sie denken.»

Lila fragt sich, wie das mit der Tatsache zusammenpasst, dass sich Gene nicht einmal die Mühe gemacht hat, den Tod ihrer Mutter zu betrauern, aber er ist so nett zu Bill, dass sie beschließt, keinen Kommentar dazu abzugeben.

«Du hast recht», sagt Bill. «Vielleicht frage ich sie, ob sie mit mir zu Abend essen will.»

«Guter Junge! Und dein alter Freund hier wird sich aus dem Staub machen. Du musst nur Bescheid sagen.»

Lila überlegt kurz, ob Genes Großzügigkeit rein altruistischer Natur ist. Wahrscheinlich braucht Bill sein Zimmer nicht mehr, wenn er mit einer anderen Frau eine Beziehung anfängt. Eleanor würde diese Einschätzung als unglaublich zynisch und trostlos bewerten, also nickt Lila nur ermutigend.

«Oh, übrigens, Schatz», sagt Gene, «wir haben deinen Lokus repariert.»

«Wie bitte?»

«Die Toilette», sagt Bill. «In dem grünen Badezimmer. Die ständig verstopft war. Wir haben uns das heute Vormittag mal von der Außenfassade aus angesehen und festgestellt, dass das Abflussrohr an der Anschlussstelle zum Bad im rechten Winkel verlegt worden ist. Das war der Grund, aus dem es immer wieder Verstopfungen gab.»

«Das Rohr ist praktisch horizontal verlaufen», sagt Gene.

«Ganz genau. Also sind Gene und ich zum Baumarkt, haben ein neues Rohrstück gekauft und es leicht schräg an das Hauptrohr gesetzt. Ich gehe davon aus, dass das Problem damit gelöst ist. Ich finde, wir haben ziemlich gute Arbeit geleistet.»

«Ihr habt das Klo repariert?» Lila kann sich kaum vorstellen, dass diese beiden Männer zusammen im Baumarkt waren. Geschweige denn, dass sie die praktischen Kenntnisse zur Ausführung dieser Reparatur besitzen.

«Allerdings», sagt Bill. «Die Spülung ist jetzt ein Traum.»

Lila ist sprachlos. Sie schaut die beiden an, ihre freundlichen, stolzen Mienen, und plötzlich kommt ein ungewohntes Gefühl in ihr auf. Womöglich ist es so etwas wie unverstellte Zuneigung.

«Selbst nach einer Riesenportion Curry», fügt Gene hinzu.

«Oh», sagt Lila. Einen Moment stehen alle nur da und genießen den Augenblick. Dann schüttelt Lila den Kopf. «Wartet mal, dieser dämliche Klempner hat mir also alle paar Wochen dreihundert Pfund berechnet, um was genau zu tun? Um mit einem Kleiderbügel in dem Klo rumzustochern? Der kann was erleben.»

## ZWANZIGSTES KAPITEL

## Celie

Truant kommt nie aufs Bett – das ist eine von seinen «Macken», genauso wie er nie darum bettelt, am Bauch gekrault zu werden, nur von Mum und Celie Leckerlis annimmt und sich aufführt, als wollte jeder, der an die Tür kommt, alle in ihren Betten ermorden. Aber jetzt schaut er sie von der Bettdecke aus an, und dafür liebt ihn Celie noch mehr. Er versteht sie. Er ist buchstäblich der Einzige auf der Welt, der sie versteht. Als sie in ihr Zimmer gegangen war und endlich den Tränen freien Lauf gelassen hat, die ihr schon auf der gesamten Busfahrt nach Hause kommen wollten, hatte er seine Schnauze durch den Türspalt gesteckt, war einen Moment stehen geblieben, dann mit einem Satz auf ihr Bett gesprungen und hatte sich neben sie gelegt. Nicht so, dass er sie berührte und es hätte wirken können, als wollte er sie unterstützen, aber sie weiß, dass er es tut. Einfach, weil sich Truant nie auf ein Bett legt und Celie noch nie im Leben so traurig war.

Die Party wird riesig werden. Chinas Eltern sind nicht da, und sie und Meena haben über Snapchat Einladungen verschickt, und Celie ist die Einzige in der elften Klasse, die keine bekommen hat. Die Mädchen, die während der gesamten Schulzeit ihre besten Freundinnen auf der Welt waren, haben eine Party organisiert, und sie ist nicht eingeladen. Sogar

Martin O'Malley geht hin. Martin und diese seltsame Katya, die erst in der neunten Klasse dazugekommen ist und von der jeder sagt, dass sie nach Käse müffelt. Und überhaupt weiß sie nur von der Party, weil Martin sie mittags bei der Essensausgabe gefragt hat, ob sie hingehen würde. Sie hatte kurz gedacht, sie würde vor Schreck in Ohnmacht fallen – es war wie ein Schlag in die Magengrube gewesen –, und dann hatte sie sich wieder gefasst und gesagt nein, vielleicht, weiß noch nicht, aber sie war ziemlich sicher, dass sie kein Pokerface gemacht hat, denn er hatte einen grässlich mitleidigen Blick, als er wegging.

Sie streckt die Hand aus und streichelt Truants weichen, schwarzen Kopf. Er wirkt ein bisschen argwöhnisch, wendet ihr den Blick zu, aber ohne sich zu bewegen, und dann drückt sie ihr Gesicht ins Kissen und weint heiße, stille Tränen.

Sie weiß nicht genau, wann Gene hereingekommen ist, bemerkt es aber, als Truant ein langes, warnendes Knurren von sich gibt. Sie hebt den Kopf und sieht Gene mit seiner faltigen Hand auf der Türklinke dastehen. «Hey, was ist denn, Chica?»

Sie dreht sich von ihm weg. Sie will jetzt kein Gene-Gespräch führen. «Nichts.»

«Hast du Kopfschmerzen? Ich habe ein paar Aspirin in meinem ...»

«Nein.»

Einen Moment herrscht Stille.

«Bist du sauer auf deine Mum?»

«Nein, ich bin nicht sauer auf Mum.»

Sie starrt an die Wand, will, dass er weggeht. «Hast du deine Periode?»

Sie setzt sich auf. «Oh verdammt, geh einfach *weg*!»

Er zieht ein Gesicht. «Tja, die Sache ist die: Ich kann nicht einfach weggehen und eine Lady weinen lassen. Das kommt mir nicht richtig vor.»

Er bleibt an der Tür stehen, während sie sich wütend die Augen reibt und sich wünscht, dass er einfach verschwindet. Aber stattdessen kommt er einen Schritt näher. Truant knurrt lauter. «Bist du sicher, dass du nicht deine Periode hast?»

«Bitte, geh einfach.»

Er geht, und sie atmet vor Erleichterung zittrig durch, doch innerhalb von Minuten ist er wieder da und klopft mal wieder nicht an, bevor er die Tür öffnet. Sie will ihn anschreien, aber er wirft etwas in ihre Richtung, das auf ihrem Bett landet. Truant springt vor Schreck auf und verzieht sich hinter den Vorhang, wo er abwechselnd warnend bellt und knurrt.

Sie nimmt die Packung, versucht, den Lärm zu ignorieren. Reese's Peanut Butter Cups. «Was ist das?»

«Probier es.»

Es ist klar, dass er vorher nicht gehen wird. Sie öffnet die Verpackung und beißt ein Stückchen ab. Sie schmeckt Erdnussbutter und unheimlich süße Schokolade. Es ist nicht schlecht, aber sie hat eigentlich keinen Hunger. Sie beißt noch einmal ab, lässt sich den Bissen auf der Zunge zergehen. Sie wird es essen und sich bedanken, sagen, wie toll er ist, und dann wird er gehen.

Doch statt zu gehen, setzt er sich uneingeladen neben sie aufs Bett, öffnet eine zweite Packung, steckt sich ein ganzes Schokotörtchen auf einmal in den Mund und lässt ein leises, genießerisches «Mmm!» hören. Dann sagt er mit vollem Mund: «Ich habe einen Vorrat davon in meinem Koffer. Dieses ganze kalorienarme Zeug, das Bill kocht – das ist gut für euch, schätze ich, aber ein Mann braucht ein bisschen Zucker im Leben, verstehst du?»

Celie nickt und fängt mit dem zweiten Törtchen an. Einen Moment lang essen sie schweigend, hören, wie Truants Protest zu sporadischem Knurren abflaut, nur damit Gene weiß, dass er noch da ist, hinter dem Vorhang.

«Ich habe heute Vormittag ein bisschen geweint», sagt Gene, als er fertig gekaut hat.

Celie sieht ihn an.

«Hab eine Rolle nicht bekommen. Es ist irgendwie verrückt, aber ich wusste einfach, dass ich großartig darin wäre. Es war nur eine von diesen Geschichten um eine schlimme Krankheit. Aber sie hätte mich aus meiner Flaute rausgeholt, verstehst du? Hätte mich hier wieder ins Spiel gebracht. Ich habe einen Rückruf bekommen, und dann – nachdem ich drei Tage lang wie auf glühenden Kohlen gesessen habe – haben sie verdammt noch mal den anderen Typen genommen. Der hatte überhaupt keine Ahnung von Schauspielerei!»

Er steckt sich noch ein Erdnusstörtchen in den Mund und kaut. «Außerdem *weiß* ich, dass er ein Toupet trägt.»

Gene stößt einen langen Seufzer aus. Dann schubst er Celie an. «Komm. Hilf mir, mit deinem dämlichen Hund einen Spaziergang zu machen, damit er mich mag und nicht wieder beißt.»

Celie lässt sich in die Kissen zurücksinken. «Ich möchte nicht rausgehen ...»

«Ach komm schon, Celie. Hilf mir. Ich muss diesen Köter auf meine Seite ziehen. Und du weißt ja, dass die Frauen hier total verrückt nach mir sind. Die einzige Art, auf die ich sie mir vom Hals halten kann, ist, wenn ich eine hübsche junge Mieze bei mir habe.»

«Man kann Frauen nicht mehr Mieze nennen.»

«Junge Damen.»
«Noch schlimmer.»
«Wirklich? Okay. Einigen wir uns auf flotte Begleitung.»
Sie verdreht die Augen.
«Ich spreche von mir, nicht von dir. Komm schon, iss auf, und dann lass uns abhauen.»

In Hampstead Heath ist um diese Tageszeit viel los, die Wege des Parks sind mit einem Teppich aus rötlich braunen Blättern bedeckt, Paare mit Coffee-to-go-Bechern gehen Arm in Arm spazieren, und Kinder, die gerade aus der Schule kommen, springen über Äste, die in den Herbststürmen abgebrochen sind.

Celie hat wirklich keine Lust sich zu unterhalten, aber Gene redet ohne Punkt und Komma, also hört sie ihm einfach zu, als er von seinem erfolglosen Vorsprechen erzählt, davon, wie er das Wetter von L. A. vermisst, und von einer Ex-Freundin, die ihm die Spitzen sämtlicher Socken abgeschnitten hat, was ihm erst eine Woche, nachdem sie ihn verlassen hat, aufgefallen ist. Celie fragt sich, ob das bedeutet, dass er die ganze Woche dieselben Socken getragen hat oder ob er in L. A. barfuß gegangen ist, aber sie hat keine Lust nachzufragen. Sie denkt darüber nach, wie schrecklich es wird, wenn sie morgen wieder in der Schule ist, wie sich die Vorfreude auf die Party über die Woche steigert und wie alle allmählich mitbekommen werden, dass sie als Einzige nicht eingeladen ist. Unbeliebt zu sein, denkt sie, ist wie eine Krankheit. Vielleicht wissen andere gar nichts davon, aber wenn sie mitbekommen, wie isoliert jemand ist, haben sie Angst, sich anzustecken, und halten sich fern. In der letzten Woche hat sie an vier Tagen allein zu Mittag gegessen.

«Ich glaube, ich wechsle die Schule», sagt sie, als es eindeutig unmöglich ist, weiter zu schweigen. «Es gibt ein College in der Nähe, auf das ich gehen könnte.»

«Okay. Klingt nach einem Plan. Und warum willst du die Schule wechseln?»

Gene hat die Hundeleine in der Hand, und Truant zockelt so weit von Gene entfernt hinter ihnen her, wie er nur kann, ohne sich aus seinem Halsband zu befreien.

Sie zuckt mit den Schultern. «Vielleicht werden da meine Noten besser.»

Er wirft ihr einen Blick zu, dann zieht er ein Päckchen Zigaretten aus der Tasche und steckt sich eine zwischen die Lippen. Er zündet sie an, nimmt einen langen Zug und bläst eine dünne Rauchwolke in die Luft. «Magst du deine Schule nicht?»

«Sie ist okay.»

«Niemand in deinem Alter wechselt, wenn er seine Schule nicht hasst.»

Sie kickt einen Stein weg. Als sie wieder etwas sagt, klingt ihre Stimme erstickt, als hätte sie einen riesigen Kloß im Hals. «Früher habe ich sie gemocht.»

Er schweigt. Geht einfach weiter, aber sie spürt seinen Blick auf sich. Und dann weint sie plötzlich wieder. Wegen Meena und der Party und dem Angstknoten, den sie die ganze Zeit im Magen hat.

«Hey», sagt er. «Hey.» Er legt ihr den Arm um die Schulter, und ihr ist es sogar egal, ob das irgendjemand sieht. Es ist einfach alles zu viel. «Komm. Erzähl es deinem alten Kumpel Gene. Was ist los?»

«Und du redest nicht mit Mum darüber?»

«Sehe ich aus wie eine Plaudertasche?»

Also erzählt sie es ihm. Dass sie genauso gut Lepra haben könnte, weil kein Mensch bis auf die absoluten Außenseiter mit ihr reden will, und dass Meena ihre beste Freundin war und all ihre Geheimnisse kennt – einschließlich der Tatsache, dass sie ins Bett gemacht hat, bis sie acht Jahre alt war, und dass sie ewig bei Mum geschlafen hat, nachdem Dad weg war, weil es sich angefühlt hat, als würde alles in die Brüche gehen, und sie sich plötzlich im Dunkeln gefürchtet hat, und wie sie mit diesem Jungen aus der dreizehnten Klasse letzten November in den Park gegangen ist, weil sie bekifft war – und jetzt ist es, als wäre ihr ganzes Leben in einer Schachtel, die Meena herumträgt, damit jeder hineinschauen und über sie lachen kann. Und dass sie sich die ganze Zeit krank fühlt und nicht mit Mum reden kann, weil Mum immer gestresst und unglücklich und abgelenkt ist, während Dad nichts anderes als Marja und das Baby im Kopf hat, und dass sie nicht weiß, wie sie die nächsten beiden Jahre überleben soll, wenn sie in dieser Schule bleibt, weil sich das jeden Tag so anfühlt, als betrete sie ein Kriegsgebiet.

Und als sie aufhört zu sprechen, steht Gene an ihrer Seite und hat ihr seinen Arm um die Schultern gelegt, und er zieht sie an sich, und ihr Gesicht liegt an seinem T-Shirt, das ein bisschen nach Bier und Zigaretten riecht, aber eigentlich nicht schlecht. Und er drückt sie einfach und küsst sie auf den Scheitel und lässt seinen Kopf einen Moment auf ihrem Haar liegen. «Ach, Süße», sagt er. «Das ist wirklich hart.»

«Ich weiß nicht, was ich machen soll, damit es aufhört. Weil ich nicht weiß, was ich getan habe.» Sie wischt sich verlegen über die Augen, und er führt sie zu einer Bank, damit sie sich setzt, bis sie aufhören kann zu weinen.

Das dauert etwa zehn Minuten. Sie bringt es nicht mehr fertig, ihn anzusehen, sitzt einfach mit vorgebeugten Schultern da, die Ellbogen auf die Knie gestützt, mit leichtem Schluckauf.

«Weißt du, ich kenne mich mit vielem nicht aus. Aber mit einem kenne ich mich wirklich aus, und das ist die Schauspielerei.»

*Oh Gott*, denkt sie. *Nicht noch eine Gene-auf-der-Bühne-Story*.

«Also, ich weiß nicht, was du getan hast. Oder ob du überhaupt irgendetwas getan hast. Aber was ich weiß, ist, dass diese Mädchen – diese gemeinen Mädchen – die ganze Zeit beobachten werden, was in dir vorgeht. Darin sind Mädchen supergut. Jungs, weißt du, wir prügeln uns einfach ein bisschen, um was zu klären, und dann ist es so ziemlich vergessen. Aber Mädchen sind kompliziert. Und jetzt gerade läufst du herum, als ...»

Er steht auf und stellt sich vor sie, lässt die Schultern sinken und das Kinn hängen. Er sieht bekümmert aus, besiegt.

«So laufe ich nicht herum.»

«Doch, irgendwie schon. Körpersprache ist meine Spezialität, Liebes. Das ist mein Beruf. Und was du gerade ausstrahlst, ist Niederlage.»

Sie starrt ihn entsetzt an. Richtet sich im Sitzen ein wenig auf.

Gene spricht jetzt ganz direkt zu ihr, mit untypisch ernster Miene.

«Also, ich sage nicht, dass deine Körperhaltung dein Problem lösen wird, aber einen gewissen Unterschied wird sie auf jeden Fall machen. Jetzt im Moment wissen diese Mädchen, dass es dir etwas ausmacht, wie sie dich behandeln. Sie wissen, dass du leidest, und das verschafft ihnen ein Gefühl der Macht. Es lässt sie vergessen, was in ihrem eigenen Leben los ist. Denn ehrlich, jede von ihnen hat eine beschissene Zeit.»

«Woher willst du das wissen?»

«Weil nur verletzte Menschen andere Menschen verletzen.»

Sie starrt ihn an.

«Celie, Baby, schau dir doch mal Leute an, die mit ihrem eigenen Leben zufrieden sind – sie sind einfach damit beschäftigt, zu leben, eine gute Zeit zu haben. Sie ziehen nicht los, um gemein zu anderen zu sein. Ihre Energie fließt in andere Dinge. Es kommt ihnen gar nicht in den Sinn, jemand anderen zu verletzen oder zu erniedrigen. Tatsächlich bauen sie andere Menschen eher auf. Also, weißt du, was du jetzt tun wirst?»

Celie schüttelt den Kopf.

«Du wirst Mitleid mit ihnen haben. Mit diesen dummen, traurigen gemeinen Mädchen, die sich ihren Kick nur holen können, indem sie anderen schlechte Gefühle machen. Genau ...», er hebt die Hand, als sie widersprechen will. «Aber ... du wirst ihnen auch nichts geben, durch das sie sich besser fühlen.»

Sie runzelt die Stirn.

«Du wirst dein Auftreten ändern. Also statt so ...», er geht ein paar Schritte mit hängenden Schultern, trauriger Miene und wirft ihr einen Seitenblick zu, als wollte er sich dafür entschuldigen, dass er überhaupt da ist, «wirst du morgen dorthin gehen und aussehen, als wäre dir das scheißegal.»

Sie blinzelt. Gene korrigiert sich.

«Sorry – du wirst aussehen, als würde es dich überhaupt nicht kümmern, was diese Mädchen denken oder tun. Du gehst hin, nimmst den Raum ein, der dir zusteht, hebst das Kinn und änderst die Atmosphäre in deinem Umfeld. Und das geht so.»

Er streckt ein wenig die Brust heraus, geht entschlossen

zu dem Stück Wiese vor ihr, ein Lächeln auf dem Gesicht, als fände er alles ein klein wenig belustigend.

«Das kann ich nicht.» Sie schiebt sich ein paar Haarsträhnen aus dem Gesicht.

«Klar kannst du das. Du musst nur ein bisschen üben. Los. Mach es.»

Sie schrumpft in sich zusammen, wirft einen Blick auf die Leute, die ihre Hunde ausführen. Das ist zu viel verlangt.

Aber Gene bleibt vor ihr stehen. «Komm schon. Mach es. Ich gehe nicht weg, bevor du es versucht hast. Steh auf.»

Sie seufzt und erhebt sich widerstrebend von der Bank.

«Aufrechter. Komm. Du bist immer noch zusammengekrümmt.»

Sie richtet sich etwas mehr auf, hebt das Kinn.

«So ist es gut! Mehr! Genau! Und jetzt geh zu diesem Baum.»

Sie beginnt zu gehen, verlängert ihre Schritte, hält sich gerade. Sie ist ein bisschen verlegen, aber sie will nicht, dass er sie in der Öffentlichkeit zurechtweist, also gibt sie sich Mühe. Es schockiert sie richtig, wie sehr sich das von ihrem bisherigen Gang unterscheidet.

«Atme! Komm! Dabei hängt viel von deiner Atmung ab. Atme tief von der Mitte aus! Du bist stark! Kraftvoll! Du bewegst dich in einer schützenden Blase, in die sie nicht eindringen können. Und jetzt geh an mir vorbei und zeig mir, was du draufhast!»

Er gibt wirklich nicht auf. Sie dreht sich um, hebt das Kinn und geht wieder auf ihn zu. Er gestikuliert lebhaft in ihre Richtung. «Ich bin eins von diesen Mädchen, okay? Sieh mich an, gemein und gehässig, wie ich bin.» Er fährt sich übers Haar und schürzt die Lippen. «Du weißt, was ich vorhabe, aber es ist dir egal. Ich bin im Grunde unter deiner Würde,

Celie. Ich bin bedauernswert! Du tust so, als ob, Baby, und zuerst ist es nur ein rein körperlicher Ausdruck! Aber dann verwandelt es sich in dein Gefühl, in deine eigene Einstellung! Komm schon!»

Er feuert sie an, zieht einen Schmollmund, und das macht sie halb verlegen, halb bringt es sie zum Lachen. Sie verlangsamt ihren Gang, hebt den Kopf und streift ihn mit einem kühlen, desinteressierten Lächeln.

«Ja! Genau das habe ich gemeint! Die kesse Celie! Gib mir die kesse Celie!»

Sie lacht. Er ist dermaßen lächerlich.

«Los. Noch mal! Und jetzt noch schlimmer! Hände auf die Hüften! Es fällt dir nicht mal ein, mit mir zu reden. Ich bin deine Aufmerksamkeit nicht wert! Ich bin der Dreck unter deinen Schuhen!»

Sie dreht sich um ihre eigene Achse, geht auf der anderen Seite an ihm vorbei und zeigt es ihm. Ein verhaltener Blick, der an ihm herab- und wieder emporwandert, mit einem ganz leicht spöttischen Lächeln. In Gedanken erklärt sie ihm, dass er ein Nichts ist. Sie hält das Kinn oben, die Schultern zurückgezogen und dreht sich erneut um ihre Achse.

«Oh *ja!* Los, Baby. Jetzt hast du's drauf. Oh Mann. Noch mehr von diesem Blick! Ich sterbe. Ich schrumpfe. Ich schrumpfe. Sieh her, ich bin ein Nichts!»

Gene sinkt zusammen, geht auf die Knie und dann ganz zu Boden. «Ich bin tot!», sagt er und dreht sich auf den Rücken. «Ich bin mausetot. Du hast mich umgebracht.»

Sie bleibt lachend stehen, fühlt sich mit einem Mal viel leichter. Seltsamerweise funktioniert das. Sie weiß nicht, wie gut sie das am Montag zustande bringen wird, aber es funktioniert. Zumindest ist es etwas wie eine Rüstung, mit der sie in den Kampf ziehen kann. Sie stellt sich vor, wie sie an Meena und China vorbeigeht und ihren Schock, wenn sie merken, dass es ihr egal ist, was sie sagen. Sie ruft sich die Blase vor Augen, die sie beschützt. So wird sie durch den Tag gehen, wird ihre unfreundlichen Blicke an sich abprallen lassen, und ihr Getuschel wird ihren unsichtbaren Schutzschild nicht durchdringen können. Dann entspannt sie ihren Körper und grinst, wartet darauf, dass Gene aufsteht. Er rollt sich auf die Seite, setzt sich im Gras auf und starrt seine Beine an.

Sie wartet. Schließlich hebt er den Kopf, sieht sie an und hebt leise keuchend seine knorrige Hand. «Tja, du wirst mir ein bisschen helfen müssen, Mäuschen. Diese Knie sind nicht mehr, was sie mal waren.»

## EINUNDZWANZIGSTES KAPITEL

## Lila

Lila bricht die Funkstille als Erste, nachdem sie eine Stunde gegrübelt hat. Es ist Eleanor entnervtes *Warum fragst du ihn nicht einfach?*, das sie schließlich dazu bringt, eine Nachricht zu tippen.

> Hey – sind wir heute Abend noch verabredet?

Ein paar Stunden lang kommt keine Antwort – wahrscheinlich sitzt er in Besprechungen fest –, doch kurz nach zwölf gibt ihr Telefon ein *Ping* von sich.

> Klar. Ein Drink am frühen Abend? Ist in der Nähe meiner Arbeit für dich okay? Kann wegen Lennie nicht spät nach Hause kommen.

Ein früher Drink ist ein bisschen enttäuschend, aber in diesem Alter haben alle ein kompliziertes Leben, das weiß sie besser als irgendwer sonst.

Davon abgesehen ist Lila fest entschlossen, diese Verabredung nicht zu einer großen Sache werden zu lassen. Sie arbeitet bis vierzehn Uhr, falls man abgelenkt durchs Internet zu surfen Arbeit nennen kann, und ja, sie lässt sich die Haare föhnen, aber sie hat diesen neuen Friseursalon in der High Street schon seit Ewigkeiten ausprobieren wollen. Und als sie dort ist, scheint es ihr dumm, keine Maniküre machen zu lassen, denn eine Maniküre sorgt immer dafür, dass man sich ganz allgemein besser fühlt. Sie trägt ihre guten Dessous, weil es wichtig für eine Frau ist, sich wohlzufühlen, selbst wenn niemand die Sachen sieht. Und wenn sie sich viel Zeit nimmt, um sich fertig zu machen, liegt das daran, dass das Wetter im Moment sehr wechselhaft ist und sie nicht genau weiß, in welcher Art Lokal sie sich treffen werden (die Bar zu googeln, hilft nicht viel – was ist, wenn sie draußen sitzen?), also ist die Tatsache, dass sie den größten Teil des Tages damit verbringt, sich vorzubereiten, reiner Zufall. Genau wie die Tatsache, dass sie zwanzig Minuten zu früh kommt und zwei Blocks entfernt an einer Straßenecke in Clerkenwell herumstehen muss, um nicht zu erwartungsvoll zu wirken. Bei den öffentlichen Verkehrsmitteln kann man heutzutage eben nie sicher sein.

Er kommt zehn Minuten zu spät und überhäuft sie mit Entschuldigungen. Ein Meeting, das sich in die Länge gezogen hat, es tut ihm wirklich leid, er hofft, dass sie nicht lange gewartet hat. Die Bar – offenkundig ein Pub, der auf Holz und Weiß getrimmt worden ist, mit Marmortischen und nicht zueinanderpassenden antiken Stühlen – füllt sich schnell mit Büroangestellten, die sich um Tische drängen und mit Taschen und Jacketts die Überbleibsel des Arbeitstages ablegen. Sie steht für einen Wangenkuss auf, spürt, wie sie bei der Berührung rot wird. «Nein! Nein, kein Problem. Ich bin gerade erst gekommen.»

Sie hat sich ein Wasser bestellt, und er bestellt ein Bier, nachdem er gefragt hat, ob sie noch etwas anderes möchte. Er trägt ein weiches, mitternachtsblaues Hemd und helle, aufgeraute Baumwolljeans, und sie vermutet, dass seine gesamte Garderobe aus solchen Stücken besteht; unauffällig auf eine Art, die Leuten, die sich auskennen, sagt, dass sie ein Vermögen kosten. Sie trägt einen schwarzen Pulli mit V-Ausschnitt und schwarze Jeans, ein Outfit, das so neutral ist, dass sie damit überall hingehen könnte. Er lächelt, als er mit dem Bier an den Tisch zurückkommt und sich setzt, und einen grässlichen Moment lang fragt sie sich, ob sie imstande sein wird, auch nur ein Wort herauszubringen, und ob sie überhaupt etwas haben, über das sie sich unterhalten können.

«Du bist heute dem Abholdienst an der Schule entkommen, was?», sagt er, und die Lachfältchen um seine Augen vertiefen sich.

«Den übernimmt öfter mal mein Stiefvater.» Er hat schlanke, leicht gebräunte Finger, und am Mittelfinger hat er eine Schwiele, wahrscheinlich von all den Architekturzeichnungen. «Außerdem habe ich auf diese Art gelegentlich eine Pause vom Anblick der *Kurvenreichen Jungen Geliebten*.» Sie errötet, als ihr bewusst wird, dass sie Marja nicht so bezeichnen sollte. «So nennt sie mein Stiefvater», fügt sie schnell hinzu, aber er lächelt. Er sieht richtig schön aus, wenn er lächelt.

«Ha. Damit hat er ganz recht. Gut, jemanden zu haben, der zu Hause hilft. Ich habe die halbe Zeit das Gefühl, mich an der Grenze des Machbaren zu bewegen. Lennie hat unheimlich viele Termine nach der Schule. Die Hälfte davon hat ihre Mutter eingeführt, bevor sie gestorben ist, und ich bringe es nicht übers Herz, Lennie zu sagen, dass sie das nicht mehr machen kann.»

Lila würde gern nach seiner Frau fragen, hat aber das Gefühl, dass es dafür zu früh ist, also sagt sie: «Oh, was macht Lennie denn gern?»

«Ballett, Modern Dance – obwohl sie, unter uns gesagt, wie ein Baby-Elefant im Raum herumtrampelt. Null angeborene Begabung, die Ärmste. Samstags macht sie einen Handarbeitskurs bei uns in der Nähe, und sonntags geht sie reiten. Den Sprachkurs in Mandarin haben wir aufgegeben. Das war das Einzige, was mir ein klein bisschen übertrieben schien. Ich meine, sie ist gerade erst sieben geworden.»

Sie sprechen eine Weile über Kinder und Verpflichtungen und die Unmöglichkeit, Arbeit und Privatleben ins Gleichgewicht zu bringen, und Lila versucht, sich auf das zu konzentrieren, was er sagt, aber seine körperliche Nähe scheint ihr Nervensystem in einen immer schneller wirbelnden Sog zu versetzen. Als sie von ihrem Glas aufsieht, schaut er sie mit sanftem Blick an.

«Weißt du, es ist schön zu wissen, dass du an der Schule sein wirst. Da fühle ich mich jedes Mal besser.»

«Wirklich?» Sie kann die freudige Überraschung in ihrer Stimme nicht unterdrücken.

«Ja. Das letzte Jahr war ein ... Kampf. Ich fühle mich verpflichtet, Lennie so oft wie möglich abzuholen, damit sie weiß, dass ich für sie da bin, aber ich finde dieses ganze Schulmami-Ding ziemlich bizarr. Ich wüsste bei der Hälfte von ihnen nicht, was ich mit ihnen reden soll. Und ein Mann zu sein, der allein auf einem Spielplatz ist, macht einen zu einem Gegenstand der ... ich weiß nicht ... Aufmerksamkeit? Neugier?»

Des Begehrens, denkt sie. Begehren. Und dann legt sie sich den Zeigefinger über die Lippen, um es nicht auszusprechen. «Ich verstehe, was du meinst», sagt sie zurückhaltend.

«Natürlich tust du das. Du warst ja auch dort.»

«Ich kann sie nicht ertragen», platzt sie heraus. «Es ist, als würde man jeden Tag von den schlimmsten Leuten abgeurteilt. Ich meine, vorher habe ich gedacht, es liege daran, dass ich arbeite. Und viele von ihnen tun das nicht. Sie haben ihre Kinder zu ihrer Vollzeitbeschäftigung gemacht. Und das ist auch okay! Jeder, wie er will. Aber da war immer diese unausgesprochene Missbilligung, weil ich es nicht geschafft hatte, einen Kuchen zu backen oder ein Kostüm fertig zu bekommen oder für den Welttag des Buchs ein Harry-Potter-Outfit zu besorgen. Und jetzt, wo mich Dan für Marja verlassen hat ... ist es eine ganz andere Art von Aufmerksamkeit.»

Oh Gott, seine Augen sind so schön. Blaugrün, dunkler und intensiver wirkend durch die Farbe seines Hemdes. Er hat eine Art, sich auf sie zu konzentrieren, als wäre alles, was sie sagt, unheimlich bedeutungsvoll.

«Du weißt, dass er es eines Tages bereuen wird, oder? Das musst du doch wissen.»

Es fällt ihr schwer zu glauben, dass es Dan bedauern wird, seine Traumfrau gefunden zu haben, mit ihrer weichen, karamellbraunen Haut und dem Akzent. Trotzdem nickt sie, als wäre sie gleichzeitig überrascht von dieser traurigen Wendung des Schicksals und hätte sich damit abgefunden.

«Kommst du klar damit?», fragt er. «Wenn das nicht zu persönlich ist, meine ich. Bist du über ihn hinweg?»

Das erscheint ihr wie eine Fangfrage. Als könnte sie plötzlich zu der Frau von Jensens Date werden, die geweint und die ganze Zeit von ihrem Ex-Freund erzählt hat. Sie setzt ein breites Lächeln auf und sagt mit Nachdruck: «Oh, ja, klar. Im Rückblick erkenne ich, dass wir nicht zueinandergepasst haben.» Sie spielt an ihrem Ohrring herum. «Mir geht es gut. Ich meine, zu der Zeit damals war es furchtbar, aber auf lange Sicht ist es so wahrscheinlich am besten.»

«Seht ihr euch noch?»

Das ist eindeutig eine Fangfrage.

«Zurzeit nicht, nein», sagt sie, nachdem sie einen Moment nachgedacht hat, als hätte es eine Schlange von Verehrern gegeben, die sie widerstrebend für den Moment abgewiesen hätte. «Ich konzentriere mich auf die Kinder.»

Er nickt verständnisvoll.

«Und bei dir?»

Er senkt den Blick. «Dasselbe. Ich konzentriere mich auf Lennie. Ich meine, ich würde mich am liebsten in die Arbeit vergraben und über gar nichts nachdenken, aber sie ist ein tolles Kind, und ich muss dafür sorgen, dass sie diese Phase unbeschadet übersteht. Oder so unbeschadet wie möglich.» Er hält den Blick weiter gesenkt. «Ich schätze, das werde ich in zehn Jahren erfahren, wenn sie eine Therapie macht.»

«Ich bin sicher, dass es ihr gut geht», sagt sie. «Du bist eindeutig ein großartiger Vater.»

Er hebt eine Augenbraue und schüttelt den Kopf. Eine Haarsträhne fällt ihm ins Auge, und er schiebt sie zurück. «Ich bin nicht sicher, dass sie dir da zustimmen würde. Stattdessen bin ich ziemlich sicher, dass sie sagen würde, es gibt viel zu viele Hausaufgaben und Zähneputzen und Violinübungen und zu wenig Fernsehen und McDonald's-Besuche.»

«Offenkundig bist du sehr grausam zu ihr.» Sie lächelt, damit er weiß, dass sie einen Witz gemacht hat.

«Ich bin der Schlimmste überhaupt. Allerdings muss sie nur im Verschlag unter der Treppe schlafen, wenn sie sich wirklich schlecht benommen hat.»

Sie ist nicht ganz sicher, aber es könnte sein, dass unter dem Tisch sein Knie ihres berührt. Zuerst hatte sie gedacht, es sei der Tisch, aber da ist Wärme spürbar, und wenn er lacht, gibt es eine leichte Bewegung. Als sie feststellt, dass es definitiv ein Knie ist und nicht das Tischbein, erstarrt sie beinahe angesichts dieser Tatsache und davor, was sie andeuten könnte. Sie hört kaum, was er als Nächstes sagt. Sein

Knie ist radioaktiv geworden, leitet Hitze in ihren übrigen Körper. Es ist beinahe unerträglich.

«Lila?»

«Mm?» Sie richtet ihre Aufmerksamkeit wieder auf den Tisch.

«Möchtest du noch etwas trinken? Was Richtiges dieses Mal?»

Kurz fühlt sie sich in der Zwickmühle. Sie möchte nicht als Spielverderberin erscheinen – die Vorstellung, wie Dan jetzt die Augen verdrehen würde, verfolgt sie –, doch zugleich glaubt sie, dass sie all ihre Sinne beieinanderhalten muss. Sie muss die bestmögliche Version ihrer selbst sein. Andererseits – wenn er vorschlägt, dass sie beide etwas trinken sollen, könnte das bedeuten ...

«Also ... Wodka-Tonic. Ach zum Teufel, einen doppelten.» Sie lächelt, als wäre das für sie normal. «Was nimmst du?»

Er steht auf, greift in seine Tasche. «Oh, ich trinke nichts mehr. Ich muss Lennie später bei meiner Mutter abholen.»

Im Nachhinein denkt sie, dass sie sich in ihrem ganzen Leben noch nie so intensiv ihres Körpers bewusst war. Ihres Lächelns, der Blickwinkel, aus denen er sie sieht, der Art, auf die sich ihre Hände auf dem Tisch bewegen. Sie versucht, ganz langsam zu trinken – der Wodka-Tonic ist sehr stark – und eine lockere, unterhaltsame Gesellschaft zu sein. Sie stellt ihm ein paar ernstere Fragen; wie lange er verheiratet war (zwölf Jahre), wie sie sich kennengelernt haben (über einen Freund), ob er schon immer Architekt hatte werden wollen – doch nur nach der letzten Frage spricht er freiheraus. Jede Frage nach seiner Frau beantwortet er so knapp wie möglich und wendet dabei den Blick ab. Sie denkt, der Verlust seiner Frau muss wirklich traumatisch gewesen sein, und nicht nur für seine Tochter. Er scheint sich viel wohler damit zu fühlen, ihr Fragen zu stellen, möchte von ihren Töchtern hören und darüber, wie es ist, mit Teenagern umzugehen («Oh Gott», sagt er trocken, «da muss ich sie wohl sechs Jahre lang in den Verschlag sperren, oder?»).

«Vermisst du sie?», fragt Lila, bevor sie sich zurückhalten kann.

«Wen? Oh – meine Frau.»

«Ja.» Lila hat plötzlich das Gefühl, sich schamlos zu verhalten, zu weit zu gehen. Aber er sieht ihr nur in die Augen, sodass sie schließlich ein wenig rot wird, dann lässt er nachdenklich den Kopf sinken.

«Ich vermisse sie. Aber ...», er windet sich ein bisschen, «wir hatten uns erst ganz kurz vor ihrem Tod getrennt. Also ist es kompliziert.»

Lila weiß nicht, was sie sagen soll.

«Sie war eine unglaubliche Frau. Immer sehr leidenschaftlich, immer dynamisch. Aber das konnte ein bisschen anstrengend sein.»

«Ich kenne noch jemanden, der so eine Beziehung hatte», sagt Lila, die plötzlich an Jensen denken muss. «Er sagte, er hätte sich irgendwie an die ewigen Dramen gewöhnt.»

«Das tut man auch. Aber weißt du, solche Menschen hinterlassen auch eine riesige Leerstelle. Sie hat gesprüht vor Leben. Und sie war eine fantastische Mutter.»

«Es tut mir so leid.»

«Das muss es nicht. Ich glaube, mein Geschmack, was Frauen angeht, hat sich inzwischen geändert. Ich glaube, mir wäre jemand lieber, der etwas gelassener ist.» Er sieht sie bei diesen Worten direkt an. Sein Knie drückt immer noch gegen ihres, sodass sie sich ermutigt fühlt.

«Darf ich fragen, warum ihr euch getrennt habt?»

Kurz steht Unbehagen in seiner Miene. «Sie war ... erstaunlich unsicher. Ich denke, sie hat Dinge gesehen, die nicht da waren, wenn du verstehst, was ich meine. Ich glaube, irgendwann sind mir einfach die ... Beteuerungen ausgegangen.»

«Oh, das ist hart.» Sie will etwas über Dans Eifersucht sagen, aber in Wahrheit war sie manchmal wochenlang nicht sicher gewesen, ob ihm überhaupt bewusst war, dass es auch noch sie im Haus gab.

«Die Leute in der Schule wissen übrigens nichts über all das. Es wäre mir lieb, wenn du ...»

Sie schüttelt den Kopf auf eine Art, die ausdrückt, dass es nichts gibt, was sie nicht geheim halten kann, als sein Handy klingelt. Er wirft einen Blick auf die Nummer und macht sofort ein langes Gesicht. «Entschuldige», sagt er, «da muss ich drangehen.»

Er steht auf, während er das Gespräch annimmt. «Hi. Nein, sie ist nicht bei mir. Ich bin unterwegs.» Er dreht sich um, bahnt sich einen Weg zwischen den voll besetzten Tischen hindurch und wendet sich dabei kurz zurück, um Lila das universelle Zeichen für *Es dauert nur eine Minute* zu geben.

Sie schaut ihm nach, als er hinaus auf den Bürgersteig geht, wo sie ihn durchs Fenster lebhaft reden sieht. Er wirkt nicht gerade glücklich, während er auf und ab geht. Einmal atmet er tief ein, als müsse er sich beherrschen. Schließlich beendet er das Telefonat, bleibt einen Moment stehen, und dann kommt er wieder herein. Sie schaut auf ihr Handy, als würde sie E-Mails lesen, und blickt dann ruhig auf. «Alles in Ordnung?»

«Es tut mir wirklich leid. Ich muss gehen», sagt er, und Lila kämpft darum, ihre Enttäuschung zu verbergen. Er setzt sich nicht mehr.

Er erklärt nichts weiter dazu.

Sie braucht einen kleinen Moment, dann steht sie auf und nimmt ihre Tasche. «Oh! Kein Problem! Ich sollte selbst langsam nach Hause.»

Er begleitet sie zur U-Bahn, mit einem Mal unaufmerksam und schweigsam. Die Straßen sind immer noch voller Menschen, die von der Arbeit kommen, und ihr wird klar, dass es das war, dass damit ihr Date endet. An einem belebten U-Bahn-Eingang um Viertel vor acht statt spätnachts eng aneinandergeschmiegt auf einem Sofa. Er wird ihre besonderen Dessous nicht sehen, die jetzt in die Handwäsche müssen, obwohl sie gar nicht gebraucht wurden. Was für eine Enttäuschung. Lila bleibt am Eingang der U-Bahn stehen und tritt einen Schritt beiseite, damit der ständige Strom der Menschen an ihnen vorbeikommt. «Tja, das war doch nett», sagt sie, weil ihr nichts anderes einfällt. Sie weiß nicht genau, ob er ihr überhaupt noch richtig zuhört.

Plötzlich schaut Gabriel sie aufmerksam an, als hätte er sie eben erst entdeckt. «Lila, es war sehr schön. Wirklich. Du weißt nicht, was für ein besonderer Mensch du bist. Der Tag wäre ... ohne dich komplett anders für mich gelaufen. Ich finde es großartig, dass wir ein bisschen Zeit miteinander verbringen konnten. Ich habe das Gefühl, dass du der einzige Mensch bist, mit dem ich wirklich reden kann. Du scheinst ... wirklich zu verstehen, womit ich es zu tun habe.»

Dann nimmt er ihre Hand, und sie schaut gebannt zu, wie er ihre Handfläche an seine Lippen zieht und sie küsst, während sein Blick in ihren versenkt ist. Die Intimität, die unverhohlene Sexualität dieser Geste raubt ihr den Atem. Sie will etwas sagen, doch da dreht er sich mit einem Nicken um und ist weg, geht mit langen Schritten die Straße hinunter, und sie wird in die Menschenmenge hineingezogen, taucht in die U-Bahn-Station ab, während ihr ganzer Körper wie eine gigantische Glocke nachvibriert.

«Schätzchen, sie *lieben* es. Sie bereiten gerade ein Angebot vor, und ich melde mich, sobald ich es habe. Und ganz ehrlich, ich fand es auch toll. Unheimlich packend. Und so emanzipiert! Du bist ein echtes Vorbild!»

Lila geht gerade von der U-Bahn-Station nach Hause, als Anoushka anruft. Sie ist so in ihre Erinnerungen an die letzten paar Stunden versunken, dass sie einen Moment braucht, um mitzubekommen, worüber Anoushka überhaupt spricht. «Oh!», sagt sie und bleibt stehen. «Es hat ihnen echt gefallen?»

«Es ist genau die richtige Mischung aus sexy und anrüchig. Ich konnte mich in dem ganzen Kapitel *total* in dich reinversetzen. Und was für ein Traummann das ist! Bitte sag mir, dass du den geheimnisvollen ‹J› wiedertriffst.»

Lila möchte nicht an Jensen denken. Sie will an Gabriel denken; an den Übergang von seinen Hemdsärmeln zu seinen Handgelenken, an die glatten Haarsträhnen, die ihm vor die Brille fallen. Sie möchte an den warmen, weichen Druck seiner Lippen auf ihrer Handfläche denken. Sie spürt ihren Abdruck noch immer auf der Haut.

«Oh. Nein. Ich glaube nicht. Ich ... ich treffe mich inzwischen mit jemand anderem.»

Anoushkas Stimme klingt schrill. «Ein anderer Mann! Jetzt schon! Oh, Lila. Du lebst wirklich den Traum. Ist er nett?»

«Besser als nett.» Lila kann beinahe ihr Lächeln in ihrer Stimme hören. «Er ist so ungefähr mein Ideal von einem Mann.»

«Du musst irgendwelche Lockstoffe ausströmen! Du

bist die wandelnde Fantasie jeder Frau mittleren Alters!» Anoushka spricht immer, als würde sie Ausrufezeichen hinter ihre Sätze setzen, aber heute klingt sie besonders nachdrücklich. «Du musst mir dein Geheimnis verraten! Rupert ist ein schrecklicher Langweiler geworden. Es ist, als wollte er nichts anderes mehr machen, als jeden Abend auf dem Sofa zu sitzen und *Ich renoviere deine Wohnung* oder so was zu sehen. Ich hab's dringend nötig, mich in einer Werkstatt mit einem hinreißenden Fremden schamlos rumzuwälzen! Du musst eine Kurzanleitung in dein Manuskript aufnehmen!»

«Und ...», lenkt Lila die Aufmerksamkeit wieder auf das Thema, «was glaubst du, wie viel sie bieten werden?»

«Ich habe ihnen erklärt, wenn sie es haben wollen, muss das Angebot sechsstellig sein. Und sie haben nicht gezuckt. Also warten wir es ab. Aber ich habe hohe Erwartungen. Sehr hohe Erwartungen!»

Anoushka verabschiedet sich, und Lila geht leicht benommen nach Hause. Erst nach zwei Blocks wird ihr klar, dass das unbekannte Gefühl, von dem sie durchströmt wird, Hoffnung ist.

Nachdem die Kinder ins Bett gegangen sind (beziehungsweise Violet, wie lange Celie in ihrem Zimmer aufbleibt, kann man nicht wissen), schaut sie eine Folge *La Familia Esperanza*. Ein jüngerer Mann stellt Estella Esperanza nach, der hinreißende Arzt, der zwei Folgen zuvor ihre Schusswunde behandelt hat. Seine Liebesschwüre sind leidenschaftlich, und er scheint ihren schweren inneren Konflikt zu verstehen. Aber sie nimmt ihn nicht ernst, so sehr ist sie in den Erinnerungen an ihren Ehemann gefangen, ist davon besessen, ihn und seine jüngere Geliebte auseinanderzubringen. Lila, die eine Packung Kekse zum Abendbrot isst, atmet scharf ein, als der Arzt Estellas Hand an seine Lippen hebt, wird erneut von dem Gefühl durchflutet, das sie empfunden hat, als Gabriel ihre Handfläche geküsst hat, erlebt die seltsame, erotische Gewissheit dieser Geste nach. Estella zieht wütend und verletzt ihre Hand weg, sagt im Schnellfeuerton etwas auf Spanisch. Die Untertitel lauten: *Du setzt viel zu viel voraus! Fass mich nicht an!*

Lila starrt auf den Bildschirm und senkt dann den Blick auf ihr Handy. Sie tippt:

> Es war wirklich schön, dich zu sehen. Lass uns das bald wiederholen x

Selbst diese Worte nur zu tippen, lässt sie erröten. Sie wartet ein paar Minuten, doch er reagiert nicht. Da sind keine pulsierenden Punkte, die auf eine sorgsam überlegte Antwort schließen lassen, da ist gar nichts. Ihre Nachricht verschwindet im Cyberspace und schwebt irgendwo im Äther. Denk nicht zu viel darüber nach, sagt sie sich, während sie spürt, wie ihr Post-Date-Hoch langsam in sich zusammenfällt. Er ist ein viel beschäftigter Mann. Und nach diesem Anruf war sein Abend eindeutig gelaufen. Sie fragt sich kurz, ob sie sich mehr aufregen sollte. Ob das Männer dazu bringen würde, auf sie anzusprechen, sodass ihre Abwesenheit ein unvergessliches Loch in ihrem Leben erzeugen würde.

Und dann summt ihr Telefon.

> Das finde ich auch, Bellissima. Wir sehen uns bald x

## ZWEIUNDZWANZIGSTES KAPITEL

Gene hat zwei Rollen ergattert. Die erste ist eine Zahnpastawerbung; nur ein Drehtag, an dem er vor allem die beeindruckende Arbeit seines Zahnarztes vorführen muss. Anscheinend hatte die Auswahl älterer englischer Schauspieler, gegen die er sich durchsetzen musste, Zähne wie vergilbte Zaunlatten. Außerdem soll er in einem finanziell gut ausgestatteten Historienfilm einen betagten Geschäftsmann spielen, der aus New York zu Besuch kommt. Bisher hat er eine Woche «in der Rolle» verbracht, sich beim Abendessen weltmännisch geräuspert und über die schrecklichen Halsabschneider von der Wall Street doziert. Seine zwei Sätze haben endlose Proben erfordert, und an jedem Ort im Haus konnte man zu jeder beliebigen Zeit die sorgfältig einstudierten Worte hören: «Aber, Mr. Arbuthnot, als Eigner einer Schifffahrtslinie ist einem lebenslange Absicherung garantiert. Kann man von einem Aktienpaket wirklich dasselbe behaupten?» Er spricht die Sätze in unendlich vielen Varianten aus, mit wechselnder Betonung von *lebenslang*, *garantiert* und *Aktienpaket*. Violet kann den Text inzwischen wortgetreu wiederholen und hat sich angewöhnt, ihn beim Fernsehen oder Zähneputzen vor sich hin zu murmeln. Bei Truant hat sich durch die allzu leidenschaftlich gerufene Rezitation des zweiten Satzes ein Schlüsselreiz ausgebildet, und nun knurrt er jedes Mal, wenn Gene zu sprechen beginnt. Es ist ein Drehtag auf einem imposanten Herrensitz in Oxfordshire vorgesehen, und Gene war so gut gelaunt wie selten.

«Die Gage ist gut, Herzchen», sagt er zu Lila. «Ich werde dir Miete zahlen können! Und man weiß nie. Wenn ich in diesem Film Eindruck mache, bauen sie die Rolle vielleicht weiter aus.»

Sie sollte sich für ihn freuen. Doch während sie sich seine Umarmungen gefallen lässt und zu der jüngsten, nur um einen Hauch veränderten Darbietung lächelt, fragt sie sich, ob sie Gene jemals die Gefühle entgegenbringen wird, die man einem Vater entgegenbringen sollte. Sie kann Gene einfach nicht sehen, wie er ist, weil sie gleichzeitig die dunkle Version Genes sieht: die Lücke in der kleinen Trauergesellschaft um das Grab ihrer Mutter; den fehlenden väterlichen Arm um ihre Schulter, als sie ihn am meisten gebraucht hat.

Er ist mit Truant zu einem Nachmittagsspaziergang aufgebrochen, damit sie sich «auf ihre Arbeit konzentrieren» kann. Bill sagt ziemlich überrascht, das sei eine nette Geste, aber Lila kann nur denken, dass es typisch Gene ist: Er kann es nicht ertragen, wenn ihn auch nur eine einzige Person nicht mag, und wenn diese Person zufällig ein Hund ist, dann wird er sich auch diesen Hund mit seinem Charme unterwerfen.

Eleanor sagt, sie solle ihm eine Chance geben, dass er sich immerhin Mühe gebe und dass man nicht ewig an der Wut festhalten solle (anscheinend hat das in diesem Alter schlimme Folgen für die Nasolabialfalten), aber Lila ertappt sich immer noch dabei, ihn zu bekritteln – *Und wann ist das nächste Vorsprechen, Gene? Gibt's was Neues von dieser anderen Rolle, um die du dich beworben hast?* –, während ihr im Hinterkopf herumgeht, was sie in Wahrheit sagen will: *Wann ziehst du wieder aus?*

Sie steht an der Spüle und beobachtet, wie Gene die Rückkehr Jensens zur Arbeit ausnutzt, um ihm im Garten seinen Text vorzusprechen. Er trägt jetzt ein Tweedjackett von Bill (zumindest hat er vorher gefragt, ob er es ausleihen kann) und eine Krawatte, und Jensen steht vor ihm, die Hände auf einer Grabegabel ruhend, während Gene auf und ab geht und auf eine Art deklamiert, die geradezu staatsmännisch sein könnte, wenn er unter dem Jackett nicht nur eine verwaschene Stars-and-Stripes-Unterhose getragen hätte.

«*Aber, Mr. Arbuthnot, als Eigner einer Schifffahrtslinie ist einem lebenslange Absicherung garantiert ...*»

Jensen nickt ermutigend. Seine Geduld für diese alten Männer und ihre Marotten scheint grenzenlos zu sein. Allerdings muss er ja auch nicht mit ihnen zusammenwohnen.

Lila schaut wieder auf den Abwasch und dann zu ihrem Handy hinüber, um festzustellen, ob sie eine Nachricht verpasst hat. Gabriel hat kein weiteres Date vorgeschlagen. Auf Eleanors Frage, ob er sich gemeldet habe, hatte Lila einfach gesagt: «Oh ja, er hat eine SMS geschickt.» Und dann hatte sie ein geheimnisvolles Lächeln aufgesetzt, das auf einen Inhalt der SMS schließen ließ, der für Unbeteiligte nicht geeignet war. Eleanor war über die Sache mit dem Kuss auf die Handfläche ziemlich verdutzt gewesen, aber nachdem ihr Geschmack in sexuellen Dingen zurzeit eindeutig sehr unterschiedlich ist, wird sich Lila darüber nicht den Kopf zerbrechen.

Bill bereitet sich unterdessen auf sein Abendessen mit Penelope Stockbridge vor. Er hat seine Menüpläne drei Mal umgeworfen und sich schließlich auf Wolfsbarsch mit einem Fenchel-Limetten-Salat, gefolgt von einem Zitronenparfait als Nachtisch, festgelegt. Dies hat nicht weniger als drei

Fahrten in den Supermarkt erfordert, denn Bill, üblicherweise sehr gut organisiert, findet die Vorstellung einer Verabredung zum Abendessen offensichtlich so verwirrend, dass er grundlegende Zutaten vergessen, Bratpfannen nicht wiedergefunden und zwei Mal an seiner Auswahl der Gerichte gezweifelt hat.

«Kumpel, du könntest zwei Hamburger bestellen, wenn es nach ihr ginge. Sie will einfach ein großes Stück vom Bill-Pie, verstehst du?», sagt Gene abgeklärt, taucht seinen Zeigefinger in das Parfait und springt weg, als ihm Bill eins mit dem Geschirrtuch überzieht.

«Ich weiß nicht, ob es zu salopp ist, in der Küche zu essen. Ist das zu salopp? Zeigt das einen Mangel an Stil?»

«Servier es auf einem Tablett im Schlafzimmer», sagt Gene mit einem anzüglichen Zwinkern, und das ist der Moment, in dem Lila ihn bitten muss, einen Spaziergang mit Truant zu machen.

Er geht gerade hinaus – nachdem er zwei Mal daran erinnert wurde, eine Hose anzuziehen –, als Jensen an der Hintertür auftaucht. «Hey.»

«Hey!», sagt Lila. Sie trägt Gummihandschuhe voller Seifenschaum und muss den Arm heben, um sich das Haar aus dem Gesicht zu streichen.

«Ich wollte nur ... richtig Hallo sagen. Du bist nicht gerade sehr mitteilsam über SMS.»

Lila windet sich innerlich. Er hat in den zehn Tagen, die er bei seinen Eltern in Yorkshire war, zwei weitere Nachrichten geschickt, und sie war so mit ihren Gedanken an Gabriel beschäftigt gewesen, dass sie es versäumt hatte, auf die zweite zu antworten, und nach der dritten hatte sie nur mit einem munteren *Hoffe, du hast eine gute Zeit mit deiner Familie* reagiert.

«Ja», sagt sie verlegen. «Sorry. Ich bin nicht so die große SMS-Schreiberin.»

Das scheint ihm nichts auszumachen. Er steht auf der Schwelle der Gartentür, mit verdreckten Stiefeln, und sein braunes Haar steht auf einer Seite vom Kopf ab, wie bei einem Kleinkind, das gerade geweckt wurde. «Kein Problem. Ich habe mich nur gefragt, ob ... du vielleicht irgendwann noch mal ausgehen willst.»

Als sie mit der Antwort zögert, fügt er schnell hinzu: «Keine große Sache. Ich habe nur unser Gespräch sehr genossen. Wir könnten einfach wieder eine Cola light trinken gehen.»

«Klar», sagt sie eine Spur zu fröhlich. «Aber ... also ... diese Woche schaffe ich es nicht. Bin total im Stress mit der Arbeit. Und, du weißt ja, diese zwei ...»

Er mustert sie einen Moment lang, dann wendet er den Blick ab, schaut in den Garten.

«Bill ist wohl ziemlich aufgeregt wegen dieser Verabredung, was?»

«Das kann man wohl sagen.»

Eleanor würde ihr garantiert raten, mit beiden auszugehen, um sich alle Optionen offenzuhalten. Aber was Lila für Gabriel empfindet, ist so verzehrend, dass es sich falsch anfühlt, Jensen hinzuhalten.

«Und was machst du währenddessen? Wie ich höre, seid ihr alle aus dem Haus verbannt worden.»

«Oh, wir gehen einfach Pizza essen.» So wie er dasteht, fragt sie sich, ob er hofft, zum Mitkommen eingeladen zu werden. Darauf folgt ein kurzes, lastendes Schweigen. Schließlich senkt er den Blick. «Also. Ich mache besser weiter.» Er sieht auf, als wäre ihm gerade etwas eingefallen. «Hey – vergiss diesen Baum nicht. Ich meine, ich will dir keine Probleme aufhalsen, aber du musst da was unternehmen. Ich glaube, er hat in der Zeit, in der ich weg war, noch mehr Schlagseite bekommen.»

«Klar», sagt sie und wartet, dass er geht. Sie wünschte, die Situation wäre nicht so unbehaglich. Sie lächelt, und es fühlt sich schrecklich an. Es ist ganz und gar kein echtes Lächeln.

Eine weitere lang gezogene Pause, dann nickt er und geht zurück in den Garten.

Manchmal vermisst Lila ihre Mutter so sehr, dass sie das Gefühl hat, zu einem dieser Menschen werden zu können, die sich an ein Grab setzen, um mit den Toten zu sprechen. Wenn es draußen nicht so regnerisch wäre und wenn sie sich die Mühe machen würde, den ganzen Weg bis nach Golders Green zu fahren, wäre das heute ein Tag, an dem sie zwischen ausgeblichenen Plastikblumen und gravierten Marmorurnen sitzen und mit Francesca reden würde. Wie sage ich einem netten Mann, dass ich nicht an ihm interessiert bin, ohne ihn zu verletzen? Woher weiß ich, dass ein Mann, an dem ich interessiert bin, an mir interessiert ist? Wie soll ich nur mit all diesem *Mist* klarkommen, der ständig passiert? Francesca hatte einen stets so aufmerksam und direkt angeschaut, als würde sie eine Frage wirklich vollkommen ernst nehmen und dabei auch die Gefühle des Gegenübers berücksichtigen, selbst wenn es Gefühle waren, die man wahrscheinlich nicht haben sollte. Und ihre Antworten waren immer weise gewesen, voller Mitgefühl und nicht zu bestimmend. *Oh, Liebling, das ist wirklich nicht einfach. Ich weiß, dass du selbst eine Lösung finden kannst, aber wenn du einen Rat möchtest, würde ich vorschlagen ...* oder *Was sagt dir dein Bauchgefühl, Lila? Du bist so ein kluger Mensch. Ich glaube, du kennst die Antwort vermutlich schon.*

Lila hatte über alles mit ihr reden können. Sie hatte schon als Teenagerin eine Mutter gehabt, die nie urteilte, sondern mit ihr sprach wie mit einer Erwachsenen und die selbst mit den kleinsten Problemen umging, als wären sie von größter Bedeutung. Sie nahm Lila auf Autofahrten mit, sodass sie sich nicht direkt ansahen (sie erklärte ihr lange Zeit später, sie habe gelesen, dass man Teenagern nicht in die Augen sehen sollte, wenn man Probleme mit ihnen besprach – «Weißt du, wie bei Hunden»). Und während sie Gene nie vor Lila verurteilte, so war sie doch stets absolut ehrlich, was ihre Gefühle betraf, gestand Wut, Traurigkeit und Verlassenheitsgefühle auf eine Art ein, mit der sie den schwierigen Balanceakt meisterte, einerseits wahrhaftig zu bleiben und andererseits Lila vor Erwachsenenproblemen zu schützen, mit denen sie noch nicht umgehen konnte.

Als Lila fünfzehn oder sechzehn gewesen war, hatte es eine Phase gegeben, in der selbst Lilas Freundinnen Francesca um Rat fragten. Sie hatten bei Tee und selbst gebackenen Muffins mit ihr in der Küche gesessen, und Francesca hatte ihnen erklärt, was sie tun würde, und dass sie es allesamt wunderbar machten und alles gut ausgehen würde. Eine Zeit lang hatte es Lila leicht genervt, wie viel Zeit ihre Freundinnen mit ihrer Mutter verbringen wollten. Doch in den schwierigeren Jahren ihrer Ehe konnte sie mit Francesca über Dan sprechen, ohne befürchten zu müssen, dass sie – wie es andere Schwiegermütter taten – seine Schwächen aufaddieren und als Beweise für später abspeichern würden, wenn Lila ihm wieder wohlwollender gesonnen war. Francesca hatte ihre Antworten immer mit den Worten eingeleitet: *Du weißt, dass ich Dan über alles liebe, und das wird sich auch niemals ändern ...* Und danach hatte sie zurückhaltende Stellungnahmen abgegeben wie: *... aber in diesem Fall könnte* *es sein, dass er ein bisschen unvernünftig ist. Ich bin sicher, dass er das nicht absichtlich tut. Vielleicht könntest du ihn einmal fragen, wie er sich an deiner Stelle fühlen würde.* Wenn es der Anlass erforderte, konnte sie aber erfreulicherweise auch einmal sagen: *Also die können sich einfach verpissen.* Im Rückblick betrachtet, war Francesca ganz einfach menschlicher gewesen als jede andere Person, die Lila je kennengelernt hatte. Sie war nicht nur eine Verbündete, sondern jemand, dessen Rat stets so fest in dem wurzelte, was richtig oder angemessen war, dass Lila das Gefühl hatte, eine Hotline zur Vernunft zu haben. Bis diese Verbindung aufgrund des 38er-Busses und eines ungewöhnlich regnerischen Tages abbrach.

An manchen Tagen fühlt es sich unmöglich an, einfach unmöglich, dass Francesca nicht mehr da ist.

Aber nun hat Bill eine Verabredung mit jemand anderem, und Lila muss ihre Probleme selbst lösen. Sie zieht die Gummihandschuhe aus und geht nach oben, um sich fertig zu machen.


Es gibt Pizza, sagt Gene, und es gibt *Pizza*. Klar, sie ist gut, aber für *richtige* Pizza müssen die Mädchen zu Antonio Gatti in Downtown L.A. gehen. «Ich meine, der Typ entstammt einer ganzen Dynastie von Pizzabäckern aus Sizilien. Sein Vater hat Pizza gemacht, sein Großvater hat Pizza gemacht ... sie haben dort einen Haufen Schwarz-Weiß-Fotos von Männern aus der Familie an der Wand hängen. Die Einrichtung ist unscheinbar – man würde glatt an dem Laden vorbeilaufen. Er ist nicht schick. Aber er macht irgendwas mit dem Teig, damit er federleicht wird, versteht ihr, was ich meine? Und erst der Mozzarella ... eine Offenbarung ...»

Gene redet inzwischen seit beinahe zwanzig Minuten von der überlegenen Qualität amerikanischer Pizza, und Lila staunt darüber, wie geduldig die Mädchen sind. Beim Essen sind keine Handys oder andere elektronische Geräte erlaubt – eine Regel, die auch für Restaurants gilt –, aber jetzt hat er schon so lange geredet, dass sie kurz davor ist, ihnen ihr eigenes Telefon zu geben.

Gene faltet ein Stück Pizza und schiebt es sich in den Mund. «Ich muss aber sagen, dass ich diese scharfe Salami mit dem Chili mag. Das gibt dem Ganzen einen Kick, oder? Was hast du drauf, Violet?»

«Schinken», sagt Violet mit vollem Mund.

«Was für Schinken?»

«Schinken-Schinken.»

Celie macht kurzen Prozess mit einer vegetarischen Pizza, hält nur ab und zu inne, um sich das Haar hinter die Ohren zu streichen. Es tut gut, Celie mit Appetit essen zu sehen.

«Wie ist es heute gelaufen, Herzchen?», fragt Gene an Celie gewandt.

Celies Blick zuckt zu Lila und dann wieder zu Gene.

«Wie ist was heute gelaufen?», fragt Lila.

«Es ist gut gelaufen», sagt Celie und schneidet ein Stück Pizza ab.

«Also warst du mörderisch? Oder war es sogar ... *Vernichtung?*»

Celie erlaubt sich ein kleines Lächeln. «Vernichtung», sagt sie, und Gene explodiert förmlich.

«Ich wusste es! Ich wusste, dass du das kannst! Schlag ein!» Er schwingt seine Pranke über den Tisch, und zu Lilas Überraschung hebt Celie die Hand und klatscht Gene schallend ab. «Jetzt kann dich nichts mehr aufhalten, Süße. Du musst auf deinen alten Kumpel Gene hören. Ich hab alles hier drin.» Er tippt sich an die Schläfe, hinterlässt dabei einen Fleck Tomatensoße.

«Was konnte sie?» Lila kommt nicht mit. «Wartet mal, was ... was hast du vernichtet?»

Celie senkt den Blick auf ihren Teller. «Gar nichts», sagt sie unschuldsvoll.

Lila will protestieren, doch da klingelt ihr Telefon.

«Wieso darfst du dein Handy ...», fängt Violet an, aber Lila hebt die Hand, damit sie still ist.

«Anoushka?»

«Sitzt du?»

«Ja.»

«Hundertsiebzigtausend.»

Lila blinzelt, braucht einen Moment, um zu begreifen, was sie gerade gehört hat. «Ist das dein Ernst?»

«Aber hallo. Ich könnte sie wahrscheinlich noch auf hundertfünfundachtzig pushen, aber ...»

«Nein! Nein! Das ist fantastisch! Oh mein Gott, Anoushka ... das ist einfach toll!»

«Wir behalten die weltweiten Rechte, also sollten wir durch Übersetzungen noch mehr herausholen können. Sie haben mir eine sehr überzeugende Marketingstrategie geschickt, und sie sagen, das Buch wird nächstes Jahr einer ihrer Spitzentitel. Also, ich würde sagen, das sind gute Neuigkeiten, Liebes.»

Anschließend spricht Anoushka über die Einzelheiten des Vertrags, gibt eine Zusammenfassung der Verhandlungen und zu eventuellem weiterem «Spielraum», aber Lila hört kaum zu. Ihr wird beinahe schwach vor Erleichterung. Sie sagt «Ja», wenn es ihr passend erscheint, doch ihr Gehirn hat eine Art Schleudergang eingelegt. Ihre Geldprobleme sind gelöst. Sie kann ihr Haus behalten. Als sie das Telefonat schließlich beendet, sehen sie die anderen erwartungsvoll an. «Ich habe einen Vertrag für mein neues Buch bekommen.»

Sie strahlt. «Ich habe vier Kapitel geschrieben, die meine Agentin an einen Verlag geschickt hat, und von dort kam ein gutes Angebot.»

«Was sagt man dazu! Zwei tolle Nachrichten auf einmal!» Gene beugt sich zu ihr, um sie zu umarmen. Sie versteift sich, lässt es sich aber gefallen.

«Darauf sollten wir ein Glas Champagner trinken!»

«Wir haben keinen Champagner», sagt Lila, der bewusst ist, dass Gene schon zwei Bier intus hat.

«Ist es ein Roman?», fragt Violet, während sie die Ränder ihrer Pizza am Tellerrand aufreiht.

Lila nimmt ihr Besteck wieder in die Hand. «Äh, nein. Es ist ein Sachbuch.»

«Was bedeutet das?»

«Es geht mehr um ... Sachen aus dem wirklichen Leben.»

«Welche Sachen aus dem wirklichen Leben?», fragt Celie.

«Also ... es geht um ... also ...» Lila ist kurz verwirrt. Sie hat nicht erwartet, dass sich die Mädchen dafür interessieren. Von dem letzten Buch, das sie veröffentlicht hat, haben sie kaum etwas mitbekommen, zum Glück. «Es geht mehr oder weniger ... um das Leben in meinem Alter.»

«Und worum im Leben in deinem Alter?» Violet schiebt ihren Teller von sich weg.

«Einfach um ... also, darum, wie wir mit allen möglichen Sachen gleichzeitig umgehen müssen und versuchen, auf andere Art unser Glück zu finden als früher.»

«Geht es um uns?» Celies große, helle Augen schauen Lila unverwandt an.

«Nicht wirklich. Ich meine, ich nenne euch nicht beim Namen.»

«Und worüber schreibst du dann?», fragt Violet. «Du sagst doch immer, ich und Celie sind dein Leben.»

Lila scheint ein Stottern entwickelt zu haben. Sie trinkt einen Schluck Wasser. «Es ist ... es sind ... einfach Erwachsenenthemen. Einfach, weißt du, all die Dinge, mit denen ich ... jeden Tag zu tun habe.»

«Komme ich vor, Liebling?», fragt Gene fröhlich. Er kann sich buchstäblich nicht vorstellen, nicht im besten Licht in das Buch aufgenommen zu werden.

«Ähm ... kann sein. So weit bin ich noch nicht.»

«Du musst deutlich machen, was ich alles an Erfahrungen habe. Ich meine, wenn dieses Buch gut läuft, könnte es mir einige Türen öffnen. Du kannst auf meiner IMDB-Seite nachsehen, wenn du die Einzelheiten brauchst. Kannst du auf jeden Fall *Star Squadron Zero* erwähnen?»

«Und worüber hast du geschrieben?» Celie starrt sie immer noch an. «Du hast gesagt, du hast schon vier Kapitel geschrieben.»

«Sollen wir uns die Rechnung bringen lassen?» Lila wirft einen Blick auf ihre Uhr. «Bill und Penelope sind inzwischen bestimmt mit dem Hauptgang fertig.»

«Du hast gesagt, wir dürfen uns ein Eis bestellen.» Violet verschränkt die Arme.

«Süße, es ist erst halb neun. Gib dem Kerl eine Chance.» Gene legt ihr die Hand auf den Arm. «Du kennst Bill doch. Er hat bestimmt bis jetzt gebraucht, um ein bisschen in Stimmung zu kommen! Gönne ihm zumindest ein paar Gläser Wein mit ihr!»

Lila lächelt hilflos. «Was meint ihr, wie es läuft?», sagt sie mit aufgesetzter Fröhlichkeit, um das Thema zu wechseln. «Meint ihr, Penelope hat ein extravagantes Kleid angezogen?»

«Schmetterlingsschuhe!», kommt es begeistert von Violet. «Und einen Hut aus Zebrafell!»

Lila atmet erleichtert aus und winkt nach der Dessertkarte. Doch als sie den Blick wieder zum Tisch wendet, sieht sie, dass Celie sie noch immer mustert.

Sie schlendern gemächlich nach Hause, Gene hält sich etwas abseits, um eine Zigarette zu rauchen. Normalerweise würde es Lila nerven, dass sich die Mädchen hinter ihr heftig über etwas zanken, aber an diesem Abend registriert sie die bissigen Bemerkungen und gemurmelten Beleidigungen nur mit halbem Ohr. Sie hat die Möglichkeit nie in Betracht gezogen, dass Celie am Inhalt des Buches interessiert sein könnte. Was würde passieren, wenn Celie es las?

Sie versucht, sich vorzustellen, wie ihre Mutter mit dieser Situation umgegangen wäre. Francesca hatte skandinavische Nonchalance besessen, wenn es um Sex und Nacktheit ging. Sie war mit nichts am Körper im Haus herumgelaufen, während sie überlegte, was sie anziehen sollte, und weil sie das seit Lilas Kindertagen so gemacht hatte, hatte sich Lila nichts dabei gedacht. Als Lila sich in ihrer Teenagerzeit einmal über den Lärm beschwert hatte, der aus dem Schlafzimmer ihrer Mutter gedrungen war, hatte Francesca sie verwirrt angesehen. «Aber Liebling! Sex ist etwas Schönes! Man kann sich doch keine Hemmungen auferlegen, nur weil einen vielleicht jemand hört. Abgesehen davon sind es nur Glücksgeräusche.»

Lila ist nicht davon überzeugt, dass Celie besonders glücklich wäre, wenn sie etwas über Lilas Glücksgeräusche lesen würde. Zum einen war Lila nie ein Mensch gewesen, der ständig nackt im Haus herumläuft. Es war in Ordnung, als Celie klein gewesen war (obwohl sie gut darauf hätte verzichten können, dass ihr Celie als Kleinkind erklärt hatte, sie habe einen «lustigen Hängebauch»), doch Dan hatte sich mit beiläufiger Nacktheit nie besonders wohlgefühlt, und mit der Zeit hatte Lila dieses vage Unbehagen selbst übernommen. Sie standen auf, duschten, und unten im Haus waren sie immer angezogen. Sie hatten nur Sex, wenn sie genau wussten, dass beide Mädchen fest schliefen, und sie sahen vorher häufig zwei Mal nach ihnen, um wirklich sicher zu sein. Ist es da wahrscheinlich, dass Celie Sexualität so entspannt sieht wie Francesca und ungezwungen mit der Vorstellung umgeht, dass ihre Mutter ein Liebesleben hat? Oder wird sie schockiert sein?

Als sie auf die Haustür zugehen, wird sie von Penelopes perlendem Lachen aus ihren Gedanken gerissen. Der Klang von Jazzmusik dringt zu ihnen. Lila schaut auf ihre Uhr. Zwanzig vor zehn. Gene murmelt *Guter Junge*, grinst sie an, und dann gehen sie hinein.

Bill und Penelope haben die Köpfe über einem alten Fotoalbum zusammengesteckt. Das Licht ist gedämpft, und zwei Kerzen auf dem Tisch verbreiten mildes Licht. Die schmutzigen Teller stapeln sich, ungewöhnlich für Bill, neben der Spüle. In der Luft hängen die Gerüche von gutem Essen und Wein. Penelope sieht abrupt auf, als Lila in die Küche kommt, so als wäre sie vollkommen in eine andere Welt versunken gewesen.

Sie wirft einen Blick auf ihre schmale Armbanduhr, dann schaut sie wieder zu Lila, während sich an ihrem Hals rötliche Flecken bilden. Sie trägt ein dunkelrotes Seidenkleid im Stil der Vierzigerjahre, und ein Zierkamm, der nach Elfenbein aussieht, hält ihr dunkelbraunes Haar in einer kunstvoll verschlungenen Frisur fest.

«Hi», sagt Lila.

Penelope wird sofort verlegen. «Oh, ist es schon so spät? Meine Güte. Das habe ich gar nicht mitbekommen.»

Genes Stimme dröhnt aus dem Flur. «Hallo, Leute, beendet die Party nicht meinetwegen! Ich gehe sowieso zum Rauchen in den Garten.»

Lila stellt ihre Handtasche ab und widmet Penelope ein hoffentlich beruhigend wirkendes Lächeln. «Ich bringe die Mädchen ins Bett. Bitte bleiben Sie sitzen.»

«Ich muss nicht ins Bett gebracht werden», sagt Celie. «Ich bin sechzehn.»

«Doch, das musst du», sagt Violet mit einem Blick auf Penelope. «Oder du spielst den Anstandswauwau.» Sie spricht das Wort *Anstandswauwau* mit genießerischer Anzüglichkeit aus.

Penelope errötet. «Oh, ich möchte wirklich nicht zu lange bleiben ...» Unsicher schaut sie zu Bill hinüber.

«Wir haben uns gerade Bilder aus meiner Militärzeit angesehen», sagt Bill. Er klingt fröhlich, wirkt aufgeschlossen und entspannt, ein wenig so, wie er früher gewesen war.

Lila spürt einen seltsamen Schmerz, weiß nicht recht, ob sie dieses flüchtige Gefühl überkommt, weil es ihre Mutter hätte sein sollen, die dort am Tisch sitzt, oder weil sie selbst, Lila, keine Abende wie diesen hat, an denen sie sich in der Bewunderung von jemandem sonnen kann, der nichts anderes will, als mit ihr zusammen zu sein.

«Bill hat in seiner Uniform schrecklich gut ausgesehen, oder? Und das tut er immer noch», fügt Penelope hinzu und errötet erneut.

Truant, erbost darüber, dass er zu Hause bleiben musste, ist auf Lila zugesprungen und läuft ihr nun mit leicht manischem Blick und heraushängender Zunge zwischen den Beinen herum, sodass sie sich an der Arbeitsfläche festhalten muss, damit er sie nicht umstößt. Dabei wirft sie einen Lieferkarton um, der zusammen mit einem Kochbuch auf den Boden fällt. Der Lärm und das plötzliche Chaos in der Küche scheinen Penelope zu verunsichern. Oder vielleicht ist es auch nur die veränderte Stimmung, die das traute Beisammensein zerstört hat. Sie steht auf und streicht sich den Rock glatt.

«Ich sollte mich verabschieden. Es ist spät, und ihr habt alle noch zu tun.»

«Oh wirklich. Du musst nicht ...», fängt Bill an, doch sie greift schon nach ihrem Mantel, hält ihn mit ihren schmalen Fingern vor sich.

«Dann lass mich dich nach Hause begleiten.»

«Ach wo! Das ist doch nur vier Türen weiter.»

«Ich bestehe aber darauf», beharrt Bill und hilft ihr in den Mantel.

Penelope strahlt. Sie lächelt in die Runde. «Es war reizend. Bill, das Essen war köstlich. Du bist ein brillanter Koch. Vielen Dank. Ich hatte wirklich einen wunderschönen Abend.»

«Das beruht ganz auf Gegenseitigkeit», sagt Bill. «Du bist eine großartige Gesellschaft.» Und mit einem letzten Ausbruch atemloser Dankeschöns von Penelope gehen sie zur Tür.

«Werden sie knutschen?», fragt Violet fasziniert, als die Tür hinter ihnen zufällt.

«Oh Gott», sagt Celie. «Würg.» Sie stapft die Treppe hinauf in ihr Zimmer, eindeutig völlig erschöpft nach so viel zusätzlicher Familienzeit.

«Hat Bill ein künstliches Gebiss? Muss er es vorher rausnehmen?» Violet drückt sich die Nase am Fenster platt. «Stecken sie sich gegenseitig die Zunge in den Mund?»

«Nein, Bill hat kein Gebiss, und ich habe keine Ahnung, wie oder ob er Penelope überhaupt küssen wird. Das ist ihre Privatangelegenheit.» Lila zieht Violet vom Fenster weg und schiebt sie in den Flur. «Und jetzt nach oben und Zähne putzen. Und erzähl Bill nicht, dass du zwei Gläser Cola getrunken hast. Das würde er mir nie verzeihen.»

Gene kommt aus dem Garten zurück, und zwei Minuten später ist auch Bill wieder da. Truant ist Gene auf den Fersen und sieht ihn erwartungsvoll an. Lila hat den Verdacht, dass Gene ihn wieder mit Käsechips gefüttert hat.

«Kumpel! Was machst du denn hier?»

Bill schließt die Haustür. «Was meinst du damit, was ich hier mache?»

«Du hast gesagt, du bringst sie nach Hause!»

«Und genau das habe ich gerade getan.»

Gene hebt entsetzt die Hände. «Nein, nein, nein, nein. Man bringt eine Lady nicht zu ihrer Haustür und geht dann wieder. Das ist doch der beste Teil des Abends! Das ist der Teil, auf den sie gewartet hat! Was hast du bloß gemacht!»

Bill wirkt ein bisschen aus der Fassung gebracht. Er wirft einen Blick zu Lila hinüber und schaut dann wieder Gene an. «Ich ... ich habe sie bis zu ihrer Tür begleitet, ihr gesagt, dass ich den Abend sehr schön fand, und dann habe ich mich noch vergewissert, dass sie gut ins Haus kommt.»

Gene schlägt sich an die Stirn. «Bill! Geh zu ihr zurück! Wenn du Glück hast, hat sie sich noch nicht mal hingesetzt.»

«Denkst du wirklich, dass ich sie enttäuscht habe?» Bill steht da wie ein begossener Pudel. «Ich meine, ich wollte nicht einfach irgendetwas voraussetzen ...»

«Bill – diese Lady mag dich. Sie mag dich wirklich. Sie hat dir einhundertneunundsechzig Thunfisch-Nudelaufläufe gebracht. Sie trägt kleine Glitzerspangen im Haar und hofft, dass du es bemerkst. Sie hört dir jeden verdammten Tag zu, wie du dasselbe verdammte Stück spielst. Geh zurück, klopf an die Tür, sag ihr, dass du was vergessen hast, nimm sie in die Arme und küsse sie mal so richtig. Los. Enttäusch uns nicht.»

«Meinst du wirklich ...»

«Hör auf zu reden, Mann! Geh und nimm sie dir!»

Bill wirkt kurz unsicher, aber Gene steuert ihn schon zur Tür und öffnet sie.

«Und komm frühestens in zwanzig Minuten zurück!», ruft er und schiebt ihn raus.

Mit einem leicht beklommenen Blick verschwindet Bill außer Sichtweite.

«Und was ist, wenn sie nicht geküsst werden will?», fragt Lila, als Gene die Tür wieder schließt.

Er grinst sie so breit an, dass seine unnatürlich weißen Zähne aufschimmern. «Lila. Ich bin vielleicht in vielem ein Versager, aber was Frauen angeht, bin ich Experte. Du wirst sehen, in zwanzig Minuten spaziert der alte Bill wieder hier herein, wirkt vielleicht ein bisschen benommen und fünf Zentimeter größer und wahnsinnig selbstzufrieden. Ich könnte den Küchenwecker danach stellen.»

Ärgerlicherweise stellt sich heraus, dass er absolut recht hat.

## DREIUNDZWANZIGSTES KAPITEL

Dan ruft an, als sie mit Kapitel fünf zu drei Vierteln fertig ist. Das Schreiben fällt ihr bemerkenswert leicht, seit sie den Vertrag hat. Sie ist wieder auf ihrer «Heilungsreise», wie es auf Instagram genannt wird. Sie hat im Internet nach den Erfahrungen anderer frisch geschiedener Frauen gesucht, um sich Anregungen zu holen, und ihr Schreibvokabular ist nun voll mit Wörtern wie «Grenzen», «Warnsignale» und «emotionale Selbstwahrnehmung». Mit etwas Glück hat sie ein weiteres erotisches Abenteuer, über das sie schreiben kann, bevor sie mit diesem mehr gefühlsbetonten Kapitel fertig ist. Beziehungsweise sie wird, wie es die Instagrammerinnen ausdrücken, ihre Weiblichkeit voll ausleben und selbstbestimmt mit ihrer Sexualität umgehen.

Gabriel hat wieder Nachrichten geschrieben, meistens abends. Sein Ton ist warmherzig, schmeichelnd, allerdings ein bisschen vage, wenn es um eine mögliche Verabredung geht, aber im Moment gibt sie sich damit zufrieden, wenn er einfach auf ihrem Handy auftaucht. Er hat angefangen, sie «Bella» zu nennen, als wäre das ein Spitzname. Beim ersten Mal hat sie Fragezeichen zurückgeschickt, weil sie überlegt hat, ob er eigentlich jemand anderem hatte schreiben wollen. Er hatte in seinen Zwanzigern in Italien gelebt. War klar. «Hi Bella.» «Gute Nacht, Bellissima.» Sie ertappt sich dabei, verstohlen in den Spiegel zu schauen, fragt sich, was er in ihr sieht.

Dans Begrüßungen dagegen klingen immer, als würde er den Abstand zwischen ihnen betonen. «Lila.»

«Ich bin mitten im Schreiben», sagt sie kühl und kramt die Recherchen heraus, die sie zum Thema Grenzen setzen gemacht hat. «Mir wäre es lieber, wenn wir später telefonieren könnten.»

«Es dauert keine Minute. Ich wollte fragen, ob wir die Wochenenden tauschen können. Meine Eltern würden sehr gern die Kids sehen, aber an meinem Wochenende schaffen sie es nicht. Also kann ich sie diese Woche nehmen?»

«Warum können sie denn nicht an deinem Wochenende? Sie haben doch bestimmt genug Vorlaufzeit gehabt.» Ihr gemeinsamer Kalender ist ein Dauerproblem, ein geteiltes digitales Dokument, bei dem Lila jedes Mal ganz kribbelig wird, wenn sie es anschauen muss.

Im Hintergrund ist Geraschel zu hören. Dans Stimme klingt abgelenkt, als würde er sich mit fünfzehn Dingen gleichzeitig beschäftigen, und sie ist das unwichtigste. Das ist eine Sache an ihm, die sie während ihrer Ehe immer geärgert hat – seine ewige Unfähigkeit, ihr jemals das Gefühl zu geben, im Mittelpunkt seiner Aufmerksamkeit zu stehen. «Dad hat irgendeine Golfsache, und Mum will zum Friseur.»

«Du willst also, dass ich meine sämtlichen Pläne ändere, weil deine Mum vielleicht oder vielleicht auch nicht zum Friseur geht.» Lila hat eigentlich nichts vor, aber darum geht es nicht.

«Marja kann auch nur an diesem Wochenende. Am Wochenende darauf hat Hugo irgendeinen Ausflug mit ihrem Ex vor. Er kommt dafür aus Holland her.»

«Ach so. Es geht also eigentlich um Marja. Ich verstehe.» Dan fährt mit der ganzen Familie zu seinen Eltern. Eine allerliebste Patchwork-Reise. Wie unheimlich kuschelig. Lila spürt, wie ihre ruhige Entschlossenheit zu schwinden beginnt.

«Es geht nicht nur um Marja, Lils.»

«Nenn mich nicht Lils.»

«Warum denn nicht? Warum bist du bloß so?»

«Weil Lils eine Vertrautheit unterstellt, die wir nicht mehr haben.»

Er seufzt erneut. Er hat eine Art, mit ihr umzugehen, als wäre er ständig am Rand der Verzweiflung, weil er es mit einer schwachsinnigen Irren zu tun hat. «Okay, Lila. Kann ich bitte dieses Wochenende die Kinder nehmen? Dann kannst du sie das darauffolgende Wochenende und das danach haben.»

Sie überlegt einen Moment, wie hilfsbereit sie sein soll. «Meinetwegen. Aber du musst noch Celie fragen. Sie hat derzeit ihre eigenen Pläne.»

«Sie kann doch alles, was sie unternehmen will, auch von meinem Haus aus machen, oder?»

«Ich sage ja nicht, dass sie das nicht kann. Ich sage nur, es wäre vielleicht klug, sie zu fragen. Sie ist praktisch erwachsen.»

«Okay. Ich frage sie.» Darauf folgt eine kurze Pause, und Lila will sich schon verabschieden.

«Oh, ich habe auch überlegt, ob ich diese Woche mal vorbeikommen kann, um ein paar von den Babysachen aus der Garage zu holen.»

«Wie bitte?»

«Das alte Kinderbettchen und die Babyschale fürs Auto. Ich glaube, in den Kartons sind auch noch andere Sachen. Die brauche ich bald.»

Lila ist fassungslos über diese selbstverständliche Anspruchshaltung.

«Aber ... die Sachen gehören dir nicht.»

«Sie gehören mir genauso wie dir.»

«Dan – das waren unsere Familiensachen. Sie haben unseren Kindern gehört. Du kannst nicht einfach herkommen und sie für deine neue Familie mitnehmen. Das ist einfach ... das ist einfach ... nein.»

«Lila, du machst dich lächerlich. Wozu brauchst du die Sachen?»

Sie öffnet den Mund, um etwas zu sagen, aber die Grausamkeit, die in seiner Bemerkung mitschwingt, hat ihr die Sprache verschlagen. «Nein», sagt sie schließlich, «du kannst sie nicht haben.»

«Lila, das ist doch Quatsch. Ich werde in ein paar Monaten Vater. Ich habe kein Geld. Du wirst diese Sachen nie mehr benutzen. Oder falls doch», sagt er in übertrieben geduldigem Ton, «dann vermutlich frühestens in einem Jahr. Und deshalb würde ich gern vorbeikommen und *unsere* Babysachen abholen.»

«Sie sind nicht mehr da», sagt sie schnell.

«Was?»

«Ich habe sie weggetan. Beim Ausmisten.»

«Das glaube ich dir nicht.»

«Mir egal.»

«Lila, du bist irrational und egoistisch. Das sind nicht deine Sachen, über die du einfach verfügen kannst.»

«Wir hatten eine Abmachung, Dan. Als du gegangen bist, hast du alles, was du wolltest, mitgenommen. Du hast wörtlich zu mir gesagt, dass du alles mitnimmst, was du brauchst, also hast du mir praktisch erklärt, dass wir bei dieser Gleichung der unerwünschte Teil sind. Du kannst nicht einfach vorbeikommen, wenn es dir einfällt, und dich bedienen.»

«Ich bediene mich nicht. Ich bitte um die Babyschale

und das Bett, die ich mitbezahlt habe – und die du nicht brauchst –, um für mein Kind zu sorgen.»

Lilas Kiefer hat sich verkrampft. «Tut mir leid», sagt sie, «ich habe die Sachen schon vor Ewigkeiten zum Recyclinghof gebracht.»

Darauf folgt ein langes, angespanntes Schweigen. Ein Schweigen, das ihr sagt, dass er weiß, dass sie lügt, und dass sie weiß, dass er es weiß.

Schließlich sagt Dan: «Du bist unmöglich, verdammt.» Und bricht das Gespräch ab.

Lila lädt gerade den Babysitz und das Kinderbett in den Mercedes, als Jensen ankommt. Sie hat die Garage durchstöbert, in der immer noch Kartons aus der Zeit ihres Einzugs mit Dan aufgestapelt sind – an den Inhalt der meisten kann sie sich inzwischen nicht einmal mehr erinnern –, und zieht nun den letzten Karton nach vorn. Er ist mit großem Plastik-Babyspielzeug vollgestopft, und als sie ihn auf den Rücksitz stellt, sieht sie Jensen am Tor stehen. Sie hatte das Verdeck des Cabrios herunterlassen müssen, damit alles ins Auto passt, und nun ragen der Plastikspielbogen mit den daran herabbaumelnden Enten, eine riesige Gummigiraffe und die Gitterseiten des Kinderbetts empor wie bei einer Art Clownsgefährt.

«Machst du eine Entrümpelungsaktion?», fragt er.

«So was in der Art.»

Er schaut zu, wie sie eine alte Babybadewanne auf die anderen Sachen legt. «Ich habe einen schlechten Moment erwischt. Ich komme ein anderes Mal wieder.»

«Nein, nein, schon gut. Was gibt's?» Ihr ist bewusst, dass sie schlechte Laune ausstrahlt. Dans Anruf hat ihr die Stimmung vermiest. Es geht ihr auf die Nerven, dass sie schon so lange getrennt sind und er immer noch Tränen und ohnmächtigen Zorn bei ihr auslösen kann. Aber er wird ihre kostbaren Babysachen nicht für sein neues Kind bekommen. Bei der Vorstellung, dass Marja ihre Babyschale auf den Spielplatz trägt – die Babyschale, die für ihr drittes Kind vorgesehen war –, könnte sie in die Luft gehen.

«Bist du sicher, dass alles okay ist?»

Sie atmet langsam aus und klopft sich den Staub von der Jeans. «Mir geht es gut. Sorry.»

«Ich wollte nur Bill eine Rechnung bringen.»

«Was für eine Rechnung?»

«Die fällige Teilzahlung für die Gartenarbeiten.»

Sie runzelt die Stirn. «Die hat Bill bezahlt?»

Jensen scheint sich kurz unbehaglich zu fühlen, so als hätte er gerade versehentlich etwas verraten.

«Also ... ja.»

«Nein», sagt sie. «Ich bezahle das. Das ist mein Haus.»

«Aber er ...»

«Gib mir einfach die Rechnung.»

Zögernd reicht er sie ihr. Lila faltet das Blatt auseinander, wirft einen Blick darauf und zuckt reflexartig zusammen, bevor ihr wieder einfällt, dass es in Ordnung ist. In ein paar Wochen bekommt sie ihre erste Honorarzahlung für das Buch. «Ich kümmere mich darum, wenn ich das hier erledigt habe.» Sie setzt ein Lächeln auf, das ganz und gar kein Lächeln ist.

Er hat die Hände tief in die Hosentaschen gesteckt. Er wirkt bekümmert, was ihr ein schlechtes Gewissen macht, aber sie muss jetzt unbedingt zum Recyclinghof. Sie befürchtet nämlich ein bisschen, dass Dan genau in diesem Moment zu ihr fährt, überzeugt davon, dass sie gelogen hat, und sie will das Garagentor aufreißen und zeigen können, dass sie nicht «verdammt unmöglich» ist, weil die Sachen tatsächlich weg sind. *Hier, nimm das, Dan!*

Sie stehen einen Moment unbeholfen da, dann tritt Jensen einen Schritt zurück und hebt die Hand. Lila sieht seinen Pick-up auf der anderen Straßenseite und spürt ein leichtes Erröten bei dem Gedanken daran, wie sie nachts zusammen in diesem Wagen gesessen haben.

«Das war alles. Ich schätze ... wir sehen uns am Montag.» Jensen winkt ihr knapp zu und geht zu seinem Auto.

Lila sieht ihm beim Einsteigen zu, vergewissert sich, dass sie ihren Geldbeutel und ihr Handy bei sich hat, und dreht den Zündschlüssel um.

Ein Klicken. Nichts weiter.

Sie rüttelt am Schaltknüppel, um sicher zu sein, dass der Leerlauf eingelegt ist, löst die Lenkradverriegelung und versucht es noch einmal. Der Motor weigert sich anzuspringen. «Verdammt.»

Sie versucht, sich zu erinnern, wann sie das letzte Mal mit dem Mercedes gefahren ist, ob sie das Licht nicht ausgeschaltet oder die Batterie strapaziert hat. Sie ist eindeutig leer. Sie macht noch einen Versuch, obwohl sie schon vorher weiß, dass nichts passieren wird. Dann schlägt sie mit der Faust aufs Lenkrad und lässt langsam den Kopf darauf sinken. Warum zum Teufel hat sie einen dämlichen unzuverlässigen Oldtimer gekauft statt einen vernünftigen modernen Flitzer, den sie für ein Zehntel des Preises bekommen hätte? Sie hatte die Stimme ihrer Mutter im Ohr gehabt, als sie den Mercedes gesehen hatte. *Lila! Liebling! Du solltest tun, was dich glücklich macht! Benutze im Alltag immer deine schönsten, liebsten Dinge!*

«Batterie platt?»

Sie weiß nicht genau, wie lange sie schon mit geschlossenen Augen dasitzt, doch als sie die Augen öffnet, steht Jensen in der Einfahrt.

Sie nickt, ist merkwürdig verlegen. Er muss die ganze Sache mitbekommen haben.

«Soll ich mein Starterkabel von zu Hause holen? Ich könnte dir Starthilfe geben.»

Sie kalkuliert im Kopf, wie lange Dan brauchen würde, und schneidet eine Grimasse. «Ich glaube, dafür habe ich keine Zeit.» Sie seufzt. «Jensen, kann ich dich um einen Gefallen bitten?»

Er wartet ab.

«Könntest du mich zum Recyclinghof fahren?»

«Hab ich dich irgendwie beleidigt?»

Sie laden auf dem Recyclinghof den Pick-up aus, nachdem sie endlich an der Spitze der langen Schlange schlecht gelaunter Autofahrer sind, die ihre Wagen mit Zeug vom Dachboden und Gartenabfällen vollgeladen haben, und laufen eilig zwischen KUNSTSTOFFE und VERBUNDSTOFFE hin und her. Der Inhalt der Kartons, die sie mitgenommen hat, scheint zu allen möglichen unterschiedlichen Kategorien zu gehören, und Lila nimmt die Ungeduld der Fahrer hinter sich wahr, während sie in den Kartons herumkramt und herauszufinden versucht, was wohin gehört.

«Wie bitte?» Sie schleudert die riesige Gummigiraffe in den Restmüll-Container, und kurz ist ihr unbehaglich zumute, als das fröhliche, unschuldige Gesicht verschwindet. «Sorry», murmelt sie.

«Ich dachte, wir hätten uns gut verstanden. Wir hatten ein paar nette Gespräche. Aber seit ich zurück bin, habe ich das Gefühl, dass du mir … aus dem Weg gehst.» Jensen hält kurz inne, während er die Einzelteile des Kinderbetts von der

Ladefläche des Pick-ups holt. «Wirfst du das wirklich weg? Sollen wir das nicht bei ZU VERSCHENKEN abstellen? Vielleicht kann es noch jemand brauchen.»

«Oh. Könnte sein.»

Schweigend trägt er die Teile des Kinderbetts zu der anderen Abteilung, dann kommt er zurück. «Ich meine, ich habe nicht erwartet, dass wir sofort in einer Beziehung sind, nach dem, was ... passiert ist, aber es wäre schön, wenn wir wenigstens ... Freunde wären?»

«Natürlich sind wir Freunde.»

Sein Gesichtsausdruck ist so aufrichtig und seine Verletztheit so spürbar, dass ihr die Luft wegbleibt. Sie steht da, die Babyschale in der Hand. Sie fühlt sich so merkwürdig vertraut an, bringt ihr tausend kleine Ausflüge in Erinnerung, bei denen ihr von dem Gewicht ihres zusammengerollten, schlafenden Babys der Arm geschmerzt hat. «Es tut mir leid», sagt sie. «Du bist ... der Abend war wirklich großartig. Und ich bin dir nicht mit Absicht ausgewichen. Es ist nur alles ... ein bisschen kompliziert geworden, und ich kann einfach nicht ... ich kann nicht ...»

Jensen unterbricht sie, deutet auf die Babyschale. «Das sollten wir auf jeden Fall bei ZU VERSCHENKEN abstellen.»

Sie verzieht das Gesicht. «Die ist total versifft. Ich kann mir nicht vorstellen, dass irgendwer sein Baby da reinlegen will.» Auf der Polsterung und dem blauen Kunststoffgurt sind überall Essensflecken. Zumindest hofft sie, dass es Essensflecken sind.

«Den Bezug kann man doch bestimmt waschen, oder?» Er will ihr die Schale gerade abnehmen, als ein Mann mit einer Warnweste zu ihnen kommt. «Wir nehmen keine Babyschalen», sagt er. «Sie könnten schon einen Verkehrsunfall hinter sich haben.»

«Das ist bei der hier nicht der Fall», sagt Lila.

«Das sagen Sie.» Der Mann tippt sich an die Nase und geht weiter. Lila starrt ihm einen Moment nach, dann wirft sie den Babysitz seufzend in den Restmüll-Container. Sie spürt beinahe körperlich, wie genervt die Fahrer hinter ihr sind.

«Hey.» Jensen hebt die Hand. «Es ist okay. Ich hatte null Erwartungen. Ich weiß, dass du gerade mit vielem klarkommen musst. Ich wollte einfach ... ich schätze, ich wollte nur sicher sein, dass zwischen uns alles in Ordnung ist.»

«Ist es.» Sie schleudert mit lautem Geklapper eine Box mit kaputtem Spielzeug in den Container und weiß nicht, was ihr gerade die größeren Schuldgefühle macht.

Zwanzig Minuten später halten sie vor ihrem Haus. «Dann ist mit uns also alles okay?», fragt Jensen noch einmal. «Ich meine, also ... ich sage es dir jetzt einfach: Als du nicht auf meine Nachrichten geantwortet hast, habe ich mir ein bisschen Sorgen gemacht, weil ich dachte, ich wäre an diesem Abend zu weit gegangen. Ehrlich gesagt ... habe ich mir sogar ernsthaft Sorgen gemacht.»

Sie schüttelt entschieden den Kopf. «Du bist absolut nicht zu weit gegangen. Das kannst du mir wirklich glauben. Weißt du nicht mehr, dass ich sogar eine Sprachaufnahme mit dem Handy gemacht habe, um dich von jeglicher Verantwortung freizusprechen?»

«Da warst du aber betrunken.»

«Ich war ziemlich betrunken. Aber nicht stockbesoffen-unfähig-Nein-zu-sagen-betrunken.»

Er neigt den Kopf von einer Seite zur anderen, als würde er ihre Worte abwägen. «Bist du absolut sicher? Ich meine, fühlst du dich nicht komisch deswegen?»

Da kann sie ihn auf einmal anlächeln. Sie möchte nicht, dass er sich beklommen fühlt.

«Jensen. Es ist wirklich okay. Ich fühle mich kein bisschen komisch. Ich habe einfach ... ich habe einfach gerade viel um die Ohren. Und wir hatten uns ja irgendwie darauf geeinigt, dass das keine besondere Sache war.»

Die Überraschung, die kurz in seinem Gesicht aufblitzt, bringt sie zu der Überlegung, ob er das anders sieht.

«Richtig», sagt er, und es klingt, als würde er sich zusammennehmen. «Nein. Klar.»

Sie sitzen einen Augenblick schweigend da. Dann dreht sie sich zur Tür um.

«Ich meine, falls du mehr von keiner besonderen Sache willst, lasse ich mir das gern ernsthaft durch den Kopf gehen», sagt er.

«Das werde ich im Hinterkopf behalten.»

«Also, ich kann nicht garantieren, dass ich sofort darüber nachdenken würde. Ich bin ein sehr beschäftigter Mann. Aber ich würde es auf jeden Fall auf meine sehr lange Liste mit Dingen setzen, die ich überdenken muss. Möglicherweise sogar weiter oben als erst unten im letzten Drittel.»

«Danke», sagt sie. «Ich fühle mich außerordentlich geschmeichelt.»

Und dann, einfach so, ist zwischen ihnen alles wieder in Ordnung. Sie bedankt sich noch einmal für seine Hilfe, dann steigt sie aus.

«Ich lade deine Batterie auf, wenn ich am Montag komme», ruft er ihr nach. Und dann fährt er weg.

Hey Bella. Ich hoffe, dein Tag läuft gut x

Ganz okay, danke! Das übliche Chaos. Wie geht es dir? X

Geht so. Lennie hat diese Woche ein bisschen zu kämpfen. Ihre Mum fehlt ihr, und sie kann sich den Text für die Schulaufführung nicht merken, also muss ich abends mit ihr üben. Aber im Großen und Ganzen geht's uns gut x

Freut mich zu hören.
Hast du Lust, wieder mal was trinken zu gehen? X

Unbedingt, Bellissima. Habe dich an der Schule vermisst. X

Sie weiß nicht recht, ob Gabriel Mallory ein Chaot ist oder unentschieden oder ob ihn einfach noch die Trauer um seine Frau lähmt. Er ist charmant und aufmerksam, aber frustrierend schwer auf klare Verabredungen festzunageln. Als sie sich schließlich auf ein Date geeinigt hatten, sagte er es im letzten Moment wegen eines Meetings ab. Andererseits ruft er sie beinahe jeden zweiten Abend an, und sie unterhalten sich in der Regel eine wunderbare halbe Stunde lang, oder bis Lennie von oben nach ihm ruft und er Schluss machen muss. Die Gespräche sind schön; er erzählt von seiner Arbeit, seinen schwierigen Kunden, davon, was er im Fernsehen sieht, und manchmal auch davon, wie es ihm geht. Er ist immer darauf bedacht, auch danach zu fragen, wie es ihr geht und was in ihrer Welt geschieht. Er hat einen trockenen Humor, sein Ton ist leise und vertraulich, und er sagt, dass ihn niemand so viel zum Lachen bringt wie sie. Er ist das absolute Gegenteil von Dan. Wenn er mit ihr spricht, gibt er ihr das Gefühl, dass sie der wichtigste Mensch auf der Welt ist. Sie vertraut sich ihm an, wenn sie traurig ist, wenn sie die Mädchen enttäuschen, wenn sie sich über ihren Ex-Mann aufregt, und er findet immer die richtigen Worte, damit sie sich besser fühlt (normalerweise so etwas wie, dass Dan ein

Idiot ist, dass er bereuen wird, was er getan hat, dass sie ohne ihn besser dran ist, dass sie es wirklich toll macht). Nach diesen Telefonaten strahlt sie, und ihre Ohren klingeln von seinen Komplimenten.

Manchmal denkt sie an seine verstorbene Frau und daran, wie schrecklich es sein muss, den Partner zu verlieren. Nach einer so schmerzhaften Erfahrung stürzte man sich nicht gleich in die nächste Beziehung, oder? Man wäre vorsichtig, ein wenig auf der Hut. Lila versucht, sich dieser Gemütsverfassung anzupassen, drängt nicht auf klare Verhältnisse. Es kommt, wie es kommt, sagt sie sich. Und versucht, nicht neunundzwanzigmal pro Stunde auf ihr Handy zu schauen.

In der Woche zuvor hatte er sie einmal nachmittags total nervös angerufen und gesagt, seine Mutter sitze am anderen Ende von London fest, sein Kindermädchen könne Lennie auch nicht abholen, und ob sie ihm helfen könnte. Sie hatte Lennie mit heimlicher Genugtuung abgeholt, beobachtet, wie die Schulmütter mit betonten Blicken sowohl das zusätzliche Kind in ihrer Obhut registrierten als auch, zu wem es gehörte. Lila ist ziemlich sicher, dass Lennie noch nie bei einer von *ihnen* im Haus war. Als sie zu Hause angekommen war und die Mädchen vor dem Fernseher saßen, war Lila nach oben gerannt, um ihr Make-up zu überprüfen, und hatte dann nachgesehen, ob genug im Kühlschrank war, um ihn zum Abendessen einzuladen. Sie war zwei Mal durch Wohnzimmer und Küche gegangen, hatte aufgeräumt, versucht, alles etwas stilvoller wirken zu lassen und weniger nach einer unglaublichen Diskrepanz zwischen zwei gegensätzlichen alten Männern und zwei jungen Mädchen. Sie hatte Truant in ihrem Schlafzimmer eingesperrt, damit Gabriel nicht von einem schielenden, bellenden Hund abgeschreckt wurde. Sie hatte Raumspray in jede Ecke gesprüht, ihr Haus zu einem angenehmen, einladenden Ort machen wollen. Doch als er um Viertel nach sechs an der Tür war, hatte er ihr erklärt, dass er sofort zu einem Zoom-Meeting müsse, und nach einem überschwänglichen Dank – Gott, du hast mir das Leben gerettet, danke, ich danke dir tausend Mal – hatte er sie auf die Wange geküsst und an der Tür stehen lassen, während er mit seiner Tochter die Straße hintereilte.

Gene fürchtet sich vor den morgigen Dreharbeiten, was sich in einem beinahe manischen Drang äußert, immer wieder seinen Text aufzusagen, Witze zu erzählen oder einfach nach Publikum zu suchen. Selbst Truant hat sich in seinen Korb verzogen, weil ihm die Aufmerksamkeit zu viel geworden ist. Also beschließt Lila, Gene zur Schule mitzunehmen. Ihr Motiv ist nicht ganz uneigennützig. Seit ihrem letzten Gespräch mit Dan ist Lila etwas nervös bei der Vorstellung, dass er auftauchen könnte, oder der Möglichkeit, dass Marja den anderen Müttern erzählt hat, was zwischen ihnen passiert ist. Auf dem Schulhof kann man sich fühlen wie beim Gladiatorenkampf – und das ist keine Übertreibung –, da hilft es, die Arena mit einem Kampfgefährten zu betreten. Außerdem liebt es Gene, gesehen zu werden. Er strafft sich, sobald er die Grüppchen der Frauen entdeckt, mustert schon ihre Gesichter, um festzustellen, ob ihn vielleicht eine erkannt hat.

«Hierher gehst du also jeden Tag, was?»

«Ja.» Lila kreuzt kurz Marjas Blick, als sie an ihr vorbeigehen, und beide Frauen wenden sich voneinander ab. Lila weiß, dass es ziemlich kindisch war, die Babysachen wegzuwerfen, aber eine andere Stimme in ihrem Kopf schreit immer noch, dass es total unfair ist, die Sachen, die man für seine kostbare Familie gekauft hat, an die Geliebte des Ex-Manns für ihr neues Baby abtreten zu sollen, und genau das sagt sie sich auch jedes Mal, wenn sie sich mit ihrem Verhalten unwohl fühlt.

Gene, stellt sie fest, als sie in Gabriels Ecke gehen, ist schon erkannt worden. Die meiste Zeit ihres Lebens ist sie von dieser Erfahrung verschont geblieben, nachdem sie auf einem anderen Kontinent gelebt hat als ihr Vater, doch seit er bei ihr wohnt, ist ihr die leichte Aufregung bewusst geworden, die eine bestimmte Altersgruppe erfasst, wenn er in Erscheinung tritt. Es ist eine Art doppelter Blick, gefolgt von einem Stirnrunzeln oder einem Lächeln und einem gemurmelten *Ist das der Typ von* ... Blicke heben sich, Augenbrauen werden zusammengezogen, in den Mienen flackert Erkennen auf. Gene liebt diese Situationen, sie sind sein Lebenselixier. Jeder Tag, an dem er nicht erkannt wird, scheint für ihn ein verlorener Tag zu sein.

Es dauert kaum drei Minuten, bis eine von ihnen herüberkommt. Eine Frau mit dünnem Haar, deren Namen sich Lila nie merken kann, die immer einen Buggy mit einem stillen, an der Flasche nuckelnden Kind dabeihat, von dem man unter der Kapuze eines wattierten Anoraks kaum etwas sieht. «Hallo, Lila», sagt sie, schaut aber an Lila vorbei. «Ähm ... ich störe Sie nur ungern, aber ich muss einfach fragen. Waren Sie der Schauspieler in ...» Die Frau sieht Gene mit einem verhalten hoffnungsvollen Lächeln an. «Sie sehen ihm einfach so ähnlich ...»

Gene tritt vor und unterbricht sie. «*Star Squadron Zero*. Ja, Ma'am. Captain Troy Strang meldet sich zum intergalaktischen Dienst.» Er salutiert, und dann streckt er ihr die Hand hin, und die Miene der Frau erhellt sich, als sie seine Hand ergreift. «Oh du meine Güte! Sie sind es wirklich! Als ich klein war, habe ich Ihre Sendung geliebt. Und meine Mum war total verknallt in Sie!»

Gene strahlt. «Was sagt man dazu? Bitte richten Sie ihr einen schönen Gruß von mir aus.»

«Oh, könnten Sie mir ein Autogramm für sie geben? Das würde ihr eine Riesenfreude machen.» Sie beginnt, in der Buggytasche herumzukramen, und fördert schließlich einen Briefumschlag zutage. «Ehrlich, wir hatten sogar einen von Ihren Kalendern in der Küche hängen. Mum hat immer gesagt, dass sie für jeden Monat einen anderen Captain Strang hat!» Gene, wie sich herausstellt, hat trotz seiner chaotischen Art stets einen Stift für Autogramme dabei. Er kritzelt eine Nachricht, lässt sich den Namen der Frau buchstabieren und erkundigt sich höflich nach ihrer Gesundheit. Als sie für ein Selfie posieren – «Oh mein Gott, sie wird es nicht fassen. Captain Troy Strang auf unserem Schulhof!» –, kommen ein paar andere Mütter ermutigt herüber, Handys oder Zettel schon in der Hand. Lila bemerkt leicht gereizt, dass auch Marja dabei ist. Sie hat jetzt den Gang einer Hochschwangeren, ihr Becken wiegt sich bei jedem Schritt, und sie stützt sich unbewusst mit einer Hand auf dem Rücken.

«Das ist Troy Strang! Captain Troy!», sagt die Frau, und plötzlich steht Gene mitten im Trubel, während Lila an den Rand geschoben wird und zusieht, wie ihr Vater Autogramme gibt und für Fotos posiert, redselig, charismatisch und mit einem unwahrscheinlich breiten Lächeln. «Nein», sagt er. «Zurzeit ist keine Neuauflage vorgesehen. Aber wir arbeiten daran.» Und: «Ja, Lila ist meine Tochter. Das wussten Sie nicht? Tja, verstehen Sie, ich musste viel Zeit im Ausland bei Dreharbeiten verbringen ... wir sind einfach begeistert, wieder zusammen zu sein.» Lila muss sich beherrschen, um nicht die Augen zu verdrehen.

«Und wer sind Sie?», fragt er und hält den Stift bereit, als Philippa Graham in ihrer Handtasche wühlt. «Oh, ich finde einfach keinen Zettel. Unterschreiben Sie zuerst für Marja», sagt Philippa mit gesenktem Kopf, während sie weitersucht. Marja tritt zaghaft vor und hält Gene ein winziges Notizbuch hin.

«Marja?», sagt Gene und wird plötzlich still. Er sieht zu Lila hinüber, sucht ihren Blick über die Köpfe der anderen hinweg. «*Die* Marja?»

Plötzlich wird es ruhig. Ein paar Mütter wechseln Blicke. Es bleibt ihr nichts anderes übrig. Lila nickt.

Gene mustert Marja von oben bis unten.

«Sie sind also Marja. Hm. Ich schätze, ihr zwei habt eure Probleme geklärt, wenn ihr euch hier jeden Tag sehen müsst.»

Sein Lächeln ist verschwunden, und er schaut Marja weiter an, als würde er sie einschätzen.

Lila und Marja wechseln einen kurzen, unbehaglichen Blick. «Ähm. Eigentlich nicht», sagt Lila nach einem Moment.

«Was meinst du mit ‹eigentlich nicht›?»

Ein paar der Mütter gehen verlegen weg. «Wir ... wir haben genau genommen nicht miteinander gesprochen. Seit ... Dan ...» Lila spürt, dass sie rot wird, weiß nicht recht, warum ihr diese Situation solches Unbehagen bereitet. Sie schaut zur Schule hinüber, wünscht sich, dass die Kinder aus der Tür kommen. Wünscht sich, dass das hier ein Ende hat.

Gene sieht sie stirnrunzelnd an.

«Soll das heißen, dass ihr beide jeden Tag hierherkommt und niemand ein Wort sagt?»

«Gene, wir brauchen wirklich kein ...»

«Seit er dich verlassen hat?» Er wendet sich Marja zu. «Moment, soll das heißen, dass Sie sich nicht mal entschuldigt haben?»

«Entschuldigt?», kommt es stockend von Marja.

«Dafür, dass Sie eine Familie zerstört haben? Dass Sie mit dem Mann meiner Tochter geschlafen haben? Sie kommen tatsächlich jeden Tag hierher und sagen kein Wort zu meiner Tochter? Mein Gott! Wie englisch kann man nur sein?»

«Genau genommen», sagt Philippa und tritt einen Schritt vor, «ist sie Holländerin. Und sie muss sich bei niemandem entschuldigen. So etwas passiert eben. Das ist das Leben.»

Gene wirbelt herum und schaut sie ungläubig an.

«Und wer zum Teufel sind Sie?»

Philippa hebt das Kinn und wird rot. «Ich bin Philippa Graham.»

«Und was geht Sie diese Sache an, Philippa Graham? Oder sind Sie nur hier, weil Sie dieses Drama genießen?»

Philippa reißt die Augen auf. «Das ist eine schreckliche Unterstellung. Ich … kümmere mich nur um meine Freundin.» Sie schaut auf Marjas Bauch. «Und um ihr ungeborenes Kind.»

«Ohhh», sagt Gene, und seine Miene wird weich. «Das ist aber nett. Sie kümmern sich um das ungeborene Kind. Schön. Sich um die Kinder zu kümmern.»

Mit dieser Bestätigung ihrer Nächstenliebe ist Philippas Gelassenheit wiederhergestellt. Sie nickt geziert. Gene lächelt. Lila atmet hörbar aus. Er beginnt, etwas auf den Zettel zu schreiben, den ihm Philippa hingehalten hat. «Und, Philippa Graham», sagt er, den Blick beim Schreiben auf den Zettel gesenkt, «haben Sie sich abgesehen von den ungeborenen Kindern auch um die *derzeitigen* Kinder gekümmert, die in diese Sache verwickelt sind? Die Kinder von Dan und Lila? Diejenigen, deren Leben auf den Kopf gestellt wurde? Diejenigen, die immer noch damit zu kämpfen haben, was ihrer Familie zugestoßen ist? Wie sehr haben Sie sich um diese Kinder gekümmert, hm?»

Philippa fällt die Kinnlade herunter.

«Verstehe. Dachte ich mir schon.» Er drückt ihr den Zettel in die Hand. «Warum verziehen Sie sich nicht schleunigst, Lady, und überlassen uns das, nachdem es eindeutig eine *Familienangelegenheit* ist?»

In der folgenden Stille schaut Philippa zuerst Lila und dann Marja an. Alle anderen haben sich inzwischen zurückgezogen, stehen zusammen und tun so, als würden sie nicht beobachten, was vor sich geht.

«Alles okay mit dir, Marja?», sagt Philippa betont und legt Marja die Hand auf den Arm.

«Mir geht es gut», antwortet Marja leise.

Philippa wartet noch einen Augenblick ab, bevor sie geht, als wollte sie demonstrieren, dass sie sich von diesem Mann nicht einschüchtern lässt, intergalaktischer Kampf-Captain hin oder her. Sie sehen Philippa nach, bis sie sich ein gutes Stück entfernt hat, wobei sie mehrmals über ihre Schulter zurückschaut. Dann stellt sich Gene zwischen die beiden Frauen. «Ihr sprecht also nicht miteinander. Habt es noch nie getan. Wie fühlt ihr euch damit, hm?»

«Gene», sagt Lila, «bitte tu das nicht. Ich möchte wirklich nicht, dass du dich einmisch...»

«Es tut mir leid, Lila.»

Marjas Stimme mit dem starken Akzent unterbricht sie. Lila starrt sie an. Marjas Lippen sind zu einem dünnen Strich zusammengepresst, und sie scheint sich äußerst unbehaglich zu fühlen. «Es tut mir leid. Wirklich.» Zum ersten Mal fällt Lila auf, wie müde sie aussieht, wie blass. Lila will etwas erwidern, aber sie bringt kein Wort heraus. Sie starrt einfach nur diese Frau an, die plötzlich überhaupt nicht wie die strahlende, berechnende Erzfeindin aussieht, die so lange in ihrem Kopf existiert hat. Marja senkt den Blick. «Und es tut mir sehr leid für deine Kinder.»

Lila kann nicht sprechen. Ihre Blicke versenken sich für einen Moment ineinander, und Lila denkt: *Mein Gott, sie sieht tatsächlich bekümmert aus.*

Dann klatscht Gene in die Hände. «So – das war doch gar nicht so schwer, oder? Oh, seht mal! Da ist mein Mädchen! Violet, Baby! Vi! Sieh mal, wer dich abholt! Dein alter Kumpel Gene!»

An diesem Punkt muss Lila sich ein Stück von den anderen entfernen. Ihr ist alles zu viel. Die anderen Mütter, die sie anstarren, das seltsame Unbehagen, das sie empfindet, weil Gene Marja dazu gebracht hat, sich zu entschuldigen, die grässliche, grässliche *Sichtbarkeit* von alldem. Vage bekommt sie mit, wie die anderen Mütter an ihr vorbei auf den Bürgersteig gehen, fängt Gesprächsfetzen über *Star Squadron Zero* auf und kann ihre eigenen Gefühle nicht benennen. Ist es Traurigkeit? Wut? Kummer? Erleichterung?

Sie wird von Violet aus ihren Gedanken gerissen, die an ihrem Ärmel zieht. «Mum! Du hast die Kostüme immer noch nicht gemacht! Mrs. Tugendhat will mit dir reden.»

«Oh Gott, Violet, nicht jetzt, Liebes.»

Sie sieht auf. Gene steht auf der anderen Seite des Schulhofs und unterhält sich mit Mrs. Tugendhat, die, das erkennt Lila selbst aus der Entfernung, ein Fan von *Star Squadron Zero* war. Sie drückt ihre mollige Hand an die Brust und hat diesen lebhaften Gesichtsausdruck, den man bei manchen Leuten sieht, wenn sie davon überwältigt sind, mit einer echten Berühmtheit zu reden. Gene lächelt, hat die Schultern zurückgenommen, seine abgewetzte Lederjacke fällt zwischen den Steppmänteln und bunten Jacken auf.

«Mum», drängt Violet. «In zwei Wochen fangen die Kostümproben an. Wir müssen sicher sein, dass alles passt.»

«Ich weiß, Liebes. Ich kläre das, versprochen.»

Violet zieht weiter an ihrem Ärmel, doch als sie aufschaut, posiert Gene für ein Foto mit Mrs. Tugendhat, das von einer der Mütter aufgenommen wird, und verabschiedet sich dann mit einem ritterlichen Handkuss. Die Lehrerin geht zurück zum Schulgebäude, ihr Hals vor Freude purpurrot, die Sache mit den Kostümen hat sie offenbar vergessen. Gene kommt zu Lila und Violet, nickt ein paar Müttern zu, die lächeln und erröten, als er vorbeigeht. «Alles okay, Süße?» Nachdem er das Schulgelände verlassen hat, zündet er sich eine Zigarette an.

«Mir geht's gut», sagt Lila. Aber in Wahrheit will sie nur weg und sich hinlegen.

«Nette Lady! Sie bringt mir ein paar Fanartikel, die sie auf dem Dachboden hat. Anscheinend hat ihr Mann eine Original *Star Squadron Zero* Schaumbadflasche! Weißt du, dass sie in den Achtzigern Schaumbadflaschen in der Form von uns vier hergestellt haben? Von mir, Vuleva, Vardoth dem Zerstörer und von Lieutenant McKinnon. Meine war innerhalb einer Woche ausverkauft, wenn ich mich richtig erinnere.»

«Das ist toll», sagt Lila.

«Was meinst du, sollte ich mich mal auf diesen Auktionsseiten umsehen? Ich habe irgendwo noch Massen von dem Zeug. Ich glaube, Jane hat auch noch einen Karton irgendwo bei sich im Haus. Ich wette, es würde ein Vermögen bringen, wenn ich das verkaufe.»

Sie haben schon den halben Heimweg hinter sich, bevor wieder jemand etwas sagt.

Gene stupst sie an. «Hey. Willst du wissen, was ich dieser Philippa auf den Zettel geschrieben habe?»

Lila zuckt mit den Schultern. «Dein Autogramm?»
«Ich habe geschrieben: Liebe Philippa – ich habe schon radioaktive Weltraumdämonen atomisiert, die netter waren als Sie. Gezeichnet, Ihr alter Kumpel Gene.» Er kichert immer noch in sich hinein, als sie in ihrer Straße ankommen.

## VIERUNDZWANZIGSTES KAPITEL

Gene hat Bill die Geschichte von seiner Auseinandersetzung mit Philippa Graham beim Abendessen zwei Mal erzählt, und auch wenn Lila wusste, dass Bill sie eher missbilligte – für ihn gab es keine schlimmere Vorstellung, als in die emotionalen Dramen anderer Leute verwickelt zu werden –, konnte er nicht anders, als zu lachen. «Es klingt wirklich, als wäre sie absolut furchtbar», sagte er. «Das hast du gut gemacht.»

«Ja, oder? Ich wünschte, ich hätte ihr Gesicht gesehen, als sie gelesen hat, was ich geschrieben habe.» Darauf waren die beiden alten Männer erneut in Lachen ausgebrochen.

Bill lacht viel mehr in letzter Zeit. Er pfeift vor sich hin, wenn er das Frühstück macht, und manchmal hört Lila oben an ihrem Schreibtisch, wie er mit seinem weichen Bariton bei Chorklassikern mitsingt. Er ist keine farblose Schattengestalt mehr; es ist, als hätte er Urlaub von sich selbst gemacht und sei nun wieder bei sich angekommen. Vielleicht gehört er zu den Männern, denen es mit einer Frau einfach besser geht. Vielleicht ist das bei den meisten Männern seines Alters so.

Penelope Stockbridge ist jetzt fast jeden Tag da, entweder kommt sie zum Klavierspielen vorbei, oder sie bleibt zum Abendessen. Violet zufolge, die diese Dinge akribisch verfolgt, hat Penelope unter anderem Folgendes getragen: ein Paar rosa Satintanzschuhe, ein dunkelgrünes Paillettenbarett, einen Pullover mit einer Katze vorne drauf und ein

Paar Ohrringe in Form winziger Glaselefanten, die sie Violet versprochen hat, wenn sie endlich die Erlaubnis bekommt, sich Löcher stechen zu lassen (das «endlich» wird besonders betont). Früher hätte es Lila vielleicht gestört, dass ihr Haus zur Anlaufstelle einer weiteren schrulligen Person im Rentenalter wird, doch wie sie feststellt, macht es ihr eigentlich nichts aus. Penelope betrachtet nichts als selbstverständlich, ist hilfsbereit und extrem sensibel angesichts der Möglichkeit, dass sie Lilas Gastfreundschaft überstrapazieren könnte. Manchmal bringt sie Lila Blumen aus ihrem Garten mit und überreicht sie übertrieben salopp. «Oh, das ist doch nichts. Ich dachte einfach, Sie würden sich vielleicht darüber freuen. Ich finde Blumen immer so aufmunternd, Sie nicht auch?»

Sie hat Violet zwei kostenlose Klavierstunden gegeben, konzentriert und ernsthaft, aber auch mit überschwänglichem Lob, wenn Violet etwas gelang.

«Oh, ich glaube, du bist ein Naturtalent, Violet. Sag mir Bescheid, wenn du weitermachen möchtest, ja? Ich glaube, du würdest es großartig machen.»

Lila fragt sich, ob sich Penelope auf diese Art einen weiteren Anlass für Besuche zu schaffen versucht, doch in Wahrheit ist Bill als Grund vermutlich völlig ausreichend. Sie machen regelmäßig Parkspaziergänge (aber ohne Truant, der zu wild für sie ist), legen Pausen in Cafés ein, diskutieren über die Weltlage, bewundern Jensens Arbeit im Garten. Innerhalb von Wochen ist Penelope ein fester Bestandteil ihrer unkonventionellen, erweiterten Familie geworden. Lila versucht, keinen Thunfischauflauf zu verpassen.

Zwei Tage zuvor hatte sich Bill, der Jensen dabei zusah, wie er ein paar Sträucher pflanzte, mit den Worten zu Lila umgedreht: «Bist du sicher, dass deine Mutter nichts dagegen hätte? Dass ich Penelope so häufig sehe, meine ich.» Und Lila hatte sich bei ihm eingehängt und gesagt, Nein, sie hätte sicher absolut nichts dagegen. Und dass gerade ihre Mutter verstanden hatte, wie wichtig es ist, so gut und glücklich zu leben wie nur möglich.

«Und du, Liebes? Ist es für dich auch in Ordnung? Ich meine, es muss doch ein bisschen seltsam für dich sein. Aber ... du sollst wissen, dass ich niemals eine andere Frau auch nur angesehen hätte, wenn sie nicht ... Francesca hat mir alles bedeutet ...» Er war verstummt. Lila hatte ihm versichert, dass sie das wusste. Und sie stellte fest, dass es auch sie selbst kein bisschen störte. Denn in ihrem maroden Haus mit seinen gegensätzlichen Bewohnern hat sich eine seltsame Harmonie ausgebreitet, und nach den letzten Jahren weiß sie besser als irgendwer sonst, dass man solche Momente akzeptieren und genießen muss, wenn sie sich einstellen.

Lila vermeidet den Gang zur Schule so oft wie möglich. Gabriel arbeitet an einem Großprojekt und macht viele Überstunden, also ist es höchst unwahrscheinlich, ihn an der Schule zu treffen, und zudem fürchtet sich Lila immer noch ein bisschen vor Philippa Graham. Daher hat Lila den Abholdienst bereitwillig an Gene übertragen. Er scheint es zu genießen, diese Rolle spielen zu können, und Violet gefällt es, einen berühmten Großvater zu haben. Inzwischen ist von den Eltern zu ihren Klassenkameradinnen durchgesickert, wer er ist, und zudem vermutet Lila, dass die beiden auf dem Heimweg ein paar süßigkeitsbedingte Umwege einlegen. Sie selbst hat dadurch mehr Zeit zum Schreiben.

«Ich habe deine Schlüssel gestohlen.»

Jensen taucht an der Tür des Arbeitszimmers auf und klopft zwei Mal, um sich bemerkbar zu machen. Lila, die gerade tief in Gedanken darüber versunken war, ob Haarentfernung wirklich ein politischer Akt ist, wenn man sie nur vor dem Urlaub macht, dreht sich aufgeschreckt auf ihrem Stuhl um.

«Wie bitte?»

«Ich habe deine Autoschlüssel gestohlen. Du hattest von Anfang an recht, was mich angeht.» Grinsend hält er die Schlüssel hoch. «Ich habe deine Batterie ein bisschen an meinem Pick-up aufgeladen. Jetzt musst du eine Spritztour machen.»

«Oh! Ich bin gerade mitten in ...»

«Bill sagt, du schreibst schon den ganzen Nachmittag. Du musst Pausen machen. Komm schon, zwanzig Minuten.»

Plötzlich wird Lila das Chaos in dem kleinen Arbeitszimmer bewusst. Die unausgepackten Kartons, die sich an der Wand stapeln, Genes zerknautschtes Bettzeug auf dem Schlafsofa, der Drucker, auf dem zwei leere Becher stehen, die Tatsache, dass sie noch ihr Schlafanzugoberteil unter dem Sweatshirt trägt. Jensen hat ausnahmsweise einmal keine Sachen für die Gartenarbeit an, sondern einen dunkelblauen Pullover mit einem hellblauen Hemd darunter – was bedeutet, wie ihr nun klar wird, dass er nur gekommen ist, um ihr zu helfen. «Das ist wirklich sehr ... nett von dir.»

«Ich bin eben ein sehr netter Mann.»

Er reicht ihr den Schlüssel, als sie in der Einfahrt sind. Sie schließt den Mercedes auf und sieht, dass er auf der Beifahrerseite einsteigt. «Nur um sicherzugehen, dass alles funktioniert», sagt er, als er ihren Blick bemerkt. Sie lässt sich auf dem Fahrersitz nieder, prüft, ob der Rückspiegel richtig eingestellt ist, und lässt den Motor an, der gehorsam beim ersten Versuch anspringt. Doch da ertönt Jensens Stimme: «Was *machst* du denn?»

«Was meinst du? Ich lasse das Auto an.»

«Nein ... nein ...»

«Ich weiß, wie ich mein eigenes Auto anlassen muss, Jensen», faucht Lila ihn an. «Du hast doch nicht vor, mir zu erklären, wie ich fahren soll, oder?»

«Nein. Ich wollte wissen, warum du das Verdeck geschlossen lässt.»

Lila folgt seinem Blick aufwärts.

«Echt! Du musst das Verdeck runterlassen! Das ist so ziemlich Gesetz, wenn man ein Cabrio hat.»

Es ist ein kalter, aber trockener Tag, und der Himmel hat dieses klare Blau, das von Frostnächten kündet. Sie knöpfen ihre Jacken bis oben zu, und Lila schüttelt den Kopf, als er die Heizung voll aufdreht. Und dann fährt sie auf die Straße, hört das willige Schnurren des Motors und versucht, sich nicht wie eine Idiotin zu fühlen, weil sie ihn angeschnauzt hat, aber auch, weil sie jetzt eine von den Angebertrotteln ist, die mit heruntergelassenem Verdeck durch die Kälte fahren.

«Ich habe noch nie gesehen, dass du diesen Wagen benutzt hast», merkt Jensen an, als sie Richtung High Street fahren. Er streicht über das Armaturenbrett aus Walnussholz. «Das ist jammerschade.»

Lila, die sich etwas entspannt hat, muss bei dem Geräusch des V8-Motors beinahe schreien. «Ich glaube, ich habe ihn für meine Mutter gekauft. Als eine Art Tribut, meine ich. Es war etwas, das sie hätte tun können – ein vollkommen unpassendes Auto für den Alltag kaufen.» Sie blinkt und biegt auf die High Street ein. «Abgesehen davon bin ich nicht sicher, ob ich wirklich ein Cabrio-Typ bin.»

Als er nichts sagt, fügt sie hinzu: «Es ist einfach ... unpraktisch, oder? Der Wagen ist traumhaft, aber nicht besonders zuverlässig, und bei dem englischen Wetter kann man ihn nur ein paar Monate im Jahr benutzen.»

«Darum geht es nicht bei so einem Auto. Man lässt das Verdeck runter, dreht die Heizung auf und kratzt damit noch das kleinste bisschen Freude aus dem Tag.»

«Und frierst dir den Kopf ein, während deine Zehen kochen. Toll.»

«Lila, du siehst dieses Auto völlig falsch. Dieser Mercedes ist nicht einfach nur ein Auto. Er ist eine Serotonin-Spritze. Du steigst ein, machst das Dach auf und hast einfach Spaß. Selbst wenn es nur ein paar Mal die Woche vorkommt. Dach auf, Musik an, und du fühlst dich wie in einem Mini-Urlaub.»

Lila wirft ihm einen Blick zu. «Du erklärst mir sehr gern, was ich tun soll, oder?»

«Nur wenn es nötig ist.» Er streckt die Hand nach dem Radio aus. «Los. Ziehen wir uns die volle Ladung Stimmungsaufheller rein.»

Sie wird ein bisschen verlegen, als an der Ampel die Achtzigerjahre-Discomusik stampft, weil sie genau weiß, dass die Leute sie anstarren. Aber Jensen scheint das nicht zu stören. Er nickt im Takt, lächelt vergnügt, hängt den Arm aus dem Auto, um mit der Handfläche an die Wagentür zu klopfen, und dreht die Musik noch lauter, wenn ein Lieblingssong von ihm kommt. Nach ein paar Meilen, als klar ist, dass er so weitermachen wird, beschließt Lila, nicht mehr darüber nachzudenken, was fremde Leute von ihr halten, sondern zu versuchen, dasselbe zu tun wie er und diesen – zugegebenermaßen ziemlich angenehmen – Angriff auf ihre Sinne einfach zu genießen.

«Warum hast du das gesagt?»

Sie verlangsamt gerade die Fahrt, um jemanden einbiegen zu lassen, als er die Musik leiser stellt.

«Was gesagt?»

«Dass du kein Cabrio-Typ bist. Was hast du damit gemeint?»

Sie hält an einem Zebrastreifen. Ein kleiner Junge wirft einen neugierigen Blick auf den Mercedes, während er langsam vorübertrödelt, sanft von seiner telefonierenden Mutter an der Hand gezogen.

Sie zuckt mit den Schultern, will auf einmal keinen Blickkontakt mit Jensen. «Na ja, mein Leben ist nicht besonders cabriomäßig, oder? Es besteht aus ... ich weiß auch nicht ... Violet von der Schule abholen, launischen Teenagern, mürrischen älteren Männern, kaputten Toiletten und der Frage, warum uns die Hundekackebeutel ausgegangen sind.» Sie trommelt aufs Lenkrad. «Das hier ist ein Auto für Leute, die Spontanreisen nach Paris machen, weiße Leinenhosen tragen und eine Auswahl an Handtaschen besitzen, in denen sich keine Krümel angesammelt haben.» Plötzlich ist ihr seltsam melancholisch zumute. «Ich glaube ... ich glaube, ich habe dieses Auto eher für mein Fantasieleben gekauft und nicht für das Leben, das ich tatsächlich führe.»

Er schweigt ungewöhnlich lang. Jedenfalls für Jensen. «Du bist ein absoluter Cabrio-Typ», verkündet er schließlich. «Du bist einfach nur in einer verzwickten Situation, deshalb kannst du das gerade nicht erkennen.» Er wendet sich ihr in demselben Moment zu, in dem sie wieder einen Blick zu ihm hinüber wagt, und seine Miene ist beinahe unerträglich freundlich. «Du wirst dein Cabrioleben haben, ehe du dich's versiehst, Lila. Du schaffst das schon.»

Beschämenderweise, und ohne offenkundigen Grund, fangen ihre Augen an zu prickeln. Sie versucht, die Tränen wegzulachen.

«Sei bloß nicht nett zu mir.» Sie wischt sich ärgerlich über die Augen. «Würg. Ich glaube, da ist es mir lieber, wenn du mir erklärst, wie ich fahren soll.»

«Na ja, ich wäre auch nicht nett gewesen, wenn ich gewusst hätte, dass *Krümel* in deiner Handtasche sind», gibt er zurück. «Ehrlich gesagt, wäre ich nicht mal eingestiegen, wenn ich das gewusst hätte.» Er wirft ihr einen Seitenblick zu. «Jetzt komm, wir sind hier nicht mehr in der Dreißiger-Zone. Gib mal ein bisschen Gas. Echt, was für eine Autofahrerin bist du eigentlich?»

Und dann fahren sie auf den kurvigen Straßen rund um Hampstead Heath, und Lila spürt das Vibrieren des Autos, die Beschleunigung, das warme Lenkrad in ihren Händen, und Jensen dreht die Musik wieder auf, singt unbefangen und falsch bei *I'm Every Woman* mit, und Lila stimmt unwillkürlich ein, bekommt eine Ahnung von dem, was Jensen gemeint hat: Irgendetwas an dem kalten Wind um ihre Wangen, ihrer Sichtbarkeit für alle Welt, der Musik, dem Haar, das um ihr Gesicht geweht wird, macht ihr den Kopf frei, beendet ihr endloses Gedankenkarussell. Sie singt mit, kümmert sich nicht darum, wer sie sieht, lacht über Jensens erfundene Textzeilen und über die Schönheit dieses lächerlichen, unpassenden Autos.

Dieses Gefühl der Freude hält noch eine gute Stunde an, nachdem sie mit geröteten Wangen und Ohren zurückgekommen sind und den Wagen abgestellt haben, Jensen ihren Dank abgewehrt hat und zu seinem nächsten Auftrag aufgebrochen ist. Und es dauert eine weitere Stunde, bevor ihr die Frage in den Sinn kommt, ob dieses Gefühl eigentlich etwas mit Jensen zu tun hatte.

Genes Werbespot soll am Donnerstagabend ausgestrahlt werden. Er beteuert, dass er das ganz locker nimmt. – «Hey, das ist nur eine Werbung. Von Arthur Miller kann man da nicht gerade sprechen.» – Lila vermutet trotzdem, dass es im gesamten Postleitzahlenbezirk keinen Menschen gibt, der nicht weiß, dass Gene um Viertel nach acht an diesem Abend für die Aufhellerzahncreme *Strong Yet Sensitive* im Fernsehen zu sehen sein wird. Als sie morgens in dem Laden an der Ecke war, um Orangensaft zu kaufen, hat sogar der junge türkische Verkäufer, der Lila noch nie zur Kenntnis genommen hat, obwohl sie seit ihrem Einzug in das Haus mindestens viermal die Woche kommt, beim Herausgeben des Wechselgeldes zu ihr gesagt: «Oh, heute Abend kommt Genes Werbung, oder? Meine Mum wird sie sich ansehen.»

Gene wollte alle zu einer Pizza einladen, doch Bill hat freundlicherweise angeboten, stattdessen zu kochen. Er macht als Geste der Anerkennung amerikanisches Fried Chicken mit Maispfannkuchen und Tomatensalsa. Penelope und Eleanor kommen, und Jensen ist ebenfalls eingeladen worden. Es gibt einen sorgfältig ausgearbeiteten Zeitplan, und Bill zufolge werden sie rechtzeitig für Genes Auftritt mit dem Abwasch fertig sein und mit «selbst gemachten Schoko-Pistazien-Cookies» vor dem Fernseher sitzen.

Lila hört bei alldem nur mit halbem Ohr hin. Gabriel hat sie für den nächsten Abend zum Essen eingeladen, und in ihrem Kopf herrscht ein Durcheinander aus Vorfreude und Aufregung.


Eins der Dinge, die Lila an diesem neuen Leben am meisten genießt, sind die Kochgerüche, wenn sie nach Hause kommt. Als Dan sie verlassen hatte, konnte sie sich in den ersten Monaten kaum zum Kochen aufraffen. Sie hatte sich vor Traurigkeit und Schock so ausgehöhlt gefühlt, dass sie übliche Haushaltsaufgaben wie Kochen und Putzen völlig überforderten, und sie hatten von Toast oder Take-away gelebt oder, falls sich Lila einigermaßen in Form fühlte, von Nudeln mit einem Glas Pesto, vielleicht mit einer Handvoll Tiefkühl-Erbsen als Zugabe, wenn sie befürchtete, die Mädchen könnten Mangelerscheinungen entwickeln. Mit Bill hatten Ordnung und selbst gekochte Mahlzeiten Einzug gehalten, auch wenn der Geruch nach gedämpftem Fisch nicht gerade, nun ... *einladend* gewesen war. Seit Penelope aufgetaucht ist – und vielleicht auch seit seinem Waffenstillstand mit Gene –, hat sich Bill entspannt und kocht etwas weniger auf Nährwerte, sondern etwas mehr auf Wohlfühlessen bedacht. Nun enthalten seine Gerichte häufig Kohlenhydrate oder knusprige Hühnchenhaut oder sind sogar mit Käse überbacken, sodass Lilas Küche oft von köstlichen Aromen erfüllt ist, die pawlowsche Hungerreflexe auslösen. «Was gibt es zum Essen?», fragen die Mädchen jetzt mit echter Vorfreude statt mit leichtem Grauen.

Neben alldem und ihrem bevorstehenden Date mit Gabriel trägt zu Lilas allgemeiner Zufriedenheit bei, dass der Garten beinahe fertig ist. Das Areal, das monatelang ein Schandfleck aus Lehmerde, Gehwegplatten und aufgehäuftem Grünschnitt gewesen war, hat sich zunächst nur langsam, dann aber plötzlich sehr schnell in eine aparte Schönheit verwandelt. Bei ihrem Einzug war das Ende des Gartens eine Wildnis aus Sträuchern und anscheinend wahllos aus der Erde ragenden Betonstücken gewesen, der Zaun war von dunklem Efeu überwuchert, und den Mittelpunkt hatte der verwahrloste Schuppen gebildet, den pelzige Spinnen von so enormer Größe bevölkerten, dass Lila gelegentlich überlegt hatte, ob sie Miete verlangen sollte.

Nun aber bildet Bills Eichenbank das Herzstück, auf

der einen Seite von einer Zwergweide und auf der anderen von einem japanischen Ahorn behütet, während daneben ein quadratischer Mini-Teich angelegt wurde. Flieder und Lavendelbüsche als Bienenweiden verleihen dem Garten weitere Akzente, und zwischen zwei Hochbeeten voller Küchenkräuter erstreckt sich ein Sitzplatz aus hellen Natursteinplatten. Jensens langwierige Auslichtungsarbeiten haben eine Ziegelsteinmauer freigelegt, deren Kanten von Jahrhunderten in Wind und Wetter abgeschliffen sind, und von einem Wandbrunnen fließt Wasser mit niemals endendem Geplätscher herab. Der Garten ist noch nicht ganz fertig, aber schon jetzt ist er beinahe unfassbar friedlich. Wenn sie aus dem Fenster blickt, hat sie jedes Mal das Gefühl, ihr sei einer von diesen Gärten vergönnt worden, den eigentlich nur andere Leute haben.

«Ich habe violetten Riesenlauch in die Hochbeete gepflanzt», sagt Jensen, der neben ihr auftaucht, als sie zum Haus zurückblickt. Seine Fingernägel sind schwarz vor Erde, und er steckt die Hände in die Hosentaschen. «Sie treiben im Mai, Juni aus und werden ein bisschen nach Anarchie aussehen. Damit es nicht allzu ordentlich wirkt. Ich dachte, das klingt nach deiner Mutter – ein bisschen Spaß und Chaos in all der Ordnung.»

Lila hat plötzlich einen Kloß in der Kehle. «Das ist schön», sagt sie. «Das hätte ihr gefallen.»

«Und dazu noch eine Wagenladung Frühlingszwiebeln, Alpenveilchen, Narzissen und so weiter. Sie war immer fröhlich, oder? Und ich finde, man kann am Ende des Winters nicht genug fröhliche Farben um sich haben.» Er betrachtet seine Arbeit mit stiller Genugtuung, und sie stehen einen Moment nebeneinander, betrachten durch die Terrassentüren den Trubel im Haus.

«Du hast gesagt, es wird wunderschön.» Sie wendet sich ihm zu.

Er streicht sich über den Kopf. «Tja, und ich habe immer recht. Das habe ich dir doch gesagt.»

«Oh, und jetzt hast du es ruiniert.»

Er lacht. «Hör mal, ich habe jetzt wirklich Lust auf Hühnchen. Ich bin am Verhungern!»

Sie machen sich auf den Weg zum Haus.

«Läuft es gut für dich?», fragt Jensen. «Gene hat mir erzählt, dass du einen neuen Buchvertrag hast.»

Sie lächelt. «Ja. Ja. Es ist noch kein richtiges Cabrioleben, aber es scheint sich alles zu ... fügen. Und bei dir?»

«Alles gut. Ruhig, wie es mir gefällt.»

«Ruhe ist gut», sagt sie lebhaft, «ich bin ein Riesenfan von Ruhe. *No alarms and no surprises* – hieß es nicht so bei Radiohead?»

«Ich glaube, in dem Song ging es um Selbstmord. Aber ich verstehe, was du meinst.»

Sie bleibt kurz stehen, will etwas sagen, ändert aber ihre Meinung.

«Du wolltest mir sagen, dass ich ziemlich nerve, oder?», fragt Jensen.

«Ja», sagt Lila. «Ja, genau.»

Das Hühnchen ist sensationell. Das erklärt Gene wenigstens vier Mal, und zwei Mal mit vollem Mund, aber er sagt es mit so ehrlicher Aufrichtigkeit, dass es Bill nichts auszumachen scheint, als dabei Essensbestandteile in seine Richtung fliegen. Statt das Hühnchen auf die Teller zu verteilen, hat Bill die panierten Stücke auf eine Platte gelegt und mitten auf den Küchentisch gestellt, sodass sich jeder selbst bedienen kann, was zu einer entspannteren Atmosphäre führt als bei ihren üblichen Abendessen. Die Maispfannkuchen sind ebenfalls ein Erfolg, besonders bei Violet, die sie mit den Fingern isst, die Lippen voller Fett und Tomatensalsa, und sogar der grüne Beilagensalat (alte Gewohnheiten wird man schwer los) ist schnell vertilgt. Bier und Limonade stehen auf dem Tisch, und im Hintergrund läuft peppige Jazzmusik. Lila betrachtet die Besucher an ihrem einst so stillen Küchentisch. Bill und Penelope sitzen nebeneinander am Kopfende, unterhalten sich angeregt über ein Klavierstück, an dem sie sich versuchen wollen, Gene erzählt Violet von den Dreharbeiten auf dem Herrensitz, von den Marotten der Schauspieler, von dem Regisseur, der ein Wichser, sorry, nicht gerade ein netter Mensch war, und Violet hört streckenweise sogar zu. Eleanor und Jensen, die sich auf Anhieb gut zu verstehen scheinen, reden über eine absolut versiffte Bar in Camden Town, in der sie in ferner Vergangenheit beide mal gewesen sind. Celie, die in letzter Zeit viel fröhlicher ist, füttert Truant heimlich mit Hühnchen und mischt sich gelegentlich ein, um Violet zu widersprechen. Es ist ein Moment voller Wärme, und Lila fühlt sich seltsam bewegt davon, so als könnte sie es sich erst jetzt erlauben, vor sich anzuerkennen, wie weit sie alle gekommen sind.

«Es ist keine traditionelle Familie», hatte Eleanor früher an diesem Abend gesagt, als Lila eine Bemerkung darüber gemacht hatte, wie viel leichter es inzwischen für sie war. «Aber das heißt nicht, dass es keine Familie ist.»

«Was meinst du, wie lange es noch dauert, bis du ganz fertig bist, Jensen?», fragt Bill quer über den Tisch hinweg.

«Ich warte nur noch auf die Außenbeleuchtungen. Einfach zwei Lichter zu beiden Seiten der Bank», sagt Jensen. «Und dann muss ich noch ein paar Pflanzen setzen. Aber dann war's das so ziemlich.»

«Du hast großartige Arbeit geleistet», sagt Bill. «Einfach großartig.»

«Es sieht wunderschön aus», stimmt Penelope ein und fügt dann, falls das zu anmaßend sein sollte, hinzu: «Ich meine, für eine Außenstehende wie mich sieht alles wunderschön aus.»

«Penelope ist eine großartige Gärtnerin», sagt Bill. «Du musst mal bei ihr vorbeischauen, Jensen, wenn du Zeit hast. Sie hat wirklich einen grünen Daumen.»

Penelope wehrt errötend ab. Sie trägt eine Kette mit einem winzigen Zahnpastatubenanhänger «zur Feier des Tages». Sie hat den Anhänger anscheinend nur so zum Spaß am Tag zuvor aus Modelliermasse geformt und dann bemalt, und sie hat Violet versprochen, ihr zu zeigen, wie es geht. Lila macht sich leichte Sorgen darüber, was Violet anfertigen wird, aber sie schätzt, dass sich Penelope über kurz oder lang an ihre Familie gewöhnen muss, einschließlich Kackebänken und nicht jugendfreien Rap-Texten.

Sie sitzen zehn Minuten vor der Ausstrahlung des Werbespots vor dem Fernseher. Ein Teller mit ofenwarmen Cookies wird zwischen den beiden Sofas hin- und hergereicht, Gläser werden aufgefüllt, und fröhliches Geplauder übertönt die laufende Fernsehreportage. Violet sitzt auf dem Boden, und Truant, der über die vielen Menschen im Haus nicht glücklich ist, beäugt sie misstrauisch hinter dem Vorhang heraus. Lila findet sich auf dem Sofa neben Jensen wieder, was sie merkwürdig befangen macht, doch Eleanor, die schon mehrere Gläser Wein getrunken hat, heizt die Stimmung an, indem sie ruft: «Wir wollen Gene! Wir wollen Gene!», womit sie die Aufmerksamkeit aller auf sich zieht.

Und dann, als Werbeunterbrechung in einer Dokumentation über australische Reptilien, haben sie ihn plötzlich auf dem Bildschirm vor sich: ihren Vater, der in einem ungewohnt eleganten weißen Hemd und mit ordentlich gestutztem Haar besorgt seine Zähne in einem Spiegel mustert. *Es ist nie zu spät, um ein bisschen besser auszusehen*, sagt eine weibliche Stimme aus dem Off, und auf dem Bildschirm zeigt Gene, nachdem er sich die Zähne geputzt hat, plötzlich ein Lächeln, sein breites Was-kostet-die-Welt-Grinsen, und der ganze Raum bricht in Jubel aus. «Wow, Gene!» Eleanor, die eindeutig einen Schwips hat, streckt die Hand aus und klatscht ihn ab, die Kinder springen auf, Bill sagt: «Sehr gut, sehr gut, Gene», Truant fängt an zu bellen, und während sie alle applaudieren, sitzt Lila da, macht sich die volle Bedeutung von Eleanors Worten klar und denkt, ja, vielleicht ist das hier eine Familie. Mit all ihrer verrückten Geschichte und all dem Chaos, dem Kummer, den dummen Witzen, den lächerlichen Siegen und dem eindeutigen Mangel an Noguchi-Couchtischen, ja, vielleicht ist das meine Familie.

## FÜNFUNDZWANZIGSTES KAPITEL

Das Date soll am Freitag stattfinden. Jedes Mal, wenn Lila daran denkt, überläuft sie ein Schauer nervöser Vorfreude. In den vergangenen beiden Tagen war sie im Kosmetiksalon zum Komplettprogramm Haarentfernung und zur Maniküre. Sie hat sich das Haar föhnen lassen, sodass es in glänzenden braunen Wellen fällt, und sie hat sich neue Unterwäsche gegönnt, nachdem sie zu dem Schluss gekommen war, dass praktisch alles, was sie in ihrer Schublade hatte, entweder zu alt war oder nicht mehr richtig saß (danke, Scheidungsdiät). Sie trägt ein schwarzes Seidenkleid mit halsnahem Ausschnitt und einem kleinen Schlitz im Rock, das ihr immer Komplimente einbringt und von dem sie hofft, dass es ihr einen eleganten und doch lässigen Look im Pariser Stil verleiht. Sie liest Ermutigungen auf Instagram, die sie darin bestärken, dass sie stark ist, begehrenswert, eine Überlebende, dass ihre Erfahrungen sie zu einem Menschen gemacht haben, der nicht aufzuhalten ist. Und sie verbringt nur etwa vierzig Minuten damit, sich wegen ihrer Falten am Hals schlecht zu fühlen.

Er hat genaue Zeitangaben gemacht, also sorgt sie dafür, dass sie um sieben Uhr bereit ist. Er wohnt ganz in der Nähe, und sie wird zu Fuß gehen, solange es nicht regnet. Es ist besser für sie, sich zu bewegen, wenn sie nervös ist.

Um Viertel vor sieben schreibt sie ihm eine Nachricht.

> Mache mich jetzt auf den Weg x

Er antwortet sofort.

> Kleines Chaos bei der Arbeit. Könntest du ein bisschen später kommen? So um 9? Möchte Lennie ins Bett bringen, bevor du da bist.

Sie hatte irgendwie den Eindruck gehabt, Lennie würde bei seiner Mutter übernachten.

> Es ist vollkommen okay für mich, wenn Lennie da ist. Sie kennt mich.

> Ja, aber dann wird sie total überdreht und will nicht ins Bett. Besser, wenn sie schon schläft.

Er schreibt auf die unanfechtbare Art von Eltern, die wissen, was für ihr Kind am besten ist. Lila liest die Nachricht noch zwei Mal, dann geht sie mit einem Seufzen nach unten, wo Bill gerade dabei ist, das Abendessen aufzutragen. An diesem Abend essen nur Gene und die Mädchen mit ihm, und es gibt Spaghetti bolognese, was Lila ein wenig neidisch werden lässt. Sie liebt Spaghetti bolognese, und sie hat heute kaum etwas gegessen.

«Du siehst hübsch aus, Schätzchen», sagt Gene, der sich gerade an den Tisch setzt. «Gehst du aus?»

«Ja. Aber nur was trinken.»

«Mit wem?», fragt Violet. Lila will es ihr gerade sagen, aber irgendetwas hält sie davon ab. «Nur jemand von der Schule.»

«Mädelsabend, was?», sagt Gene.

«Weißt du, ich dachte, du gehst irgendwann wieder mal mit Jensen aus», kommt es ein wenig spitz von Bill.

«Jensen und ich sind nur Freunde», erklärt Lila nachdrücklich.

Celie schnaubt in ihre Nudeln.

«Was?»

«Freunde, die *Übernachtungen* mögen», murmelt Celie.

«Hast du mit Jensen übernachtet?», fragt Violet und reißt die Augen auf. «Jensen der Gärtner Jensen?»

«Das ist ewig her, und ja, wir hatten eine ... Übernachtung.»

«War es eine Pyjamaparty?»

«So was in der Art.»

Celie schnaubt erneut.

«Wenn es so aussieht, dass es bei dir und deinem *Jemand* spät wird», Bill zieht die Augenbrauen hoch, «dann wäre es schön, wenn du es uns wissen lässt. Nur damit wir uns keine Sorgen machen. Wieder mal.»

«Ich schreibe dir eine SMS.»

«Das würdest du mir nicht erlauben», sagt Celie.

«Ich bin sechsundzwanzig Jahre älter als du», gibt Lila zurück. «Und ich bin die Herrscherin in diesem Königreich.»

«Möchtest du vorher etwas essen?» Gene deutet auf die Schüssel mit den Nudeln. «Bill hat uns hier ein Festmahl hingestellt.»

Oh Gott, riecht das lecker.

«Ich glaube, wir werden etwas essen. Aber danke.»

Sie geht zum Pub, weil sie nicht weiß, was sie mit den anderthalb Stunden Wartezeit sonst anfangen soll und zu angespannt ist, um zu Hause zu bleiben. Sie setzt sich an einen kleinen Ecktisch und nippt an einer Cola light, während sie blicklos auf ihr Handy starrt. Ihr Puls ist ein Trommelwirbel aus Nervosität. Als sie die Cola ausgetrunken hat, bestellt sie einen Gin Tonic. Sie muss sich beruhigen. *Es ist nur ein*

*Abendessen*, sagt sie sich immer wieder. *Deswegen musst du nicht panisch werden.* Während sie den Gin trinkt, kommt ein Mann an ihren Tisch. Er ist etwa Mitte vierzig und trägt einen dunklen, eng geschnittenen Business-Anzug. Sie sieht auf, und er schaut sie mit leicht fragender Miene an. *Oh Gott. Warum kann eine Frau nie allein irgendwo sitzen und in Ruhe gelassen werden?* Es liegt an dem Kleid, denkt sie. Es sieht aus, als wäre sie darauf aus, angeflirtet zu werden.

«Ich bin völlig zufrieden mit meiner eigenen Gesellschaft, danke», entschlüpft es ihr ein bisschen schnippischer, als sie es beabsichtigt hatte.

«Eigentlich wollte ich nur fragen, ob Sie diesen Stuhl hier brauchen.»

Sie trinkt einen weiteren Gin Tonic, um die leichte Demütigung des Stuhl-Vorfalls aus dem Sinn zu bekommen, ebenso wie die Tatsache, dass der Geschäftsmann und seine Freunde nun in einer großen, lärmenden Gruppe am Nachbartisch sitzen, sodass sie einsam und lächerlich wirkt. Um zehn vor neun, während es in dem Pub immer lauter zugeht und am anderen Ende eine Band zu spielen beginnt, sodass die Leute noch lauter reden, nimmt sie ihre Handtasche und geht mit leicht unsicherem Schritt zu Gabriels Haus.

Er kommt nach dem zweiten Klingeln etwas fahrig an die Tür. «Tut mir wirklich leid», sagt er und hebt den Zeigefinger. «Bin gerade am Telefon. Dauert nur zwei Minuten.» Er verschwindet im Laufschritt die Treppe hinauf und lässt sie im Flur stehen, sodass sie nicht recht weiß, ob sie hier warten soll.

Sie steht da wie erstarrt, hört, wie oben eine Tür geschlossen wird. *Was würde meine Mutter jetzt tun?*, geht es ihr nach einem Moment durch den Kopf, und durch ihre Vorstellung von Francescas Gelassenheit in solch einer Situation gestärkt, zieht sie ihren Mantel aus und geht in die Küche.

Es ist fast komisch, wie sehr diese Küche nach einem Architekten aussieht. Der hintere Teil des Hauses besteht aus einem Glaskubus, in dessen Mitte ein ovaler Marmortisch steht, den sie schon in verschiedenen Edel-Einrichtungshäusern gesehen hat, auch wenn ihr der Name des Designers gerade nicht einfällt. Sie sieht auf dem Herd nichts köcheln, denkt aber, dass vielleicht etwas im Kühlschrank steht, das er für ihre Ankunft vorbereitet hat. Sie ist so hungrig, dass sie denkt, sie könnte ohnmächtig werden.

Sie sieht sich in dem Raum um. Er ist makellos, aufgeräumt und geschmackvoll. Die Wände haben die Farbe von ungestrichenem Putz, die Küchenschränke ein kräftiges Kobaltblau. Ein riesiger modernistischer Kronleuchter hängt mittig von der Decke herab, und auf den hellen Granitarbeitsflächen steht nichts außer einem enormen Keramikkrug. Keine Spur von Unordnung oder Krümeln wie in einer normalen Küche. An der abgewandten Seite des Oberschranks findet sich der einzige Bereich, in dem der Minimalismus zurückgedrängt wurde. Hier hängen zusammen mit einer Pinnwand aus Kork Lennies Zeichnungen und mehrere Schreiben von der Schule. Lila betrachtet die Fotos an der Pinnwand. Es ist kein Durcheinander aus Grimassen-Schnappschüssen wie bei ihr zu Hause, sondern da sind nur einige wenige, schöne, stimmungsvolle Aufnahmen von Lennie und ein paar Urlaubsfotos von sonnigen, traumhaften Orten. An der Wand hängt ein großes, abstraktes Gemälde, und die lederbezogenen Chromstühle erinnern vage an osteuropäischen Brutalismus-Stil. Plötzlich ist Lila froh, dass sie das schwarze Seidenkleid trägt, die meisten anderen Stücke aus ihrem Schrank wären ihr viel zu chaotisch für diesen Raum erschienen.

Als sie gerade überlegt, ob sie in den Garten hinausgehen soll, kommt er herein und fährt sich über das Gesicht, als wollte er das Telefonat wegreiben. «Tut mir wirklich leid», sagt er und begrüßt sie mit einem Wangenkuss. «Die Arbeit ist diese Woche der reinste Albtraum. Außerdem wird Len unruhig, wenn ich spät dran bin, also wusste ich, dass es länger dauern würde, bis sie im Bett ist. Tut mir wirklich leid. Ich hole dir was zu trinken.»

Er öffnet einen Schrank, in dem sich ein Weinlager verbirgt, und nimmt eine teuer aussehende Flasche heraus. «Ist Rotwein okay?»

«Ja», sagt sie, ohne nachzudenken. Selbst leicht zerrauft sieht er hinreißend aus mit seinen lebhaften, intensiv blauen Augen und seinem hellgrauen Hemd mit einem winzigen japanisch aussehenden Logo an der Manschette. Er riecht leicht nach einem Aftershave, ein anisartiger Duft, wahrscheinlich sehr kostspielig.

«Bitte, setz dich doch», sagt er und deutet Richtung Tisch. «Du siehst wirklich großartig aus. Leider hatte ich keine Zeit zum Kochen, vielleicht können wir uns etwas bestellen.»

Sie rechnet kurz nach. Um diese Zeit an einem Freitagabend können sie von Glück reden, wenn überhaupt etwas vor Viertel vor zehn gebracht wird. Aber was bleibt ihr übrig? Sie lächelt, hofft, dass er ein paar Chips auf den Tisch stellt, und er füllt zwei Gläser mit Wein, bevor er etwas in eine App auf seinem Handy tippt. «Erledigt!», sagt er, und sie trinkt einen großen Schluck Wein, weil sie auf einmal nicht weiß, was sie sagen soll.

«Schöne Küche», sagt sie, als sie sich wieder konzentrieren kann.

Er sieht sich um, als wäre ihm das noch nie aufgefallen. «Ja, nicht schlecht, oder? Es ist das Einzige, was ich vor unserem Einzug habe machen lassen. Eigentlich hätte ich mir etwas Anspruchsvolleres gewünscht.» Er trinkt einen Schluck Wein, schließt genießerisch die Augen und sagt dann: «Aber du weißt ja. Das Leben besteht zum Großteil aus Kompromissen, stimmt's? Also, wie geht es dir? Wie läuft es mit dem Schreiben?»

«Ganz gut», sagt sie. «Im Moment wirklich ganz gut.»

«Über was schreibst du denn?»

«Es ist ...» Sie zögert. «Es ist die Fortsetzung eines Buchs, das ich über den Neustart einer Ehe geschrieben habe, die in eine Sackgasse geraten war.»

«Aha.» Er wirkt ein wenig hilflos, und sie sagt: «Ja. Ich weiß.»

«Also, ich finde das sehr mutig. Und es überrascht mich überhaupt nicht – du bist ja so furchtlos. Aber ich glaube nicht, dass ich über persönliche Dinge schreiben könnte.»

«Oh, man schreibt ja nicht über sein echtes Selbst», sagt sie hastig. «Jedenfalls nicht über die wichtigen Dinge. Was ich aufschreibe, ist eine sehr stark bearbeitete Version meines Lebens. Man muss ... mh ... alles aufbauschen, um die Verleger bei Laune zu halten.»

«Das glaube ich gern. Aber das ist nicht meine Welt. Mein Dad hat einmal ein Buch veröffentlicht. Aber da ging es um altgriechische Architektur. Das ist etwas ganz anderes. Ziemlich langweilig, ehrlich gesagt, obwohl natürlich trotzdem sämtliche Familienmitglieder ein Exemplar kaufen mussten.»

«Ich zwinge meine Kinder, Exemplare meiner Bücher von ihrem Taschengeld zu kaufen.»

Er lacht, und sie entspannt sich allmählich.

«Wolltest du schon immer Bücher schreiben?»

«Anders als die halbe Bevölkerung hatte ich das eigentlich nie vor. Ich habe online einen scherzhaften Text über meine

Ehe geschrieben, während ich im Marketing gearbeitet habe, und eine Agentin hat mit mir Kontakt aufgenommen und vorgeschlagen, dass ich ihn zu einem Buch erweitere. Und dann gab es eine richtige Bieterschlacht der Verlage, und das Buch verkaufte sich ein paar Hunderttausend Mal und stand mehrere Monate lang auf der Bestsellerliste.» Sie bemüht sich, das alles eher beiläufig zu erzählen, so, als ob sie nicht versuchen würde, ihn zu beeindrucken. So, als ob sie ihm mit seinen Architekturpreisen und seinem Designer-Kronleuchter ebenbürtig wäre.

«Das ist ja total beeindruckend», sagt er liebenswürdig. Und sie versucht, nicht allzu stolz zu wirken.

«Und wie ist deine übrige Familie so? Hast du Geschwister?»

«Zwei Brüder. Wir sind alle schrecklich ehrgeizig.» Er grinst sie an. «Mein älterer Bruder ist Rechtsanwalt und der jüngere Arzt. Wir sind mehr oder weniger das Klischee einer Mittelschichts-Familie.»

«Und der absolute Traum jeder Mutter.»

«Oh, so weit würde ich nicht gehen. Und bei dir?»

«Da gibt es nur mich. Eine Mutter, zwei Väter. Ich hätte wirklich gern ein paar Geschwister, um mir diese spezielle Last zu teilen.»

«Na ja, für deine Mädchen ist es schön. Ihre Großväter um sich zu haben, meine ich.»

«Siehst du die Eltern von deiner Frau – von Victoria – noch?»

Seine Miene verdüstert sich. «Es ist kompliziert. Sie haben sich bei unserer Trennung auf ihre Seite gestellt, und unser Verhältnis ist ziemlich angespannt. Aber sie sehen Lennie. Sie verbringt in den Sommerferien ein paar Wochen bei ihnen.»

«Es tut mir leid, dass du dich auch noch damit herumschlagen musstest.»

«Das ist sehr lieb von dir. Es ist ... alles andere als ideal gelaufen.» Er steht auf und schenkt Wein nach, als wollte er das Thema wechseln.

Lila würde ihn gern mehr dazu fragen. Sie würde ihn gern fragen, wie Victoria gestorben ist. Und ob er seitdem mit jemandem zusammen war. Sie möchte ihm noch ungefähr achttausend andere Fragen stellen. Doch ihr ist bewusst geworden, dass sie ziemlich betrunken ist. Sie betrachtet ihr zweites Glas, das unerklärlicherweise leer zu sein scheint, vermutet, dass Gabriel bei Weitem nicht so viel getrunken hat wie sie, und muss sich immer wieder ermahnen, nicht so viel zu reden. Sie denkt, dass sie vielleicht zu emotional reagiert, wenn er etwas sagt. Und manchmal ertappt sie sich dabei, wie sie ihn dümmlich angrinst. Sie sagt sich, dass sie sich entspannen sollte. Sie ist bei einer Verabredung zum Abendessen mit Gabriel Mallory. Warum sollte sie nicht loslassen und sich ein bisschen amüsieren?

Sie bekommt nicht genau mit, um wie viel Uhr das Essen kommt. Sie nimmt wahr, dass er Teller und Besteck herausholt. Irgendwann hat er kubanische Musik angestellt und das Licht gedimmt, und sie essen etwas mit geschmortem Mais und Fleischspießchen, und sie ist inzwischen so hungrig, dass sie denkt, sie könnte auch noch die Lieferkartons aufessen. Sie hört ihm beim Reden zu, betrachtet sein Haar, das unter dem Licht glänzt, sein sanftes, beinahe zögerndes Lächeln, und obwohl sie gegessen und getrunken hat, kann sie sich nicht entspannen, weil ihr die ganze Zeit eine Frage im Hinterkopf herumgeht wie ein dumpfes Trommeln. Doch ihre Gedanken, vom Alkohol beeinträchtigt, kommen immer wieder von der Frage ab.

«Tulip!», sagt sie unvermittelt.

Er schaut sie verdutzt an.

«Dein Tisch. Es ist ein Tulip-Tisch.»

Er nickt. «Von Eero Saarinen. Nach einem Entwurf von 1955.»

«Ich wusste es!» Sie schlägt etwas zu begeistert auf den Tisch, und seine Hand schnellt vor, um eines der Weingläser zu retten.

Schließlich räumt er den Tisch ab. Er ist wie Bill, denkt sie. Er kann nichts liegen lassen. Möglicherweise hat sie das laut gesagt. Sie schaut ihm zu, hält einfach ihr Glas in der Hand und lässt sich von der Atmosphäre und der Musik einhüllen. Sie fühlt sich in dieser wunderschönen Küche, in ihrem schwarzen Seidenkleid, mit diesem Mann, wie eine Frau aus einem Film. Sie fühlt sich wie die bestmögliche Version ihrer selbst.

«Sollen wir uns ins andere Zimmer setzen?», fragt er, als er mit Aufräumen fertig ist, und reicht ihr die Hand. Sie ist warm und stark, und seine Finger umschließen ihre, als wären sie dazu bestimmt. «Dort haben wir es bequemer.»

Das Wohnzimmer ist kleiner, als sie erwartet hat. Es gibt ein großes, geschwungenes Sofa, das mit einem Tweedstoff in dunklem Türkis bezogen ist, und einen enormen Flachbildfernseher. Nirgends eine Spur von Spielzeug oder Unordnung. Nur ein Sideboard, das keine Türen zu haben scheint, ein kuppelförmiger Sessel und ein langer Couchtisch aus einer Art Beton. Zwei gebogene Stehleuchten geben punktuelles Licht, und ein wundervoller Persianerteppich liegt auf dem Eichenparkett im Fischgrätmuster. Über einem Ende des Sofas liegt eine marineblaue Decke, die nach Kaschmir aussieht. Die kubanische Musik läuft irgendwie auch in diesem Raum. Sie setzt sich auf das Sofa, und er lässt sich neben ihr nieder.

«Es sieht überhaupt nicht so aus, als hättest du ein Kind», sagt sie, während sie sich umsieht. Dabei achtet sie darauf, bewundernd zu lächeln, damit er ihre Bemerkung nicht als Kritik auffasst.

«Ah. Stimmt. Das ist mein Schwachpunkt. Ich brauche einen Raum im Haus, in den ich abends kommen und einfach entspannen kann. Len hat ein Spielzimmer auf der anderen Seite des Flurs. Falls du dich damit besser fühlst: Da drinnen sieht es aus wie nach einem besonders irren Ramschverkauf.»

«Vielleicht werfe ich später einen Blick hinein», sagt sie. «Nur um sicher zu sein, dass du nicht perfekt bist.»

«Perfekt», wiederholt er und hebt eine Augenbraue. Er hat sich ihr zugewandt, ein Knie auf das Sofa gezogen, einen Arm auf die Rückenlehne gelegt. Seine Hand berührt ihre Schulter.

«Na ja, was den Haushalt angeht, jedenfalls.»

«Ich glaube, hier ist nur Platz für einen perfekten Menschen», sagt er leise. «Und diese Rolle ist eindeutig schon besetzt.»

Sie blinzelt ihn langsam an.

«Du bist einfach wunderbar, Lila», sagt er. Dann nimmt er ihre Hand in seine, dreht sie um und fährt auf eine Art mit dem Daumen über ihre Handfläche, dass ihr der Atem stockt. «Das habe ich schon gedacht, als ich dich das erste Mal auf dem Schulhof gesehen habe. Du meisterst alles, womit dich das Leben konfrontiert, mit so viel Stil und Gelassenheit – du hast eine ganz spezielle Ausstrahlung.»

«Speziell?»

Er zuckt mit den Schultern, als wäre es offensichtlich. «Du

bist so fürsorglich und freundlich. Und unübersehbar sehr schön. Und du bist immer da, um mit mir zu reden, wenn ich down bin. Ich verdiene dich nicht, im Ernst. Ich meine, ich bin einfach ... ich weiß auch nicht ... die halbe Zeit völlig neben der Spur. Ich hoffe, es stört dich nicht, wenn ich dir das sage.»

«Überhaupt nicht. Aber du schmeichelst mir viel zu sehr.»

Sein Lächeln ist beinahe verschwunden. Er sieht ihr vollkommen ernst in die Augen. «Das tue ich wirklich nicht. Ich habe ein paar sehr harte Jahre hinter mir, und ich glaube, ich habe dir schon einmal gesagt, dass mir das Wissen, mich bei dir melden oder dich sehen zu können ... echte Erleichterung gebracht hat. Es fällt mir sehr schwer, mich anderen zu öffnen. Aber selbst wenn ich dich nicht oft genug sehen kann, weiß ich, dass du da bist. Ich spüre unsere Verbindung. Du gibst mir das Gefühl, dass ich das durchstehen kann. Du ... du bist etwas Besonderes.»

Während sie ihn anschaut, nimmt er ihr sanft das Weinglas aus der Hand und stellt es auf den Couchtisch. Mit seiner anderen Hand hält er noch immer ihre Hand, und nun hebt er sie an seine Lippen und küsst sie. Sie spürt das Echo dieses Kusses in jeder Körperzelle wie einen inneren Meteoritenschauer. Dann beugt er sich vor, seinen Blick in ihren versenkt, wartet den Bruchteil einer Sekunde ab, und dann tut er es schließlich tatsächlich. Er küsst sie.

Danach wünschte sie, sie hätte nicht so viel getrunken, denn ab diesem Moment ist alles wie ein Traum. Sie ist sich seiner Küsse bewusst, ihrem zunehmenden Drängen, der Musik im Hintergrund, dem Gefühl des Tweedstoffs unter ihrer nackten Haut. Sie erinnert sich daran, wie er ihr Kleid aufknöpfte, erneut zu ihr sagte, dass sie schön sei, und noch einmal, während jedes Stückchen ihres Körpers freigelegt wurde, und danach, erinnert sie sich, gewann allmählich etwas Dringlicheres, Animalischeres die Oberhand, ihre Finger verklammerten sich ineinander, die Küsse wurden intensiver, und dann kam der Moment, in dem sein Verstand abschaltete und der Trieb die Führung übernahm. Er brauchte sie. Er hatte es wirklich gebraucht, in ihr zu sein. Die Stärke seines Verlangens war, als würde ihr etwas geschenkt.

Sie weiß nicht genau, wie lange sie danach auf dem Sofa gelegen haben. Sie fühlt sich ruhig, zufrieden, als sei ein Sturm über sie hinweggezogen und nun könne sie sich entspannen. Ihr Arm umschlingt seinen Rücken, seine Haut klebt leicht vom Schweiß, und er liegt immer noch auf ihr, sein Körper zwischen ihren Beinen, sein weiches Haar auf ihrem Schlüsselbein. Sie spürt seine Haut an ihrer, nimmt die vagen Duftnoten nach Gewürzen und Holz seines Shampoos wahr, wie man sie an einer Hermès-Flasche riechen würde. Sie will sich nie mehr bewegen. Sie könnte für immer so liegen bleiben, mit seinen Händen auf ihr, mit seinem Gewicht, das sie festhält. Sie denkt, dass sie ihn die ganze Nacht umschlingen wird, sodass jeder Zentimeter ihres Körpers mit seinem in Kontakt ist. Sie denkt schon daran, es zu wiederholen, ist nicht sicher, dass sie imstande ist, ihn in Ruhe zu lassen.

Gabriel regt sich, und er hebt den Kopf, um sie anzusehen.

«Geht es dir gut?»

Sie lächelt ihn an, langsam und unbeschwert. «Mir geht es mehr als gut.»

«Tut mir leid, wenn das ein bisschen ... überstürzt war. Ich glaube, ich war zu erregt.»

«Wirklich. Es war wunderschön.»

«Du bist wunderschön.»

Sie verharren noch einen Moment, dann bewegt er sich, verlagert sein Gewicht auf seine Ellbogen, sodass er nicht mehr auf ihr liegt. Er wirkt leicht benommen, und ohne seine Brille sieht er irgendwie verletzlicher aus, seine Augen haben diesen leicht unfokussierten Blick der Brillenträger.

«Ist dir warm genug?»

«Wenn du auf mir liegen bleibst, schon.» Sie grinst.

Er schaut auf seine Uhr. «Meine Güte. Es ist Viertel vor eins.»

Sie will etwas darüber sagen, wie die Zeit verfliegt, denkt dann aber, das wäre abgedroschen. Also zieht sie nur die Wolldecke heran, die über dem Ende des Sofas liegt, und deckt sie beide zu. «Also ...», sagt sie. «Sollten wir jetzt vielleicht ein bisschen schlafen?»

Daraufhin ändert sich sein Gesichtsausdruck ein klein wenig. Er schaut an die Wand, dann sieht er Lila verlegen an. «Eigentlich, Lila ... wäre es für dich in Ordnung, wenn wir nicht schlafen?»

«Willst du das *noch mal* machen?»

«Ich wollte sagen, dass es für Lennie bestimmt nicht gut wäre, dich morgen früh hier anzutreffen. Ich meine, wir kennen uns noch nicht so gut, und ich möchte nicht, dass sie etwas falsch auffasst. Ich denke einfach, in diesem Stadium wäre es besser ...» Er beendet den Satz nicht.

«Du ... du willst, dass ich nach Hause gehe?» Sie braucht einen Moment, um zu begreifen, dass es tatsächlich das ist, was er ihr gerade gesagt hat.

«Wenn es dir nichts ausmacht. Nur fürs Erste. Sie hat einfach ... so viel durchgemacht, und ich will sie in dieser Phase nicht irgendwie verwirren. Es war sehr viel für sie, weißt du?» Er schaut sie an, legt ihr die Hand auf die Schulter. «Es tut mir wirklich leid, dass ich dich darum bitte.»

Lila liegt noch einen Augenblick da, dann setzt sie sich auf und greift nach ihrem Kleid. Sie stellt fest, dass es auf links gedreht ist, und beginnt, an dem Stoff zu zerren, um es umzudrehen. «Nein, nein», sagt sie. «Ist schon in Ordnung.»

«Ich meine, zu jeder anderen Zeit wäre mir nichts lieber, als die ganze Nacht mit dir zusammen zu sein.»

«Es ist in Ordnung. Ich habe es verstanden.»

Er wartet, während sie sich anzieht, ihren Slip aus einer Lücke zwischen den Sofakissen zieht, sich plötzlich befangen fühlt, als sie sich in ihren BH zwängt. Sie braucht ein paar Anläufe, bis sie alles beisammenhat, und sie wünscht sich insgeheim, er würde nicht dastehen und ihr zusehen.

Er geht mit ihr zur Eingangstür. Vielleicht bemerkt er ihren Gesichtsausdruck, denn er bleibt im Flur stehen und nimmt sie in die Arme. «Du bist wunderschön», sagt er. «So wunderschön. Wir werden das wieder tun.» Sie wendet den Blick ab, und er nimmt sanft ihr Gesicht zwischen seine Hände und küsst sie mit ernstem Blick. «Hey», sagt er, als er ihre leicht zögernde Reaktion wahrnimmt. «Hey.»

Sie weiß nicht, wie sie sich fühlen soll. So hat sie sich den Abschluss des Abends nicht vorgestellt. Da küsst er sie richtig, zieht sie an sich, lässt sie nicht los, bevor sie nachgibt und seinen Kuss erwidert.

«Geht es dir gut?»

«Mir geht es gut.» Sie lächelt ihn verhalten an.

Er hilft ihr in den Mantel, dann zieht er die Kragenenden unter ihrem Kinn zusammen, schaut ihr in die Augen. «Schreib mir eine Nachricht, wenn du zu Hause bist. Ich möchte wissen, dass du gut angekommen bist.»

Sie ist ein paar Schritte den Vorgartenweg entlanggegangen, als er flüstert: «Hey, Lila?»

«Ja?»

«Wahrscheinlich ist es am besten, in der Schule noch nichts davon zu erzählen. Du weißt ja, wie diese Leute sind.»

Wer könnte besser wissen als sie, wie diese Leute sind. «Das wissen nur du und ich», sagt sie.

«Nur du und ich», sagt er, bläst ihr einen Luftkuss zu und sieht ihr von der Tür aus nach, als sie über die Straße geht.

SECHSUNDZWANZIGSTES KAPITEL

# Celie

Gene hat einen Termin mit seinem Agenten und nimmt denselben Bus wie Celie, und so sitzen sie nebeneinander oben im Doppeldecker. Celie wird als Erste aussteigen und den restlichen Weg zu Fuß gehen, während Gene bis zum West End weiterfahren wird. Gene ist es eindeutig nicht gewohnt, so früh aufzustehen, er gähnt dauernd und reibt sich die Augen, aber trotzdem redet er so viel wie immer, und seine laute amerikanische Stimme hallt über die Sitze hinweg, sodass ihn Celie ständig auffordern muss, leiser zu sprechen. Engländer haben es vormittags in den öffentlichen Verkehrsmitteln gern ruhig, abgesehen von den Psychopathen, die Musik ohne Kopfhörer abspielen oder über FaceTime Unterhaltungen führen.

«Was hast du eigentlich gewählt?»

«Ich habe den Animationskurs genommen.»

«Gute Entscheidung. In diesem Land ist es neun Monate im Jahr viel zu kalt, um Leichtathletik zu machen.»

«Ich glaube, ich bin die Einzige aus meiner Klasse, die sich angemeldet hat.»

Gene hatte ihr gesagt, dass sie etwas finden muss, was ihr wirklich Spaß macht. «Das Leben wird dich hart rannehmen, Süße. Es ist eine grausame Geliebte. Also musst du etwas finden, in das du auf eine gute Art abtauchen kannst. Sonst endet es nämlich mit Alkohol, Drogen und den falschen Frauen.» Celie ist ziemlich sicher, dass sie nicht an die falschen Frauen geraten wird, aber sie versteht, was er meint.

«Ehrlich, wenn ich mehr Leidenschaft und Arbeit in die Schauspielerei gesteckt hätte, dann hätte ich einen Oscar bekommen können», sagt Gene. «Die ganzen Filmstudios haben bei mir Schlange gestanden. Aber ich hätte weiter zum Schauspielunterricht gehen und an meinem Handwerk arbeiten sollen, statt mich ablenken zu lassen. Die Berühmtheit ist mir ganz schön zu Kopf gestiegen. Ich schätze, sie hat mich aus der Bahn geworfen.» Er streicht sich über den Kopf. «In jeder Hinsicht.»

«Spielst du darauf an, dass du Mum und Grandma verlassen hast?»

Zum ersten Mal senkt er die Stimme. In seiner Miene steht einen Moment lang Unbehagen. «Schätze schon. Deiner Mum fällt es schwer, mir das zu verzeihen.»

«Hast du dich denn entschuldigt?»

Er sieht sie an, als wäre das ein absolut radikaler Gedanke. «Nicht so direkt.»

«Mum hat erzählt, dass du zu Marja gesagt hast, sie soll sich entschuldigen.»

«Klar, aber das ist ... etwas anderes.»

«Du hast zu Marja gesagt, dass sie sich entschuldigen soll, weil sie eine Familie zerstört hat und Mum jeden Tag sehen muss. Wo ist da der Unterschied?»

Gene zieht eine Zigarette aus seinem Päckchen, dann fällt ihm ein, dass man im Bus nicht rauchen darf, und er steckt sie wieder weg. Er rutscht ein Stück auf seinem Sitz vor. «Es ist kompliziert.»

«Eigentlich nicht. Du bist derjenige, der verdammte Scheiße gebaut hat. Du solltest dich entschuldigen.»

«Celie! Fluch nicht vor deinem Grandpa!»

Darauf herrscht kurz Stille.

«*Grandpa*, mh», sagt Celie testweise.

«Vor deinem alten Kumpel Gene.» Er seufzt. «Vielleicht hast du recht. Ist eben nicht so einfach, in dieses Wespennest zu stechen. Deine Mum ist manchmal ein bisschen ...»

«Angsteinflößend?»

«Genau.»

«Du solltest es trotzdem versuchen. Sie ist nicht so streng, wie sie aussieht.» Celie denkt an ihre Mum. «Ich glaube, sie denkt einfach, dass du wieder abhauen wirst. Ich glaube, sie denkt, dass jeder sie irgendwann verlässt.» Sie mustert ihn. «Wirst du wieder weggehen?»

Er schüttelt den Kopf. «Es gefällt mir ziemlich, mit meiner Familie zusammen zu sein. Und hey, wer wird deine Probleme aus der Welt schaffen, wenn dein alter Kumpel Gene nicht da ist, hm? Wer wird dir falsche Tattoos machen lassen und dafür sorgen, dass du dich aufrecht hältst? Wer wird dafür sorgen, dass die kleine Violet genug Donuts bekommt? Wer wird dafür sorgen, dass Bill Fortschritte bei seiner Piano-Lady macht?» Er hebt den Kopf und sieht sich im Bus um. «Wer wird den Frauen in Nordwest-London etwas zum Tratschen verschaffen?»

Ein paar Frauen schauen zu ihnen herüber, dann wenden sie den Blick wieder ab. Er zieht Celie an sich und küsst sie auf den Scheitel. Er riecht nach Zahnpasta und altem Leder.

«Du bist total verrückt», sagt sie. Aber sie schiebt ihn nicht weg.

Celie hat keine Magenschmerzen mehr vor der Schule. Sie waren beinahe augenblicklich verschwunden, als sie das erste Mal mit ihrem *unsichtbaren Gene-Schutzschild*, wie er es nannte, an den Mädchen vorbeigegangen war. Sie hatten alle am Schultor gestanden und geraucht, obwohl sie dafür genau genommen auf der falschen Seite des Tors standen. Als Meenas Blick zu ihr wanderte, war Celie nicht zurückgeschreckt, sondern hatte ihn erwidert, mit einem beinahe unmerklichen Lächeln das Kinn gehoben und war weitergegangen. Auf dem gesamten Weg zur Biologiestunde hatte sie gespürt, wie die anderen sie anstarrten, doch statt sich wie früher davon fertigmachen zu lassen und sich den Kopf darüber zu zerbrechen, was sie wohl redeten, hatte sie ihren unsichtbaren Schutzschild um sich gezogen, *Ihr seid dermaßen erbärmlich* gemurmelt und sich vor Augen gerufen, wie sich Gene auf der Wiese gewälzt und geschrien hatte: «Ich bin tot! Du hast mich umgebracht!» Jedes Mal, wenn sie es seitdem so gemacht hatte, war es ein bisschen leichter geworden, und jetzt, nach drei Wochen, nimmt sie die Mädchen kaum noch wahr. Ja, sie ist immer noch ein bisschen einsam, aber sie hat angefangen, mittags mit den Mädchen aus dem Musikkurs zu essen, die zwar ein bisschen schrullig sind, sich aber immer über ihre Gesellschaft zu freuen scheinen und ihre Stühle zusammenrücken, wenn es eng am Tisch ist, damit sie sich dazusetzen kann.

Sie reden nicht über andere. Überhaupt nicht. Dadurch wird Celie bewusst, dass neunzig Prozent der Gespräche von Meena und den anderen daraus bestanden, wer was machte, wer dumm war oder schlecht angezogen oder wer sich zum Depp gemacht hatte. Es war, als wären die Geschichten über andere Leute für sie die einzige Währung, die zählte. Harriet und Soraya dagegen reden über Musik oder über Filme, die sie gesehen haben, oder darüber, was sie als Nächstes schreiben werden (sie sind beide im Musik-Leistungskurs, und Soraya komponiert eigene Stücke). Einmal hatte ihnen Soraya in der Kantine einen Song von sich vorgespielt, den sie mit dem Handy aufgenommen hatte, und Celie hatte ihren Ohrhörer eingestöpselt, um ihn sich zusammen mit Harriet anhören zu können, und auch wenn es nicht brillant war – Sorayas Stimme ist ein bisschen dünn, und in dem Song geht es um Katzen –, hatte sie die Selbstsicherheit Sorayas am meisten frappiert: Sie vertraute einfach darauf, dass Celie sie nicht auslachen und aufmerksam zuhören würde. Für Soraya war es selbstverständlich, dass das, was sie tat, seine Berechtigung hatte und dass die anderen das auch so sahen. Wenn sie das Meena gezeigt hätte, wäre Meena vor Lachen zusammengebrochen und hätte allen erzählt, es sei armselig.

Celie stellt fest, dass sie lieber über Sachen als über Menschen spricht. Wenn sie vom Tisch aufsteht, ist sie ziemlich sicher, dass Soraya und Harriet nichts Gemeines über sie sagen. Trotzdem schaut sie beim Verlassen der Kantine zur Sicherheit zwei Mal über die Schulter.

Der Animationskurs findet um sechzehn Uhr im Fachbereich Kunst statt, der genau genommen aus zwei miteinander verbundenen Containern besteht. Celie achtet darauf, so spät wie möglich hinzugehen, weil es ihr unangenehm ist, draußen in der Schlange zu stehen und niemanden zu kennen, und als sie hineingeht, sucht sie sich einen Tisch ganz hinten in der Ecke, von wo aus sie alles im Blick hat. Sie checkt, ob jemand da ist, den sie kennt. Die meisten sind Jungs aus den beiden Klassen über ihr, aber keine von der Sorte, die herumalbern und anderen die Taschen klauen, um sie in den Mülleimer zu werfen. Es sind die Unauffälligen, die Jungs, die ruhiger sind, sich am Rand des Geschehens halten. Außer ihr sind noch zwei Mädchen da, eins davon – aus dem Jahrgang über ihr – nickt Celie zu, was die auffälligste Begrüßung ist, die man von jemandem aus der Abschlussklasse erwarten kann. Dann sieht sie zwei Reihen vor sich Martin mit seinem auffälligen roten Haar. Er schaut zu ihr nach hinten und winkt ihr auf die Art kurz zu, die jemand an sich hat, der nicht mit Anerkennung rechnet, aber findet, dass er es trotzdem tun sollte. Sie lächelt ihn an, weil es gemein wäre, das nicht zu machen, und versucht, nicht darüber nachzudenken, was es bedeutet, dass sie jetzt mit jemandem wie Martin in einem freiwilligen Nachmittagskurs sitzt.

«Also, wir fangen mit Storyboards an. Macht euch nichts draus, wenn ihr noch nicht so gut zeichnen könnt, denn worum es jetzt vor allem geht, ist der Aufbau eurer Geschichte. Je nachdem, ob ihr eine 2-D- oder 3-D-Animation machen wollt, können wir später Software zur Erstellung der Bilder einsetzen.»

Mr. Pugh gehört zu den Lehrern, die sich mit dem Vornamen anreden lassen – Kev –, Jeans und Sneaker tragen und sich auf die Ecken der Schülerpulte setzen. Celie schätzt, dass er den Leuten erzählt, die Kids würden ihn als Kumpel betrachten. So einen gibt es an jeder Schule.

«Martin, du hast doch letztes Mal Storyboards gemacht, oder? Hast du zufällig eins in deiner Mappe?»

Celie krümmt sich an seiner Stelle. Als Erster aufgerufen zu werden, um zu zeigen, was man gemacht hat, ist tödlich. Besonders vor älteren Jahrgängen. Aber Martin wirkt nicht beunruhigt. Er zieht einen großen A3-Bogen aus seiner Mappe. Mr. Pugh schlendert zu seinem Tisch und hält den Bogen hoch, damit alle ihn sehen können.

Es dauert ein paar Sekunden, bevor Celie realisiert, dass das tatsächlich Martins Arbeit ist und außerdem richtig gut. Der Bogen ist in etwa zwölf quadratische Zeichnungen aufgeteilt, von denen einige stark schattiert sind. Sie kann von ihrem Platz aus nicht genau erkennen, was dargestellt ist, aber es sieht danach aus, als würde jemand einen Albtraum durchleben und am Ende in hellem Tageslicht herauskommen. Da sind Monster, die über die Bildränder hinausragen, ein verängstigtes Gesicht, ein riesiger Teddybär und schließlich ein besorgtes Frauengesicht, das eine Mutter sein könnte. Mr. Pugh erklärt, wie Martin seine Geschichte in Schlüsselszenen unterteilt und jeder ein Bild zugeordnet hat.

«Wir beschränken uns in dieser Phase auf einfache Animationen, damit ihr den richtigen Dreh herausbekommt, und das bedeutet, dass eure Geschichten sehr kurz sein sollten. Wie ihr seht, passt Martins Albtraum perfekt zu diesen Vorgaben.»

Jemand fragt etwas zu der Software und dem Unterschied zwischen 2-D und 3-D, doch Celie hört kaum zu. Sie schaut zu Martins Mappe hinüber, die anscheinend eine Menge Storyboards enthält. Sie kann halb verdeckte Bilder sehen, ein paar in Farbe, ein paar schwarz-weiß. Er sortiert sie, legt sie sorgsam in die Mappe zurück, und als er mitbekommt, dass sie ihn beobachtet, grinst er sie kurz an. Es ist kein verlegenes Grinsen, sondern einfach das Lächeln, das man zeigt, wenn man sich mit dem, was man tut, richtig gut fühlt und nicht das Gefühl hat, es vor irgendwem rechtfertigen zu müssen.

Eine Story auszuarbeiten, ist kniffliger, als es klingt. Celie weiß nicht recht, was für eine Story sie erzählen will. In den letzten Jahren war alles in ihrem Leben einfach nur deprimierend; sie kann schließlich nicht die Scheidung ihrer Eltern als Animationsfilm erzählen oder wie Grandma von dem Bus überfahren wurde oder wie Marja schwanger wurde oder wie Meena und die anderen sie geghostet haben oder wie es war, sich im Park zuzudröhnen. Sie denkt an Superhelden und Tiere aus Comics – das übliche Zeug –, aber das findet sie nicht besonders interessant. Alle anderen scheinen schon mit einer Story im Kopf in den Kurs gekommen zu sein, sie sieht sie Vorzeichnungen in ihren Quadraten machen, hört sie leise fluchen, wenn sie etwas falsch zeichnen. Sie beugt sich über ihren Szenenplan, gibt sich den Anschein, genau zu wissen, was sie vorhat, aber dann beginnt sie, sich unwohl und ausgeliefert zu fühlen, so als sollte sie eigentlich gar nicht hier sein.

«Alles klar?» Martin ist an ihr vorbeigegangen und an ihrem Tisch stehen geblieben. Er sieht, dass ihre Quadrate leer sind.

Sie schneidet eine Grimasse und versucht, lässig zu wirken. «Suche einfach krampfhaft nach Ideen.»

Er betrachtet die Kritzeleien, die sie auf den Rand gemalt hat.

«Superhelden sind nicht so mein Ding, aber ich weiß nicht, was ich sonst zeichnen soll.»

Martin nickt, als wäre das vollkommen normal. Er hat eine seltsame Autorität in diesem Kurs. Es ist, als wäre er ein ganz anderer Mensch.

«Wie ... wie kommst du auf deine Ideen?»

«Oh.» Er sieht sie beim Sprechen nicht an, und sie fragt sich, ob er doch schüchterner ist, als er durchblicken lässt. «Ganz ehrlich? Im ersten Jahr, als ich in diesem Kurs war, habe ich eine Animation über Mobbing gemacht. Es war ziemlicher Mist, aber Mr. Pugh fand die Animation gut. Und letztes Jahr habe ich mehr so surreale Sachen gemacht, Träume, Albträume, Gegenstände, die zum Leben erwachen, so was in der Art. Ich meine, ich weiß die Hälfte der Zeit nicht, was ich machen will, also nehme ich einfach eine kleine Idee und versuche, sie größer werden zu lassen.» Er wird ein bisschen rot. «Falls das irgendeinen Sinn ergibt.»

«Ich habe aber keine Ideen.» Sie möchte keine Animation über Mobbing machen.

«Ich überlege gerade, welche Tipps uns Pugh letztes Jahr gegeben hat.» Er starrt einen Moment nachdenklich auf seine Füße. «Oh, jetzt fällt mir wieder was ein. Zum Beispiel: Was war das Letzte, das dich zum Lachen gebracht hat?»

Sie denkt an Genes Zahnpastawerbung, an seine Nachahmung der vielen unterschiedlichen Arten, auf die ihn der Regisseur bei den Dreharbeiten zum Lächeln animiert hat. *Jetzt zeig mir ein zufriedenes Lächeln! Jetzt ein sexy Lächeln! Unsicheres Lächeln! Selbstbewusstes Lächeln! Ich-hab-Sex-mit-der-Kamera-Lächeln!* Dann denkt sie an seinen Schabernack in dem Sexshop für Schwule. An ihn und Bill, wie sie sich im Flur den dummen Alte-Männer-Streit mit dem Geschirrtuch geliefert haben.

«Meine beiden Großväter», sagt sie. «Die sich hassen. Beziehungsweise sich gehasst haben.»

Martin lächelt. «Ja. Zwei alte Männer beim Boxkampf. Das ist lustig.»

Sie macht ein langes Gesicht. «Bloß, dass ich keine alten Männer zeichnen kann.»

«Warte mal.» Martin geht zwischen den Tischen hindurch und hockt sich vor ein niedriges Bücherregal. Dann kommt er mit einem abgegriffenen übergroßen Taschenbuch zurück. Der Titel lautet: Wie man Charaktere zeichnet.

«Zeichne ein paar von denen ab», sagt er und blättert durch die Seiten. «Selbst wenn sie nicht genau so sind, wie du sie willst, bringen sie dich auf Ideen. Es ist ziemlich gut – mit Schritt-für-Schritt-Anleitungen. Wie man zuerst ein Ei zeichnet und es dann in ein Gesicht verwandelt, wie man

Emotionen darstellt oder wie man eine Figur altern lässt.» Er reicht ihr das Buch, zögert kurz und geht nach einem knappen Nicken zurück an seinen Tisch.

«Danke», sagt sie, vermutlich einen Moment zu spät. Sie ist nicht sicher, ob er sie gehört hat.

«Wie war's bei dem Animationskurs, Süße?», fragt Gene, als sie nach Hause kommt. Er liegt im Wohnzimmer auf dem Sofa, schaut die Nachrichten und isst Chips aus der Tüte, was bedeutet, dass Bill nicht da ist. Truant sitzt vor ihm und starrt ihn an, jede Faser seines Körpers auf die Möglichkeit herabfallender Stückchen fixiert.

«Gut», sagt sie. Celie hat eine Mappe voller Zeichnungen von alten, kämpfenden Männern unter dem Arm. Einer hat strahlend weiße Zähne und ein Toupet, und sein Gegner trägt einen Gehstock, Anzug und Krawatte, und sie hat ein Storyboard gezeichnet, in dem sie darüber streiten, wer als Erster in den Bus steigen darf. Während sie sich prügeln, stoßen sie nach und nach sämtliche alten Damen an der Bushaltestelle um und anschließend sämtliche Fahrgäste im Bus, einschließlich Müttern mit Kinderwagen, und schließlich sogar den Fahrer. Danach ziehen sie ihre Senioren-Bustickets heraus und jammern über ihre Gebrechlichkeit. Martin war in lautes Gelächter ausgebrochen, als sie es ihm gezeigt hatte, und sie glaubt nicht einmal, dass er es aus Höflichkeit getan hat.

«Und was hast du gezeichnet?», fragt er. «Hast du was, das du deinem alten Kumpel Gene zeigen kannst?»

«Noch nicht, Grandpa», sagt sie und lächelt, als sie die Treppe hinaufgeht.

## SIEBENUNDZWANZIGSTES KAPITEL

# Lila

«Ah! Mrs. Kennedy! Ich hatte gehofft, dass Sie heute kommen. Ich wollte mit Ihnen sprechen.»

Mrs. Tugendhat kommt über den Schulhof auf sie zu. Sie trägt eine lange, fließende Tunika, und ihre stattliche Erscheinung erinnert an ein Boot, das unter geblähten türkisfarbenen Segeln über die ruhige See fährt, auch wenn ihr der Wind das Haar in einer unzähmbaren Wolke um den Kopf wirbelt.

«Hallo, Mrs. Tugendhat.» Lila bemüht sich, keine Grimasse zu ziehen. Sie ist früher gekommen, weil sie gehofft hat, Gabriel zu erwischen, und wirft einen Blick über die Schulter, um festzustellen, ob er da ist.

«Es geht um die Kostüme. Wir hatten gehofft, dass wir inzwischen schon etwas davon sehen könnten. Die Generalprobe pirscht sich heran!» Sie zieht bei diesen Worten die Augenbrauen hoch, als handle es sich um einen unheimlich lustigen Insiderwitz.

Die verdammten Kostüme. Lila weiß, dass sie einen Abend auf eBay hätte verbringen sollen, um etwas Passendes zu finden, aber irgendwie verschwindet dieser Plan jeden Abend aus ihrem Kopf.

«Sind sie so langsam vollständig?»

«Ja, ja», sagt Lila beruhigend.

«Ich habe Ihnen die Maße geschickt. Sie haben die E-Mail doch bekommen, oder? Meine Güte, sind die Kinder heutzutage groß! Wissen Sie, als ich angefangen habe zu unterrichten, waren sie alle winzig. Richtige Knirpse!» Sie senkt ihre mollige Hand, um die Größe eines Kindes anzudeuten, das bestenfalls die ersten Gehversuche machen konnte. «Würden Sie mir Bescheid geben, wenn wir mit ihnen rechnen können?»

Manchmal kommt es Lila so vor, als sei das der ständige Refrain in ihrem Leben: Wann können wir mit weiteren Kapiteln rechnen? Wann können wir mit den Kostümen rechnen? Wann können wir mit dem Ende des Lärms in Ihrem Garten rechnen?

«Ich gebe Ihnen Bescheid», sagt Lila in dem unbehaglichen Wissen, dass der Gedanke wahrscheinlich schon wieder aus ihrem Kopf verschwunden ist, wenn sie an ihrer Haustür ankommt. Denn Lilas Kopf war in der letzten Woche zu achtundneunzig Prozent mit Gedanken an Gabriel ausgefüllt. Er hatte ihr am Tag danach eine ganze Serie von Nachrichten geschickt. *Das war ein wundervoller Abend. Ich konnte danach nicht schlafen. Du bist so schön, Bella* – aber er hat frustrierend geringe Anstrengungen unternommen, um sie wiederzusehen. Sie war mehr oder weniger davon ausgegangen, dass jetzt alles klar war. Dass sie etwas *miteinander hatten*. Dass sie den Grundstein für etwas Wunderschönes gelegt hatten und dies der nächste Schritt zu einer Phase mit häufigeren Abendessen oder Übernachtungen oder sogar der Einbeziehung ihrer Familien war.

Stimmt zwischen uns alles? Du bist so still x

Seine Antwort war eine Stunde später gekommen.

Natürlich, Bella. Sorry, hab nur eine verrückte Woche
bei der Arbeit x

Sie war kurzfristig beruhigt gewesen und erneut, als er am folgenden Morgen geschrieben hatte:

Guten Morgen, Bellissima. Hab beim Aufwachen an dich
und unsere Nacht gedacht x

Aber seitdem: nichts.

Lila weiß, dass sie ihn einfach anrufen oder ihm schreiben sollte, dass sie sich bei seiner Funkstille ein bisschen merkwürdig fühlt. Aber irgendwie macht sie sich Sorgen, dass das «extrem» rüberkommen könnte, wie ihre Töchter sagen würden. Sie will nicht als Klette erscheinen, nur weil sie miteinander geschlafen haben. Sie ist schließlich eine zweiundvierzigjährige Frau. Ihre Gedanken wirbeln durcheinander, schwanken zwischen unterschiedlichen Handlungsoptionen hin und her. Sie hatte fast zwanzig Jahre kein Date gehabt. Sie fühlt sich wie eine Astronautin bei der Mondlandung, die sich in einer komplett unbekannten Landschaft bewegen muss. Wie läuft so etwas inzwischen? Normalerweise würde sie das mit Eleanor besprechen, aber sie hat das unangenehme Gefühl zu wissen, was ihre Freundin dazu sagen wird, und das ist nichts Positives. Sie wird Lila erklären, dass sie die Karten auf den Tisch legen soll, dass sie direkt sein soll, aussprechen soll, was sie will. Oder sie wird Lila erklären, dass sie ein Volltrottel ist und dass sie den Abgang machen und nicht mehr an ihn denken soll. Aber Eleanor kann sich nicht in Gabriel einfühlen, kann nicht nachempfinden, was er durchgemacht hat. Sie war bei diesem wundervollen, intimen Abend nicht dabei, hat nie erlebt, wie süß er zu ihr ist, oder ihre tiefe Verbindung gespürt. Und deshalb hat Lila angefangen, Eleanors Anrufe zu ignorieren oder ihr Nachrichten wie diese zu schreiben: Sorry! Hier geht's zu wie irre! Xxx, und sich dann auch noch deswegen unwohl zu fühlen.

Gerade ist Gabriels Mutter aufgetaucht. Sie eilt mit den Autoschlüsseln in der Hand über den Schulhof. Lila fragt sich, ob Gabriel sie gegenüber seiner Mutter erwähnt hat. Sie müssen ein enges Verhältnis haben, oder? Die Frau kreuzt kurz Lilas Blick, als sie mit Lennie an der Hand vorbeigeht, und Lila lächelt, und die Frau lächelt zurück, aber auf die vage Art, auf die man lächelt, wenn man jemanden eigentlich nicht kennt und sich verpflichtet fühlt, eine Geste zu erwidern. Mit einem Seufzen streckt Lila die Hand aus, als eine schlecht gelaunte Violet ihr den Rucksack hinhält, und dann wappnet sie sich für einen weiteren langen Abend voll innerer Unruhe.

Estella Esperanza hat mit dem attraktiven jungen Arzt geschlafen. Aber das lustvolle Vergnügen ist ihr nur eine halbe Folge lang vergönnt, bevor sich herausstellt, dass der Arzt in Wahrheit von Rodrigo engagiert wurde, um sie zu verführen, damit er sich wegen Untreue scheiden lassen und den Großteil seines Vermögens behalten kann (Lila weiß nicht genau, wie das Scheidungsrecht in diesem Teil Südamerikas geregelt ist, aber es scheint ihr ein bisschen unfair zu sein). Dieses Mal wird Estella nicht durch die Untreue eines Mannes niedergeschmettert. Dafür hat sie in den letzten beiden Staffeln schon zu viel durchgemacht. Jede Frau, die eheliche Untreue überstanden hat, einen Beinahe-Ertrinkungstod (sie war bei der Verfolgung Rodrigos von einem Rennboot gefallen), den Beinahe-Verlust eines ihrer Kinder und einen Mordversuch durch einen Mann, der sich als Riesentausendfüßler verkleidet hatte, lässt sich wohl kaum von der Erkenntnis erschüttern, dass ein Mann, der kaum alt genug ist, um sich einen Bartflaum wachsen zu lassen, Hintergedanken hegte.

Als sie von einer Krankenpflegerin erfährt, dass er kein richtiger Arzt ist, sondern sich nur als Arzt ausgibt, wartet sie auf ihn in einer Behandlungskabine, erzählt ihm zuckersüß, dass sie Probleme mit ihrem Knöchel hat, und als er sich vorbeugt, um ihn zu untersuchen, tritt sie ihm mit einem schwindelerregend hohen, goldfarbenen Yves-Saint-Laurent-Stiletto kräftig ins Gesicht. Während er sich stöhnend auf dem Boden krümmt, die Hände vors Gesicht geschlagen, gleitet sie flink von der Behandlungsliege, steigt grazil über seinen Körper und zischt ihm zu: *Das nächste Mal, Pendejo, überlegst du besser zweimal, wen du für dumm verkaufst.* Dann schreitet sie elegant an dem Vorhang der Kabine vorbei und durch die Krankenhauslobby ins Freie.

Lila starrt auf den Abspann, dann schaltet sie ein wenig erschöpft das Licht aus und geht schlafen.

Am nächsten Morgen steht Eleanor vor der Tür, zwei Minuten, nachdem Bill in seine Werkstatt gegangen ist. Lila, die gerade mit einem Becher Tee nach oben in ihr Arbeitszimmer wollte, fährt zusammen, als sie die Haustür öffnet.

«Warum gehst du mir aus dem Weg?» Eleanor läuft direkt an ihr vorbei in die Küche und zieht ihren Regenmantel aus.

«Ich gehe dir nicht aus dem Weg.»

«Du bist zu vier Spaziergängen nicht gekommen, und du nimmst meine Anrufe nicht an. Du gehst mir sehr wohl aus dem Weg.»

Lila folgt ihr in die Küche und setzt mehr Teewasser auf. Sie schlägt die Hände vors Gesicht. «Ich habe eine Dummheit gemacht, und ich weiß, dass du sagen wirst, dass es eine

Dummheit war, und deshalb fühle ich mich noch dümmer als in dem Moment, in dem ich die Dummheit begangen habe.»

«Wie bitte?»

«Ich ertrage es nicht, wenn du mir jetzt auch noch die Meinung sagst, El.»

«Ich bin nicht hergekommen, um dir die Meinung zu sagen! Ich muss mit dir reden.»

«Oh.» Lila lässt die Hände sinken. «Warum? Was ist los?» Sie war so mit sich selbst beschäftigt gewesen, dass ihr der Gedanke, ihre Freundin könnte Hilfe brauchen, gar nicht in den Sinn gekommen war. In unausgesprochenem Einverständnis unterbrechen sie das Gespräch, bis Eleanors Tee fertig ist, Lila die Küchentür zugemacht hat und sie mit einer Dose Kekse am Tisch sitzen.

«Ich weiß nicht, was ich eigentlich mit meinem Leben mache.»

Lila wartet ab. Diese Einleitung könnte schließlich alles Mögliche bedeuten. Eleanor verzieht das Gesicht. «Da war diese Sexparty. Ich bin hingegangen und war einfach nicht so gut aufgelegt wie normalerweise, und um ungefähr elf Uhr war ich in diesem überfüllten Raum und habe zwei Leuten zugesehen, die es miteinander gemacht haben, und irgendwie hat mich die ganze Atmosphäre auf einmal total deprimiert.»

«Und?»

«Und plötzlich wollte ich viel lieber zu Hause sein, einen Tee trinken und mit jemandem über irgendeine Fernsehsendung reden.»

«Echt?»

«Ich meine, ich bereue nicht, was ich gemacht habe. In den ersten paar Monaten kam es mir wie ein Abenteuer vor, so als würde ich die verlorene Zeit aufholen. Aber dann war ich eben bei dieser BDSM-Party, und die Wände waren mit Plastikfolie bespannt, und die Musik war schrecklich, und es war, als wäre plötzlich der ganze Spaß weg, und ich hatte einfach ... den Ekel. Ich habe all diese glasigen Blicke gesehen und die haarigen Hintern, und es war echt ... Würg. Es war, als hätte jemand am Ende einer Party das Licht angeschaltet, sodass all die verrückten, coolen Leute, mit denen man die ganze Nacht getanzt hat, bloß noch ein Haufen verschwitzter Idioten sind.»

Lila widersteht dem Impuls zu sagen, dass sie sich bei jeder Party aus Eleanors Beschreibungen genau diese Stimmung vorgestellt hat. «Und was hast du gemacht?»

«Einen französischen Abgang und ein Uber gerufen. Seitdem haben Jamie und Nicoletta ein paarmal angerufen, aber ich denke, ich habe einfach ... keine Lust mehr drauf. Es ist buchstäblich, als wäre ein Schalter umgelegt worden. Mach nicht dieses Gesicht, Lila. Glaubst du, ich brauche eine Hormonersatztherapie?»

«Nein. Ich glaube, du brauchst einen Tee und einen netten Mann, mit dem du fernsehen kannst.»

Eleanor atmet aus. «Oh, Gott sei Dank. Ich dachte, jetzt, wo du selbst lauter sexy Abenteuer hast, würdest du mir sagen, ich hätte den Verstand verloren und bräuchte Hormone oder so.»

«Zwei. Ich hatte zwei. Und ich bin auch nicht sicher, dass ich für sexy Abenteuer geschaffen bin.»

Sie seufzen beide und trinken einen Schluck Tee.

«Ich habe mit dem heißen Architekten geschlafen.»

«Das ist doch toll!»

«Und ich glaube, seine Gefühle haben sich abgekühlt.»

«Wieso?»

Lila erzählt ihr, dass er keine Nachrichten mehr schreibt

und von den vagen Versprechungen, die er nicht einhält. Und sie erzählt ihr größtes Geheimnis – dass sie irgendwie befürchtet, vergessen zu haben, wie man richtig Sex macht, oder nicht auf dem Laufenden ist oder irgendetwas Langweiliges oder Abstoßendes getan hat, sodass Gabriel sie deshalb nicht mehr mag. Sie hatte beinahe eine halbe Stunde in einem Vergrößerungsspiegel nach Härchen an ihrem Kinn gesucht.

«Sei nicht albern. Es liegt nicht an dir. Er ist einfach einer von diesen Männern. Er betreibt Breadcrumbing.»

«Er macht *was*?»

«Ich hab was darüber gelesen. Es ist eine Methode. Sie geben dir gerade eben genug, um dich am Haken zu behalten, aber nicht genug, was auf eine richtige Beziehung hindeutet.»

Lila schüttelt den Kopf. «Das ist es nicht. So ein Mann ist er nicht.»

Eleanor zieht ihr Handy heraus und tippt etwas. Dann fängt sie an vorzulesen.

*«Ist unbeständig.»*

«Okay. Vielleicht.»

*«Benutzt einen Standard-Spitznamen.»*

«Mm. Er nennt mich Bella. Das ist nicht so richtig standardmäßig.»

Eleanor zieht ein Gesicht. *«Deutet an, dass er eine Beziehung will, indem er Sätze benutzt wie ‹Du bist genau mein Typ› oder ‹Du bist zu gut für mich›, die aber weiter keine Folgen haben.»*

In Lila breitet sich allmählich Unbehagen aus.

*«Vermeidet zu viele Verabredungen. Irgendetwas fühlt sich immer falsch an.»*

Lila ist ein bisschen schlecht. «Er ist schwer festzunageln. Oh Gott. Denkst du wirklich, es geht um so etwas?»

«*Erzählt dir eine rührselige Geschichte, damit du dich emotional bindest.*»

Lila stellt ihren Becher hin. «Tatsächlich ist seine Frau gestorben. Ist das eine rührselige Geschichte?»

Sie kommen überein, dass man das so oder so sehen kann.

«*Bittet um Fotos.*»

«Sexy Fotos? Nein, das macht er nicht.» Kurz brandet Erleichterung in ihr auf.

«Hier heißt es, dass sie es vielleicht nicht einmal bewusst machen. Er könnte also aufrichtig sein. Aber wenn du hinter ein paar von diesen Punkten einen Haken setzen kannst, wäre es vermutlich gut, mal darüber nachzudenken.»

Lila denkt an die vielen Gespräche, die sie mit Gabriel geführt hat. Die langen, spätabendlichen Unterhaltungen. Die Tatsache, dass sie die Einzige von den Eltern an der Schule ist, die Lennie mit zu sich nach Hause genommen hat. Die Art, auf die er sie anschaut. Die Art, auf die er versteht, wie alles für sie ist. «Ich weiß nicht. Vielleicht trifft manches davon auf ihn zu, aber er hat definitiv noch andere Seiten. Ich meine, ich will ihn nicht abschreiben, nur weil er eine Woche Stress bei der Arbeit hat.»

«Dann tu's nicht. Aber mach dich seinetwegen auch nicht verrückt. Komm, Lila. Sprich einfach ganz direkt mit ihm. Du bist zweiundvierzig Jahre alt.»

«Ich wusste, dass das kommt.»

«Deshalb liebst du mich ja.»

Sie sitzen eine Weile da, greifen abwechselnd in die Keksdose.

«Echt, El. Erinnerst du dich daran, wie wir sechzehn waren und gedacht haben, in dem Alter jetzt hätten wir bei diesen Sachen den Durchblick? Spätestens mit dreißig dachte ich, ich weiß über alles Bescheid.»

Lila beißt in einen leicht zähen Cookie mit Schokostückchen.

«Ich habe das schreckliche Gefühl, dass wir noch mit fünfundachtzig eine Variation dieses Gesprächs führen werden.»

«Er hat sein Gebiss auf meiner Bettseite liegen lassen. Meinst du, das bedeutet, dass er mich mag?»

«Er lächelt im Altersheim dauernd eine andere Frau an.»

«Ich bin sicher, dass ich sein Elektromobil vor dem Pole-Dance-Club habe stehen sehen.»

«Er bekommt nur mit vierzehn Viagra-Pillen und einem Flaschenzug einen hoch. Bedeutet das, dass ich nicht attraktiv genug bin?»

Sie fangen an zu gackern, und dann bekommen sie, unerklärlicherweise, einen Kicheranfall. So gut hat sich Lila die ganze Woche lang nicht gefühlt.

Jensen kommt zur Mittagszeit, als sie gerade eine Pause von der Überarbeitung ihrer ersten drei Kapitel macht. So geht sie beim Schreiben immer vor. Sie sieht früher entstandene Textabschnitte durch, feilt und poliert, ersetzt Wörter, wenn ihr ein passenderes einfällt. Es ist der Teil ihrer Arbeit, der ihr am meisten Spaß macht. Jensen taucht an der Terrassentür auf, als sie gerade Tee macht, und es hätte irgendwie seltsam gewirkt, ihm keinen anzubieten. Sie setzen sich mit den Bechern in den Garten. Er trägt keine Arbeitskleidung, sondern ist überraschend schick in einem blassgrauen Kaschmirpullover und dunklen Jeans auf dem Weg zu einem möglichen neuen Auftrag am Stadtrand von London. «Das wäre eine Menge Arbeit. Wahrscheinlich müsste ich jemanden einstellen, um das alles zu schaffen. Aber es ist ein schönes altes Haus, und die Besitzer wollen den Garten in seiner Ursprungsform aus der georgianischen Epoche wiederherstellen lassen, also war es schon mal ziemlich nett, die Recherche zu machen und ein paar Vorschläge für sie auszuarbeiten.» Er hat eine Mappe mit Zeichnungen dabei und zeigt ihr ein paar; schöne, präzise Grafiken von Hecken und geometrisch angelegten Gehwegen.

Ihr eigener Garten ist fertig, die letzten Pflanzen sind eingesetzt und gewässert, und in der vergangenen Woche hat sie jeden Abend draußen gesessen, Truant zu ihren Füßen, und einfach den Freiraum und die friedliche Stimmung genossen. Es ist, als habe sie ein Extrazimmer zu ihrem Haus geschenkt bekommen, einen Ort, an dem sie ganz neu empfinden kann, weil keine komplizierte Geschichte damit verbunden ist. Seltsamerweise haben Jensen und Bill recht gehabt. Wenn sie auf der Bank sitzt, die Bill gebaut hat, denkt sie an ihre Mutter. Aber es ist ein gutes Gefühl, eher ein inniges Gedenken als ein gähnender Schlund der Abwesenheit. Ihre Mutter hätte diesen Platz geliebt. Sie hätte Worte benutzt wie *himmlisch* und *göttlich* und gemurmelt: *Schau mal, wie das Licht zwischen diesen Pflanzen hindurchfällt, Lila! Muss man bei all diesem Vogelgezwitscher nicht einfach ins Schwärmen geraten?*

«Das hast du wirklich großartig gemacht», sagt Lila und bricht damit das Schweigen. Und er verzieht einen Augenblick lang das Gesicht, als hätte er Schwierigkeiten damit, Komplimente anzunehmen.

«Es freut mich, dass du das so siehst.» Er scharrt mit der Schuhspitze auf dem Pfad herum. «Dieser Auftrag war für mich eine persönliche Sache.» Er wirft ihr ein kleines, schiefes Lächeln zu und scheint etwas verlegen zu sein, doch sein Blick ist freundlich. Lila überkommen leichte Gewissensbisse. Man kann in seiner Miene lesen wie in einem offenen Buch.

«Na ja», sagt sie, «du musst ja jetzt kein Fremder werden, nur weil du mit der Arbeit fertig bist.»

«Ja? Und wie soll ich mich verhalten? Einfach zu den unmöglichsten Zeiten bei dir anklopfen und um eine Tasse Tee bitten?»

«Absolut. Vielleicht in Verbindung mit einem kleinen Ausdruckstanz um den Teich herum, wenn du dazu Kekse willst.»

«Ich werde gleich anfangen, meine Choreografie auszuarbeiten.»

Sie muss plötzlich daran denken, wie offen sie mit ihm über die Nacht reden konnte, die sie zusammen verbracht hatten. Wie witzig und unkompliziert es – jedenfalls von seiner Seite aus – gewesen war, statt ihr Angst und Unsicherheit einzuflößen. Diese Erkenntnis – im Vergleich zu Gabriel – bereitet ihr leichtes Unbehagen, und als Truant plötzlich über den Rasen zur Küche flitzt und anfängt zu bellen, freut sie sich beinahe über die Unterbrechung. «Ich sehe besser nach, warum er bellt.» Sie steht auf.

«Klar. Oh! Eigentlich bin ich vorbeigekommen, weil ich fragen wollte, ob ich eine Kopie von der Rechnung bekommen kann, die ich dir vor ein paar Wochen gegeben habe. Mein Buchhaltungsprogramm ist anscheinend übergeschnappt, und ich müsste die letzte Rechnung sehen, damit ich berechnen kann, was noch geregelt werden muss.»

Truant ist inzwischen im Haus und bellt anscheinend die Eingangstür an.

«Ja, sicher», sagt sie abgelenkt. «Ich glaube, sie liegt oben auf meinem Schreibtisch. Hast du noch einen Moment?» Sie muss beinahe schreien, damit er sie versteht, während sie zum Haus rennt.

«Kein Stress», ruft er hinter ihr, «ich finde sie schon.»

Es ist ein Paket. Für den Nachbarn. Lila widersteht dem Drang, schweigend auf ihre Hausnummer zu deuten, die eindeutig um zwei Ziffern von der Adresse auf dem Paket abweicht, und muss sich einen Kurzvortrag von dem Boten darüber anhören, wie schwer die Lieferfirma sie arbeiten lässt, dass sie bei dem engen Zeitplan hetzen müssen und es deswegen zu falschen Zustellungen kommt, während Truant knurrend an ihren Fersen klebt und versucht, durch die kleine Lücke zur Tür zu kommen. Dann fällt dem Fahrer ein, dass er möglicherweise doch etwas für sie haben könnte, geht über die Straße zu seinem Lieferwagen und kehrt in einem offen gesagt *gemächlichen* Tempo mit einem Päckchen für Bill zurück. Sie schätzt, dass es weitere Musiknoten sind. Bill hat Teilausgaben von Klavierkompositionen bestellt, um mit Penelope neue Sachen einzuüben.

Als sie endlich die Haustür schließt, den Hund wegscheucht und das Päckchen auf den Tisch im Flur legt, klingeln ihr die Ohren. Vielleicht fällt ihr deshalb nicht auf, wie still es im Haus ist. Sie geht in die Küche und schaut aus dem Fenster, aber Jensen ist weg. Sie denkt, er muss durch den Garten hinausgegangen sein, und geht über den Rasen, um die Teebecher zu holen. Er hat seine Mappe mit Entwürfen auf der Bank liegen lassen. Sie nimmt sie mit ins Haus und denkt dabei, dass sie ihn anrufen sollte, um ihm Bescheid zu sagen. Es wäre nicht gut, wenn er bei seinem neuen Auftraggeber ohne die Entwürfe auftaucht. Sie will gerade seine Nummer anwählen, als sie Schritte auf der Treppe hört. Sie schaut auf, und da steht Jensen am Fuß der Treppe im Flur. Sein Gesicht ist aschfahl, und er hält ein paar Blatt Papier in der Hand. Er starrt sie an.

«‹*Mein Sexdate mit J – oder Wie ich mich nach zwanzig Jahren wieder in den Sattel geschwungen habe.*› Was ... was zum Teufel ist das?»

Ihr wird flau, als sie erkennt, was er in der Hand hat.

Einen Moment lang herrscht Schweigen.

«Jensen, ich kann das erklären, es ist nicht, wonach es ...»

«‹Vorher hatte er über seine Wampe gescherzt. Ja, er war wirklich nicht gebaut wie ein griechischer Gott, aber von seinem Körper ging so etwas wie hausbackene Gemütlichkeit aus.› ‹Hausbackene Gemütlichkeit›, aha. Nett.»

«Das bist in Wahrheit nicht du ...», stottert sie.

«‹Er hat mir erzählt, dass er sich verlobte, nachdem seine Freundin Tu es oder vergiss es auf seine Windschutzscheibe gekritzelt hatte.›» Er sieht sie an. «Das bin also nicht ich? Wer soll es denn sonst sein?»

«‹Wir haben uns auf dem Boden der Werkstatt gewälzt, bis wir vollkommen mit Sägemehl und Holzspänen gepudert waren ...›»

Sie hat das Gefühl, zu Eis erstarrt zu sein.

«Du hast mich also nur als ... Material benutzt.»

Sie schüttelt stumm den Kopf.

«Aber das hier gehört zu deinem Buch, stimmt's? Dein Buch darüber, wie du dein Leben wieder in den Griff bekommen hast. Das ist ein Kapitel aus deinem Buch.»

Sie sagt nichts. Sie kann sich nicht bewegen. Es ist, als wären sämtliche Muskeln in ihrem Körper abgeschaltet worden. Er tippt mit dem Zeigefinger auf die ausgedruckten Seiten.

«Ich habe dir alles erzählt. Alles, was ich durchgemacht habe. Und du hast die Nacht, die wir miteinander verbracht haben, einfach genommen und ... als etwas ausgekotzt, was du verkaufen wirst?»

«Ich ... ich kann die Details ändern. Ich ...»

«Was zum Teufel bist du nur für ein Mensch, Lila?»

Er sieht sie mit einem Ausdruck an wie noch nie zuvor. Es ist, erkennt sie, so etwas wie Abscheu.

«Du hast mir erzählt, du willst keine Beziehung, weil du unheimlich viel zu verkraften hast. Ich dachte, du brauchst einfach Zeit. Und das habe ich verstanden. Ich dachte, ich warte einfach ab, bis die dunklen Wolken abgezogen sind, und sehe dann, wie es sich entwickelt. Weißt du, ich habe dich für einen wirklich netten Menschen gehalten. Einfach einen netten, ehrlichen Menschen, der viel zu bewältigen hat.»

Er legt den Papierstapel auf den Flurtisch und schüttelt fassungslos den Kopf.

«Wie sich herausstellt, bin ich als Menschenkenner immer noch eine Niete, was?» Er geht zur Haustür und bleibt auf der Schwelle stehen. Dann dreht er sich um und atmet heftig ein, als müsste er um Fassung ringen. «Weißt du was? Irina war eine schreckliche, eine total schreckliche Freundin. Aber wenigstens hat sie sich nie verstellt.» Er wirft ihr einen letzten, vernichtenden Blick zu und geht hinaus.

## ACHTUNDZWANZIGSTES KAPITEL

Lila war nicht darauf vorbereitet, wie sehr sie Jensens Reaktion erschütterte; diese neue Version von ihm, die jemanden in ihr sieht, den er nicht mehr erkennt und den er verabscheut. Ihr war nicht bewusst gewesen, wie sie seine freundliche Art genossen hatte, bis sie nicht mehr da war. Sie kann keine Zeile mehr schreiben. Selbst der Garten scheint vergiftet zu sein; ein einziger makellos grüner Vorwurf. Jedes Mal, wenn sie sich hinsetzt, hallen seine Worte in ihrem Kopf nach: *Was zum Teufel bist du nur für ein Mensch, Lila?*

Sie sieht es inzwischen mit unfassbarer Klarheit: Wie hatte sie nur glauben können, auf diese Art über ihr Leben schreiben zu dürfen, ohne Rücksicht auf die Menschen in ihrer Umgebung zu nehmen? Ihr fallen Celies scharfe Fragen in dem Restaurant ein, ihre eigenen nagenden Befürchtungen, wie die Mädchen auf ihre Geschichten reagieren würden. Über Jensens Gefühle nachzudenken, war ihr gar nicht in den Sinn gekommen.

Beim Spaziergang mit dem Hund macht Eleanor ein Gesicht, als wäre seine Reaktion keine Überraschung, was natürlich auch nicht dazu beiträgt, dass Lila sich besser fühlt. «Ich glaube, du musst mit deinem Verlag sprechen», sagt Eleanor.

«Ohne das ganze Sexzeug ziehen sie den Vertrag zurück. Und dann bekomme ich kein Geld.»

«Aber dieses Kapitel musst du auf jeden Fall streichen,

egal was du tust. Damit kannst du nicht weitermachen. Nicht nach dem, was passiert ist.»

Lila lässt den Kopf in die Hände sinken. «Verdammt, El. Findest du, dass ich ein beschissener Mensch bin?»

«Nein. Ich finde, dass du ein Mensch bist, der in all dem Chaos ein bisschen den Überblick verloren hat.»

Eleanor bleibt stehen und legt ihr die Hand auf den Arm. «Ich habe mich aber schon gefragt, Lils, wie es dir damit nach der Veröffentlichung gehen wird. Es ist ziemlich ... enthüllend, über das eigene Sexleben zu schreiben. Und ich bin nicht sicher, dass du in der richtigen Position – oder überhaupt der richtige Mensch – bist, um damit umzugehen. Willst du wirklich dieser Mensch sein? Dein Intimleben zu Geld machen? Es war eine Sache, darüber zu schreiben, wie man eine Ehe rettet, das hat einen Wert. Aber über dein Sexleben zu schreiben ... ermunterst du damit nicht zu so was wie Voyeurismus? Setzt dich dem Urteil von Fremden aus?»

«Sagt die Frau, die während der letzten anderthalb Jahre ...»

«Ich weiß. Aber dass ich zu diesen Partys gegangen bin, hat niemanden außer mich selbst betroffen. Außerdem wusste niemand, wer ich war. Das ist nichts, was mich für den Rest meines Lebens verfolgen wird.»

Lila kann nichts mehr sagen. Also redet Eleanor auf die Art, auf die es alte Freundinnen tun, wenn sie verstehen, in was für ein tiefes Loch man gefallen ist. Eleanor tanzt jetzt Salsa. Sie geht in einen Laden voll exotisch gekleideter alter Männer, die nichts weiter wollen, als mit ihr auf einer Tanzfläche herumzuwirbeln. Außerdem hat sie angefangen, zur Massage zu gehen, damit sie, wie sie es ausdrückt, in Verbindung mit ihrem Körper bleibt. «Die Massagen machen nur

Frauen mittleren Alters. Richtig starke, die keine Hemmungen haben, ihre Ellbogen einzusetzen. Echt, danach fühle ich mich großartig, und es kostet viel weniger als die Sexpartys, wenn man das Outfit und den Talkumpuder mitrechnet. Du solltest es mal ausprobieren.»

«Das kann ich mir nicht leisten», sagt Lila.

Eine von Francescas goldenen Regeln war immer, dass man sich bewegen sollte, wenn man niedergeschlagen war. *Tu etwas, Liebling. Geh spazieren oder räum einen Schrank aus oder grab ein Beet um. Es muss nur das, was du im Kopf hast, in deinen Körper umleiten.* Lila starrt inzwischen seit einer Stunde und vierzig Minuten auf ihren Bildschirm, und alles, was sie damit erreicht hat, ist, noch tiefer in Melancholie zu versinken. Wenn sie nicht melancholisch ist, ist sie kribbelig, und ihr Verstand weigert sich, lange genug zur Ruhe zu kommen, damit sie sich auf ihre Arbeit konzentrieren kann. Jedes Mal, wenn sie liest, was sie geschrieben hat, wird sie von Scham überflutet, von den wütenden Stimmen der potenziellen Leserschaft.

*Wer bist du, Lila?*

Unvermittelt ist es kalt geworden, als wäre über Nacht der Winter gekommen, und der Garten wirkt sogar ohne den Temperaturabfall abweisend und ungemütlich, sodass sie beschließt, im Haus für Ordnung zu sorgen. Gene hat drei große Kartons von Jane geholt und, typisch Gene, einfach im Flur stehen lassen, «weil in meinem Zimmer kein Platz dafür ist». Die Tatsache, dass im Flur garantiert kein Platz dafür ist, scheint ihm nicht aufzufallen. Ebenso wenig wie die Tatsache, dass er jetzt von «meinem Zimmer» spricht. Zwischen Genes zusätzlichen Sachen und Bills niemals endendem Transfer von Dingen aus dem Bungalow hat Lila das

Gefühl, dass ihr Haus zu einem von diesen vollgestopften Trödelläden geworden ist, in denen ein Elchkopf auf einem Nachttopf thront und die Regale voller Bücher stehen, die kein Mensch jemals lesen wird.

Sie wird den Dachboden ausmisten. Genes Kartons können dann dort hinauf. So kann sie zumindest etwas Platz im Flur schaffen und hat das Gefühl, etwas geschafft zu haben. Bill kommt gerade die Treppe hoch. Er war beim Friseur und wirkt mit dem frischen Haarschnitt seltsam verletzlich und geschoren. Er hat sich eine Zeitung unter den Arm geklemmt und trägt ein Tablett mit zwei Teetassen. Hinter ihm folgt Penelope. Lila überlegt flüchtig, ob sie den Tee im Bett trinken werden.

«Oh, Lila, gestern habe ich Jensen getroffen.»

Bei der Erwähnung seines Namens verkrampft sich Lilas Magen.

«Er war in einer sehr merkwürdigen Stimmung. Sogar ziemlich schroff, ehrlich gesagt.»

«Vielleicht hast du ihn im falschen Moment erwischt», sagt Penelope. «Er ist normalerweise so ein freundlicher Kerl.»

«Ja. War vielleicht ein schlechter Moment.» Bill denkt darüber nach. «Oh, er hat gesagt, ich soll dich an diesen Baum vor dem Haus erinnern.»

Lila wird ganz schlecht bei dem Gedanken, dass Jensen unfreundlich war. Es ist, als hätten sich die Naturgesetze umgekehrt; Wasserfälle, die aufwärts fließen, oder Katzen, die wie Hunde bellen. Das hat sie ihm angetan. «Ich räume ein paar Sachen vom Dachboden», sagt sie, um das Thema zu wechseln.

«Oh, gute Idee. Ich helfe dir, wenn wir Tee getrunken haben.» Er dreht sich zu Penelope um. «Du wolltest ja bald irgendwohin, oder, Liebling?»

*Liebling*. Bei dem zwanglosen Gebrauch des Koseworts zieht sich etwas in Lila zusammen, und sie weiß nicht, ob das an ihrer Trauer um ihre Mutter liegt oder einfach an dem Hinweis auf Liebe und damit auf ihre offenkundige Unfähigkeit, sie für sich zu erlangen.

«Ja, stimmt. Cameron Williams hat morgen eine Prüfung, und wir müssen ihr Spiel vom Blatt üben. Aber ich kann euch gern kurz helfen.»

«Das ist sehr lieb von dir. Aber nein danke, ich glaube, Cameron braucht dich im Moment dringender.»

Sie reden immer noch entspannt über Moll-Tonleitern und Arpeggien, als Lila die Dachbodenleiter herunterzieht und nach oben verschwindet.

Lila sitzt auf dem staubigen Boden und sieht sich in der tiefen Stille um, beobachtet, wie Staubpartikel in dem schwachen Licht herabsinken, und fragt sich, ob das womöglich eine richtig dumme Idee war. Dachböden haben schließlich etwas an sich, das eine gewisse Melancholie hervorruft. Vielleicht ist es der Anblick lange unbeachteter Gegenstände, die ungesehen und ungeliebt Staub sammeln. Vielleicht sind es die Hinweise auf ein Familienleben, das es längst nicht mehr gibt. Lila lässt ihren Blick über die vielen Kartons wandern, die alte CD-Sammlung von Dan, die er nicht mitgenommen hat, den kleinen Couchtisch, den er aus dem Haus seiner Eltern mitgebracht hatte, als sie eingezogen waren, die Säcke mit der Kleidung, aus der die Mädchen herausgewachsen sind und die sie an die Zeit erinnern, als die beiden klein und bedürftig und anhänglich waren. Es gibt auch noch andere Kartons. Drei sind mit «Francesca» beschriftet. Bill hatte sie nach dem Tod ihrer Mutter hergebracht, Dinge, deren Anblick er in seinem Haus nicht ertrug, wie er erklärt hatte, die sie aber beide noch nicht wegwerfen konnten.

Aber dann denkt sie an Genes zusätzliche Kartons im Flur und ermahnt sich, etwas zu tun, damit sie das Gefühl bekommt, ihr Leben im Griff zu haben. Mit Dans Sachen wird sie sicher am einfachsten fertig. Sie zieht die Kartons mit den CDs zu sich, beginnt, sie durchzuschauen, und dann, überwältigt von dem Anblick der Alben, die sie zu Beginn ihrer Beziehung so gern gehört haben, ändert sie ihre Taktik und trägt die Boxen einfach nach unten, ohne sie weiter anzusehen. Wenn sie fertig ist, wird sie Dan eine Nachricht schreiben und fragen, ob er sie noch haben will, und wenn nicht, wird sie einfach die ganze Sammlung zum Wohltätigkeitsladen bringen. Und damit sind es dann schon zwei Kartons weniger. Und Marja darf gern seine Greatest Hits of U2 und das The-Smiths-Album haben, bei denen Lila immer nur so getan hat, als würden sie ihr gefallen.

Sie ist schon fast eine Stunde oben, als Bill zu ihr kommt. Sein grauhaariger Kopf taucht in der Luke auf, und er hält ihr einen Becher Tee entgegen, den sie dankbar nimmt. «Meine Güte», er sieht sich um, «was für ein Haufen Zeug.» Als hätte er ihr Haus nicht mit seinem eigenen Zeug vollgestopft, denkt sie, doch laut dankt sie ihm nur für den Tee und sortiert weiter die Weihnachtsdekoration durch. In dem Karton sind Christbaumkugeln, die Francesca gekauft hat, unbeholfen bemalter Weihnachtsschmuck aus Modelliermasse, den die Mädchen in der Schule gemacht haben und den sie nie entsorgen konnte, und sie muss sich beherrschen, um nicht an die Weihnachtsfeste mit der ganzen Familie zu denken, die sie nie mehr haben wird. Sie durchforstet den Karton, räumt alles aus, was beschädigt ist, und wirft mit einem vagen Gefühl der Befriedigung, weil wieder eine kleine Ecke aufgeräumt ist, einen Müllsack mit altem Lametta und angeknacksten Christbaumkugeln auf den oberen Treppenabsatz.

Bill arbeitet schweigend an ihrer Seite, sieht eine Schachtel mit alten Fotos durch. Gelegentlich zeigt er ihr Bilder aus ihrer Kinderzeit oder von ihren Ferien zu dritt in Schottland oder von einer strahlenden Francesca – sie strahlt auf jedem Foto, während ihr blondes Haar grau wird. Manchmal lacht er leise, deutet auf eine von Lilas wilderen Teenagerfrisuren und seufzt bei einem Foto von ihm und Francesca auf ihrer Hochzeitsreise in Italien. «Ich glaube, das sollte ich rahmen», sagt er hin und wieder.

Mittags machen sie eine Pause, und Bill hilft ihr, Kartons zum Auto zu tragen. In den Kofferraum passen nur zwei Kartons und drei Müllsäcke, aber Lila beschließt, den Dachboden trotzdem weiter auszuräumen. Sie kann sich nicht dazu aufraffen, sich vor ihren Laptop zu setzen und sich unmöglichen Entscheidungen zu stellen. Die Mädchen sind an diesem Abend bei Dan, also kann sie theoretisch tun, was ihr gefällt, aber irgendwo wünschte sie, die beiden wären bei ihr, würden sie mit ihren Gesprächen und endlosen Bedürfnissen von dem ablenken, was in ihrem Kopf vorgeht.

Sie räumen fast eine ganze Seite des Dachbodens frei von ramponierten Stühlen, die sie, wie sie nun akzeptiert, nie mehr neu anstreichen wird, fleckigen Teppichen, von denen sie gedacht hatte, sie könnten irgendwann noch einmal zu etwas nützen, ausgemusterten Elektrogeräten, Impulskäufen (die meisten von Dan) und Kartons mit Plastikspielzeug, von dem sie vergessen hatte, dass sie es überhaupt besaßen. Sie starrt das Spielzeug an, überlegt, ob sie es zum Recyclinghof bringen soll, damit Dan es nicht bekommt, aber dann findet sie es zu kompliziert, darüber nachzudenken, es ist einfach nur ein weiteres Chaos, in das sie irgendwie verstrickt ist, also schiebt sie die Spielsachen unter die Dachschräge, um sich nicht mehr damit beschäftigen zu müssen. Als dabei das Puppenhaus zum Vorschein kommt, stoßen sowohl Bill als auch sie ein leises *Aah* aus und werfen sich einen Blick voll Nostalgie zu.

«Ich hatte ganz vergessen, dass es hier oben ist.» Lila zieht es nach vorn.

Bill setzt sich auf einen Ikeahocker. «Oh, was hat es mir für einen Spaß gemacht, das zu bauen.» Er beugt sich vor und streicht über den staubigen Dachvorsprung. «Du hast dich so gefreut, als wir es dir geschenkt haben.»

«Ja, riesig.» Lila öffnet die Vorderfassade, sodass die fünf Zimmer im Inneren sichtbar werden. Da sind die winzige Treppe, auf die er einen dunkelroten Läufer geklebt hatte, und das Badezimmer mit seiner klauenfüßigen Wanne. Die Möbel und das Zubehör stecken in Tupperdosen, die sie öffnen, und sie bestaunen die Perfektion jedes Gegenstandes, die wundervollen Details, die winzige Ausführung.

«Deine Mutter hat sich viel davon aus Deutschland schicken lassen», sagt Bill und mustert ein Tellerset. «Sie wollte unbedingt das Beste. Sie hatte so viel Freude daran, das alles für dich einzurichten.»

«Ich glaube, das ist das schönste Geschenk, das ich je bekommen habe.» Sie umarmen sich verlegen, und Lila legt ihren Kopf auf seine Schulter, ist dankbar dafür, dass es zumindest einen Mann in ihrer Umlaufbahn gibt, der sie für einen akzeptablen Menschen hält.

Lila drückt gerade auf einen Lichtschalter in dem Puppenhaus und stößt bei dem einsetzenden Licht einen erfreuten Ausruf aus, als Genes Kopf in der Luke auftaucht. «Hey, hey! Gibt's hier eine Party?»

Er strahlt. Er war vormittags bei einem Vorsprechen, und Lila vermutet, dass es gut gelaufen ist. Wenn es nicht so ist, zieht er sich gewöhnlich für ein paar Stunden in sein Zimmer zurück, um alte Filme von sich anzuschauen und sein angekratztes Ego wieder aufzubauen.

«Wir machen nur gerade ein bisschen Platz», sagt Lila. «Und wir haben mein Puppenhaus gefunden.»

«Also das ist ja wirklich ein Prachtstück!», ruft Gene aus.

«Bill hat es gemacht», sagt Lila. «Zu meinem achten Geburtstag.»

Sie braucht einen Moment, bis sie die leichte Veränderung der Stimmung bemerkt. Sie ist noch dabei, die kleinen Lampen in jedem der Zimmer zu testen, als sie mitbekommt, dass Gene das Haus nicht gerade mit Bewunderung anschaut. «Gute Arbeit», sagt er mit ausdrucksloser Miene. Darauf folgt eine kurze, unbehagliche Stille.

«Wollte Violet es nicht in ihrem Zimmer haben?», fragt Bill, der nichts zu merken scheint.

Lila zieht eine Grimasse. «Sie hatte es nie so mit Puppen.» Die Puppen, die Violet von Celie geerbt hatte, waren meist mit Punkfrisuren und Amputationen in der Ecke gelandet. Als sich Violet bei der Aussicht auf das Puppenhaus nicht sonderlich begeistert zeigte, hatte Lila sie nicht gedrängt. Sie wollte nicht, dass das verschachtelte Häuschen als Barbies Crack-Höhle endete.

«Es ist eben nur ein Puppenhaus, oder? Ich meine, nicht jeder mag so was», murmelt Gene. Er späht in einen seiner Kartons. «Nicht jeder spielt gern Vater-Mutter-Kind.»

«Sehr viele Kinder spielen das gern», sagt Bill und räumt einen Stapel Fotoalben zur Seite. «Als kleines Mädchen hat Lila es richtig geliebt.»

«Sicher. Aber ihr haben auch andere Sachen gefallen. Es

ist gut für Kinder, auch mal ein bisschen was Wilderes und Abenteuerliches zu machen.»

«Bestimmt. Aber nicht jeder will wild sein. Ich glaube, Lila hat sehr viel Freude an ihrem Häuschen gehabt.»

«Wie wäre es, wenn wir es hier oben lassen und woanders weitermachen», sagt Lila schnell.

Sie richtet sich auf und geht dann ein wenig gebückt unter der Dachschräge zu ein paar anderen Kartons. Sie zieht einen davon zu sich, öffnet ihn, und sofort wird ihr schwer ums Herz. Es ist einer von Francescas Kartons. Sie sieht das Schmuckkästchen ihrer Mutter und muss kurz durchatmen. «Das sind Mums Sachen», sagt sie zu niemand im Besonderen.

Einen Moment lang herrscht Stille. Bill richtet sich hinter ihr auf.

«Wollen wir das jetzt wirklich machen?» Sie wendet sich zu ihm um.

Bill legt ihr sanft die Hand auf den Arm.

«Ich glaube, das sollten wir tun. Es ist lange genug her.»

«Ich werfe kurz einen Blick in die Kartons, die Jane hergebracht hat», sagt Gene auf der anderen Seite des Dachbodens. «Ich habe einen Haufen Erinnerungsstücke. Mein Agent sagt, dass bald eine Fan-Convention stattfindet und die Organisatoren darüber nachdenken, *Star Squadron Zero* mit ins Programm zu nehmen.» Lila ist nicht sicher, ob er das sagt, weil er diplomatisch sein möchte, oder ob er tatsächlich nur an seinem alten Zeug interessiert ist, aber so oder so ist sie ihm dankbar.

Sie und Bill schauen zwanzig Minuten lang schweigend den ersten Karton durch. Da sind Urkunden und Zeugnisse, die Francesca aus ihrer Kindheit und Jugend aufgehoben hat. Da sind alte Pässe und ungültige Sparbücher, Modeschmuck und außer Mode gekommene Halstücher. Lila versucht, konsequent zu sein, sagt sich, dass sie nur Dinge behalten sollte, die sie gern herumzeigen würde. Sie versucht, sich vorzustellen, wie Francesca damit umgehen würde. *Oh Lila, Liebling, das sind nur Gegenstände. Behalte ein paar schöne Sachen und richte deinen Blick dann nach vorn.*

Sie halten inne, als sie zu den Briefen kommen. Da ist einer von einer Klassenfahrt Lilas, in dem sie ihrer Mutter in kindlicher, rundlicher Schrift berichtet, wie sehr sie sie vermisst, und Lila steigen Tränen in die Augen. Da ist ein Stapel mit Liebesbriefen von Bill, zusammengebunden mit einem dunklen Samtband, den Bill kurz an die Brust drückt und dann zur Seite legt. Dann sind sie ganz unten im Karton angelangt, bei Briefen, die Francesca an ihre Eltern oder längst vergessene Brieffreundinnen geschrieben hat, und ein paar aus ihrer Teenagerzeit, mit Liebeserklärungen von Jungs.

Lila findet einen Brief von Francescas ältester Freundin, Dorothy, und liest von Francescas Reise nach Dublin. «Heute schreibt kein Mensch mehr Briefe, das ist zu schade. Diese Briefe sind so schön, es ist, als würde ich Mum vor mir sehen», sagt sie, während sie den Text überfliegt. «Oh, wie süß, sie erzählt davon, wie Mum ein Kleid für Celie gekauft hat, als sie dort war. Ich glaube, dieses Kleid habe ich sogar noch irgendwo. Es war blau-weiß kariert. Violet würde es niemals tragen wollen.»

Bill beugt sich zu ihr herüber. Er runzelt die Stirn. «Bist du sicher, dass es Dublin heißt? Sie hat mir erzählt, dass sie nur einmal als Kind in Irland war. Ich kann mir nicht vorstellen, dass sie noch mal dort gewesen ist.» Er nimmt Lila den Brief aus der Hand. «Von wann ist er?»

Lila entdeckt das Datum. Und blinzelt.

«Warum sollte sie davon schreiben, dass Francesca nach Dublin gefahren ist? Wir waren dort nie.»

«Ist der wirklich von 2006?»

*«Es war bestimmt schön in Dublin. War doch klar, dass sich Gene mit dir in der Temple Bar trifft. Ich kann mir vorstellen, wie ausgelassen es zugegangen ist, nachdem er alle in Fahrt gebracht hatte ...»*

Lila will Bill den Brief aus der Hand nehmen, aber er hat die Zeilen schon gelesen. Er starrt Dorothys Zeilen an und richtet seinen Blick dann auf Gene. «Francesca war ... mit dir in Dublin?»

«Oh, also ... sie ... sie ... kann ich das mal sehen?» Gene ist herübergekommen, streckt die Hand aus.

Auf dem Dachboden herrscht absolute Stille. Es ist, als hätte ein riesiger Staubsauger sämtliche Luft abgezogen. Genes Blick zuckt zwischen ihnen hin und her. «Ich hatte dort Dreharbeiten. Sie ist ... einfach für ein paar Tage gekommen.»

Als niemand etwas dazu sagt, reibt sich Gene über den Nacken. «Es war einfach nur ein kleiner Ausflug. Schau mal, Kumpel ... wir sind so lange ein Paar gewesen.»

Bill starrt Gene an, nimmt in sich auf, was hinter Genes wenigen Worten und seinem untypisch betretenen Verhalten steckt. Gene lässt seinen Blick von Bill zu Lila wandern. «Es hat überhaupt nichts bedeutet», sagt er schließlich.

«Dir! Dir hat es überhaupt nichts bedeutet! Aber mir hat es alles bedeutet!»

«Es war nur dieses eine Mal ...»

«Oh, dann ist es ja in Ordnung.»

«Es war ...» Gene räuspert sich. «Wir waren beide ein bisschen deprimiert. Ich war zu der Zeit mit Jane zusammen, und es war ziemlich kompliziert. Die ganze Sache mit den

Wechseljahren. Sie hat auf alles unheimlich emotional reagiert. Und deine Mutter ... sie ... na ja, sie ...»

«Sie was?»

«Du musst wirklich nicht ins Detail gehen», sagt Lila.

Bill ist wie erstarrt. «Ich muss die Details aber unbedingt wissen.»

Gene verzieht das Gesicht. Er seufzt. «Ich glaube, sie hat gesagt, dass sie ... sich einfach ein bisschen ... gelangweilt hat.»

«*Gelangweilt?*»

«Hey, es tut mir leid. Es war einfach nur diese alte ... Verbindung, verstehst du? Wir konnten nichts dafür. Wie gesagt, wir waren uns so vertraut. Bei so etwas kann man nur schwer ... da kann man nur schwer widerstehen.»

Bill atmet schwer. Er sitzt ganz still da, starrt eine Fußbodendiele an. Er sieht aus, als hätte er einen so schweren Schlag in die Magengrube abbekommen, dass er überlegt, welche seiner Organe nicht mehr funktionieren. Dann schluckt er und geht schweigend zur Dachbodenluke. Langsam steigt er die Metallstufen hinunter.

«Bill!» Lila will ihm nach, doch er hebt eine Hand, um sie aufzuhalten. «Bill, wohin gehst du?»

«Ich brauche Abstand», sagt Bill mit erstickter Stimme. «Ich gehe nach Hause.»

Lila sieht ihm nach, wie er vorsichtig die Treppe hinuntergeht, eine Hand auf dem Geländer. Ein paar Augenblicke später hört sie, wie die Haustür geschlossen wird.

Stille. Lila schwirrt der Kopf. Sie sieht Gene an. Er hebt beide Hände. «Ich konnte nicht wissen, dass sie sich mit ihrer Freundin verdammte Briefe darüber schreibt.»

«Musstest du von allen Menschen auf der Welt, mit denen du hättest schlafen können, ausgerechnet mit Mum schlafen? Musstest du das Einzige zerstören, das Bill noch von ihr hatte?» Ihre Stimme bebt, und plötzlich explodiert sie. Es ist, als würden fünfunddreißig Jahre Schmerz und Frustration und Verlust aus ihr herausbrechen. Sie will den Karton mit den Briefen auf ihn schleudern. Sie will ihn durch die Luke stoßen. «Du machst alles kaputt! Mein Gott! Du trampelst einfach durch das Leben anderer Leute, ohne einen einzigen Gedanken an die Folgen, die das für sie hat!»

«Süße ...»

«Du hättest sie in Ruhe lassen sollen! Hattest du uns alle nicht schon genug verletzt? Sie hat Bill geliebt! Und das konntest du nicht ertragen, oder? Und dann hast du die eine Gelegenheit bekommen und sie benutzt, um das auch noch zu zerstören. Was bist du bloß für ein Monster!»

«Lila, Schatz ...»

«Raus!», brüllt sie. «Ich hätte wissen müssen, dass du das hier auch noch ruinierst. So machst du es immer, oder? Du grätschst mittenrein, wickelst jeden ein, fängst an, dich zu langweilen, und zerstörst das Glück aller anderen. Du bist ... du bist wie eine schreckliche Krankheit. Geh einfach. Geh! Ich will dich nie wiedersehen!» Lila klettert die Stufen hinunter und rennt schluchzend ins Badezimmer.

## NEUNUNDZWANZIGSTES KAPITEL

In den nächsten Tagen bekommt Lila das Bild von Bills aschfahlem Gesicht nicht mehr aus dem Kopf. Er hatte plötzlich wie ausgehöhlt ausgesehen, so als sei die grundlegende Stütze, die ihn aufrecht gehalten hatte, unvermittelt zusammengebrochen. Sie spürt seinen Kummer und seinen Schock, als wäre es ihr eigener. Und es ist auch ihr eigener, denn immer wieder kreisen ihre Gedanken um die Vorstellung, wie ihre Mutter unbekümmert heimlich ins Flugzeug steigt, um ausgerechnet mit dem Mann zu schlafen, von dem sie geschworen hatte, sie würde ihn nie wiedersehen. Francesca, die anscheinend alle Weisheit der Welt in ihrem grau gelockten Kopf besaß, hatte die schlechteste Entscheidung getroffen, die sich Lila nur vorstellen kann, und sie hat das Gefühl, als sei ihr genauso wie Bill der eigene moralische Kompass abhandengekommen.

Gene ist gegangen. Sie hat Bewegung im Haus gehört, schwere Schritte auf der Treppe, ein paar an den Hund gerichtete Worte, aber sie hatte zu sehr geweint, um wirklich darauf zu achten. Nach einer Stunde war sie aus dem Bad gekommen und hatte ihr Arbeitszimmer freigeräumt vorgefunden, das Schlafsofa zusammengeklappt, einen Stapel gefalteter Laken und Kissen ordentlich daneben. Sie hatte in den Raum geblickt, in dem ihr Vater gewesen war, und absolut nichts empfunden, außer vielleicht ein nagendes Bedauern, weil sie dumm genug gewesen war, ihn wieder ins Haus zu lassen. Als sie das Post-it mit den Worten *Es tut mir leid* entdeckte, hatte sie es zusammengeknüllt und in den Papierkorb geworfen.

Bill hatte ihre Anrufe nicht angenommen, aber nach dem vierten eine SMS geschickt.

> Liebes, ich weiß, dass du es gut meinst, aber ich muss im Moment wirklich allein sein.

Doch am folgenden Tag, nach einer unruhigen Nacht, war sie vorbeigefahren. Die Vorhänge des Bungalows waren zugezogen, und es hatte zehn Minuten gedauert, bis Bill an die Tür gekommen war. Als er geöffnet hatte, war Lila geschockt gewesen. Er hatte schlimmer ausgesehen als nach Francescas Tod, mit einem Schlag grauer und gebrechlicher. In dem Bungalow hatte eine kühle Atmosphäre der Leere geherrscht, so als würde Bills Anwesenheit nicht ausreichen, um wieder ein Gefühl von einem Zuhause entstehen zu lassen.

«Bitte, komm nach Hause», hatte sie gesagt und ihre Hand auf seine gelegt, als sie Tee tranken. «Er ist weg.»

«Ich kann nicht, Liebling. Ich muss das erst mal alleine verdauen. Ich komme meine Sachen holen, wenn ich so weit bin.»

Stattdessen war am folgenden Tag Penelope gekommen, um seine Medikamente zu holen. Ihr Blick war so bekümmert, als wäre sie es, deren Erinnerungen zerstört worden waren. «Er ist so traurig», sagte sie einfach, den Beutel mit Medikamenten aus seinem Medizinschränkchen in der Hand. «Ich fühle mich … hilflos.» Sie hatte Lilas Handgelenk mit ihrer schlanken Hand umfasst und sie einen Moment lang stumm angesehen, bevor sie gegangen war.

Zwei Tage später war er mit einem leeren Koffer gekommen und hatte ein paar Sachen zum Anziehen und persönliche Gegenstände eingepackt. Er hatte geklingelt, als wäre er ein Besucher, und sich überaus höflich verhalten. Lila hatte den Eindruck gehabt, dass er irgendwie dachte, auch sie hätte Schuld, obwohl sie ihm versicherte, dass Gene endgültig weg war, dass Bills Platz hier war und dass sie ihn brauchten. «Mum hat dich wirklich geliebt, weißt du», hatte sie zu ihm gesagt, als sie auf dem Bett saß, während er sorgsam packte, jedes Hemd mit militärischer Präzision zusammenfaltete. «Egal, was für eine Dummheit sie gemacht hat, das musst du doch wissen.»

Bill hatte einen langen Seufzer ausgestoßen und sich zu ihr gesetzt. «Das weiß ich. Und gerade das macht das alles ja so unbegreiflich. Sie wusste, dass er unmöglich war. Sie wusste, dass er sie mehrmals betrogen hat, während sie zusammen waren. Wie oft haben wir über ihn gesprochen, darüber, wie unzuverlässig er war und wie er sie in den Wahnsinn getrieben hat ... ich verstehe einfach nicht, dass sie sich wieder von ihm hat einwickeln lassen.»

Er hatte nachdenklich innegehalten. «Weißt du, ich hatte so ein Gefühl, dass irgendetwas nicht stimmt. Das ist mir wieder eingefallen, als ich über das Datum nachgedacht habe. Es gab eine Phase, in der sie ein bisschen distanziert war. Ich konnte nicht so recht den Finger darauf legen, aber ich dachte, wenn ich sie nicht bedränge, wird es einfach ... vorbeigehen. Sie hat gesagt, sie würde für ein paar Tage zu Dorothy nach Nottingham fahren. Ich habe keine Sekunde daran gedacht, dass ...» Er verstummt.

«Also hast du sie einfach in Ruhe gelassen.»

«Ich ... kann nicht besonders gut mit emotionalen Situationen umgehen. Ich dachte, es wäre etwas, das sie einfach nur loswerden muss. Mir war nicht klar, dass es um ... *ihn* geht.»

Seine Stimme klingt angestrengt, als er von Gene spricht. Er bringt es nicht fertig, seinen Namen auszusprechen.

«Es tut mir so leid, Bill. Aber wir lieben dich. Wir wären so froh, wenn du nach Hause kommst.»

«Ich glaube, mein Zuhause ist wieder, wo es früher war», sagt er leise. Und das Wort dringt in sie ein wie ein Messerstich.

Etwa eine Stunde nachdem er gegangen ist, fällt ihr auf, dass er Francescas Porträt zurückgelassen hat.

Am Freitag macht sie sich erneut auf den Weg zu Bill. Sie beschließt, ihm ein paar Blumen aus dem Supermarkt mitzubringen, als eine Art Friedensangebot, selbst wenn es nicht an ihr ist, Frieden anzubieten. Nachdenklich sucht sie nach den schönsten Blumen – aber keine Lilien, die erscheinen ihr seit dem Tod ihrer Mutter immer wie Beerdigungsblumen. Sie mustert die Eimer mit den Sträußen, um den besten zu finden, und nimmt aus einem Impuls heraus noch einen zweiten, als könnte sie Bill durch die schiere Masse an Blumen zeigen, wie viel er ihr bedeutet. Als sie aufschaut, steht eine Frau neben ihr und betrachtet die Eimer mit Blumen, als würde sie überlegen, für welche sie sich entscheiden soll. In demselben Moment fällt ihr auf, dass neben der Frau Jensen in seiner Arbeitskluft steht. Lila richtet sich hastig auf und errötet, als sei sie dabei ertappt worden, etwas Unrechtes zu tun.

«Hi», sagt sie. Plötzlich ist ihr Mund wie ausgetrocknet.

«Hallo, Lila», sagt er. Er lächelt nicht.

«Oh, *Sie* sind also Lila.» Die Frau betrachtet sie mit einem ganz neuen Blick. Sie hat rötliches Haar, das zu einem glatten Bob geschnitten ist, und trägt einen schwarzen Rollkragenpulli zu weißen Jeans. Sie hat die Ausstrahlung eines

Menschen mit gesundem Selbstbewusstsein, dem es völlig egal ist, was andere über ihn denken könnten.

Lila wirft Jensen einen kurzen Blick zu. Er hat einen kleinen Einkaufskorb mit Rotwein, Salat und einem Huhn in der Hand; Dinge, die man kaufen könnte, wenn man ein schönes Abendessen für zwei machen will.

«Wie geht es dir?», fragt sie zögernd und ignoriert die Frau, die sie anstarrt.

«Gut», sagt er mit ausdrucksloser Miene.

Lila kann nicht anders. «Es tut mir so leid, Jensen», stößt sie aus.

«Ja», sagt die Frau, bevor Jensen reagieren kann. «Das sollte es auch. Komm. Wir gehen jetzt zur Kasse.» Die Frau umfasst Jensens Ellbogen, und die beiden entfernen sich.

Die Mädchen hatten beim Abendessen ganz besonders schlechte Laune, stritten über einen vermissten Teddybären, von dem keine der beiden überhaupt gewusst hatte, dass sie ihn besaßen, bevor Lila ihn vom Dachboden heruntergebracht hatte. Von dem Abendessen (Hühnchen vom Blech, das Lila zwanzig Minuten zu spät aus dem Backofen geholt hat) sind sie nicht gerade beeindruckt, und sie werden sauer, als Lila ihnen erklärt, dass Dan diese Woche ihre Übernachtung bei ihm auf Donnerstag verlegen will (er hat eine berufliche Veranstaltung, und Marja ist offenbar nicht imstande, allein mit drei Kindern zurechtzukommen). Lila hat ihnen erzählt, Bill werde ein paar Tage im Bungalow verbringen, und Gene sei beruflich verreist. Es ist zu kompliziert, die Wahrheit zu erklären. Als Celie nach oben in ihr Zimmer verschwindet – inklusive des obligatorischen Teenager-Türenknallens – und sich Violet vor dem iPad niederlässt, fehlt Lila die Energie, die beiden zu einem gemeinsamen Abend zu bewegen. Sie räumt die Küche auf, versucht, bei einer langatmigen Diskussionsrunde im Radio zuzuhören, geht noch mal mit Truant raus, und nachdem Violet im Bett ist, dreht sie das Badewasser auf und lässt sich dankbar in die Wanne sinken. Und dann, als sie die Stille nicht mehr erträgt, ruft sie Gabriel an.

«Hey, Bella.» Er hat das Gespräch sofort angenommen, klingt munter, als würde er sich über ihren Anruf freuen. «Was gibt's?»

Sie will sich an seine Fröhlichkeit anpassen, aber das scheint im Moment ihre Fähigkeiten zu übersteigen. «Es ist ... es ist gerade alles ziemlich kompliziert, ehrlich gesagt. Ich dachte einfach, es wäre schön, eine freundliche Stimme zu hören.»

«Was ist denn los?»

Sie erzählt ihm von dem Dachboden und der Entdeckung des Briefs, und er hört genau zu und stößt schließlich einen langen Seufzer aus. «Oh, das ist hart.»

«Ich weiß nicht, was ich jetzt tun soll.»

«Ich glaube, da kannst du gerade gar nicht viel tun. Vielleicht solltest du deinem Stiefvater Zeit lassen, um wieder ein bisschen runterzukommen. Ich bin sicher, dass er zurückkommt, wenn er so weit ist.»

«Meinst du?» Sie ist da nicht so sicher. Bill ist kein einziges Mal mehr da gewesen, seit er seine Sachen geholt hat.

«Das liegt an seinem Stolz. Sein Ego hat einen Schlag abbekommen. Ganz egal, wie alt man ist, das tut weh, ganz besonders, wenn dieser Schlag von deinem biologischen Vater stammt.»

Lila ist nicht überzeugt, dass das stimmt. Bills Verletzung scheint viel tiefer zu gehen als das. Es geht nicht nur um sein Ego. Sie hat praktisch mitangesehen, wie das Rückgrat seines Lebens zerbröselt ist. Aber es ist so schön, mit Gabriel zu reden, dass sie seine Meinung nicht infrage stellt.

«Und wie läuft's bei dir?»

Er erzählt ihr, wie viel er bei der Arbeit zu tun hat – zwei neue Großprojekte sind hereingekommen, ein Erholungszentrum und ein Haus für einen Multimillionär, der jeden Tag grundlegende Entscheidungen umwirft. Er arbeitet an diesem Abend in seinem Homeoffice hinten im Garten. Er klingt gut gelaunt und ein bisschen unbeteiligt. Es ist, denkt sie mit einem unbehaglichen Gefühl, ein Gespräch, das er ebenso gut mit einem Arbeitskollegen führen könnte.

«Wie geht's Lennie?», fragt sie.

«Gut. Ist total aufgeregt wegen dieser Peter-Pan-Aufführung. Obwohl sie ziemlich k.o. ist, wenn sie von den Proben kommt.»

Sie sprechen ein bisschen über die Schule und Schulaufführungen, bei denen sie mitgespielt haben (er war ein Baum in Robin Hood, sie war eine Teekanne in einer szenischen Aufführung von Kinderreimen), und von Fernsehsendungen, die sie gesehen haben, und das Wasser wird kalt, also beugt sie sich vor und dreht den Warmwasserhahn auf.

«Was machst du da?», fragt er.

«Oh. Hab nur den Hahn aufgedreht. Das Wasser ist inzwischen ein bisschen kalt. Ich liege in der Wanne.»

«Du liegst in der Wanne.»

In seiner Stimme liegt etwas Nachdenkliches, so als würde er diese Tatsache abwägen. Sie muss lachen.

«Das ist mein Safe Space. Hier werde ich nicht behelligt.»

«Ich weiß nicht, ob das ein guter Safe Space ist. Jedenfalls nicht, wenn ich dort wäre.»

Seine Worte lassen etwas in ihr aufflackern. «Oh, also bist du in Badezimmern ein Sicherheitsrisiko?», sagt sie leichthin.

«Ich bin an allen Orten ein Risiko, an denen du nackt bist.»

«Allerdings.» Plötzlich überkommt sie die Erinnerung daran, wie sie beide in seinem Wohnzimmer auf dem Sofa gelegen haben, an ihre umeinander geschlungenen Körper, die Dringlichkeit.

«Du hast gesagt, wir werden das wieder tun.» Sie hält es locker, flirtend. Sein Ton hat sie ein bisschen verwegen werden lassen.

«Das werden wir. Aber ich denke, in der Zwischenzeit solltest du mir mehr über das erzählen, was du in der Badewanne tust.»

Sie will einen Witz machen, aber etwas in seiner Stimme hält sie zurück. «Oh ... mit dir reden, offensichtlich. Und ...», sie schluckt, «... an dich denken.»

«Und was tust du, während du an mich denkst?»

Er hat die Stimme gesenkt. Ihr wird ein bisschen flau.

«Willst du das wirklich wissen?»

«Ja.»

«Du willst *diese* Unterhaltung?»

«Ich will diese Unterhaltung absolut.»

Lila hat *diese* Unterhaltung noch nie geführt. Bei dem einen Mal, als sie es mit Dan versucht hatte, war er zuerst befremdet gewesen und hatte gesagt, sie höre sich gar nicht an wie sie selbst, und bei ihrem neuen Anlauf hatte er gewitzelt, sie klinge wie in einem Billig-Porno, und sie war so sauer auf ihn geworden, dass sie es nie mehr probiert hatte.

«Das ist Neuland», sagt sie vorsichtig.

«Ich mag Neuland.»

Also führt Lila diese Unterhaltung. Sie erzählt ihm leise, was sie tut. Oder zumindest, was ihr vorgetäuschtes Ich tut, denn in Wahrheit sitzt sie in abkühlendem Badewasser und hofft krampfhaft, dass keines ihrer Mädchen vor der Badezimmertür auf der Lauer liegt. Seine gespannte Aufmerksamkeit, seine gesenkte Stimme und seine immer kürzeren Antworten ermutigen sie, und sie lässt ihrer Fantasie freien Lauf. Als er ihr sagt, was er tut, überkommt sie beinahe so etwas wie ein leichter Machttaumel. Wie sich herausstellt, ist es einfacher, als sie gedacht hat. Man muss nur alles andere vergessen, Wort um Wort seine Befangenheit ablegen, die Augen schließen und in dieses imaginäre Ich hineinschlüpfen, das so viel wilder und ungehemmter ist als ihr wahres Selbst. Es stellt sich heraus, dass diese Unterhaltung schnell und effektiv ist und ein befriedigendes, hörbares Ende hat.

Lila liegt vollkommen bewegungslos in der Wanne und lauscht auf seinen Atem.

«Alles okay mit dir?», fragt sie nach einer Weile.

«Mit mir ist ... definitiv alles okay», sagt er. «Das war ... unvorhergesehen. Aber unglaublich. Danke.»

*Danke* ist eine irgendwie seltsame Rückmeldung, aber Lila beschließt, dass gute Manieren in allen Lebenslagen begrüßenswert sind. Sie ist immer noch leicht aufgedreht, kann kaum glauben, dass sie mit ein paar Worten am Telefon eine solche Reaktion hervorrufen konnte. Die Intimität und das Vertrauen, die damit verbunden sind, machen sie beinahe fassungslos. *Wir haben das einfach getan*, wiederholt eine Stimme in ihrem Kopf immer wieder. *Wir haben das einfach getan.*

«Bist du gekommen?», fragt er.

«Bin ich», lügt sie. Er stößt ein kleines *Hm* aus, das vielleicht Zufriedenheit ausdrückt oder vielleicht auch nur, dass er es zur Kenntnis nimmt.

«Und wann sehen wir uns?», fragt sie nach einer Pause.

«Bald. Lass mich erst mal diese Albtraumwoche überstehen, dann machen wir was Schönes.»

«Klingt gut», sagt sie. «Ich könnte etwas brauchen, auf das ich mich freuen kann.»

Und dann öffnet plötzlich Violet die Badezimmertür und steht in ihrem türkisfarbenen Schlafanzug mit ärgerlicher Miene da.

«Mum, ich muss mal dringend, und Celie ist in dem anderen Bad und macht sich eine dämliche Gesichtsmaske und will nicht rauskommen.»

«Ich mache besser Schluss», sagt Lila hastig und versucht, ihrer erhitzten, leicht verträumten Miene so etwas wie mütterliche Besorgnis zu verleihen.

## DREISSIGSTES KAPITEL

Das unerwartete Telefonintermezzo mit Gabriel lässt die nächsten paar Tage erträglich werden. Und das ist auch gut so, denn Lila empfindet Bills Abwesenheit im Haus immer noch wie eine offene Wunde. Außerdem fangen die Mädchen an, heikle Fragen zu Genes Abwesenheit zu stellen. Lila kämpft sich durch jeden Tag, findet Gründe, um sich nicht an den Schreibtisch zu setzen, räumt auf oder geht laufen oder begleitet Eleanor auf Spaziergängen mit dem Hund oder zu Sportkursen.

Eleanor ist gut gelaunt, hat die vergangenen Monate offenbar aus ihrem Gedächtnis gestrichen. Sie hat sich bei einer Dating-App für B-Promis angemeldet – anscheinend ist sie aufgrund ihrer Arbeit als Visagistin durch den Prüfprozess bei der Registrierung gekommen –, und bei jedem Treffen sprudelt sie über vor Geschichten von ehemaligen Soap-Stars, die ihr private Nachrichten geschickt haben, oder von längst vergessenen Popstars aus den Neunzigern, die sie nicht erkannt hatte. «Ich meine, die Hälfte von ihnen sind anscheinend Influencer oder DJs auf Ibiza, von denen ich nie gehört habe, aber es ist nett, dass sie Interesse zeigen.»

Lila erzählt ihr von der Badezimmer-Episode, und sie ist begeistert. «Das ist toll! Ich meine, solange du nicht vorhast, darüber zu schreiben.»

«Ich schreibe garantiert nicht darüber.»

Sie weiß immer noch nicht, was sie Anoushka sagen soll.

Inzwischen ist jeden Tag mit dem Vertrag zu rechnen, und Lila wird ihr erklären müssen, dass sie das Buch nicht so wie geplant schreiben kann. Sie hat sich hundert Alternativvorschläge für den Verlag durch den Kopf gehen lassen, aber für die Hälfte davon kann sie sich nicht einmal selbst begeistern.

*Neustart nach der Scheidung – eine emotionale Reise.*

*Wie man innere Zufriedenheit erlangt, indem man den Verschlag unter der Treppe aufräumt.*

*Was ich vormittags mit meinem Hund bespreche, wenn meine Kinder ohne ein Wort zu mir aus dem Haus gegangen sind.*

Sie ruft Bill jeden Tag an, aber er will über nichts mehr reden, was mit ihrer Mutter zu tun hat, und wenn sie besprochen haben, was die Mädchen gemacht haben und was sie zum Abendessen kochen wird, kommt das Gespräch jedes Mal ins Stocken. Abends streitet sie sich in Gedanken mit Francesca herum. *Wie konntest du Bill nur so verletzen? Wie konntest du Gene ihm vorziehen?* Die Mutter aus ihrer Erinnerung scheint sich in Luft aufgelöst zu haben und durch jemanden ersetzt worden zu sein, den Lila nicht kennt, und das fühlt sich an, als würde sie ihren Verlust noch einmal ganz neu betrauern.

Lila benutzt Ohrhörer, wenn sie Violet von der Schule abholt. Anscheinend hat sie jetzt einen Dauer-Input von Worten nötig, um ihre Gedanken zu übertönen, so wie in der ersten Zeit, nachdem Dan sie verlassen hatte. Es spielt keine Rolle, was sie hört, solange es nur die Stimmen in ihrem Kopf untergehen lässt. Der Schulhof ist merkwürdig verlassen, als sie ankommt. Es dauert einen Moment, bis ihr das auffällt. Eine andere Mutter, die sie vom Sehen kennt, lächelt Lila beim Vorbeigehen kurz an.

«Du auch, was?»

Lila runzelt die Stirn und nimmt die Ohrhörer heraus.

«Wie bitte?»

«Hast du auch die Probe heute Abend vergessen? Ich schon.»

Die Probe. Bei all dem Heckmeck zu Hause hat Lila diese Woche keine einzige Mail von der Schule gelesen. «Ist die heute?»

«In einer Stunde.»

«Ach du Schande.» Lila wirft einen Blick auf die Uhr. Bis nach Hause und zurück braucht sie vierzig Minuten. Das ist das Zeitvakuum der Mütter, die endlosen Stunden, die mit Warten vertan werden, die Zeitfenster, die nie ausreichen, um irgendetwas Sinnvolles zu tun. Sie seufzt.

«Genau. So geht es mir auch. Das ist der Fluch der arbeitenden Mütter. Ich schaffe es nie, mit den Mails auf dem Laufenden zu bleiben.»

Die Frau hat blondes Haar, das zu einem fedrigen Bob geschnitten ist, und trägt Kleidung, die auf Berufstätigkeit hindeutet.

«Ich glaube, ich trinke irgendwo in der Nähe einen Kaffee. Lohnt sich nicht, nach Hause zu gehen.» Sie wirft Lila einen Blick zu. «Wenn du willst ... kannst du gern mitkommen.»

Es ist ein zurückhaltendes Angebot, aber offensichtlich ernst gemeint. Lila war immer ein bisschen skeptisch den anderen Müttern gegenüber, aber sie ist ziemlich sicher, dass diese hier nicht zu der intriganten Clique an der Schule gehört. Sie hat die Frau meist allein gesehen, sie hat Abstand gehalten, genau wie Lila. Und sie hat ein nettes, freundliches Gesicht. «Gern», sagt sie und ist dankbar, nicht mit ihren Gedanken allein bleiben zu müssen. «Das wäre sehr nett.»

Das Café ist um diese Zeit beinahe leer. Es schließt um siebzehn Uhr, und nur ein paar Leute sitzen vor ihren Laptops und tun so, als würden sie nicht mitbekommen, wie das Personal geschäftig Stühle an die Tische schiebt. Die Frau heißt Jessie, ihr Sohn ist in der sechsten Klasse, und sie hat einen Laden für Künstlerbedarf. Sie ist alleinerziehend und hat sich vor zwei Jahren eine Wohnung gekauft, und als sie vor ihren Tassen und einem Stück Zitronenkuchen sitzen, sieht sie Lila an und sagt: «Ich muss das jetzt mal klarstellen. Ich rede nicht viel mit den Leuten auf dem Schulhof, aber ich habe gehört, was dir passiert ist, und wollte einfach sagen ... es tut mir wirklich leid für dich. Es muss sehr hart sein, jeden Tag mit dieser Situation konfrontiert zu sein.»

Sie sagt das ohne den geringsten Beiklang von Doppelzüngigkeit. Es ist kein verstecktes Fischen nach Informationen, kein unterschwelliges Urteil. Ihr Blick ist direkt und ehrlich und voller Mitgefühl.

Lila bemüht sich um die gleiche Offenheit. «Ja, lustig war es nicht gerade.»

«Mein Ex hat sich abgesetzt, als Hal ein Baby war. War anscheinend nicht für die Vaterrolle geschaffen.» Sie verdreht die Augen. «Aber er unterstützt uns finanziell, das ist ja schon mal was.»

Sie sprechen eine Weile darüber, wie anstrengend es ist, alles allein schaffen zu müssen, über ihre Ängste, etwas falsch zu machen, oder dass es ihren Kindern schaden könnte, ohne einen Vollzeitvater im Haus aufzuwachsen, aber auch darüber, dass es ihnen beiden gefällt, mit niemandem ihre Entscheidungen abstimmen zu müssen und dass keine Männerunterhosen im Badezimmer herumliegen. Lila hat abgesehen von Eleanor so wenig Kontakt zu anderen Frauen, dass sie gar nicht mehr weiß, wie viel Vergnügen diese Art von zwangloser Unterhaltung macht; der Austausch über Fehlschläge, die zum Lachen sind, über frustrierende Momente, das schwesterliche Mitgefühl. Vorgebeugt, als wollte sie den übrigen Raum ausschließen, erzählt Jessie, dass sie manchmal einen weit entfernten beruflichen Termin erfindet, damit sie ihre Eltern dazu bringen kann, ihren Sohn zu sich zu nehmen, und sie eine Nacht frei hat.

«Wirklich? Und was fängst du mit der Zeit an?» Lila ist bezaubert von diesem aufrichtigen Eingeständnis und Jessies etwas verlegenem Grinsen.

«Meistens hänge ich nur herum. Ich habe lauter gute Vorsätze – mal richtig ausgehen oder mir einen Self-Care-Abend gönnen. Aber ehrlich gesagt falle ich fast immer nur aufs Sofa und schlafe um neun Uhr ein.»

«Keine ... Männerbekanntschaften? Sorry, das ist ein total seltsamer Ausdruck.»

Jessie lächelt schief. «Also, da ist schon jemand, aber es ist kompliziert. Oder es ist kompliziert für mich. Ich weiß nie so richtig, was von beidem stimmt. Und bei dir?»

«Da ist jemand, aber das ist noch ganz frisch. Wir gehen es langsam an.»

Wenn sie es auf diese Art sagt, kann sie beinahe glauben, dass das eine Art Plan von ihr ist, dass dieses langsame, ungleichmäßige Tempo genau ihrem Konzept entspricht. Plötzlich geht ihr durch den Kopf, dass sie Jessie richtig mögen könnte, und sie empfindet vage Erleichterung bei der Vorstellung, dass sie vielleicht in Zukunft ein freundliches Gesicht auf dem Schulhof sieht. Sie genießt diesen überraschenden Ausflug in ein normales Leben, diesen einfachen, aufheiternden Austausch über menschliche Schwächen mit einer gleichgesinnten Person.

«Gott, mich ödet dieses ‹Wir gehen es langsam an› total an.

Dich nicht? Glaubst du, es gibt noch irgendwo einen Mann, der einfach sagt: ‹Hey, ich mag dich richtig. Packen wir's gemeinsam an.›? Als ich jünger war, habe ich wirklich gedacht, so würde es sein. Man mag jemanden, er mag dich auch, und Ta-daa! Man fing an, sich zu treffen, und damit war alles klar. Es ist, als wären solche Männer heutzutage ausgestorben.»

«Mein Ex war so», sagt Lila und rührt in ihrer Teetasse herum. «Bis er mit einer anderen abgehauen ist, natürlich.» Sie verdrängt den Gedanken an Jensen.

«Männer sind so verdammt schwierig, oder? Ich meine, dieser Typ, mit dem ich mich treffe ...» Jessie schaut auf, wirkt plötzlich verlegen. «Sorry, ist dir das zu viel?»

«Überhaupt nicht.» Wenn sie etwas über das komplizierte Liebesleben von jemand anderem hört, führt es sogar dazu, dass sich Lila mit ihrem eigenen ein bisschen besser fühlt.

«Ich treffe mich schon seit einer ganzen Weile mit ihm. Aber so langsam fange ich an zu denken, dass er eine Bindungsphobie hat.»

«Warum?»

«Ich weiß nicht, ob es ... wie nennt man das jetzt ... eine *Situationship* ist. Ich meine, wir gehen ab und zu aus, er ist unheimlich nett zu mir, und wir haben tollen Sex. Aber es kommt mir nicht so vor, als gäbe es richtige Fortschritte. Er ist einfach nicht besonders zuverlässig, weicht aus, wenn ich davon rede, dass wir die Kinder zusammenbringen oder uns vielleicht regelmäßiger sehen sollten.»

Mit einem unbehaglichen Gefühl stellt Lila fest, dass ihr das bekannt vorkommt. «Wie oft siehst du ihn denn?»

«Wir sprechen viel miteinander. Aber ich sehe ihn eigentlich nur ungefähr einmal in der Woche. Ich meine richtig, wie bei einem Date.»

«Er betreibt Breadcrumbing», sagt Lila entschieden. Sie

empfindet eine merkwürdige Befriedigung, weil sie es benennen kann. Jessie runzelt die Stirn.

«Meine Freundin hat mir davon erzählt», fährt Lila fort. «Es gibt Männer, die einen mit Beziehungskrümeln bei der Stange halten – Nachrichten, Anrufe, gelegentlich mal ein Date –, aber sie machen dich nie zu einer Priorität. Ist es so?»

«Breadcrumbing.» Jessie verzieht das Gesicht. «Ich weiß nicht. Ich glaube, für so was ist er zu nett.»

«Eleanor hat mir eine ganze Liste mit Merkmalen vorgelesen. Es ist eindeutig eine Masche.» Lila spürt, wie schwesterliche Solidaritätsgefühle in ihr aufkommen. «Echt, es hat sich so viel geändert, seit wir jünger waren. Ich glaube, ich brauche ein Handbuch, um zu wissen, worüber ich mir Sorgen machen sollte.»

Jessie isst ein Stück von ihrem Kuchen. Sie ist auf eine Art hübsch, bei der es kein Make-up braucht – sommersprossig, ebenmäßige Haut, lange, hellbraune Wimpern. Lila schätzt sie auf höchstens Mitte dreißig.

«Ich möchte mir nicht mal vorstellen, dass er so was wie ein Drehbuch hat. Ich mag ihn nämlich wirklich. Das ist ja gerade das Dumme.» Sie schiebt ihren Kuchenteller weg. «Tut mir leid. Ich sollte dir damit nicht auf die Nerven gehen.»

«Das tust du nicht», sagt Lila voller Überzeugung. «Es ist sogar wichtig, dass wir über solche Sachen reden. Frauen müssen sich gegenseitig unterstützen, oder? Außerdem bist du anscheinend richtig nett. Und siehst super aus. Ich bin sicher, dass es haufenweise Männer gibt, die nicht so unverbindlich sind. Verschwende nicht deine Zeit an ihn.»

Jessie schüttelt den Kopf. «Nein. Er ist nett. Ich glaube nicht, dass er das ... bewusst macht. Er ist einfach ... er ist ...» Sie seufzt, wendet den Blick ab. «Vielleicht hast du ihn schon mal gesehen.»

«Wie meinst du das?»

«Er hat ein Kind an unserer Schule.»

Etwas Eiskaltes und Schweres scheint in Lilas Magen zu sinken. Es ist, als wüsste ihr Körper bereits, was Jessie sagen wird.

«Er ist der Vater von Lennie aus der zweiten Klasse. Schlank, mit Brille. Er ist Architekt. Heißt Gabriel.»

Von diesem Punkt an weiß Lila nicht genau, was ihre Gesichtszüge tun. Vage ist ihr bewusst, dass sie nickt, in ihrer Stimme eine Art freundliches Interesse liegt. «Gabriel», wiederholt sie.

Jetzt überstürzen sich Jessies Worte, wie bei einer Art Beichte. «Wir sind letztes Jahr in einem Café miteinander ins Gespräch gekommen. Seine Frau ist gestorben. Ich glaube, das weiß kaum jemand. Und im Frühjahr hat er dann seine Tochter bei uns eingeschult, um einen Neuanfang zu machen. Und er ist bezaubernd – ehrlich, es ist einfach großartig, wenn wir zusammen sind. Das macht es ja so verwirrend.»

In Lilas Körper wütet ein Taifun. Alles fühlt sich an, als würde es in einem riesigen Strudel wirbeln. Jessies Stimme wird lauter und wieder leiser, als wäre sie nur halb anwesend, übertönt von einem Rauschen. Lila hört *Sex ist so toll, verstehst du? Und wir haben diese unglaubliche Verbindung, und ich will ihn nicht drängen. Er hat so viel durchgemacht, und er möchte wirklich nicht, dass die Leute über uns tratschen*, und es ist nicht einmal so, dass sie nicht wüsste, was sie sagen soll – sondern es ist so, dass sich ihre Lippen plötzlich wie zusammengeklebt anfühlen, so als wären Worte ein abstraktes Prinzip, das sie nicht mehr umsetzen kann.

«... alles in Ordnung?»

Sie konzentriert sich. Jessie schaut sie aufmerksam an.

«Oh ... Kopfschmerzen. Eine Migräne-Attacke. Das habe ich manchmal.» Sie reibt sich über die Stirn.

«Oh mein Gott. Du bist richtig blass geworden. Möchtest du eine Tablette? Ich hole dir ein Glas Wasser.» Jessie kramt in ihrer Tasche. Lila überlegt, wie sie möglichst schnell gehen kann. Sie will mit jeder Faser ihres Körpers aus dieser Tür hinaus. «Weißt du, ich glaube, ich brauche ein bisschen frische Luft. Ich ... ich mache mich auf den Rückweg zur Schule.»

«Aber geh nicht allein. Du brauchst jemanden, der dich begleitet, wenn du dich nicht wohlfühlst.» Jessie beginnt, ihre Sachen einzusammeln.

«Nein. Schon gut. Es geht schon. Du kannst in Ruhe deinen Tee austrinken.» Lila hebt kurz die Hand zum Gruß. «Du bist echt nett. Es ... tut mir leid. Es war ... wirklich schön, mit dir zu reden.»

Bevor Jessie aufstehen kann, hat sie ihre Tasche genommen und geht zwischen den leeren Tischen hindurch nach draußen in das helle Licht des Nachmittags. Sie hört gerade noch Jessies *«Vielleicht sehen wir uns morgen!»*, als die Tür hinter ihr zufällt.

## EINUNDDREISSIGSTES KAPITEL

## Celie

Bei Dad ist irgendetwas im Gange. Marja liegt ständig auf dem Sofa oder verschwindet in ihr Zimmer, wenn Celie und Violet dort sind. Sonst hat sie an den Abenden, an denen sie da waren, immer etwas Besonderes zu essen gemacht; hatte riesige Platten mit asiatischen Gerichten oder enorme Schüsseln mit Nudeln und Salat auf ihrem kleinen Küchentisch angerichtet, gefolgt von Luxus-Eiscreme, als würde sie versuchen, ihnen beim Abendessen das Gefühl zu geben, sie alle wären eine Familie. Aber jetzt bittet Marja sie nur mit blasser und entschuldigender Miene, sich etwas vom Lieferdienst auszusuchen, und zieht sich zurück. Wenn sie im Wohnzimmer ist, sprechen Dad und sie immer mit gesenkten Stimmen. Celie fragt sich eine Zeit lang, ob sie der Grund dafür ist, immerhin hat sie die letzten anderthalb Jahre damit verbracht, Marja auf eine Million subtile Arten wissen zu lassen, dass sie vielleicht hier sein muss, das aber nicht bedeutet, dass sie Marja und Hugo jemals als *Familie* ansehen wird. Marja will, dass sie alle einfach vergessen, was sie getan hat, dass sie Mum Dad gestohlen hat, und tut so, als wären sie so was wie eine Instagram-Patchwork-Familie. Sie hat diesen pseudofreundlichen Ton, wenn sie mit Celie redet, und bietet ihr übrig gebliebene Cremeproben und Sachen an, die sie anscheinend gekauft hat, jetzt aber nicht brauchen kann. Doch Celie versucht alles, um ihr nur mit Ein-Wort-Sätzen zu antworten, und achtet darauf, dass sie im ersten Augenblick, in dem Dad sie vom Tisch aufstehen lässt, in ihr und Violets Zimmer geht, wo sie sich mit ihrem Handy beschäftigt. Es nervt, dass Hugo immer mit Violet oder ihr spielen will und Dad immer sagt *Kommt schon, Mädels, nur eine halbe Stunde.* Aber wer will schon mit einem Sechsjährigen spielen? Wenn Marja einen Babysitter braucht, soll sie einen anheuern.

Sie hat mitangesehen, wie sich Marja von dieser Yoga-Frau mit ihren dämlichen definierten Schultern und ihren Lululemon-Leggings in einen fetten Riesenwal verwandelt hat, und manchmal fragt sie sich, ob es Dad jetzt, wo sie sich so verändert, leidtut, dass er Mum für sie verlassen hat, und ob es dazu führt, dass er sie sitzen lässt. Aber Dad scheint immer noch total verhext, wuselt dauernd um sie herum, versichert sich, dass es ihr gut geht, und drückt ihre Hand, wenn sie denken, Celie sieht nicht hin. Es ist ekelhaft, wie sie vor ihr die Turteltauben spielen und anscheinend erwarten, dass sie es übersieht. Aber jetzt ist Marja beinahe immer oben, und Celie fragt sich, ob ihre Entschlossenheit, Marja kein bisschen Zuneigung zu zeigen, endlich Wirkung gezeigt hat. Sie fühlt sich zwar ein bisschen komisch deswegen, weil schließlich bald ein Kind auf die Welt kommt, und sie weiß auch nicht genau, ob Mum Dad nach all der Zeit überhaupt wiederhaben wollte. Meistens will sie sich ja einfach nicht mit noch mehr Zeug herumschlagen müssen.

Denn auch zu Hause ist es komisch – Bill wohnt immer noch im Bungalow, und Gene ist zum Arbeiten weg, sodass es richtig still im Haus ist. Und Mum ist ständig zerstreut, stundenlang in der Badewanne oder andauernd mit den Ohrhörern drin mit dem Hund unterwegs. Ihre Mundwinkel zeigen nach unten, und sie bekommt gar nicht mit, dass davon ihre Lippen dünn aussehen, und man muss sie alles zwei Mal fragen, weil sie nicht richtig zuhört. Einmal hat sich Celie ihr Handy angeschaut – Mum ist ein hoffnungsloser Fall, was Passwörter angeht, sie heißen immer entweder Celie1 oder Violet1 oder so was –, aber in ihren Nachrichten war nichts Besonderes zu finden, außer dass sie Bill ein paarmal gebeten hat, nach Hause zu kommen. Zuerst dachte Celie, sie hätten sich gestritten, aber Mum erklärt ihm immer wieder, dass sie ihn liebt, und er erklärt immer wieder, dass er einfach ein bisschen Abstand braucht. Celie fragte Violet, ob sie Bill mit irgendetwas verärgert hat – weil ihr eingefallen ist, dass Violet einmal seine personalisierten Karteikarten benutzt hat, um Außerirdische zu malen –, aber Violet schwört, dass sie nichts gemacht hat. Im Grunde verbringen sie also ihre Zeit damit, von einem Ort mit seltsamer Atmosphäre zum anderen zu pendeln.

Sie hat mit Martin darüber geredet, als sie letzte Woche vom Animationskurs zur Bushaltestelle gingen. Er hat ein ganzes Storyboard über sein neues Brüderchen gemacht, und wie er sich vorstellte, es würde sich in ein gigantisches Monster verwandeln und seine Eltern fressen, bevor das letzte Bild einen winzigen Neugeborenen zeigte. Martin hatte der Gruppe erklärt, dass die Geschichte auf den Gefühlen beruhte, die er gehabt hatte, als seine Mutter von seinem Stiefvater schwanger wurde.

«Magst du deinen Bruder?», hatte sie gefragt. «Deinen Stiefbruder, meine ich.»

«Halbbruder», sagte er. «Ja. Er ist okay. Ein drolliger Kerl.» Er hatte ihr einen Seitenblick zugeworfen. «Zuerst war ich nicht sicher, dass ich ihn mögen würde, weil ich meinen Stiefvater am Anfang für einen ziemlichen Idioten gehalten habe. Aber es ist komisch. Verstehst du, als ich ihn im Krankenhaus zum ersten Mal gesehen habe, war er einfach ... ich weiß auch nicht. Einfach so ein winziges Kind. Und ich hatte nie einen Bruder, also war es vermutlich ein ... schönes Gefühl? Ich meine, er kann echt nerven und alles, und er geht einfach in mein Zimmer. Aber ja. Es gefällt mir, dass er da ist.»

«Ich glaube, ich werde das Baby meines Vaters hassen», sagt Celie, als sie sich an der Bushaltestelle auf die schrägen Sitze setzen, bei denen man immer denkt, man würde gleich abrutschen. «Es kommt mir einfach so vor, als wäre es an allem schuld.»

«Wieso?»

«Na ja, wenn das Baby nicht gekommen wäre, hätte es sein können, dass Dad doch wieder zu Mum zurückgeht. Aber jetzt ... war's das.»

Darüber denkt Martin einen Moment lang nach. «Ich weiß nicht. Meine Tante ist zu ihrem Mann zurückgegangen, obwohl sie ein Kind von jemand anderem bekommen hatte. Wenn sich zwei Leute so sehr lieben, finden sie manchmal auch bei so was wieder zueinander.»

Celie überlegt, ob ihre Mum und ihr Dad sich so sehr lieben. Sie kann sich nicht daran erinnern, dass sie sich in den letzten Jahren der Familie besonders häufig umarmt oder auch nur angelächelt haben. Mum hatte immer gearbeitet, und Dad war immer weg, und außer im Urlaub hatten sie einen ziemlich bissigen Umgangston miteinander gehabt.

«Ich glaube, ich bin einfach immer noch wütend auf Dad und Marja. Also denke ich, dass ich auf dieses Kind auch sauer sein werde.»

«Du solltest mal mit deinem Dad reden.»

Nur dass Celie nicht die Art Dad hat, mit dem man reden

kann. Das eine Mal, als sie ihm gesagt hatte, dass sie es hasst, in dieses Haus zu kommen, hatte er einfach nur erklärt, ihre Gefühle würden sich mit der Zeit ändern, und als sie gesagt hatte, das würden sie nicht, war er frustriert gewesen und hatte gesagt, sie stelle sich «absichtlich schwierig» an. Und wenn sie älter wäre, würde sie lernen, dass das Leben kompliziert war und nicht immer alles so lief, wie man es wollte, und man sich dann anpassen müsse. Danach hatte sie ihm seine Ruhe gelassen. Marja hatte vor ihrer Schwangerschaft einmal versucht, mit ihr zu reden. Sie hatte sich zu Celie gesetzt, die gerade frühstückte, und gesagt, sie würde verstehen, dass Celie wahrscheinlich vertrackte Gefühle wegen der neuen Situation hatte, und dass sie nicht versuchen würde, den Platz ihrer Mutter einzunehmen. Celie hätte beinahe gelacht. *Du könntest nicht mal ansatzweise Mums Platz einnehmen*, hatte sie sagen wollen, doch stattdessen war sie nur von dem hohen Frühstücksstuhl geglitten und hatte ihr Müsli mit nach oben in ihr Zimmer genommen.

Mit den Mädchen aus der Schule spricht sie nicht über ihre Eltern. Sorayas und Harriets Eltern sind noch zusammen, und Celie hat das Gefühl, dass die beiden sie nicht wirklich verstehen würden. Mit Gene hätte sie darüber geredet, aber er schreibt nicht mal eine SMS von der Arbeit aus. Sie weiß nicht einmal, in welchem Land er gerade dreht. Bill schickt gelegentlich eine Nachricht, in der er schreibt, er hoffe, dass es ihr gut gehe und sie ihre Hausaufgaben mache und dass sie sich bald wiedersehen würden, aber das ist so förmlich, als käme es von einem Lehrer, und sie weiß nie, wie sie ihm darauf antworten soll, abgesehen davon, dass sie ihm liebe Grüße schickt. Er versteht ja nicht einmal Emojis.

Celie geht widerwillig zum Haus ihres Vaters, den Blick auf ihr Handy gerichtet. Mum wird Violet nach der Schule schon abgesetzt haben – sie wartet dann meistens im Auto, bis sie sieht, dass Violet hereingelassen wurde. Celie, die älter ist, hat einen Schlüssel bekommen, klingelt aber trotzdem immer, damit sie wissen, dass das hier nicht ihr Zuhause ist. Sie steht unter dem Vordach und überlegt, ob Mum daran gedacht hat, ihre Übernachtungstasche zu packen und zusammen mit Violets abzugeben. Am Wochenende davor hat sie es vergessen, und Dad musste zu ihnen fahren, damit Celie die Tasche holen konnte, und er war deswegen total muffelig, obwohl er nicht mal aus dem Auto steigen musste. Anscheinend lässt er Marja nicht gern allein, obwohl es bis zu dem Geburtstermin noch Monate hin ist.

Niemand kommt an die Tür. Celie klingelt erneut, zählt bis fünf, während sie auf die Klingel drückt, obwohl sie weiß, dass sich ihr Vater darüber ärgern wird. Immer noch keine Reaktion. Schließlich fischt sie den Schlüssel aus ihrer Tasche und schließt auf.

Marjas Haus ist immer perfekt aufgeräumt, doch heute finden sich im Wohnzimmer Hugos verstreute Spielsachen, ein Teller mit Krümeln, ein offenes Buch und auf dem Boden ein Kissen. Sie geht in die Küche – das Radio läuft, und auf dem Küchentisch liegt ein Zettel.

*Muss Marja ins Krankenhaus bringen. Lass dich
von Mum abholen.
Dad X*

Nicht mal ein «Tut mir leid». Nur *Lass dich von Mum abholen*. Celie starrt auf den Zettel, ist leicht genervt von der mangelnden Einfühlsamkeit ihres Vaters und zugleich erleichtert, weil sie heute Abend nach Hause gehen kann. Sie legt den Zettel auf den Tisch und setzt sich einen Moment an die Kücheninsel. Dann steht sie auf und nimmt sich aus dem Schrank mit den Süßigkeiten einen von den teuren Nuss-Schokoladenriegeln, die im Eckladen zwei Pfund kosten. Sie lässt das Einwickelpapier liegen und geht nach oben. In Marjas Haus soll man an der Tür die Schuhe ausziehen; sie hat helle Holzböden und cremefarbene Teppiche, aber Celie behält ihre Schuhe an, schabt absichtlich über jede Treppenstufe, nur für den Fall, dass noch Schmutz daran hängt. In Marjas Schlafzimmer herrscht null Unordnung. Sämtliche Kleidung ist säuberlich gefaltet oder hängt hinter den Türen des Einbauschranks, die nicht mal Griffe haben. Man muss an einer bestimmten Stelle dagegendrücken, damit sie aufgehen. Das Bett ist ordentlich gemacht, auf beiden Kopfkissen liegt ein farblich abgestimmtes Zierkissen und am Fußende eine von diesen Decken, die nie als Decken benutzt werden. Celie öffnet den Schrank und betrachtet Marjas Sachen, die beinahe alle cremefarben, schwarz oder weiß sind. Es ist so ungefähr die langweiligste Garderobe, die Celie je gesehen hat. Sie zieht die Schubladen auf, darauf gefasst, von sexy Unterwäsche abgestoßen zu werden, doch sämtliche Slips von Marja sind einfarbig grau oder schwarz, und nur ein Set aus BH und Slip ist aus Seide mit Spitzenverzierung. Marja hat nicht viele Sachen, nicht wie Mum, aber sie hat richtig teure Hautpflegeprodukte und Parfüms.

Auf dem Schminktisch beim Fenster steht neben einem Vergrößerungsspiegel ein ganzes Tablett mit Make-up. Celie setzt sich und probiert die Foundation auf dem Handrücken aus. Sie tuscht sich die Wimpern mit Marjas Chantecaille-Mascara, dann bedient sie sich an der Lidschatten-Palette von Chanel. Marjas Teint ist dunkler als ihrer, also kann sie die Foundation nicht nehmen, aber sie trägt ein bisschen Rouge und Highlighter auf, dann mustert sie dicht vor dem

Spiegel ihr Gesicht und sucht nach Pickeln und vergrößerten Poren.

Als sie mit ihrem Gesicht fertig ist, schnuppert sie an den Parfüms. Es sind acht Fläschchen, und sie testet sie auf ihrem Handgelenk, bis sich die Düfte ununterscheidbar miteinander vermischt haben. Sie probiert die Handcreme aus, verreibt sie mit dem Zeigefinger, bis sie eingezogen ist. Dann nimmt sie die richtig teure Feuchtigkeitscreme und schnuppert daran. Sie riecht nach einem luxuriösen blumigen Duft. Sie betrachtet die Creme eine Weile, dann steht sie auf und geht ins Bad. Marja hat ein Schlafzimmer mit eigenem Bad. Sie drückt auf die Tube, sodass sich ein wilder weißer Cremewurm in den Ausguss schlängelt, dann wiederholt sie es noch zweimal, worauf die Tube beinahe leer ist. Sie setzt die Kappe wieder auf, holt die Parfümfläschchen, bei denen sich die Verschlüsse abschrauben lassen, und schüttet den Großteil der kostbaren goldfarbenen Flüssigkeiten in den Abfluss. Sie füllt die Fläschchen mit Wasser auf. Das Gleiche macht sie mit Marjas Luxus-Gesichtsreiniger und ihrem Hautserum. Abschließend spült sie die Rückstände aus dem Waschbecken weg und stellt alles wieder ordentlich auf Marjas Schminktisch.

Noch einmal schaut sie sich im Bad um, dann geht sie schließlich nach unten und ruft ihre Mutter an.

«Ich verstehe nicht, warum dein Vater ihre Termine nicht auf die Zeiten legen kann, in denen ihr bei mir seid», sagt Lila kopfschüttelnd, als sie mit Celie nach Hause fährt. «Dass ich Violet nicht bringen soll, hat er mir erst zehn Minuten vor Schulschluss geschrieben.»

«Mir macht es nichts aus», sagt Celie.

Lila wirft ihr einen Blick zu, und ihre Miene wird sanfter. «Entschuldige. Ich sollte nicht vor dir über deinen Dad meckern. Und mir macht es auch nichts aus.» Sie streckt die Hand aus. «Ich habe euch schließlich eine zusätzliche Nacht bei mir. Hey, wie wär's, wenn wir uns heute etwas zum Essen bestellen? Wie wär's mit einer richtig großen, ungesunden Pizza mit Extra-Käse und jedem Belag, auf den du Lust hast?»

Mums Kocherei war so schrecklich, seit Bill weg ist, dass Celies *Ja* möglicherweise etwas begeisterter herauskommt, als sie es gewollt hat. Aber Mum scheint es nicht mitzubekommen. Sie hat sich seit über einer Woche nicht geschminkt. Ihr Haar ist zu einem Pferdeschwanz zurückgenommen, sie hat dunkle Schatten unter den Augen, und sie trägt seit drei Tagen denselben Pulli. Eine Zeit lang hat Mum wieder wie sie selbst ausgesehen, aber jetzt sieht sie meistens aus wie jemand, der krank aus dem Bett aufgestanden ist, um an die Tür zu gehen.

«Wann kommt Gene zurück?», fragt Celie.

Mum hält den Blick auf die Straße gerichtet. «Ich weiß nicht genau. Er ... er ... ich glaube, sein Dreh könnte eine ganze Weile dauern.»

Celie starrt auf ihre Knie. Sie riecht das Parfüm an ihren Händen, und davon wird ihr ein bisschen schlecht. Mit Gene hätte sie über das reden können, was sie getan hat. Es gibt sonst echt niemanden, dem sie es erzählen könnte, ohne dass er ausflippt.

«Kommt er definitiv zurück?»

Mum macht dieses Gesicht, das sie macht, wenn sie etwas weiß, was sie nicht sagen will.

«Ich ... ich weiß nicht, Schatz. Irgendwann spreche ich mit ihm, und dann finden wir schon eine Lösung.»

Am nächsten Tag bittet Mum Celie, Violet abzuholen. Anscheinend hat sie einen wichtigen Termin, und auch wenn Celie mault, dass Violets Schule in der anderen Richtung liegt und sie wegen dieser blöden Theaterprobe Ewigkeiten warten muss, beharrt Mum darauf, dass sie nicht selbst hingehen kann. Sie benimmt sich wirklich komisch. Beim Abendessen hat sie nur ein Stück Pizza gegessen, und Celie hat mitbekommen, dass sie die ganze Nacht mit Eleanor telefoniert hat, weil sie Sätze wie *Ich weiß. Ich weiß. Aber ich weiß einfach nicht, was ich zu ihm sagen soll* hörte, wenn sie an ihrer geschlossenen Schlafzimmertür vorbeiging.

«Celie, ich bitte dich äußerst selten um irgendetwas. Aber jetzt musst du das Abholen übernehmen. Morgen macht es Bill, aber heute kann er nicht, und dein Schultag ist früh genug zu Ende, um Violet abzuholen.»

Eltern sind dermaßen egoistisch.

Celie kommt um Viertel vor fünf zum Schulhof, fünfzehn Minuten vor Violets Schulschluss, und isst eine Tüte Chips, die sie unterwegs gekauft hat. Sie hätte wirklich welche für Violet mitbringen sollen, also muss sie die Tüte schnell leer essen und in den Müll werfen, damit Violet nichts mitkriegt und sich den ganzen Abend darüber auslässt, wie gemein sie ist.

Celie hatte den ganzen Tag ein komisches Gefühl wegen der Parfüms. Sie weiß nicht, was sie am Tag zuvor geritten hat, und beinahe rechnet sie damit, dass ihr Dad anruft, sie fragt, was zum Teufel sie sich dabei gedacht hat, und ihr erklärt, sie sei ein absolut schrecklicher Mensch. Aber er hat sich überhaupt nicht gemeldet. Den ganzen Tag schleppt sie das Wissen um das, was sie getan hat, mit sich herum, und es scheint in ihrem Kopf einen immer größeren Druck zu entfalten, wie etwas, das sich nicht kontrollieren lässt. Während sie wartet, schreibt sie Martin eine Nachricht, ihre Fingerspitzen rot vor Kälte.

> Ich habe bei meinem Vater im Haus etwas Schräges gemacht.

Sie schreibt ihm von den Parfüms, den Cremes. Es folgt eine kurze Pause, während die Punkte pulsieren, und sie denkt, er wird ihr sagen, dass sie irre ist oder dass er nicht mehr mit ihr reden will. Vielleicht wird er sich Meena und den anderen Mädchen anschließen und sie ignorieren. Die Punkte pulsieren so lange, dass sie schon bereut, ihm geschrieben zu haben. Dann liest sie:

> Als meine Mutter meinen Stiefvater kennengelernt hat, habe ich in ihrer Schublade nach den Antibabypillen gesucht und sie aus dem Fenster in den Nachbarsgarten geworfen. Ich glaube, ich dachte, dann würden sie aufhören, irgendwas zu machen. Aber alles, was es mir gebracht hat, war ein kleiner Bruder. Haha.
> PS: Allerdings gibt es dieses Jahr keinen Nachwuchs bei den Füchsen, also wer weiß, was passiert ist.

Sie muss lachen und fühlt sich ein bisschen weniger durchgeknallt, aber gleich darauf sind die beklommenen Gefühle wieder da wie ein großer Knoten in ihrem Magen, so als würde sie darauf warten, dass wieder etwas Schreckliches geschieht.

Es ist kurz vor fünf, als die Türen der Grundschule aufgehen und die Kinder mit ihren Rucksäcken herauskommen. Inzwischen sind haufenweise Eltern auf dem Schulhof, und Celie hält den Kopf unter ihrer Kapuze gesenkt, den Blick auf ihr Handy gerichtet, damit sie mit niemandem darüber reden muss, wie sie sich an sie als kleines Schulkind erinnern und wie groß sie geworden ist und all das andere dämliche Zeug, das Erwachsene sagen. Also dauert es einen Moment, bis sie sieht, dass Violet nicht allein auf sie zukommt. Neben ihr, mit einem breiten Grinsen ihre Hand haltend, ist Gene. Er spricht mit Mrs. Tugendhat, die sich die Hand auf die Brust presst, als müsste sie buchstäblich ihr Herz festhalten. Sie unterhalten sich, und er nickt energisch und legt Mrs. Tugendhat die Hand auf den Arm, und als die Lehrerin schließlich geht, legt sie ihre Hand auf die Stelle, an der er sie berührt hat, und bekommt anscheinend nicht mal mit, dass sie das tut.

«Hey, Kleine», sagt er und zieht Celie in eine Umarmung. Das tut er immer, als wäre es ihm egal, ob jemand das wirklich will oder nicht.

«Ich dachte, du bist zum Arbeiten weg.»

Ein seltsamer Ausdruck zeigt sich auf seiner Miene. Dann ist sein Grinsen wieder da.

«Bin ich ja auch! Aber ich hatte früher Schluss und habe euch vermisst, also dachte ich, ich komme vorbei und begleite euch nach Hause. Ich kann nicht lange bleiben – muss zurück zur Arbeit –, aber ich wollte einfach mal eure kleinen Knautschgesichter sehen.»

Und obwohl er total nervt und sein bescheuertes Grateful-Dead-T-Shirt trägt, mit dem er aussieht wie ein alter Hippie, hat Celie das Gefühl, dass irgendetwas in ihr vor Erleichterung in sich zusammenfällt.

ZWEIUNDDREISSIGSTES KAPITEL

## Lila

«Und was sagst du jetzt zu ihm?»

Eleanor und Lila sind bei der Vorstellung einer neuen Make-up-Marke. Eleanor bekommt so viel Make-up kostenlos zugeschickt, dass sie einen Beauty-Shop eröffnen könnte, und Lila freut sich immer, wenn sie etwas geschenkt bekommt, ganz besonders, weil sie ohnehin nicht mehr weiß, wie sie sich schminken soll. Sie stehen im Saal eines historischen Gebäudes mit bodentiefen Fenstern, während junge Leute – eindeutig Models am dienstfreien Tag – Champagner und winzige Kanapees mit größtenteils nicht genau definierbarem Belag herumreichen. Menschen stehen vor beleuchteten Spiegeln und testen unter den Klängen von Ambient-Musik die Gratisproben. Eleanor verblendet gerade drei unterschiedliche Schattierungen Foundation auf Lilas Wangen und hält stirnrunzelnd inne, während Lila sehnsüchtig nach winzigen Portionen Fish and Chips in Papiertütchen schaut, die ein kleines Stückchen außerhalb ihrer Reichweite vorbeigetragen werden.

Sie hat eine Woche lang überlegt, was sie zu Gabriel sagen wird, wenn sie ihn wiedersieht. Sie hat seine Nachrichten ignoriert, in denen er ein gemeinsames Abendessen vorgeschlagen und sie Dolcezza genannt hat, und sie hat einen Abgabetermin erfunden, damit sie nicht zum Abholen an die

Schule muss. Zwei Tage lang hatte sie sich hundeelend gefühlt, dann war sie mit klarem Kopf aufgewacht, hatte nur noch leise köchelnde Wut empfunden, sowohl auf ihn und sein falsches Spiel als auch auf sich selbst, weil sie nichts bemerkt hatte.

«Ich weiß nicht, was ich zu ihm sagen soll. Ich habe ein bisschen darüber nachgedacht (in Wahrheit hat es sie jeden wachen Moment beschäftigt), und ich glaube, ich frage ihn einfach, was er sich eigentlich dabei gedacht hat. Ich meine, wie konnte er nur annehmen, dass Jessie und ich uns nie begegnen werden?»

«Noch dazu ist sie nur die eine, von der du weißt.»

Dieser Gedanke ist Lila auch schon gekommen. Immer wieder muss sie daran denken, dass er von seiner Frau gesagt hat, sie habe «Dinge gesehen, die nicht da waren», oder daran, dass Victorias Eltern nichts mehr mit ihm zu tun haben wollten. Sie wartet ab, während ihr Eleanor vorsichtig mit einem Wattestäbchen unter dem Auge entlangstreicht.

«Ich habe auch überlegt, ob ich ihm einen Brief schreiben soll. Nur, um ihm klarzumachen, wie schrecklich ich mich seinetwegen gefühlt habe und dass ich angenommen hatte, wir wären zu alt für solchen Quatsch.»

«Sagt jemand, der noch nie auf einer Dating-App war.»

«Ist es da so schlimm?» Entsetzt blinzelt sie Eleanor an.

«Ist ein ziemlicher Dschungel. Wenn der Dschungel voll heuchlerischer, angeberischer, toxischer Typen wäre, meine ich. Da ist der echte Dschungel womöglich besser. Oh, dieser Lidschatten geht nicht, du siehst aus wie eine von *Love Island*.»

«Meinst du, das mit dem Brief ist eine schlechte Idee?»

Eleanor nimmt einen Lippenstift, zieht die Kappe ab und testet ihn auf ihrem Handrücken. «Das Problem ist, dass du ihn einschätzt, als wäre er jemand, der a) den Brief überhaupt liest, und sich b) Gedanken über seine Verantwortung macht. Alles, was du mir erzählt hast, deutet darauf hin, dass er beides nicht tun wird. Mach den Mund zu.»

Lila schweigt, während Eleanor den Lippenstift aufträgt. «Also kommt er einfach damit durch?»

«Nein. Und nicht zuletzt, weil du es dieser Jessie erzählen wirst. Oh ja, das sieht besser aus.» Sie lehnt sich zurück und nickt beifällig.

Das ist der beunruhigende Teil. Lila will es Jessie sagen. Sie hat sie sofort gemocht. Sie trägt eindeutig keine Schuld. Sie empfindet eine Art schwesterlicher Verantwortung gegenüber dieser alleinerziehenden Mutter, dieser Frau, die genauso hinters Licht geführt worden ist wie sie selbst. Aber bei dem Gedanken daran, dieses Gespräch anzufangen, wird ihr klamm vor Befürchtungen. Was ist, wenn ihr Jessie nicht glaubt? Was ist, wenn sie Lila die Schuld gibt, nachdem sie sich mit Gabriel eindeutig schon vor ihr getroffen hat? Was ist, wenn das nur zu einer Erweiterung des Dramas auf dem Schulhof führt? Die Vorstellung, dass alle von ihrer jüngsten Demütigung erfahren – die Philippa Grahams und die Marjas –, ist einfach unerträglich.

Eleanor dreht Lilas Sitz so herum, dass sie sich selbst im Spiegel sehen kann. Sie sieht, denkt sie abwesend, richtig gut aus.

«Ich ... ich weiß nicht, ob ich mir das antun kann.»

«Moody Blush? Aber das steht dir gut.»

«Nein. Es Jessie zu erzählen.»

Eleanor verdreht die Augen. «Und genau so lebt das Patriarchat immer weiter.»

«Oh, jetzt bin ich also für die Unterdrückung sämtlicher Frauen verantwortlich?»

«Wenn du es ihr nicht sagst, bist du zumindest für die Unterdrückung von zwei verantwortlich.»

«Und warum sollen wir jetzt irgendwie verantwortlich für die negativen Konsequenzen sein, die Männer verursachen, die sich wie Ärsche benehmen?»

Eleanor schweigt.

«Was?»

«Ich bin nicht sicher, dass du momentan *völlig* über jeden Vorwurf erhaben bist.»

«Ich habe mich bei Jensen entschuldigt.»

Eleanor zuckt mit den Schultern. «Das klang für mich nach einer ziemlich schwachen Entschuldigung.»

«Du meinst, ich hätte mehr sagen sollen?»

«Also ... ja?»

Lila denkt auf dem Rückweg zur U-Bahn darüber nach. Das war das Schlimmste an allem und vielleicht der Grund, aus dem sie die Sache mit Gabriel schließlich nicht so fertiggemacht hatte, wie man es hätte erwarten können. Sie war so besessen von der glanzvollen Erscheinung Gabriel Mallorys gewesen, dass sie den viel besseren Mann nicht beachtet, seine Gefühle mit Füßen getreten hatte. Jedes Mal, wenn sie sich das Kapitel vornimmt und an ihn denkt, an seine geschockte Miene, erfüllt sie grenzenlose Scham, ein schreckliches Gefühl, wie die feuchte Kälte, die einem an den schlimmsten Wintertagen in die Knochen kriecht.

«Ich glaube nicht, dass er mit mir reden wird.»

«Dann schick ihm eine lange Nachricht, in der du ihm erklärst, was für eine Idiotin du warst, und dass du die gesamte Verantwortung dafür übernimmst und dass du hoffst, dass er dir eines Tages verzeihen kann, besonders, weil du das Buchprojekt abgesagt hast.» Sie wendet sich Lila zu und bleibt kurz stehen. «Du hast es doch abgesagt, oder?»

Lila zieht ein Gesicht.

«Oh Lila, das kann doch nicht wahr sein!»

Es ist klar, dass Lila nicht darum herumkommt. Sie weiß, dass sie das Buch absagen muss. Der Vertrag war per Mail angekommen, ein paar Tage später gefolgt von einer gut gelaunten Erinnerung daran, dass sie unterschreiben soll. Sie hatte den Vertrag angeklickt, die Zahl mit all den schönen Nullen betrachtet und wollte am liebsten weinen. Sie hat keine andere Möglichkeit, Geld zu verdienen, jedenfalls nicht genug, um alles am Laufen zu halten. Sie hat über tausend Alternativen nachgedacht, doch nichts davon ist überzeugend. Dan hat die finanzielle Unterstützung für die Kinder reduziert, ihre Ersparnisse reichen kaum noch zum Tanken, und sie hat keine Ahnung, von was sie und die Kinder leben sollen, wenn auch dieser Rest weg ist. Sie hat Jensens letzte Rechnung bezahlt. Er hat den Zahlungseingang nicht bestätigt, aber das war keine Überraschung. Allerdings hatte diese Summe den letzten größeren Teil ihrer Tantiemen verbraucht, und sie hatte sich außerstande gefühlt, Bill darum zu bitten, nachdem er jetzt nicht mehr bei ihnen wohnen wollte.

Es ist nichts zu machen. Sie wird das Haus verkaufen müssen. Und irgendetwas an dieser Tatsache, zusammen mit der ganzen Wut, die sich in den letzten Monaten angesammelt hat, treibt sie schließlich dazu, aktiv zu werden.

«Hi! Ich habe mich schon gefragt, wie es dir geht.»

Lila hat sich Jessies Nummer aus der Schul-WhatsApp-Gruppe gezogen. Sie hat ihr erzählt, sie würde gern in ihren Laden kommen, um Bastelmaterial zu kaufen, eine Lüge, aber es klang besser als «Ich würde gerne kommen, um dir mit bloßen Händen das Herz aus der Brust zu reißen». Vierzig Minuten bevor sie Violet an der Schule abholen muss, steht sie in dem kleinen Laden, der bis unter die Decke mit Farbtuben, A3-Zeichenpapier und Bastelzeug vollgestopft ist, und atmet den schwachen Terpentingeruch ein. «Viel besser, danke», sagt sie und versucht, den Knoten in ihrem Magen zu ignorieren.

«Du bist in dem Café dermaßen blass geworden! Passiert dir das oft?»

Jessie trägt einen altmodischen blauen Verkaufskittel. Ihr Haar ist hochgesteckt, und sie sieht jung und frisch und hübsch aus. Lila schaut sie verstohlen an, während sie eine Kundin bedient; eine alte Frau, die mit verkrümmten, arthritischen Fingern das Geld für zwei Wollknäuel abzählt. Es ist leicht, sich vorzustellen, wie attraktiv Jessie auf Gabriel gewirkt hat. Das Rätsel war, wieso er da zur gleichen Zeit noch eine andere haben wollte.

«Möchtest du einen Tee? Ich kann uns hinten schnell einen machen, solange keine Kundschaft da ist.»

Lila lehnt ab. «Eigentlich», sagt sie, «muss ich mit dir über etwas anderes sprechen.»

Jessie ist sensibel genug, um die Veränderung ihres Tonfalls wahrzunehmen. Sie schaut Lila einen Moment argwöhnisch an. «Was ist?», fragt sie dann geradeheraus.

«Es ist ziemlich heikel.»

«Red schon.» Jessies Lächeln ist erloschen.

«Diese Kopfschmerzen, die ich bekommen habe ... bei unserem Treffen. Das waren keine Kopfschmerzen. Es war ...» Lila schluckt. «Ich war einfach geschockt, als du Gabriel Mallory erwähnt hast. Weil ...» Es ist schrecklich, wie sich Jessies Miene verändert. Es ist, als wüsste sie es schon und als wäre ihr gesamter Gesichtsausdruck eine wortlose Bitte, es nicht auszusprechen.

«Ich ... ich hatte mich mit ihm getroffen. Ich dachte, außer mir gibt es niemanden.»

Für einen Moment herrscht in dem Laden absolute Stille.

«Gabriel ... Gabriel hat sich mit *dir* getroffen?»

Alle Farbe ist aus ihrem Gesicht gewichen. Einen verrückten Augenblick lang fragt sich Lila, ob sie auch so ausgesehen hat, als Jessie ihr das Gleiche gesagt hat. Sie vermutet aber, dass sie nicht ganz so fotogen dabei war.

«Du meinst ‹Treffen›-treffen?»

«Wir hatten Sex. Und haben an den meisten Abenden telefoniert.»

Jessie bleibt der Mund offen stehen. «Seit wann?»

«So ungefähr vor zwei oder drei Monaten hat es angefangen, und miteinander geschlafen haben wir ... letzten Monat.»

Sie zucken zusammen, als die Ladentür klingelt. Ein Mann in kariertem Hemd und einer lachsfarbenen Hose kommt herein, in der Hand eine Liste. Er schaut darauf und sieht dann sie beide an.

«Ich brauche Gouache. Spricht man es so aus?» Er hat *Gwayche* gesagt.

Kurze Stille.

«Guu-asch», kommt es wie betäubt von Jessie. «Sie ist hier drüben.» Sie geht mit dem Mann in die gegenüberliegende Ecke des Ladens, wo die ganzen Farben in kleinen, weißen Tuben ausliegen.

«Weiter hinten brauchen Sie nicht zu schauen, das sind alles Aquarellfarben.» Sie dreht sich wieder zu Lila um, das Gesicht noch starr vor Schock.

«Aber was hat er ...»

«Wo ist denn da der Unterschied?», dröhnt die Stimme des Mannes durch den Laden. Er schaut die Tuben an.

«Wie bitte?»

«Zwischen Guu-asch und Aquarellfarben. Kann man sie mischen? Die Farben sind für meine Frau. Ich bin nicht besonders künstlerisch veranlagt. Und sie auch nicht, wenn ich's mir recht überlege. Sie will etwas für ihre mentale Gesundheit tun. Ich habe ihr gesagt, Valium wäre billiger, aber offenbar ist ihr Arzt anderer Meinung. Haha!»

Er ist begeistert von seinem eigenen Scherz. Jessie schüttelt beinahe unmerklich den Kopf.

«Also ... Gouache ist ähnlich wie Aquarellfarbe, hat aber eine höhere Deckkraft durch den hohen Kreideanteil.» Sie klingt, als würde sie einen auswendig gelernten Text aufsagen.

«Ist sie billiger?»

«Was?»

«Welche ist billiger?»

«Das hängt davon ab.» Jessie wendet sich abrupt zu Lila um, ihre Miene ist ungläubig. «Bist du *sicher*?»

«Dass ich mit ihm geschlafen habe? Äh, ja?»

«Welche denn nun?», kommt es von dem Mann.

Jessie richtet ungeduldig ihre Aufmerksamkeit wieder auf ihn. «Das kommt auf die Marke an. Die Preise stehen am Regal.» Sie steht da, mit hängenden Armen, versucht offenbar immer noch, Lilas Neuigkeit zu verdauen.

«Es tut mir wirklich leid», sagt Lila. «Wenn ich gewusst hätte, dass er eine Beziehung hat, hätte ich natürlich nie etwas mit ihm angefangen.»

«Und von mir hat er überhaupt nichts gesagt?»

«Kein einziges Wort.» Das scheint Jessie mehr zu verletzen als alles andere. Lila kann nicht anders. Sie zögert kurz, dann sagt sie: «Ich muss dich was fragen. Hat er dich mit einem bestimmten Namen angesprochen? Mit einem anderen als deinem eigenen, meine ich.»

Der Mann ist zwei Schritte auf sie zugekommen. «Können Sie mir sagen, wo ich ‹Umbra gebrannt› finde?»

Jessie verdreht die Augen. «Das ist Dunkelorange», sagt sie und deutet auf das Regal. «Die Farben sind beschriftet. Er hat mich Carina genannt. Das bedeutet ‹süß›. Das war unser Ding.»

«Mich hat er Bella genannt. Das war unseres.»

«Bella», wiederholt sie.

«Und Kadmiumorange?»

«Auf dem *Regal*», sagt Jessie, dieses Mal etwas lauter. Und dann zu Lila: «Aber das verstehe ich nicht. Ich treffe mich schon seit beinahe einem Jahr mit ihm!»

«Ich schwöre, dass er kein Wort gesagt hat. Ich dachte ... ich dachte, er muss immer noch über den Tod seiner Frau hinwegkommen.»

«Ich auch!»

«Ich unterbreche Sie wirklich nicht gern beim Plaudern, aber ich muss diese Farben finden.»

«Also hat er gleichzeitig mit uns beiden geschlafen?»

«Sieht so aus.»

«EKELHAFT!», stößt Jessie mit gequälter Miene heraus.

«Ich ... ich musste es dir einfach sagen. Ich meine, es ist klar, dass ich ihn nie wiedersehen werde, also liegt es an dir, was du entscheidest, aber ich konnte dich nicht damit weitermachen lassen, ohne dass du weißt, mit wem du es zu tun hast.»

«Oh mein Gott. Er hat *zwei Mütter auf demselben Schulhof abgeschleppt?*»

Jessies Stimme hebt sich, als ihr das Ausmaß der Widerwärtigkeit bewusst wird.

«Und Coelinblau?» Der Mann taucht neben ihnen auf. Jessie dreht sich um, als würde sie ihn zum ersten Mal sehen.

Sie fixiert sein breites, rötliches Gesicht, dann reißt sie ihm die Liste aus der Hand. Sie geht hinüber zu dem Regal und nimmt, beinahe ohne hinzuschauen, zwölf Farben, während der Mann «*Also hören Sie mal*» murmelt. Dann geht sie zur Kasse, gibt die Preise ein, und streckt die Hand aus.

«Neunundfünfzig fünfundvierzig.»

«Neunundfünfzig Pfund? Das ist verdammt viel für ein paar Farben.» Widerstrebend zieht er seine Brieftasche heraus.

«Betrachten Sie es als Investition in die mentale Gesundheit Ihrer Frau. Und glauben Sie mir, wenn es so einfach ist, sie bei Laune zu halten, können Sie sich glücklich schätzen.» Jessie lächelt nicht.

Nun wirkt er ein wenig besorgt. Er reicht Jessie seine Kreditkarte, nimmt die Tüte, die sie ihm hinhält, und geht. Schweigend sehen sie ihm nach, wie er eilig die Straße hinuntergeht und dabei mehrmals über die Schulter zurückschaut.

«Verdammte Scheiße.» Jessie Schultern sacken ab. Sie sieht aus, als würde sie am liebsten weinen.

«Allerdings.»

«Weiß er, dass du es weißt?»

«Noch nicht. Aber er wird es erfahren.»

«Verdammt. Ich kann den Laden nicht allein lassen.» Jessie drückt die Handflächen an ihr Gesicht. Ihre Schultern erbeben ein einziges Mal, und der Schauder scheint durch ihren gesamten Körper zu gehen. Lila überkommt Mitgefühl. Dann senkt Jessie ihre Hände und wischt sich schnell über die Augen. «Das ist dermaßen ekelhaft.»

Sie sieht auf, und in ihrer Miene steht nur noch Enttäuschung. «Weißt du, was das Schlimmste ist? Es ging mir gut, bevor ich ihn kennengelernt habe. Ich habe einfach mein Leben gelebt, bin morgens meistens zufrieden aufgewacht. Es gab nur mich, mein Kind, den Laden ... es ging uns gut. Und dann hat er mich total ins Schleudern gebracht. Hat dafür gesorgt, dass ich ungefähr fünf Minuten in totaler Ekstase war und mich anschließend ständig selbst infrage gestellt und mich völlig ausgehöhlt gefühlt habe, wenn ich nicht mit ihm zusammen war. Es war wie ein Leben auf der Achterbahn ... glücklich, traurig, verunsichert, ekstatisch. Jetzt fühle ich mich wie eine Idiotin ... Und wofür?»

Sie wird einen Brief schreiben, denkt Lila. Nein, zwei Briefe. Sie wird Violet abholen, nach Hause gehen und Jensen einen Brief mit einer ernsthafteren Entschuldigung ohne Ausflüchte schreiben. Dann wird sie Gabriel schreiben, was sie weiß, ihm vor Augen führen, wie sehr er zwei Frauen verletzt hat, die ihn wirklich gemocht und das alles nicht verdient haben. Sie wird einen Brief schreiben, damit sie nicht in aller Öffentlichkeit mit ihm reden muss, vor den Augen von Philippa Graham und Marja und den anderen, und dann wird sie ihn nie wieder beachten. Aber er wird wissen, was er getan hat, weil sie sich nicht scheuen wird, alles zur Sprache zu bringen: ihren Schmerz, Jessies Schmerz, die schreckliche, hinterlistige Art, auf die er zwei Frauen dazu gebracht hat, an sich zu zweifeln.

Sie geht die zwanzig Minuten bis zur Schule, in Gedanken bei dem, was sie schreiben wird, wie genau sie sich ausdrücken soll, damit er gezwungen ist, sich selbst infrage zu stellen, so wie sie und Jessie es getan haben. Sie wird sich von Estella Esperanza inspirieren lassen – diskret, fokussiert, tödlich. Sie wird ihren Zug machen, ohne dass irgendwer aus ihrer Umgebung überhaupt ahnt, was vorgefallen ist. Sie überlegt noch immer, wie sie ihrer Enttäuschung am besten Ausdruck verleihen soll, als sie zwei Mal hinschauen muss, während sie am Crown and Duck vorbeikommt, dem Gastropub neben der Apotheke, vor dem ein paar Tische stehen. Es ist ein bedeckter Tag, und zu dieser Jahreszeit ist nur die Hälfte der Tische besetzt. Es ist der letzte Tisch, der ihren Blick anzieht. Denn dort, die Hand lässig auf der Tischplatte ruhend, sitzt Gabriel Mallory mit einer Frau.

Etwas in Lila erstarrt, sodass sie kurz wie festgenagelt stehen bleibt. Sie beobachtet, wie die beiden über etwas lachen. Die Frau ist in den Dreißigern, hat dunkle Ringellocken und trägt einen schwarzen Rollkragenpulli. Ihre großen Augen schauen ihn sanft und bewundernd an, und sie legt ihm ganz leicht die Hand auf den Arm, als könnte sie seine körperliche Nähe nicht ertragen, ohne ihn zu berühren. Er wirft einen Blick auf die Uhr, sagt etwas und deutet in Richtung der Schule. Es ist die Art, auf die ihn die Frau anschaut, während er spricht, die Lila zusammenzucken lässt: ihr nachgiebiges Lächeln, das leichte Bedauern angesichts des bevorstehenden Abschieds. Lila überquert die Straße und geht zu dem Tisch. «Hallo, Gabriel», sagt sie strahlend.

Seine Miene verändert sich kaum. Er wirkt, als würde er sich freuen, sie zu sehen, auf die leicht distanzierte, umgängliche Art, auf die man einen Nachbarn begrüßen könnte. Er erhebt sich halb von seinem Stuhl, legt ihr die Hand auf den Arm. Er trägt den blauen Kaschmirpullover, der ihr besonders gefallen hat. «Lila! Schön, dich zu sehen.»

«Auf dem Weg zum Abholen an der Schule?»

«Jup. Ich habe gerade noch etwas getrunken. Hab es ausnahmsweise mal geschafft, früher aus dem Büro rauszukommen, also habe ich gedacht, ich überrasche Lennie.»

Die Frau sieht zu Lila mit dem höflichen Lächeln auf, das man aufsetzt, wenn man nicht genau weiß, in welcher Beziehung jemand zu der Person steht, auf die man steht.

«Lilas Tochter geht in Lennies Schule», sagt Gabriel erklärend zu der Frau.

Lila wägt diese Darstellung ihrer Anwesenheit kurz ab. «Ja. Ich bin Lila. Es freut mich, Sie kennenzulernen», sagt sie und streckt die Hand aus. Die Frau schüttelt ihr die Hand. «Und Sie sind bestimmt ... ‹Divina›?»

Das Lächeln der Frau schwankt. «Wie ... bitte?»

«Hm. Lassen Sie mich raten. Oder vielleicht ‹Superba›? Gibt es dieses Wort? Wunderschön? Sexy?»

Der Blick der Frau flackert zwischen Gabriel und Lila hin und her. Gabriels Lächeln ist erloschen.

«Oh. Sorry.» Lila schüttelt den Kopf, als hätte sie eine Dummheit begangen. «Es ist nur so, dass ich für Gabriel ‹Bella› bin. Und kürzlich bin ich zufällig Gabriels anderer besonderer Freundin ‹Carina› begegnet – das bedeutet übrigens süß –, und sie und ich haben uns ausgetauscht, und jetzt sind wir einfach neugierig, wer sonst noch in unserem exklusiven kleinen Club ist. Der vielleicht ein *kleines* bisschen weniger exklusiv ist, als uns beiden klar war. Aber jetzt muss ich wirklich los. Viel Spaß noch bei eurem Drink.»

Sie winkt fröhlich zum Abschied und geht den ersten Schritt weg, doch dann bleibt sie stehen und dreht sich mit erhobenem Zeigefinger noch einmal um.

«Oh», sagt sie mit übertrieben lautem Flüstern, «falls Sie das Stadium unregelmäßiger SMS schon hinter sich haben, wäre es vielleicht gut, wenn Sie einen Test machen. Er ist nämlich *richtig* schlecht im Umgang mit Kondomen. Bye!»

Wie sich herausstellt, kann sich Lila nicht damit beschäftigen, zwei verflixte Briefe zu schreiben. Es gibt schließlich eine gewisse Grenze bei den emotionalen Anstrengungen, die man von einer Frau erwarten kann.

## DREIUNDDREISSIGSTES KAPITEL

*Jensen,*

*ich habe diesen Brief achtmal angefangen und bin immer noch nicht sicher, ob ich ihn richtig hinbekomme. Also sage ich jetzt nur Folgendes: Es tut mir sehr leid. Ich habe einen Riesenfehler gemacht und aus den Augen verloren, wer ich bin, und ich wollte dich nicht verletzen, aber das habe ich getan, und damit muss ich nun leben. Ich verstehe, dass du dich neu orientiert hast – und ich hoffe wirklich, dass du glücklich bist –, aber du sollst trotzdem wissen, dass ich das, was ich über dich geschrieben habe, nicht veröffentlichen werde. Gar nichts davon. Ich sage das ganze Buchprojekt ab. Und es tut mir leid, wenn dich die flapsige Art verletzt hat, auf die ich eine Nacht beschrieben habe, die in Wirklichkeit sehr schön war. Du hast mir und meiner Familie nichts als Freundlichkeit entgegengebracht, und ich habe es dir auf die schlimmste Art zurückgezahlt, die man sich vorstellen kann. Ich bitte dich nur um eins: Ganz egal, was du von mir hältst, bitte brich nicht den Kontakt mit Bill ab. Er hatte mit alldem überhaupt nichts zu tun, und er macht gerade eine harte Zeit durch und könnte einen Freund wirklich gut brauchen. Und ganz besonders deine Freundschaft.*

*Noch mal, es tut mir sehr leid.*

*Lila*

Lila hat den ganzen Tag gebraucht, um diesen Brief zu schreiben. Sie hat dagesessen, an ihrem Stift gekaut, die Worte immer wieder überdacht, und immer noch erscheint ihr jedes einzelne unzureichend. Anscheinend ist die Welt voller Menschen, die sich betrügen oder einander unrecht tun, und als sie die Worte schließlich zu Papier bringt, tut sie es, weil sie einfach das Gefühl haben will, keiner von diesen Menschen zu sein. Dass sie zumindest ihre Fehler und ihr mieses Verhalten zugeben und sich dafür entschuldigen kann. Den anderen Grund versucht sie zu verdrängen: dass sie immer noch davon verfolgt wird, wie Jensen sie angesehen hat, und davon, dass sie seine Abwesenheit ständig spürt. Und davon, wie seine neue Freundin seinen Arm genommen und ihn entschlossen von Lila weggesteuert hat. Sie fühlt sich wie der dümmste Mensch im Universum; nicht weil Gabriel sie hereingelegt hat, sondern weil sie zu dumm war, um zu erkennen, was sie direkt vor der Nase gehabt hatte: diesen humorvollen, ehrlichen Mann, der sie angesehen hatte, als sei sie großartig, und der sie berührt hatte, als würde er sie verehren. Immer wieder muss sie daran denken, wie unmöglich es gewesen war, sich zu verstellen, wenn sie mit ihm zusammen war. Wie er sie zum Lachen gebracht hatte. Wie sie in seiner Nähe das Gefühl gehabt hatte, dass im Grunde alles okay war. Was hatte sie sich nur dabei gedacht?

Der Wind hat im Laufe des Tages aufgefrischt und peitscht Lila die Haare ums Gesicht, als sie zum Briefkasten geht. Ein fieser Sprühregen weht ihr beinahe horizontal entgegen, sodass sie den Eindruck hat, das Wetter würde ihre Stimmung widerspiegeln. Jetzt, ohne die Ablenkung ihrer idiotischen, fehlgeleiteten Vernarrtheit, bleibt ihr nur noch das Wissen, was sie einem guten Mann angetan, welche Chance sie vertan hat.

Sie hatte Eleanor den Brief vorgelesen, bevor sie ihn abschickte, und Eleanor hatte *gut, gut* gemurmelt wie eine Lehrerin, die eine zufriedenstellende Arbeit absegnet. Doch ein Gedanke nagt weiter an Lila: Warum sollte Jensen ihren Worten glauben, wenn es ihr zuvor so leichtgefallen war, ihn damit zu verletzen? Gabriel war es leichtgefallen, ihr die Worte zu sagen, von denen er glaubte, sie wollte sie hören – aber sie waren im besten Fall bedeutungslos gewesen und schlimmstenfalls irreführend. Und das ist der eigentliche Grund, aus dem sie so lange gebraucht hat, um einen einfachen Brief zu schreiben: Sie weiß selbst nicht mehr, ob sie Worten vertraut. Sie können eine aufheizende Wirkung haben, sogar brandgefährlich sein. Alles, worauf es wirklich ankommt, ist, welches Gefühl einem jemand vermittelt, und ihretwegen hat sich Jensen schrecklich gefühlt.

Am Abend zuvor hatte Dan geschrieben, dass Marja stationär aufgenommen worden sei und er die Mädchen in absehbarer Zeit nicht nehmen könne. Es war eine nüchterne Mitteilung, ohne Einzelheiten, und Lila hatte ein Seufzen unterdrückt, als ihr dieses weitere Beispiel bewusst machte, dass seine erste Familie nun an zweiter Stelle stand. Sie wird den Mädchen erzählen, er sei beruflich sehr eingespannt. Es bringt nichts, sie wissen zu lassen, wie zweitrangig sie für ihn sind. Davor wird sie die beiden beschützen, so gut sie kann.

Sie wirft den Brief ein und macht sich auf den Heimweg, Truant dicht auf den Fersen. Er mag regnerisches Wetter nicht und wirft am Ende der Leine klägliche Blicke um sich. «Ich weiß, Süßer», murmelt Lila ihm zu und zieht ihren Kragen hoch. «Mir geht es genauso.» Gabriel, Dan, Gene. Was für ein Aufwand, um den Schaden zu beheben, den ihre schwachen Egos angerichtet haben.

Das böige Wetter hat jedoch eine belebende Wirkung, wird ihr beim Weitergehen klar; ist ein Vorbote von Veränderung oder Energie. Lila hebt das Gesicht in den Wind, spürt, wie ihre Wangen prickeln, beobachtet, wie die Blätter im Kreis umeinander jagen, wie sich die Schirme der Passanten umstülpen. Plötzlich muss sie an das denken, was sie zu Gabriel vor dem Pub gesagt hat, an das Gesicht der Frau, als sie «Superba» zu ihr gesagt hatte. Unwillkürlich muss sie kichern. Eleanor hatte bei dieser Geschichte gejubelt.

Ein Plastikeimer schlittert vor ihr über den Bürgersteig, und sie bleibt mit Truant stehen, bis der Wind ihn vorbeigetrieben hat. Sie wird sich ihren Weg durch diesen Sturm bahnen. Sie hat schon Schlimmeres verkraftet. Sie wird Bill dazu bringen, nach Hause zu kommen. Sie wird eine andere Möglichkeit finden, Geld zu verdienen, und eine billigere Wohnung. Sie wird das überstehen, wie sie es immer getan hat. Wenn sie diese paar Monate eines gelehrt haben, dann, dass der einzige Mensch, auf den man sich wirklich verlassen kann, man selbst ist. Lila strafft die Schultern, atmet tief ein und setzt mit neuem Schwung ihren Heimweg fort.

Die Mädchen verbringen den Abend in seltener Eintracht. Vielleicht vermittelt ihnen das Haus bei dem Sturm, der draußen tobt, ein behaglicheres Gefühl, oder vielleicht hatten sie einfach nur einen so guten Tag, dass sie nicht das übliche Gemecker über irgendwelche Ungerechtigkeiten anstimmen. Celie, die erleichtert darüber zu sein scheint, in nächster Zeit nicht zu Dan gehen zu müssen, beschäftigt sich mit einer Art Comiczeichnung. Sie verdeckt sie mit dem Arm, als ihr Lila einen Becher Kakao ins Zimmer bringt, doch dann zieht sie den Arm leicht widerstrebend weg und sagt, dass sie die Zeichnung für den Animationskurs macht.

Lila sieht sich die fummeligen Strichzeichnungen an und würde vor Freude am liebsten einen Luftsprung machen, doch stattdessen nickt sie nur, sagt mit sorgfältig bemessener Anerkennung, dass sie toll aussehen, und versucht, nicht so begeistert zu wirken, dass ihre Tochter sofort ihre eigene Meinung zu den Zeichnungen ändert.

Violet sieht sich unten alte Folgen von *Star Squadron Zero* an. Sie hat inzwischen drei Staffeln verschlungen, und Lila beobachtet sie beim Kochen aus dem Augenwinkel, hofft, dass Violet einfach nur Spaß an der Serie hat und sie nicht bloß schaut, weil sie ihren Großvater vermisst. Lila hat sich nicht bei Gene gemeldet, seit er weg ist. Wozu auch? Sie kennt seine Masche – er wird sich entschuldigen, die Mädchen mit seinem Charme einwickeln, sich wieder ins Haus schleimen, solange es ihm passt, und dann erneut verschwinden. Ohne ihn sind sie besser dran. Sie macht ein Brathühnchen mit Kartoffelbrei – das Lieblingsessen der Mädchen –, vielleicht, um zu unterstreichen, dass sie niemand anderen brauchen, um gut zu leben, und sie essen in harmonischer Stimmung, während der Regen an die Fenster prasselt. Celie hält eine gute halbe Stunde durch, bevor sie aufsteht und sich wieder in ihr Zimmer zurückzieht.

Lila wird gerade mit dem Abwasch fertig, als der Anruf kommt. Sie kennt die Nummer nicht, und im ersten Moment überlegt sie, ob sie drangehen soll.

«Hallo?», meldet sie sich dann doch und zieht die Gummihandschuhe aus.

Penelope klingt atemlos. «Oh Lila. Gott sei Dank. Sie müssen so schnell wie möglich ins Krankenhaus kommen. Es geht um Bill.»

Lila hastet durchs Haus, sucht Tasche, Schlüssel und Regenmantel, gefolgt von Truant, der die veränderte Stimmung wahrgenommen hat und nun eindeutig von einer bevorstehenden Apokalypse überzeugt ist. Als sie alles beisammenhat, klopft sie bei Celie und öffnet die Tür. Celie ist immer noch in ihre Zeichnung vertieft und sieht aus, als wäre sie aus einer Art Trance gerissen worden.

«Ich ... ich muss kurz weg. Kannst du auf Violet aufpassen?»

«Warum? Wohin gehst du denn?»

Sie will es ihrer Tochter nicht sagen. Sie will nichts von dem weitergeben, was sie in Penelopes Stimme gehört hat – diesen Unterton von Angst. Verdacht auf Herzinfarkt, hatte Penelope schluchzend gesagt. Sie war bei ihm vorbeigegangen, weil er den ganzen Nachmittag nicht ans Telefon gegangen war, und hatte ihn gefunden. Und dann hatte es so lange, viel zu lange gedauert, bis der Krankenwagen endlich da war.

«Ich will nur ...»

«Mum.» Celie starrt sie an.

«Es geht um Bill. Es geht ihm nicht gut. Penelope ist mit ihm ins Krankenhaus gefahren. Ich wollte dich nicht beunruhigen.»

Sie sieht die Angst in Celies Gesicht.

«Penelope ist bei ihm. Aber ich muss auch hin.»

«Okay», sagt Celie. «Fahr hin. Ruf mich an, wenn du dort bist.»

Bei der Tapferkeit ihrer Tochter, der unmittelbaren Entschlossenheit in ihrer Miene, geht Lila das Herz auf. Sie zieht Celie in eine innige Umarmung, atmet den Duft ihres Haares ein, spürt, wie sich die Hände ihrer Tochter kurz um ihre Taille legen.

«Und sag ihm, dass ich ihn liebe.»

«Das mache ich. Natürlich mache ich das. Sobald ich irgendetwas weiß, rufe ich dich an. Kommst du klar allein?»

Celie zieht sich zurück. «Mum. Ich bin sechzehn.»

«Ich weiß. Aber geh nicht an die Tür. Mach niemandem auf. Und falls es einen Stromausfall gibt, der Sicherungskasten ist unter der Treppe. Ruf mich an, und ich erkläre dir, wie es geht. Wenn der Strom in der ganzen Straße weg ist, schau nach, was sie im Internet dazu schreiben. Oh, und in dem Karton unter der Spüle sind Kerzen. Und benutz den Backofen nicht und zünde keine offene Flamme ...»

«Mum. Geh schon.»

Lila geht. Sie wird mit dem Auto zum Krankenhaus fahren. Bei diesem Wetter ist es unmöglich, ein Taxi zu bekommen. Sie betet, dass der alte Mercedes anspringt. Sie zieht die Haustür zu, spürt, wie der Wind ihr Haar hochwirbelt, hört sein Pfeifen, dann dreht sie sich um und bleibt wie erstarrt auf der Treppe stehen. Die große Platane, die am Rand der Einfahrt gestanden hat, der Baum, dessen Äste ihr Haus so stilvoll umrahmt hatten, ist umgestürzt und blockiert komplett ihre Einfahrt. Es ist ein so unwahrscheinlicher Anblick, dass sie es im ersten Moment kaum fassen kann. Äste liegen über dem Mercedes und verdecken die Fenster. Selbst um auf den Bürgersteig zu kommen, muss sie über den Stamm klettern.

In ihrem Gehirn verschwimmt alles. *Denk nach*, ermahnt sie sich selbst. *Denk nach*. Dan ist mit Marja im Krankenhaus. Er kann ihr nicht helfen. Eleanor hat kein Auto. Sie will ein Uber rufen, aber die App teilt ihr mit, dass in ihrer Nähe niemand zur Verfügung steht, dass sie aber, sehr hilfreich, weitersuchen werden. Sie spürt Panik in sich aufsteigen, stößt ein lautes *Fuck* aus. *Fuck!* Sie kneift die Augen zu und zählt bis fünf.

Und dann ruft sie ihn an.

«Vielen Dank, dass du gekommen bist. Es tut mir sehr leid. Ich hatte einfach ... sonst niemanden, den ich fragen konnte.»

«Schon in Ordnung.» Jensen sieht nicht aus, als wäre es in Ordnung. Er schaut sie beim Sprechen nicht an, hält den Blick geradeaus gerichtet, während sich die Scheibenwischer regelmäßig hin und her bewegen. Er war innerhalb von sieben Minuten nach ihrem Anruf da gewesen, aus dem Pickup gestiegen, hatte demonstrativ den umgestürzten Baum betrachtet und dann die Beifahrertür für sie geöffnet.

«Ich hätte jemanden nach dem Baum schauen lassen sollen. Es ist mir – bei allem, was war – einfach durchgerutscht.»

Er sagt kein Wort. Sie hat selten jemanden gesehen, der so aufs Fahren konzentriert war.

Ihrem Handy zufolge werden sie bis zum Krankenhaus siebzehn Minuten brauchen. Ihr gesamter Körper vibriert vor Besorgnis. Immer wieder hört sie Penelopes verängstigte Stimme, stellt sich tausend Bilder hinter den Worten *Ich habe ihn gefunden* vor.

*Bitte sei okay, Bill*, fleht sie ihn im Stillen an. *Bitte sei einfach okay. Wir können alles in Ordnung bringen, wenn nur mit dir alles okay ist.*

«Wo sind die Mädchen?», fragt er, als sie auf das Krankenhaus zufahren.

«Zu Hause.»

«Ist jemand bei ihnen?»

«Nein. Aber sie werden es schon schaffen. Sie haben den Hund. Und Celie hat strikte Anweisung, niemandem die Tür aufzumachen.»

Er nickt, fährt zum Haupteingang. Der Eingang leuchtet wie das Portal zu einer Welt der Schmerzen. Jensen hält an. Er starrt weiter entschlossen geradeaus, als könnte er es nicht ertragen, sie auch nur anzusehen. Bei diesem Gedanken zieht sich etwas in Lila zusammen. «Danke. Ich danke dir wirklich sehr. Es tut mir echt leid, dass ich dich darum bitten musste, besonders nach ... allem.»

«Lass mich einfach wissen, wie es ihm geht», sagt er. «Und ruf an, wenn du zurückgefahren werden willst.»

«Ich will dich nicht noch mal belästigen. Ich habe dir so schon den Abend ver...»

«Ruf einfach an», sagt er kurz angebunden. Er wartet schweigend ab, während sie die Tür öffnet und aus dem Pickup steigt. Sie hastet durch die automatischen Glastüren und schaut einen Moment zurück, um den Rücklichtern nachzusehen, die in der Dunkelheit verschwinden.

Bill liegt in einem Einzelzimmer im dritten Stock. Lila braucht eine Weile, um es zu finden. Sie rennt durch Korridore, die von Neonröhren erleuchtet sind, weicht ärztlichem Personal aus, das in Grüppchen unterwegs ist oder Kladden an die Brust drückt. Schließlich macht sie ihn in der kardiologischen Intensivstation ausfindig, sieht ihn zuerst durch das kleine Fenster in der Tür, wie er bewegungslos mit einer Atemmaske unter einem Gewirr von Schläuchen liegt, Penelope seitlich über ihn gebeugt, wie ein schlankes Fragezeichen. Sie schaut sich um, als Lila hereinkommt, und Lila sieht, dass sie Bills Hand zwischen ihren beiden Händen hält. Lila registriert die fast vollkommene Stille, das zeitweilige Piepen der Monitore.

«Wie geht es ihm?»

«Er ist stabil. Sie haben eine Herz ... Herzkatheteruntersuchung gemacht. Und sie lassen ein EKG oder so was bei ihm laufen. Oh, ich kann mich nicht genau erinnern. Sie haben ihm einfach ... haufenweise Medikamente gegeben.» Ihre Stimme ist leise und zittrig.

Bills bloße Brust wirkt alt und grau, ist mit Pflastern beklebt, von denen Drähte in einem Spaghetti-Durcheinander ausgehen, und von der Taille ab liegt eine leichte Decke über ihm. Sein Gesicht ist größtenteils von der Maske bedeckt, und er scheint unter Beruhigungsmitteln zu stehen. Seine Finger zucken gelegentlich in Penelopes Händen, und sie reagiert mit sanftem Druck.

«Oh Lila. Ich dachte, ich hätte ihn verloren.» Penelope weint stille Tränen, die auf ihren Ärmel fallen. «Sie wollen mir nicht einmal sagen, ob er sich wieder erholt, weil ich nicht ... ich gehöre nicht zur Familie.»

«Okay.» Lila bemüht sich um einen ruhigen Tonfall, während die schreckliche Wahrheit in sie einsinkt. «Okay.»

Penelope richtet sich auf, versucht, sich zusammenzunehmen, schaut auf Bills Gesicht.

«Ich weiß ... ich weiß, dass alle ihn lieben. Aber es ist einfach so grausam, nach all der Zeit allein den Menschen zu finden, den man liebt, diesen *wundervollen Mann*, und dann wird er einem einfach weggenommen. Ich kann nicht ... ich kann einfach nicht ...» Sie bricht den Satz ab und sammelt sich. «Es tut mir leid. Das ist schrecklich egoistisch von mir. Ich bin ja erst seit Kurzem ein Teil seines Lebens, aber ihr alle kennt und liebt ihn seit Ewigkeiten ...»

Lila legt Penelope sanft die Hand auf die Schulter. «Penelope. Es ist okay. Sie dürfen so empfinden, wie Sie empfinden. Wir wissen, dass Sie ihn auch lieben.»

Lila beugt sich vor und küsst Bill auf die Stirn. Er wirkt so zurückgezogen von ihnen, so weit weg, dieser Mann, den sie beinahe ihr ganzes Leben lang gekannt hat. Es ist, als hätte sich alles, was Bill ausgemacht hat, seine aufrechte Haltung, seine Zielstrebigkeit, die Sicherheit, die er stets vermittelt hat, einfach verflüchtigt und nur diese Hülle eines alten, gebrechlichen Mannes übrig gelassen. «Ich suche einen Arzt. Bin gleich wieder da.»

Lila geht hinaus und zieht leise die Tür hinter sich zu. Einen Moment lang bleibt sie stehen, fühlt sich überfordert, dann geht sie zum Schwesternzimmer. Dort sind drei Frauen, eine gibt etwas in einen Computer ein, die anderen beiden unterhalten sich mit gesenkten Stimmen.

«Hallo», sagt sie. «Könnte ich bitte mit jemandem über Bill McKenzie sprechen? Herzinfarkt in Zimmer C3. Er wurde heute Abend eingeliefert.» Sie hält inne, dann sagt sie mit fester Stimme: «Ich bin seine Tochter.»

Lila verbringt mehrere Stunden im Krankenhaus, lange genug, um sich zu vergewissern, dass Bills Zustand stabil ist, um zu erfahren, dass er einen Herzinfarkt hatte, dass die lange Zeitspanne bis zur Behandlung möglicherweise dadurch ausgeglichen wurde, dass er geistesgegenwärtig genug war, beim ersten Anzeichen von Brustschmerzen Aspirin zu nehmen, dass sie auf die Ergebnisse einer ganzen Reihe von Untersuchungen warten, einschließlich eines Tests auf eine Hirnblutung, und dass sie sich bei Lila melden werden, wenn irgendeine Veränderung eintritt. Es darf nur eine Person über Nacht im Zimmer bleiben, und es fühlt sich falsch an, Penelope wegzuschicken, zumal Lila zu den Mädchen zurückmuss, also verabschiedet sie sich schließlich, und Penelope verspricht, sich zu melden.

Lila kommt um kurz vor eins zurück, wie betäubt und ohne jede Empfindung. Sie kann nicht über das jeweils Nächstliegende hinausdenken: Am Anmeldetresen im Krankenhaus haben sie die Nummer eines Taxiunternehmens, und Lila dankt ihnen höflich für die Bestellung eines Wagens, und nachdem er gekommen ist, steigt sie hinten ein und starrt schweigend zum Fenster hinaus. Der Sturm hat sich gelegt, nur der eine oder andere Windstoß lässt noch die Büsche schwanken und treibt Blätter wirbelnd über die Bürgersteige. Erst als sie in ihre Straße einbiegen, fällt ihr der Baum wieder ein, aber diese Sache kommt ihr inzwischen wie ein abartiger Scherz vor, den das Universum als Sahnehäubchen auf alles andere draufgegeben hat. Sie sagt sich, dass der Baum, wie so vieles andere, bis morgen warten kann. Denn Bill – der Mann, der ihr fast ihr ganzes Leben lang ein Vater war, Bill, der liebenswürdigste, verlässlichste, der beste aller Männer – liegt ohne Garantie auf Genesung im Krankenhaus, und sie weiß nicht, was sie zu ihren Kindern sagen soll, und das ist alles, was zählt.

«Halten Sie einfach hier», sagt sie und kramt in ihrer Handtasche nach dem Geldbeutel. Als sie dem Fahrer sagt, dass er das Wechselgeld behalten kann, dreht er sich zu ihr um und sagt mit einem mitfühlenden Lächeln: «Ich hoffe, es geht dem- oder derjenigen gut. Wer immer es ist.»

Sie schaut ihn an.

«Niemand lässt sich nachts um Viertel vor eins vom Krankenhaus abholen, wenn es keine schlechten Nachrichten gibt», sagt er. «Alles Gute.» Sie spürt bei dieser unerwarteten Menschlichkeit einen Kloß im Hals. Sie schafft es, ein Dankeschön zu murmeln, und steigt aus. Und dann bleibt sie verwirrt stehen. Der Baum ist weg. Die Haustür ist wieder zu sehen, ebenso wie ihr Auto. Der riesige, umgestürzte Baum ist so komplett verschwunden, dass sie sich einen Augenblick lang fragt, ob sie sich das alles eingebildet hat. Aber nein, rechts neben dem Haus vor der Garage liegt ein gewaltiger Stapel mit Stammabschnitten, die Spuren der Kettensäge zeigen. Links davon erhebt sich ein gigantischer Haufen Äste. An ihrem Mercedes entdeckt sie im Licht der Straßenlaterne nur eine Delle in der Motorhaube. Lila starrt die drei Dinge an, kann sie kaum verarbeiten, und dann geht sie ins Haus.

Sofort wird sie von Truant begrüßt, er rast mit heraushängender Zunge die Treppe herunter, springt an ihr hoch vor Freude darüber, dass sie gegen alle Wahrscheinlichkeit zurückgekommen ist. Sie umfasst einen Moment seinen weichen Kopf, damit er ruhig ist, und ist doch dankbar für seine Anwesenheit in dem viel zu stillen Haus. Er folgt ihr freudig herumspringend in die Küche, wo sie sich einen Tee machen will. Das ist die reflexhafte Reaktion auf alles, denkt sie abwesend. Heißes Wasser und getrocknete Blätter. Wirklich seltsam. Doch das ist alles, was sie jetzt haben möchte, und zwar mit einem großen Löffel Zucker.

Sie zuckt zusammen, als Jensen von einem Küchenstuhl aufsteht. «Sorry», sagt er und reibt sich übers Gesicht. «Ich wollte dich nicht erschrecken. Muss eingenickt sein.»

Sie ist so fassungslos bei seinem Anblick in ihrer Küche, dass es ihr die Sprache verschlägt. Seine Miene wird einen Moment lang weich, ungeschützt.

«Ich ... ich dachte, die Mädchen sollten nicht allein sein. Also bin ich nach Hause, um die Kettensäge zu holen, und habe Celie nur gesagt, dass ich abends draußen bin, um den Baum wegzuräumen. Einfach ... damit ein Erwachsener in der Nähe war. Und als ich fertig war, hat sie gefragt, ob ich warten würde, bis du da bist. Ich glaube, sie war ein bisschen ängstlich ... wegen allem.»

«Du hast das alles gemacht? Mit dem Baum?»

Er zuckt mit den Schultern. «Na ja. Es war kein so günstiger Zeitpunkt für dich, um nicht aus dem Haus und wieder hineinzukommen. Wie geht es Bill?»

In diesem Moment kommen ihr die Tränen. Sie schluckt schwer.

«Ähm. Schwer zu sagen bisher. Aber sie tun, was sie können.» Sie schaut zur Decke, versucht, sich zusammenzunehmen. «Wie sich herausgestellt hat, war es ein Herzinfarkt. Ein schwerer. Penelope ist noch bei ihm.»

Sie kann ihn nicht ansehen. Wieder schaut sie an die Decke, blinzelt, versucht, die Tränen zurückzuhalten.

«Shit. Das tut mir leid.»

Sie schüttelt stumm den Kopf, presst die Lippen zusammen.

Kurze Stille.

«Ich ... mache mich dann mal auf den Weg», sagt er und greift nach seiner Jacke. «Ich wusste ... nur nicht, wie lange du weg bist, und wollte nicht ...» Sie hört seine Stimme, schließt die Augen, plötzlich überwältigt von seiner Anständigkeit. Das ist schließlich zu viel für sie, kostet sie ihre Beherrschung. Sie legt die Hände vors Gesicht und beginnt zu weinen, all die Tränen, die sich an diesem ganzen elenden Abend aufgestaut haben, vielleicht sogar über diesen ganzen elenden Monat. Sie drückt mit den Fingerknöcheln auf ihre Augen, stößt ein lang gezogenes Jammern aus. Sie kann sich nicht mehr beherrschen, kann alles nicht mehr ertragen, weil es zu viel ist, immer zu viel, die ganze verdammte Zeit.

Nach einem Moment spürt sie Jensens Arm um sich. Er zieht sie zuerst zögernd, dann entschlossener an sich, und sie lässt sich an seinen starken Körper sinken, lässt sich von ihm festhalten, als sie weint, wegen Bill, wegen ihrer Töchter, wegen sich selbst, einfach wegen allem. Sie weint und weint, hat ihre eigenen heiseren Schluchzer in den Ohren, die Tränen strömen ungehemmt über ihre Wangen, es kümmert sie nicht mehr, was er vielleicht denkt, weil ohnehin alles verloren ist, alles kaputt. Und Jensen hält sie fest, bis die Schluchzer zu bebendem Atmen und Zittern werden, und dann, eine Ewigkeit später, als sie sich hingesetzt und sich das Gesicht mit einer Handvoll Papiertücher abgewischt hat, stellt er ihr einen Becher Tee hin, nickt zu ihren gestammelten Entschuldigungen, sagt, er wird sich melden, damit die Äste weggeräumt werden, und geht leise, um die Mädchen nicht zu wecken, aus dem Haus.

## VIERUNDDREISSIGSTES KAPITEL

In den nächsten paar Tagen spielt sich Lilas Leben in neuen Sphären ab. Sie verbringt so viel Zeit wie möglich im Krankenhaus, und wenn sie zu Hause ist, konzentriert sie sich einzig und allein auf ihre Töchter. Und das ist auch nötig, denn die Nachricht von Bills Erkrankung hat sie völlig aus der Bahn geworfen. Celie zieht sich in ihr Zimmer zurück, zeichnet stundenlang, kommt mit düsterer Miene zum Essen herunter. Doch es ist Violet, die es am härtesten trifft, die befürchtet, dass sie den Mann, den sie als Großvater angesehen hat, auf die gleiche abrupte, gewaltsame Art verliert wie ihre Großmutter. Sie hat Albträume, tappt in den frühen Morgenstunden durch den Flur, um in Lilas Bett zu kommen, ist anhänglich geworden und geht beim geringsten Anlass in die Luft. Es ist, als sei die Robustheit, die sie immer gezeigt hat, zusammen mit ihrem Seelenfrieden verschwunden. Lila tut ihr Bestes, um sie zu beruhigen – Bill ist wach, die Prognose gut –, aber sie kann ihnen nicht die Sicherheit geben, die sie sich wünschen. Bill ist alt, und wie sich herausstellt, ist sein Herz geschwächt, und niemand weiß, inwieweit er sich wieder erholen wird.

Lila hat Dan angerufen, hat ihm die Neuigkeit ganz ruhig mitgeteilt, darauf gehofft, schätzt sie, dass er ihr Unterstützung anbietet. Dass er vielleicht mehr Zeit mit seinen Töchtern verbringt, jetzt, wo sie Stabilität brauchen. Aber Marja ist immer noch in der Entbindungsklinik. Anscheinend gibt es ein Problem mit ihrer Plazenta, und Dan sagt erschöpft, dass er es schon kaum schafft, sich gleichzeitig um Hugo und seine Arbeit zu kümmern. Sie hofft, dass mit Marjas Baby alles in Ordnung ist, nicht, weil sie Marja besonders mag, sondern einfach, weil sie darauf angewiesen ist, dass Dan genügend Energie hat, um auch seinen Mädchen Zuwendung zu zeigen. Sie braucht einfach irgendetwas, das normal ist, verlässlich.

Eleanor, die beste aller Freundinnen, springt ein. Sie hat zwei Mal ihre Arbeit umorganisiert, um Violet von der Schule abzuholen, ist morgens mit Truant rausgegangen und abends mit Take-away-Essen oder einfach ihrer freundlichen, munteren Art gekommen, um die ungewohnte Stille im Haus zu unterbrechen. Jensen ist an einem der Tage da gewesen, an denen Lila im Krankenhaus war, um die großen Äste wegzuräumen, sodass jetzt nur noch Stapel mit den Stammstücken übrig ist. Es ist, als hätte es den Baum nie gegeben. Lila schickt ihm eine Nachricht mit einem überschwänglichen Dank, erklärt, wie sehr sie seine Großzügigkeit zu schätzen weiß, und er antwortet: *Kein Problem*. Ihren Brief erwähnt er nicht. Sie würde sich deshalb schlechter fühlen, wenn sie die Energie hätte, sich wegen irgendetwas noch schlechter zu fühlen.

An einem Nachmittag, an dem sie besonders niedergeschlagen ist, schnappt sie sich die Schlüssel und fährt eine Runde mit dem Mercedes. Sie klappt das Verdeck herunter, dreht die Musik auf, wartet auf eine alchemistische Veränderung ihres Gefühlszustandes, doch stattdessen fühlt sie sich nur ausgeliefert und dumm und schafft es nur bis zur High Street, bevor sie das Verdeck wieder schließt und nach Hause fährt. Bill hat einen Stent bekommen. Er wird noch eine Woche im Krankenhaus bleiben, und danach muss er eine Reihe von Medikamenten einnehmen – Gerinnungshemmer, Betablocker und einen Cholesterinsenker. Es erscheint wahnsinnig ungerecht, dass ein Mann, der sich sein ganzes Leben lang gesund ernährt hat, so leiden muss. Der Facharzt erklärt ihr, dass eine genetische Disposition die Ursache sein könne und dass der menschliche Körper manchmal unberechenbare, nicht immer erklärbare Reaktionen zeige. Er lächelt dabei liebenswürdig, als würde er von Zauberei sprechen. Bill wird nach seiner Entlassung erst einmal bei ihr wohnen – sowohl aufgrund seiner psychischen Verfassung als auch wegen seines labilen körperlichen Zustandes. Anscheinend durchleben viele Patienten nach einem Herzinfarkt eine Phase mit Ängsten und Depressionen. Sie nimmt einen Stapel Broschüren entgegen, in denen Selbsthilfegruppen empfohlen werden, an die er sich wenden kann, auch wenn Lila das für genauso wahrscheinlich hält, wie dass er anfängt, Heavy-Metal-Gitarre zu spielen.

Lilas Leben ist komplett binär geworden, besteht nur noch aus zwei Dingen: die Lebensfreude der Mädchen zu erhalten und Bill beim Weiterleben zu unterstützen. Es ist beinahe erleichternd, alles andere loszulassen. Sie bewältigt mit äußerlicher Ruhe die Anforderungen des Tages, bringt gesunde, selbst gekochte Mahlzeiten zu Bill und Penelope (er ist entsetzt von dem, was den Patienten im Krankenhaus vorgesetzt wird) und kommt mit ermutigenden Berichten für ihre Töchter nach Hause zurück. *Er beschwert sich darüber, dass alle auf der Station tagsüber fernsehen. Er glaubt, dass ihre Gehirne verrotten, bevor ihre Herzen schlappmachen.* Es gibt Phasen im Leben, in denen es nur darum geht, einen Schritt nach dem anderen zu tun. Lila wacht jeden Morgen um halb sieben auf und tut genau das sechzehn Stunden lang, bevor sie um halb elf wieder ins Bett geht und in tiefen Erschöpfungsschlaf sinkt.

«Liebes! Wie wundervoll, von dir zu hören! Ich habe mir Sorgen gemacht, als du geschrieben hast, dass du einen Notfall in der Familie hattest. Ist alles in Ordnung?», dröhnt Anoushkas Stimme aus dem Handylautsprecher. Lila hat sie nach dem Aufräumen der Küche angerufen.

«Ja. Ich muss gleich wieder los. Bill – mein Stiefvater – hatte einen Herzinfarkt. Es war ziemlich beängstigend, aber er ist auf dem Weg der Besserung.» Sie kann das jetzt mit routinierter Leichtigkeit sagen, so, als wäre es jemand anderem passiert.

«Das ist ja furchtbar. Können wir Blumen schicken? *Gracie, können wir ein paar Blumen für Lila organisieren? Keine Nelken. Denk dran, was wir ausgemacht haben.*»

«Das musst du nicht. Wirklich.» Lila reibt noch mal an einem besonders hartnäckigen Tomatenfleck auf dem Kochfeld herum.

«Brauchst du denn mehr Zeit? Ich bin sicher, dass wir das absprechen können. Wir müssen nicht mal den exakten Grund nennen. Notfall in der Familie reicht völlig aus.»

«Ehrlich gesagt, wollte ich genau darüber mit dir sprechen.»

Anoushka ist untypisch still, als Lila tief einatmet und erklärt, dass sie aus dem Vertrag aussteigen muss. Sie erklärt Anoushka, dass sie das Buch nicht wie geplant schreiben kann, weil es Auswirkungen auf ihre Kinder haben könnte, weil sich ihr Leben nicht so entwickelt hat, wie es notwendig wäre, um über die Sex-Eskapaden einer Frau schreiben zu können, und weil nach ihrem Empfinden die Folgen des Buchs für die Menschen, die sie liebt, zu gravierend sind.

«Es tut mir sehr leid», sagt sie in das anschließende Schweigen. «Ich möchte wirklich niemanden im Stich lassen. Ich hätte gar nicht erst zustimmen sollen.»

Und das ist das Thema, für das sie sich vor diesem Gespräch am stärksten gewappnet hat: Sie hat Anoushka getäuscht, sie hat den Verlag getäuscht. Sie hat etwas versprochen, das sie nicht liefern kann, und einen Rückzieher zu machen, ist für Anoushka genauso schlecht wie für Lila selbst. Es könnte ihren Ruf als Agentin beschädigen und künftige Deals mit dem Verlag beeinträchtigen.

«Und ganz besonders tut es mir dir gegenüber leid. Ich – ich verstehe es vollkommen, wenn du mich nicht mehr vertreten möchtest. Ich hätte dich nie in diese Lage bringen dürfen.»

Bei diesen Worten schließt sie die Augen. Wartet auf den Wutanfall. Aber sie empfindet auch einen winzigen Funken Erleichterung, denn es hat etwas Befreiendes, einfach die Wahrheit zu sagen, angesichts der klaren Erkenntnis dessen, was sie tun kann und was nicht.

«Oh, Liebes», sagt Anoushka nach einem Moment. «Nun, es ist, wie es ist. Ich werde mit ihnen darüber sprechen. Aber bitte mach dir keine Sorgen. Du hast schon genug um die Ohren. Bisher hat kein Geld den Besitzer gewechselt, also ist kein wirklicher Schaden entstanden. Wir sagen einfach, deine familiären Umstände haben sich verändert und es unmöglich gemacht, dass du dieses Buch schreibst.»

«Wirklich?»

«Und dann überlegen wir uns etwas anderes für dich. Natürlich streiche ich dich nicht von meiner Liste. Wir sind befreundet, nicht bloß Geschäftspartnerinnen, meine Güte. Fürs Erste konzentrierst du dich einfach auf deine Familie. Das ist schließlich das Wichtigste.»

«Oh, Anoushka. Danke. Du kannst dir gar nicht vorstellen, wie sehr ich mich vor diesem Anruf gefürchtet habe.»

«Lila, Liebes, du warst eine absolute Granate, als du die

Werbekampagne für ‹Erneuerung› durchgezogen hast, trotz allem, was dieser feige Dan zu der Zeit gebracht hat. Und jetzt hast du einfach den Mund ein bisschen zu voll genommen. So ist das Leben. Aber jetzt vergiss das Ganze, und wir reden, wenn du so weit bist. Uns wird schon etwas anderes einfallen.»

Der Mercedes ist siebentausend Pfund weniger wert, als Lila für ihn bezahlt hat. Das liegt zum Teil an der Delle, die der umgestürzte Baum in der Motorhaube hinterlassen hat, aber offenbar hatte der Verkäufer, der ihr versichert hatte, dass der Wert dieses Wagens immer nur steigen würde, vergessen, die üblichen Konjunkturschwankungen einzubeziehen, und jetzt im Moment kaufen die Leute einfach keine Oldtimer-Cabrios. Das erklärt ihr der Händler mit dem höflichen, wenig überzeugenden Mitgefühl eines Mannes, der weiß, dass sie nehmen wird, was er ihr anbietet. Lila feilscht trotzdem ein bisschen, schafft es, den Preis um achthundert Pfund zu erhöhen, und beschließt, sich nicht zu fragen, ob ihr Geschlecht bei der Summe, die ihr angeboten wird, eine Rolle gespielt hat. Obwohl sie Minus gemacht hat, ist sie nach dem Verkauf erleichtert. Sie wird wieder ein bisschen Geld auf dem Konto haben. Viele Menschen in der Stadt kommen ohne Auto aus. Unterm Strich ist ein Auto auch nur Ballast. Außerdem macht der Mercedes sie inzwischen irgendwie traurig. Sie lässt ihn ohne einen Blick zurück hinter sich.

Am Tag bevor Bill nach Hause kommen soll, geht Lila zur Massage. Eleanor hat ihr einen Termin in dem Salon geschenkt, in dem sie sich selbst zwei Mal die Woche massieren lässt. Es ist ein Laden in der High Street, den Lila bisher für einen Puff gehalten hat, doch wie sich herausstellt, ist er voller forscher osteuropäischer Frauen mittleren Alters, die sich weder an Körperbau noch Körperbehaarung stören und nicht an Small Talk interessiert sind. Als sie sich um die Mittagszeit bäuchlings auf der mit angewärmten Handtüchern bedeckten Liege ausstreckt, überkommt Lila das seltsam subversive Gefühl, das sich einstellt, wenn man sich an einem Arbeitstag eine Weile freinimmt, und sie spürt, wie sie sich zum ersten Mal seit Ewigkeiten entspannt. Sie wird eingelullt von den knetenden Händen, dem warmen Öl und der leisen Ambient-Musik, die nur gelegentlich durch ein hörbares Einatmen ihrer Masseurin Agnes durchbrochen wird, wenn sie einen besonders verspannten Muskel an Lilas Körper lockert.

Zu Beginn rasen Lilas Gedanken um ihre Unsicherheit in Bezug auf ihren Körper, ihre Befürchtungen aufgrund Bills Rückkehr, darum, was sie kochen soll, ob sie es schafft, sich gut genug um ihn zu kümmern, oder ob die Mädchen ohne sie zurechtkommen. Doch nach und nach verlangsamt sich der Aufruhr in ihrem Kopf, und sie lässt einfach alles geschehen, gibt sich der menschlichen Berührung hin, die sie so lange vermisst hat. Und für eine Weile ist es beseelend, diese fähigen Hände auf sich zu spüren, zu fühlen, wie ihr Körper nach monatelanger Anspannung nachgibt und sich verhärtete Muskeln zu lösen beginnen. Doch in diesem entspannten Zustand rührt sich irgendetwas in ihr. Die Berührung eines anderen menschlichen Wesens, das auf ihren Körper lauscht, seine Schmerzen und Verspannungen erspürt und behutsam beseitigt, setzt Emotionen frei. Plötzlich fühlt sie sich überwältigt von Gefühlen. Ist es Trauer? Dankbarkeit? Sie kann es nicht sagen. Ihr wird bewusst, dass sie schluchzt, die Tränen rinnen ungehemmt durch die Öffnung der Liege, in die ihr Gesicht gebettet ist, tropfen auf den Boden, und ihre Schultern beben von einer Emotion, die sie nicht mehr zurückhalten kann. Agnes verlangsamt ihre Bewegungen. Lila fleht sie in Gedanken an, kein Wort zu sagen, denn sie kann ihre eigenen Gefühle nicht benennen. Sie kann sich nicht entschuldigen. Sie kann überhaupt nichts sagen. Und Agnes, die sich so gut in den menschlichen Körper einfühlen kann, scheint das zu verstehen. Denn sie legt einfach nur eine Hand auf die Stelle, wo Lilas Hals in die Schulter übergeht, und lässt sie dort, sanft genug, um Freundlichkeit auszudrücken, fest genug, um sie zu beruhigen, oder vielleicht einfach als schweigende Botschaft von einer Frau zur anderen: Ich sehe dich, ich verstehe das. Ihre Hand ruht dort für die ganze unbestimmbare Zeit, während der Lila weint, eine menschliche Verbindung in einer Welt voll Komplikationen und Kummer. Als sie sich schließlich zwanzig Minuten später anzieht und in den stürmischen Tag hinausgeht, wieder eingehüllt in ihren Mantel und den Schal, ahnt Lila, dass sie diesen Moment niemals vergessen wird.

Dafür, dass Bill das Krankenhaus verlassen kann, ist eine unfassbare Menge an Papierkram zu erledigen. Fachärzte müssen konsultiert werden, Formulare müssen unterschrieben werden, haufenweise Medikamente müssen abgeholt werden, und anscheinend gehört es auch dazu, unendlich lange zu warten, bis die Krankenhaus-Apothekerin aus ihrer Pause zurück ist. Lila sieht während der ganzen Prozedur ständig auf die Uhr. Celie hat heute ihren Animationskurs und kann Violet nicht um halb vier von der Schule abholen. Lila hatte gedacht, sie könnte Bill einfach zur Mittagszeit nach Hause bringen, doch das Ganze hat schon jetzt beinahe zwei Stunden gedauert.

Nicht zum ersten Mal dankt Lila Gott für Penelope, die

ein Auto besitzt und mit Bill auf der Station gewartet hat, während sie all die Besorgungen macht. Penelope hat ihre neue Rolle als Bills Unterstützerin angenommen, als hätte sie ihr Leben lang darauf gewartet. Sie nimmt alles mit unendlicher Geduld und einer positiven Grundhaltung. Wenn Bill jammert oder seine Kleidung sucht, ist sie da, hält das Hemd hoch, das sie gebügelt hat, die richtigen Socken und das richtige Jackett. Als er sich Sorgen macht, ob er sich an die richtigen Dosierungen und Einnahmezeiten seiner neuen Medikamente erinnern kann, hat sie schon alles in einem kleinen, roten Notizbuch mit einem Panda vorne drauf vermerkt und versichert ihm, dass für alles gesorgt ist. Sie ist genau, was ihre kleine Familie jetzt braucht, und Lila ist ihr unendlich dankbar.

Sie ist gerade mit einer großen Tüte voller Fläschchen und Pillen auf dem Weg zur Station, als ihr bewusst wird, dass sie hinter einer vertrauten Gestalt geht; größer als alle anderen, mit Jeans, die aussehen, als wären sie tagelang getragen worden, und einer Lederjacke. Sein Haar hat jetzt einen unnatürlichen, dunklen Braunton. Er bleibt stehen, um die Ausschilderung zu lesen, überprüft die Stationsnummer, dann drückt er auf den Summer, um in C3 eingelassen zu werden.

Bis der Türöffner klickt, hat Lila eilig zu ihm aufgeholt. «Gene?»

Er dreht sich zu ihr um, und es dauert einen Moment zu lange, bis sein Lächeln erscheint. «Oh, hey, Liebling.»

Sie zieht die Tür vor seiner Nase zu. «Was machst du hier?»

«Ich ... ähm ... ich bin nur gekommen, um zu sehen, wie es Bill geht. Ich habe gehört, was passiert ist. Ich wollte mich nur versichern ...»

«Dass er noch lebt? Dass du ihn nicht umgebracht hast?»

«Wa...»

«Was glaubst du, warum Bill einen Herzinfarkt hatte, Gene? Könnte es möglicherweise etwas mit der Entdeckung zu tun gehabt haben, dass die Liebe seines Lebens von ihrem Ex-Mann verführt worden ist? Damit, dass du die letzten fünfzehn Jahre ihrer Ehe zur Heuchelei gemacht hast?»

«Oh, Lila, jetzt lass ...»

«Nein, *du* lässt es. Kleine Testfrage: Wer, glaubst du, ist der letzte Mensch, den mein Vater jetzt sehen sollte?»

Das saß. Er schwankt leicht, als sie das Wort ausspricht, und sieht sie beinahe fassungslos an, so als hätte er ihr eine solche Grausamkeit nicht zugetraut. Doch Lila ist blind vor Zorn bei seinem Anblick, bei seiner rücksichtslosen Unverfrorenheit, mit der er glaubt, einfach hier auftauchen zu können, ohne auch nur einen Gedanken an den Schaden, den er damit möglicherweise anrichtet, zu verschwenden.

«Ich ... wollte einfach sicher sein, dass es ihm gut geht. Wir ... wir waren Freunde, zumindest eine Zeit lang, weißt du.»

«Nein. Das weiß ich nicht. Ich weiß, dass ihr ein paar Monate lang miteinander ausgekommen seid, bis wir alle erkannt haben, dass du ein noch schlechterer Mensch bist, als wir bis dahin gedacht hatten. Und diese Messlatte hing verdammt niedrig. Ich habe dir gesagt, dass du dich von meiner Familie fernhalten sollst, Gene. Und jetzt sage ich es dir noch einmal, weil du eindeutig unfähig bist, die Standpunkte oder Bedürfnisse irgendeines anderen Menschen zu berücksichtigen. Bill braucht Ruhe und Frieden – das haben uns die Ärzte gesagt. Er darf sich nicht aufregen. Das Letzte, was er braucht, ist, dass du in dem Moment hereinplatzt, in dem er endlich nach Hause gehen darf. Also geh bitte einfach.»

Als er sich nicht rührt, fügt sie hinzu: «Jetzt.»

Gene schüttelt den Kopf. «Süße, es ist nicht, wie du ...»

Aber Lila schneidet ihm das Wort ab. «Ich werde dieses Gespräch nicht fortsetzen. Dafür ist mir meine Zeit zu schade. Du hast schon genug angerichtet. Geh einfach.»

Endlich scheinen ihre Worte bei ihm anzukommen. Gene mustert sie einen Moment lang, dann presst er die Lippen zusammen, als müsste er sich beherrschen, um nichts mehr zu sagen. Dann nickt er knapp, dreht sich um und geht durch den Krankenhausflur zurück. Lila sieht ihm nach, nur um sicher zu sein, dass er nicht einfach wieder umdreht und zurückkommt, und als er um die Ecke ist, drückt sie auf den Summer der Station. Sie atmet tief durch und geht hinein.

## FÜNFUNDDREISSIGSTES KAPITEL

## Francesca

Ihr ganzes Leben lang hat Francesca McKenzie bei ihren Entscheidungen auf die Stimme ihres Körpers vertraut. Sie hatte dieses Bauchgefühl, erzählte sie den Leuten gern. So viele Menschen hatten keine Verbindung zu den vielen klugen Signalen, mit denen ein Körper zum Verstand sprechen konnte. Von klein auf wurde ihnen beigebracht, sie zu ignorieren. *Nein, du kannst jetzt keinen Hunger haben. Umarme deinen Onkel Don. Los, du hast keine Angst, spring einfach ins Wasser.* Man lehrte sie, sich über all diese Gefühle von Furcht und Widerstreben hinwegzusetzen. Sie dagegen hörte auf ihren Körper wie auf einen besonders genau kalibrierten Kompass, achtete auf seine winzigen Bewegungen, vertraute darauf, dass er ihr genau anzeigte, wo es langging. Doch als sie in dem kleinen Hotelzimmer in Dublin aufwachte und den schlafenden Mann neben sich ansah, musste sich Francesca McKenzie eingestehen, dass ihr Körper bei dieser Gelegenheit total danebengelegen hatte.

Sie hatte sich seit Monaten nicht recht wohlgefühlt, war stets voller Unruhe aufgewacht, hatte abends kaum in den Schlaf gefunden und gespürt, wie sie von einer Art fundamentaler Melancholie erfasst wurde, die so gar nicht zu ihr passte. Ich fühle mich nicht mehr wie ich selbst, hatte sie dem Arzt gesagt, und er reagierte beinahe ungeduldig, hatte ihr erklärt, es gebe keinen medizinischen Befund, dass das in ihrem Alter vermutlich auf die Hormone zurückzuführen sei und dass sie auf regelmäßige Bewegung und gesunde Ernährung achten und sich vielleicht ein Hobby suchen solle. Er sagte sogar den schrecklichen Satz: «Machen Sie einfach lange Spaziergänge.» Seine sämtlichen Äußerungen hatten den Unterton: *Sie sind eine Frau mittleren Alters, wahrscheinlich in den Wechseljahren. Da ist es kein Wunder, dass Sie sich nicht mehr fühlen wie früher.* Francesca hatte sich bemüht, für das dankbar zu sein, was sie hatte, war in den Schwimmverein des Freibads eingetreten (sie fand es furchtbar zu frieren), hatte sich gesagt, dass sie einfach eine unstete Phase durchmachte, und versucht, sie hinter sich zu bringen. Sie machte lange Spaziergänge, nahm Nahrungsergänzungsmittel, legte sich in die Badewanne, um zu entspannen, und hörte ihre Lieblingsmusik. Sie las Bücher über Psychologie und bepflanzte ihren Garten neu, weil sie hoffte, dass ihr der Anblick des Wachstums den Gedanken an die Vergänglichkeit leichter machen würde. Doch das Gefühl von Abgekoppeltsein und vagem Unglück wollte nicht verschwinden.

Bill, Gott segne ihn, war keine große Hilfe. Er schien vollkommen zufrieden mit seinem Leben, und es verwirrte ihn, dass das, was sie so lange glücklich gemacht hatte, nun nicht mehr auszureichen schien. «Wie wäre es, wenn wir in Urlaub fahren?», lautete sein Vorschlag, als sie wieder einmal versucht hatte, ihre Gefühle zu beschreiben. «Auf Madeira soll es um diese Jahreszeit sehr schön sein.» Doch Bill war ein Teil ihres Problems: Sie wollte keine Gärten besichtigen oder in den Bergen wandern gehen. Bill hatte viele Qualitäten, aber zu überraschenden Momenten war er nicht imstande, zu dieser spontanen Freude ihrer jüngeren Jahre, die sie vermisste wie eine fehlende Gliedmaße. Plötzlich wirkte er so viel älter als sie selbst. *Liegt es daran?*, fragte sie sich immer wieder. Und danach: *Warum kann ich nicht einfach zufrieden sein?*

Sie wollte Lila nicht damit belästigen. Lila hatte eindeutig Probleme mit Dan und war ständig überarbeitet und gestresst, weil sie versuchte, ihre Arbeit und das Baby unter einen Hut zu bekommen. Francescas Freunde waren mit ihrem eigenen Leben beschäftigt, außerdem war sie es immer gewesen, die von den anderen um Hilfe gebeten wurde. Es war ihr fremd, sie zu fragen, was sie tun sollte. Doch ihre Unzufriedenheit nahm immer mehr zu, ebenso wie ihre Anstrengungen, sie zu verbergen, bis sie schließlich das Gefühl hatte, sich durch jeden Tag zu kämpfen, an passender Stelle zu lächeln und zu empfinden, was sie eindeutig empfinden sollte.

Eine Woche ohne Schlaf gab ihr schließlich den Rest. Francesca, die ihr ganzes Leben mit Leichtigkeit eingeschlafen war, hatte über Monate hinweg festgestellt, dass ihr Gehirn, sobald sie den Kopf aufs Kissen legte, anfing zu rasen wie ein außer Kontrolle geratener Motor und ihre Gedanken in endlosen Schleifen durcheinanderwirbelte. Sie lag stundenlang wach, immer genervter von Bills friedlichem Schlummer neben ihr, verzweifelte fast, weil sie wusste, dass morgen ein weiterer Tag wäre, den ihre Erschöpfung und Bissigkeit überschatten würden, während sie ihn irgendwie hinter sich brachte. Es war ein Teufelskreis: Je weniger sie schlief, desto mehr fürchtete sie das Zubettgehen. Und das gipfelte schließlich in einer Woche, in der sie so gut wie gar nicht schlief.

In dieser Woche konnte sie kaum sprechen, hatte das Gefühl, zu halluzinieren, krank zu sein, und sie war außerstande, Energie für die Dinge aufzubringen, die sie hätten aufmuntern können. Sie war wütend auf Bill und wütend auf sich selbst, weil sie wütend auf ihn war. Er schien hilflos angesichts dieser neuen Francesca, schlich auf Zehenspitzen um sie herum und äußerte unbeholfen Phrasen, die sie nur noch ärgerlicher machten. Sie hatte niemanden, an den sie sich wenden konnte, und sie konnte nichts an ihren Gefühlen ändern. Und dann hatte ihr Gene einen Geburtstagsgruß geschickt. Gene, der sich kaum an den Geburtstag seiner Tochter erinnerte, schickte überraschend eine Nachricht.

> Hey Schätzchen! Mir ist gerade eingefallen, dass heute dein besonderer Tag ist! Ich filme in Dublin – Gott, sind diese Typen irre! –, ist nur ein Low-Budget-Projekt, aber eine Riesengaudi. *Craic* sagen sie hier dazu. Liebe Grüße, und ich hoffe, dir geht's großartig. Du verdienst es.
> Dein alter Kumpel Gene x

«Dein alter Kumpel». Und das von dem Mann, der ihr das Herz gebrochen und ihre kleine Familie zerstört hatte. Von dem Mann, von dem sie ewig geglaubt hatte, dass sie nie über ihn hinwegkommen würde. Im ersten Moment musste sie beinahe über seinen absoluten Mangel an Selbsterkenntnis und Reflexion lachen. Noch dazu war ihr Geburtstag in der Woche davor gewesen. Aber die Nachricht hatte sich in ihrem Kopf festgesetzt, mit ihrer Andeutung von Spaß und Energie, von einem anderen Ort, vielleicht sogar einer anderen Art zu leben. Francesca spürte den Reiz der Vorstellung, woanders zu sein, wie eine Leine um ihre Taille, die jeden Tag heftig und unentrinnbar an ihr zog.

Sie erzählte Bill, sie würde ihre alte Schulfreundin Dorothy in Nottingham besuchen, und Bill hatte fast erleichtert gewirkt, so als könnte das die Dynamik ändern und, wichtiger, ihn von der Verantwortung befreien, selbst eine Lösung zu finden. Er hatte so süß auf ihre «kleine Auszeit» reagiert, ihr Proviant für die Zugfahrt vorbereitet, darauf bestanden, sie zum Bahnhof zu fahren. Sie hatte ihm erklärt, dass sie vielleicht nicht anrufen würde – der Empfang bei Dorothy war schrecklich, und außerdem wolle sie einfach für ein paar Tage alles vergessen –, und er hatte es gut aufgenommen. «Lass mich einfach wissen, wann du abgeholt werden willst», hatte er gesagt. «Schick eine SMS, und ich bin da.»

Das war der Augenblick, in dem sie es sich beinahe anders überlegt hätte, aber sie hatte ihre Entscheidung getroffen. Es war, als würde sie eine magnetische Kraft in diese neue Richtung ziehen. Der Umkehrschwung des Pendels war beinahe unvermeidbar: Sie konnte nicht bleiben, wo sie war, keinen einzigen Moment mehr.

In derselben Minute, in der Bill vom Bahnhofsparkplatz gefahren war, hatte sie sich einen Fahrschein zum Flughafen gekauft.

Sie hatte Gene in der Temple Bar getroffen, ganz in der Nähe ihres Hotels. Er hatte sich unheimlich gefreut, als sie ihm eine Nachricht geschickt hatte, um ihm zu sagen, dass sie – ganz zufällig – in Dublin eine Freundin besuchen würde und ob sie sich nicht treffen sollten, und er hatte die Bar vorgeschlagen, die in den drei Wochen, die seine Produktion bisher dauerte, zu seinem Lieblingslokal geworden war. Das ganze Filmteam war da, als sie ankam, und plötzlich fiel ihr ein, wie sehr sie so etwas früher genervt hatte; sein Bedürfnis, immer und überall im Mittelpunkt zu stehen. Aber dieses Gefühl verschwand so schnell, wie es gekommen war. Stattdessen erleichterte es sie, als sie ihn leibhaftig vor sich hatte und ihre verrückte Idee konkret wurde, dass noch andere Leute da waren, um die Seltsamkeit dieses Wiedersehens zu entschärfen.

Er hatte sie beinahe sofort über die Massen von Feiernden hinweg in dem Pub entdeckt, die Arme hochgerissen, sich vorgedrängt und sie in eine Umarmung gezogen. Er war schon immer äußerst berührungsfreudig gewesen. «Seht sie euch an!», sagte er so oft, dass sie errötete. «Das ist meine Ex-Frau! Francie! Seht euch an, wie hinreißend sie ist! Was war ich für ein Glückspilz, mit diesem Mädel verheiratet zu sein!»

Francesca konnte sich nicht erinnern, wann sie jemand das letzte Mal als «Mädel» bezeichnet hatte, aber das ist das Schöne daran, wenn man jemanden trifft, den man in seiner Jugend gekannt hat. Ein Teil von einem erinnert sich nur auf diese Art an den anderen. «Ein Glückspilz, aber nicht klug genug, um mit mir verheiratet zu bleiben», hatte sie schlagfertig zurückgegeben.

Gene hatte die Hände aufs Herz gelegt. «Autsch! Und schon folgt ihr tödlicher Angriff!» Aber er klang herzlich und hatte ihr sofort etwas zu trinken besorgt. Die neugierigen Blicke seiner Kollegen hatten aufgehört, als sie feststellten, dass es hier kein Drama gab, sondern nur zwei alte Freunde den Moment genossen.

Sie hatte zwei Stunden lang mitten in der Gruppe gesessen. Die meisten waren von der Crew. Beleuchter, Tontechniker, Springer. Das waren die Leute, mit denen sich Gene immer am wohlsten gefühlt hatte, im Gegensatz zu anderen Schauspielern (Konkurrenz), Regisseuren und Produzenten (er hatte immer Probleme mit Autoritätspersonen gehabt). Sie begann, sich neben ihm in der Sitznische zu entspannen, hörte dem Geplauder zu, während immer neue Drinks auf den Tisch kamen, die Unterhaltung lebhaft wurde und lustige Geschichten über andere Produktionen und das unmögliche Verhalten von Schauspielern ausgetauscht wurden.

Filmtratsch war immer der beste Tratsch, und Francesca war froh, nicht im Mittelpunkt der Aufmerksamkeit zu stehen, sondern einfach einen Ausflug in eine andere Welt zu machen, Ferien von ihrer eigenen, ohne dass irgendwer Erwartungen an sie hatte oder sie beurteilte.

Um neun trat eine Band auf, und schließlich tanzten sie zu irischer Fiddle-Musik, Gene schwang sie lachend herum, bis ihr schwindelig war, mit seinen großen Händen, die sich so vertraut um ihre Taille anfühlten, seinem unaufhörlichen Lächeln, seiner mitreißenden Begeisterung. Sie fühlte sich wieder jung, albern, witzelte mit ihm über ihr gemeinsames Leben, verwandelte das, was einst schmerzhaft gewesen war, in ein Theaterstück. Diese Leute mochten sie eindeutig, sie prosteten ihr über den Tisch hinweg zu, lachten mit ihr, als sie Geschichten über Gene erzählte, über seine Eitelkeit, seine Unzuverlässigkeit und seine chaotische Art. Er lachte am lautesten, ohne Bitterkeit, ganz gleich, was sie sagte. Eines, was ihr an ihm immer gefallen hatte, war seine Unfähigkeit, seine Gefühle zu verbergen oder nachtragend zu sein. Was vergangen war, war vergangen, und alles, was zählte, war, dass sie jetzt hier waren, zwei Menschen, die sich einst geliebt hatten, die den Moment genossen.

Um elf begann sich die Gruppe langsam aufzulösen. Sie war nicht betrunken, aber eindeutig angeheitert, und er spazierte eine Weile mit ihr durch Dublin, um ihr die Sehenswürdigkeiten zu zeigen, blieb gelegentlich stehen, um mit Leuten zu reden, die ihn erkannt hatten, oder für ein Foto zu posieren. Auftritte lagen ihm im Blut. Gene hatte seine Energie immer daraus bezogen, Publikum zu haben, und Dublin behagte ihm, denn die Leute reagierten auf seine Art, genauso lebhaft, genauso zum Scherzen aufgelegt, genauso herzlich. Er hatte ihr einen Umschlag mit Geld gegeben, von dem er sagte, er schulde es ihr. Sie wollte es nicht annehmen, doch er bestand darauf. «Es läuft gerade gut für mich. Du kannst ja ein Sparkonto für sie anlegen, wenn du nichts anderes damit anfangen möchtest.» Er hatte mit ihr über Lila sprechen wollen, über ihre Tochter, aber sie hatte nicht an diesen Teil ihres gemeinsamen Lebens erinnert werden wollen, also hatte sie das Thema gewechselt. Erfreulicherweise hatte es nur Minuten gedauert, bis ihn eine weitere Gruppe von Leuten, die aus einem Pub kam, erkannte und zum Plaudern stehen blieb, sodass er abgelenkt war. Vielleicht war das der Moment gewesen, in dem sie seinen Arm um ihre Taille hätte lösen sollen, aber es war so angenehm, sich an ihn zu lehnen, noch einmal diesem Gefühl ihrer Jugend nachzuspüren. Sie fühlte sich aufgedreht und abenteuerlustig. Der ganze fröhliche Abend hallte noch in ihr nach, und so lag es nahe, vorzuschlagen, auf einen Absacker in ihr Hotel zu gehen. Noch näher lag es, dass aus einem Glas zwei wurden. Und ihn dann mit in ihr Bett zu nehmen, war ihr gar nicht mehr wie eine Entscheidung erschienen. Es war schließlich das, was ihr Körper wollte.

Francesca lag in der grauen Morgendämmerung in ihrem Hotelbett und blickte auf Genes breiten Rücken, registrierte seine leicht erschlaffte Haut, den Ansatz, der unter seinem gefärbten Haar durchkam, hörte sein zeitweiliges Schnarchen, und ihr wurde mit einem äußerst mulmigen Gefühl klar, dass sie einen kolossalen, einen wirklich kolossalen Fehler begangen hat. Sie erinnerte sich sehr gut an ihre Überlegungen: *Wenn ich ein Abenteuer haben wollte, mit wem wäre das am besten möglich?* Gene war die offensichtliche Antwort gewesen. Wen kannte sie sonst schon, der ihr wahrscheinlich eine oder zwei Nächte Spaß und Romantik bieten und danach ohne einen Blick zurück wieder gehen würde? Gene schien die sicherste Option zu sein, dieser unreife junge Mann ihrer Zwanziger. Er würde ihr das Gefühl geben, wieder glorios und jung zu sein, und dann für den Rest seines Lebens weiter fröhlich von einer Situation zur nächsten springen. Und genauso hatte es auch funktioniert. Der Sex war wundervoll – Gene war schon immer ein freudiger und unbeschwerter Liebhaber gewesen –, und sie konnte sich an den Moment erinnern, in dem sie das Gefühl gehabt hatte, wieder ganz sie selbst zu sein, so als wäre sie wieder zu dem Menschen geworden, der sie einmal war. *Es gibt mich noch*, hatte sie überrascht rufen wollen. *Es gibt mich immer noch.*

Und dann ruinierte Gene es.

Sie stand verschlafen auf und tappte ins Bad, putzte sich die Zähne und plante schon ihren Rückzug. Sie würde duschen, ihn dabei hoffentlich nicht wecken, ihm einen Zettel schreiben, frühstücken gehen und darauf vertrauen, dass er weg war, wenn sie zurückkehrte. Doch als sie aus dem Bad kam, saß er, statt tief zu schlafen (er war immer sofort nach dem Sex eingeschlafen und erst am späten Vormittag aufgewacht), im Bett und sah sie an. «Ich habe mich das immer gefragt», sagte er, «und jetzt weiß ich es.» Auf seinem Gesicht lag dieses breite, alberne Grinsen, und seine Miene war zärtlich.

«Was gefragt?» Sie spürte, wie sie sich anspannte. Eigentlich hätte sie ihn gern jetzt schon gebeten zu gehen, aber das erschien ihr zu grob nach dem, was geschehen war.

«Ob wir wieder zueinanderfinden würden.» Er schlug die Bettdecke zurück, wartete darauf, dass sie wieder zu ihm kam. «Ich habe das nie zu hoffen gewagt, nach dem, was ich getan habe. Aber als du mir die Nachricht geschrieben hast, kam es mir vor, als würde ein Licht aufgehen – wie von einem Leuchtturm am Ende des Ozeans – und mein Gefühl war *Oh. Jetzt ist es so weit. Alles wird wieder gut.*»

Sie stieg mit leichtem Unbehagen wieder ins Bett. Als sie sich an das Kopfteil lehnte, achtete sie darauf, ihn nicht zu berühren. «Ich verstehe nicht ganz, was du damit meinst.»

«Uns. Das alte Team. Wieder zusammen.» Sein Blick wurde sanft, und er nahm ihre Hand in seine enormen Pranken und küsste sie. «Ich war ein Idiot, Francie. Ich war jung und impulsiv, und ich glaube, ich habe es nie geschafft, mich wieder richtig auf eine Beziehung einzulassen, weil ich immer noch in dich verliebt war. Ich habe jahrelang darüber nachgedacht, dass ich das Beste weggeworfen habe, was mir je begegnet ist.»

«Das ist doch lächerlich», sagte sie lachend und schob seine Hände weg. «Du bist ein Freigeist. Das hast du mir immer gesagt.»

«Nein. Nein. Ich weiß, dass du denkst, ich wäre ein Idiot, der nichts ernst nimmt, aber ich habe nie aufgehört, dich zu lieben. Als du mit diesem ... mit diesem Typ zusammengekommen bist, hat mich das schier umgebracht. Ich bin eine Zeit lang richtig durchgedreht. Ich wusste, dass wir füreinander bestimmt sind. Ich habe dich nie angerufen, weil ich deine Entscheidung respektieren wollte. Mir war klar, wie sehr ich dich verletzt hatte, und mir war klar, dass ich keine zweite Chance verdiente. Aber als du geschrieben hast, dass du hierherkommst, war es, als würde etwas in mir, das gestorben war, wieder zum Leben erwachen. Ich bin einfach ... ich bin einfach unheimlich glücklich, dass du mir – uns – noch eine Chance gegeben hast.»

Francesca spürte Panik in sich aufsteigen. «Gene, so ist es nicht.»

«Was meinst du damit, Kleines?»

«Ich ... bin immer noch mit Bill zusammen.»

Es dauerte einen Moment, bis das bei ihm ankam. «Du bist immer noch mit Bill zusammen?»

«Ich bin hierhergekommen, weil ... ich weiß auch nicht. Ich hatte mich festgefahren. Ich ... wollte einfach wieder etwas spüren. Und es war wunderschön. Aber ... das war es. Damit ist es zu Ende.»

Er sah so geschockt und verletzt aus, dass sich etwas in ihr umzustülpen schien.

«Du ... du ... Das hat dir nichts bedeutet?»

Sie schüttelte den Kopf. «Ich habe keine Minute lang geglaubt, dass du echte Gefühle für mich hast.»

Darauf herrschte ein langes Schweigen, bei dem er sie nicht aus den Augen ließ, als würde er nach einem Hinweis suchen, dass das, was sie gesagt hatte, falsch war, dass sie ihn auf den Arm nahm.

«Aber ... aber was gerade zwischen uns war. Wir sind gut zusammen, Francie. Das ist unsere Zeit.»

«Nein. Nein, ist es nicht.»

Sie sah ihm an, wie er es langsam begriff, und wäre am liebsten gestorben. «Es tut mir leid», sagte sie. «Ich habe ... einen Fehler gemacht.»

Er wirkte völlig entgeistert. «Ich bin ein ... *Fehler?*»

Kurz danach ging er. Das Schlimmste daran war, wie höflich er sich verhielt. Er bekam keinen Wutanfall, schrie sie nicht an oder beschuldigte sie, ihm etwas vorgemacht zu haben. Er wirkte so geschwächt, als hätte sie alles Leben aus ihm herausgesaugt. Sie sah zu, wie er in dem Hotelzimmer herumtappte, seine Sachen einsammelte, sie anzog, und halb wollte sie ihn umarmen und ihm sagen, wie leid es ihr tat, aber die andere Hälfte wollte, dass er einfach so schnell wie möglich ging, damit sie die schreckliche Aufgabe in Angriff nehmen konnte, so zu tun, als wäre das alles nie passiert. Sie dachte, er würde sie vielleicht umarmen wollen, bevor er ging, doch er stand nur unbeholfen an der Tür und berührte sie leicht am Arm.

«Es war wunderschön, dich zu sehen, Francie», sagte er mit einem missglückten Lächeln. «Sei glücklich.»

Und als sie ihm nachsah, während er durch den Korridor ging, drehte er sich um, und sie dachte, dass sie ihn noch nie so schutzlos, so verletzlich gesehen hatte.

«Hör zu», sagte er, «wenn du jemals deine Meinung änderst ...»

Sie hätte ihm das einräumen können. Sie hätte einfach «Ich weiß» sagen können. Es hätte schließlich nicht die geringste Bedeutung gehabt. Doch sie schüttelte langsam den Kopf und sagte leise und entschlossen: «Das werde ich nicht.»

Sie hatte nie mehr mit Gene gesprochen. Sie hatte seine Nummer gelöscht und den nächsten Tag damit verbracht, wie besessen shoppen zu gehen, um sich davon zu überzeugen, dass sie derselbe Mensch war wie zwei Tage zuvor. Sie hatte Genes Geld ausgegeben – zwei Pullover für Bill, aus Kaschmir, die sie sich kaum leisten konnte, und ein Kleid für Lilas Tochter. Sie warf die Tüten und die Preisschildchen weg, damit niemand darauf kam, dass die Sachen aus Irland stammten, und der Aufwand, der mit diesem Schwindel verbunden war, führte dazu, dass sie sich noch schlechter fühlte als ohnehin schon. Sie aß allein unten im Hotelrestaurant und schaute den übrigen Abend fern. Bis zu ihrem Rückflug hatte sie sich beinahe selbst davon überzeugt, dass sie die ganze Zeit allein gewesen war, dass sie lediglich den geplanten Aufenthaltsort geändert hatte. Und wer könnte ihr daraus einen Vorwurf machen?

Aber wenn Francesca McKenzie eines auszeichnete, dann war es ihre Fähigkeit, positiv zu denken. In diesen letzten Stunden in Dublin sagte sie sich, dass es manchmal notwendig war, einen Fehler zu machen, um sich davon zu überzeugen, was richtig und wichtig war. Sie sagte sich, dass die ganze Episode nur ihre Liebe zu Bill verstärkt hatte. Sie wusste, dass sie nie mehr einen solchen Fehler machen würde. Sie würde Bill die beste Frau sein. Sie würde den Rest ihres Lebens mit diesem reizenden, freundlichen, zuverlässigen Mann verbringen.

Und als sie nach Hause kam, schlief sie acht Stunden durch.

## SECHSUNDDREISSIGSTES KAPITEL

## Lila

Es war zwar schon manchmal eine kleine Herausforderung gewesen, Bill als voll einsatzfähigen Erwachsenen bei sich wohnen zu haben, aber das Zusammenleben mit ihm nach seinem Herzinfarkt ist eindeutig schwieriger, als Lila gedacht hatte. Er ist besorgt um alles, um seine Ernährung, den Zustand des Hauses, seine Medikamente und ob er sie in der richtigen Reihenfolge nimmt (das tut er: Lila hat in der Apotheke eine von diesen Wochentag-Tablettenboxen gekauft, und Penelope überprüft sie jeden Tag). Er ist keine Belastung, weil er um nichts bittet, und er tut sein Bestes, um im Haushalt zu helfen, aber Lila spürt, dass sich die Ängstlichkeit wie dichter Nebel über ihr Zuhause legt. Wenn sie ihm anbietet, etwas für ihn zu tun, lehnt er entschieden ab, beharrt darauf, dass er dazu sehr gut selbst imstande ist, vielen Dank. Aber wenn sie die Küche in Ordnung bringt, kann er nicht anders, als ihr hinterherzuputzen, und wenn sie ihm sagt, dass er damit aufhören und sich ausruhen soll, sitzt er unbehaglich und Missmut verbreitend da, oder er gibt ihr Anweisungen, weil sie eine Stelle übersehen hat oder weil Truant irgendetwas Unaussprechliches vom Boden frisst. Sie hat ihr Bestes getan, um die Mädchen darauf vorzubereiten, dass Bill Ruhe und Frieden braucht, aber man kann eine Achtjährige mit einer Vorliebe für YouTube-Videos und laute Rap-Musik und eine Teenagerin, die glaubt, sämtliche Türen müssten energisch geschlossen werden, nur bis zu einem gewissen Grad einschränken. Bill erträgt diese Anschläge auf das, was seiner Meinung nach eindeutig Stille sein sollte, mit gequälter Miene oder schlägt Penelope vor, dass sie nach oben in sein Schlafzimmer gehen sollten, «damit ich meine eigenen Gedanken hören kann».

Penelope ist genauso ängstlich, sie flattert um ihn herum, versucht, seine Bedürfnisse zu erahnen, und entschuldigt sich ständig bei Lila dafür, ihr im Weg zu sein. Die Mädchen haben, nach Bills Empfang mit herzlichen Umarmungen und Küssen, prompt alles wieder vergessen, und nehmen seine Anwesenheit mit demselben freundlichen Desinteresse hin wie früher.

Lila vermutet immer stärker, dass sie Gene vermissen. Sie sprechen nicht von ihm, aber er hatte eine Art gehabt, mit ihnen umzugehen, ihr Chaos zu akzeptieren, ihre unvermittelten Gefühlsausbrüche, mit der er das alles neutralisierte. Sie gesteht es sich nur sehr ungern ein, aber es hatte auch eine Fröhlichkeit gegeben, die nun in ihrem Haus fehlt, was durch Bills Krankenhausaufenthalt noch gesteigert wird. Eleanor ist wieder mit ihrer Arbeit beschäftigt, und ohne sie, Jensen und Gene ist die optimistische Energie verloren gegangen, die sie mitgebracht hatten.

Dan verbringt immer noch die meiste Zeit im Krankenhaus. Anscheinend wird Marja bis zur Geburt dortbleiben. Bei seinen knappen Telefonaten hat er gestresster geklungen als Lila selbst. Lila fühlt sich außerstande, ihm Mitgefühl entgegenzubringen. Sie ruft einfach die Mädchen nach unten, damit sie mit ihm sprechen, und versucht, nicht zu registrieren, dass auch ihre Gespräche mit ihm kaum zwei Minuten dauern.

Sie kann Bill keine Vorwürfe machen – schließlich hat er eine Nahtod-Erfahrung hinter sich –, aber die Bedürfnisse von drei sehr verschiedenen Generationen unter einen Hut zu bringen, ist anstrengend, und schon nach wenigen Tagen beginnen Lilas Kräfte zu erlahmen.

Jensen hat nicht auf ihren Brief geantwortet. Damit hatte sie auch nicht wirklich gerechnet. Sie hatte ihm eine Nachricht geschickt, um ihm noch einmal für seine Freundlichkeit und die Hilfe mit dem Baum zu danken, es aber wegen seiner neuen Freundin nicht gewagt, irgendetwas darüber hinaus zu schreiben. Sie sagt sich, dass sie damit abschließen soll. Dass Jensen, ebenso wie Gabriel Mallory, Vergangenheit ist. Wie sich herausstellt, hilft es nicht unbedingt, über etwas hinwegzukommen, wenn man weiß, dass man ganz allein selbst schuld ist.

Lila hat Violet versprochen, sie an diesem Nachmittag von der Schule abzuholen. Zu Hause hat so viel Unbeständigkeit geherrscht, dass es notwendig scheint, mehr Systematik einzuführen, wieder Routinen zu schaffen. Sie vergewissert sich, dass Penelope bei Bill bleiben kann, und auf dem kurzen Weg zur Schule versucht sie, sich an alles zu erinnern, was sie ihm mitbringen will: Kalkentferner (Bill hat offenbar den Eindruck, dass sich der Zustand des Badezimmers während seiner Abwesenheit verschlechtert hat), Makrelen für die Herzgesundheit (das werden die Mädchen lieben) und eine TV-Zeitschrift, denn inzwischen hat sich Bill anscheinend angewöhnt, tagsüber fernzusehen (er sieht mit Vorliebe Antiquitäten-Shows und Quizsendungen, murrt dabei aber über die Teilnehmer und ihre Grammatik). Beim Gehen denkt sie an Jessie. Sie hat seit dem Tag in dem Bastelladen nichts von ihr gehört und hofft, dass es ihr gut geht.

Sie hätte ihr gern eine Nachricht geschickt, befürchtet aber, dass weiterer Kontakt nach den Umständen, unter denen sie sich kennengelernt haben, zu seltsam sein könnte. Lila könnte sehr gut jemand sein, den Jessie lieber vergessen würde. Lila seufzt bei dem Gedanken daran, dass es jetzt an der Schule noch unbehaglicher wird, und ärgert sich erneut über Gabriel Mallorys Fähigkeit, anderen Leuten Probleme zu machen.

Im Supermarkt gibt es eine Schlange, und sie kommt ein wenig zu spät zum Schulhof, auf dem es schon von Eltern und Kindern wimmelt. Sie stellt sich auf die Zehenspitzen, um Violet in der Menge zu erspähen. Sie entdeckt ein paar ihrer Klassenkameradinnen, dann sieht sie Violet am anderen Ende auf dem Spielplatz an einem der Geräte. Ihr türkisschwarzer Anorak hebt sich von den Metallstangen ab. Lila überquert winkend den Schulhof und ruft über den Lärm hinweg Violets Namen.

«Es wundert mich, dass *du* dich traust, dich hier sehen zu lassen.»

Lila braucht eine Sekunde, um mitzubekommen, dass das an sie gerichtet ist. Sie dreht sich um, und da steht Philippa Graham, die Lippen zu einem missbilligenden Strich zusammengepresst, das Kinn hochgereckt. «Wie bitte?»

«Alle anderen an dieser Schule tun ihren Teil. Nur du nicht. Oh nein. Du stolzierst hier herum, als würdest du über allem stehen, ganz egal, was das für alle anderen bedeutet.»

Lila runzelt verständnislos die Stirn. «Was meinst du?»

«Die Kostüme? Das Einzige, worum du gebeten worden bist? Für die Schulaufführung? Wenn du es wirklich nicht geschafft hast, dich darum zu kümmern, hättest du es jemandem sagen können. Dann hätte eine von uns einspringen können, obwohl, ehrlich gesagt, die meisten von uns schon mehrere Verpflichtungen übernommen haben – zusätzlich zu unseren regelmäßigen Leseübungen mit den Erstklässlern.»

*Oh Gott. Die verdammten Kostüme.*

«Und jetzt wird die ganze Aufführung zur Lachnummer. Und nur, weil du es nicht nötig hattest, dir ein bisschen Mühe zu geben.»

Lila öffnet den Mund, um etwas zu sagen – obwohl sie nichts Nützliches zu sagen hat –, doch da ertönt eine männliche Stimme: «Lass sie in Ruhe, Philippa.»

Lila wirbelt herum. Dan steht hinter ihr. Neben ihm steht Hugo, die Jacke bis unters Kinn zugeknöpft, und klammert sich an Dans Hand.

«Du hast keine Ahnung, was bei Lila los war. Ihr Vater hatte einen schweren Herzinfarkt. Lila war mit ihm im Krankenhaus und hat gleichzeitig versucht, sich um unsere Mädchen zu kümmern. Kostüme für eine Grundschulaufführung zu besorgen, stand ziemlich weit unten auf ihrer Prioritätenliste, könnte ich mir vorstellen.»

Philippa wirkt verlegen. Sie schaut von Dan zu Lila. «Das wusste ich nicht.»

«Genau. Du wusstest es nicht. Du weißt überhaupt sehr wenig über das Leben von irgendwem, abgesehen von dem, was dir jemand erzählen will. Statt Lila anzumeckern, hättest du vielleicht erst einmal fragen können, ob du sie irgendwie unterstützen kannst. Wie auch immer. So wie ich es verstanden habe, gibt es inzwischen eine andere Lösung.»

«Ja, ich hatte so etwas gehört.» Philippa gehört zu den Frauen, die es hassen, wenn es so aussieht, als gäbe es irgendetwas an der Schule, von dem sie nichts mitbekommen haben.

«Dann gibt es ja keinen Grund, meine Ex-Frau anzumachen, oder?» Dans Miene ist angespannt, dunkle Schatten liegen um seine Augen. Er wirkt erschöpft.

Philippa öffnet den Mund und schließt ihn wieder. Sie dreht sich auf der Suche nach Unterstützung zu den anderen Müttern um, aber die haben sich eilig zurückgezogen. Sie mildert ihren Ton. «Ich denke nur, es wäre hilfreich gewesen, wenn wir gewusst hätten, dass Lila das mit den Kostümen nicht schafft. Ich glaube nicht, dass der Alternativvorschlag ...»

«Es ist eine Grundschulaufführung von Peter Pan, verflucht, nicht Onkel Wanja im Old Vic. Ich glaube wirklich nicht, dass es irgendjemand von den Eltern auch nur den kleinsten Scheiß kümmert, was ihre Kids anhaben.» Ziemlich aufgebracht wendet sich Dan von Philippas bestürztem Blick ab und berührt Lila am Arm. Sie gehen ein paar Schritte weg, spüren, wie sich Philippas Blick in ihren Rücken bohrt.

«Wie geht es ihm?», fragt Dan.

Lila ist immer noch verblüfft über sein Eingreifen und muss sich einen Moment sammeln. «Oh ... okay. Ich meine, nicht okay. Aber ich glaube, im Moment geht es ihm so weit ganz gut.»

«Tut mir leid, dass ich dich mit den Mädchen nicht entlasten konnte. Es war ...» Er schüttelt den Kopf und atmet hörbar aus, bevor er wieder etwas sagt. «Diese Sache mit der Plazenta. Sie versuchen buchstäblich, das Baby so lange in ihrem Körper zu halten, bis es überhaupt ... eine Chance hat.»

Lila starrt ihn an, sieht, wie er beim Sprechen den Kiefer anspannt, sieht Hugo, der sie beide mit großen Augen anschaut. «Das tut mir sehr leid», sagt sie. «Ich wusste nicht, dass es so ernst ist.»

«Ja. Na ja. Es kam mir nicht so vor, als könntest du solche Informationen gerade brauchen.»

Sie stehen schweigend beieinander, der Mann, den Lila einmal geliebt hat, und das Kind seiner Geliebten. Eine seltsame Empfindung überkommt sie, ungewohnt und halb vergessen. Überrascht denkt sie, dass es Mitgefühl sein könnte. Und dann zieht Hugo an Dans Hand. «Können wir nach Hause gehen?»

Dans Blick gleitet zu Lila, vielleicht auf eine heftige Reaktion bei diesem Wort gefasst, und als keine kommt, nickt er mit zusammengepressten Lippen. «Ja», sagt er dann. «Klar können wir das.» Er zwingt sich zu einem Lächeln, das kein richtiges Lächeln ist, und geht los. Dann schaut er noch einmal über die Schulter. «Richte Bill alles Gute von mir aus, ja?»

Sie nickt. «Danke», sagt sie unvermittelt, «dass du dich für mich eingesetzt hast.»

Er zuckt kurz mit den Schultern, womit er alles Mögliche meinen könnte.

«Ich hoffe ... es läuft gut für sie», sagt Lila. «Und für das Baby.»

Er nickt noch einmal, und dann geht er mit Hugo langsam Richtung Schulhoftor.

## SIEBENUNDDREISSIGSTES KAPITEL

Bill blieb zwölf Tage, bevor er wieder in seinen Bungalow zurückzog. Er kündigte sein Vorhaben am Sonntagvormittag an, während Violet im Schlafanzug auf dem Sofa mit einem Videospiel beschäftigt war, das alle fünf Sekunden entweder Pieptöne oder Explosionsgeräusche abgab. Er erklärte, dass er zwar sehr gern bei Lila und den Kindern sei, im Moment aber sein Bedürfnis nach Ruhe in seinen eigenen vier Wänden an erster Stelle stehe. «Penelope wird eine Weile bei mir bleiben», sagte er, als Lila Einwände erheben wollte. Sie hatte sehr gemischte Gefühle: Traurigkeit, weil sie ihm nicht geben konnte, was er brauchte, aber auch Erleichterung, weil sie ihm nicht geben konnte, was er brauchte, ohne ihre Mädchen im Schuppen einzusperren.

«Penelope wird auf mich achten. Und wahrscheinlich ist es an der Zeit, dass ich mir überlege, was ich mit dem Bungalow machen soll. Er kann nicht ewig leer stehen.»

Er hatte schon alles geplant. Jensens polnische Bekannte würden am nächsten Tag kommen und Bills Sachen in den Bungalow bringen. Penelope hatte das Haus schon gründlich geputzt und die Heizung angestellt. Er würde zu Besuch kommen, versicherte er Lila. Vielleicht sogar gelegentlich kochen. Alles würde gut werden.

Nur hatte Lila überhaupt nicht das Gefühl, dass sich alles fügte. Es kam ihr vor, als würde sie wieder einmal verlassen werden.

«Es tut mir so leid», hatte sie gesagt und seine Hand gehalten. «Es tut mir so leid, dass es so gekommen ist.» Sie vermutete, dass sie sich zu sehr an seine Hand klammerte, aber sie konnte nicht anders.

«Das ist nicht deine Schuld, Liebes.» Er hatte seine andere Hand über ihre gelegt. «Auf jeden Fall werde ich so langsam wieder der Alte. Mache meine Übungen. Die Ärzte sind sehr zufrieden mit dem Verlauf. Und natürlich ist Penelope ein Segen. Sie wird ein Auge auf mich haben.»

Und jetzt am Montagvormittag sieht Lila den drei kräftigen Polen zu, die wieder mit dem Klavier kämpfen. (Penelope hat Bill währenddessen in die Küche gebracht, weil sie ganz richtig vermutet, dass es nicht gut für seinen Blutdruck wäre, wenn er sein geliebtes Instrument auf den winzigen Rollbrettern schwanken sehen würde.) Sein Schrank ist schon nach unten getragen und zusammen mit Kartons voller Kleidung und Bücher in den ramponierten weißen Lkw geladen worden. Erst jetzt, als sie zuschaut, wie seine Siebensachen das Haus verlassen, sieht sie, wie viel hier gelandet war.

Lila hilft ihm in Penelopes Auto, als das Ladebord des Lkws quietschend zum letzten Mal hochfährt, und nach einer letzten Runde Tee sind die Männer abfahrbereit.

«Ich komme später bei dir vorbei», sagt Lila zu Bill und umarmt ihn. «Gib Bescheid, wenn du irgendetwas brauchst. Egal was.»

«Mir geht es gut, Liebes», sagt er mit einem beruhigenden Lächeln.

«Es ist alles unter Kontrolle», bekräftigt Penelope strahlend. Das ist in diesen letzten Wochen ihr Mantra geworden, ganz gleich, was um sie herum vorgeht. *Es ist alles unter Kontrolle!*, sagt sie mit zusammengebissenen Zähnen oder mit einem leicht irren Lächeln. *Es ist alles unter Kontrolle!*

«Du kommst doch trotzdem zu Violets Schulaufführung am Freitag, oder?» Violet hat sechs Karten. Anscheinend bekommen geschiedene Eltern Sonderzuteilungen, und Großeltern mit Krankenhausaufenthalt gewährt Mrs. Tugendhat weitere Privilegien. Das bedeutet, wie Lila hofft, dass ihr das Kostümdebakel verziehen worden ist.

«Das würde ich um nichts in der Welt verpassen», sagt er mit dem entspannten Gesichtsausdruck von jemandem, der künftig keine Kopfhörer mehr tragen muss, um die Geräusche von Public Enemy oder *America's Next Top Model* zusätzlich zu dem hektischen Gebell eines neurotischen Hundes zu übertönen. «Oh, noch eins, Liebes, die Gartenbank hat nicht mehr in den Wagen gepasst, sie wird später abgeholt. Ich hoffe, das ist okay.»

Lila sieht zu, als Penelope ihren roten Ford Fiesta vorsichtig auf die Straße steuert, blinkt und bis zur Kreuzung im Schneckentempo fährt, obwohl kein einziger anderer Verkehrsteilnehmer in Sicht ist. Bill wird bei ihr gut aufgehoben sein, denkt Lila, und das ist viel wert.

Erst als Lila wieder ins Haus geht, wird es ihr richtig bewusst. Wo das Klavier im Flur gestanden hat, ist jetzt nur noch ein staubiger Bereich auf dem Teppich. Die Bücherregale sind ausgedünnt, und an der Stelle seines Liegesessels im Wohnzimmer tut sich jetzt eine Lücke auf. Truant trottet langsam durch die Räume, schnuppert misstrauisch herum. In der Küche fehlen die Kochbücher, genau wie Bills Küchenutensilien, sein Radio und die blaue Obstschale, die er gern gefüllt hat, um die Mädchen dazu anzuregen, sich besser zu ernähren. Lila schiebt einen Stapel mit Papieren und Reinigungsmitteln in die Lücken, damit es nicht so leer wirkt.

Das wird in Bills Schlafzimmer nicht möglich sein. Dort steht jetzt nur noch ein kahles Bett. Die ganze Ausstattung von Bills Leben – sein Teppich, seine Hausschuhe, die Tagesdecke, sein Handtuchhalter aus Holz, seine Stapel mit Fachbüchern, sein Teekocher aus den Siebzigerjahren und die alten Zeitschriften – ist weg, ebenso wie seine übrigen Möbel. Lila steht an der Tür, verschränkt fest die Arme und blickt die vielen Abwesenheitsschichten in dem Raum an. So ist das Leben in diesem Alter, geht es ihr durch den Kopf, eine Million Abschiede, und man weiß nie, welche davon endgültig sind. Man verkraftet sie einfach, wie kleine Schocks, und hofft bei jedem, dass man trotzdem weitermachen kann.

Das Einzige, was Bill zurückgelassen hat, ist das Porträt ihrer Mutter. Es lehnt an dem Kamin, in dem nie ein Feuer gebrannt hat. Lila dreht es langsam um, betrachtet das Gesicht ihrer Mutter in dem verzierten Rahmen und versucht, nicht an die Leerstelle zu denken, die sich in ihr dort aufgetan hat, wo vorher die Erinnerung an ihre Mutter ihren Platz hatte. Sie stellt die Frage, die sie sich seit der Entdeckung des Briefs schon tausendmal gestellt hat: *Warum hast du dich von ihm verführen lassen, Mum? War es dir egal, was du damit alles zerstören würdest?* Sie schaut Francescas Lächeln an, dieses heitere Gesicht, das ihr niemals eine Antwort geben wird. Und dann dreht sie das Bild wieder um, schließt die Schlafzimmertür hinter sich und geht nach unten.

Celie holt Violet von der Schule ab, und Lila muss das Abendessen vorbereiten.

Jensen taucht auf, als sie gerade den Tisch abräumt. Beim Abendessen hat gedrückte Stimmung geherrscht: Die Mädchen sind eindeutig betroffen von der veränderten Atmosphäre, die mit dem Wissen einhergeht, dass sie jetzt wieder nur zu dritt sind. Seit einiger Zeit erkundigen sie sich nicht mehr nach Gene. Lila fragt sich, ob die beiden ebenso wie sie selbst verinnerlicht haben, dass Gene ein Mensch ist, den man immer nur flüchtig zu sehen bekommt, ein Großvater, der so unbeständig ist, wie Bill beständig war. Sie hatten an ihren Spaghetti herumgepickt, und in Wahrheit hatte Lila auch keinen Appetit gehabt und sie gehen lassen, sobald sie aufstehen wollten. Violet hatte sich mit Truant ins Wohnzimmer zurückgezogen, und Celie war nach oben verschwunden.

Lila räumt gerade die Spülmaschine ein, als sie zusammenfährt, weil es klopft. Jensens Gesicht taucht an der Terrassentür auf, seine Ohren sind gerötet von der Kälte.

«Ich wollte Bills Bank holen.»

Mit Herzklopfen stellt sie die Teller ab und macht ihm die Tür auf. Beim Hereinkommen bringt er einen Schwall frische, kalte Luft mit.

«Oh. Ja, klar. Ich ... ich wusste nicht, dass du sie holen würdest.» Jensens plötzliches Auftauchen in ihrer Küche bringt sie durcheinander, ihr wird bewusst, dass sie nicht geschminkt ist und Flecken auf der Jeans hat.

«Sie räumen drüben immer noch herum. Ich habe gesagt, es wäre am einfachsten für mich, wenn ich die Bank auf den Pick-up lade.»

Lila weicht seinem Blick aus. «Ich helfe dir», sagt sie.

Die Bank ist viel leichter, als sie gedacht hat. Sie brauchen nur ein paar Minuten, um sie auf die Ladefläche des Pick-ups zu schieben. Jensen schlägt die Klappe zu, und das Geräusch klingt schrecklich endgültig. Lila verschränkt die Arme vor der Brust, während er die Bank mit Gurten sichert. Einen Moment stehen sie auf der Straße, schauen sich nicht an. Das könnte das letzte Mal sein, dass ich ihn sehe, denkt sie, jetzt, wo Bill weg ist. Und irgendetwas in ihr erträgt die

Vorstellung nicht, dass sie ihm nie alles wird richtig erklären können.

«Möchtest du vielleicht einen Tee?», platzt sie heraus. «Ich ... wollte gerade Wasser aufsetzen.»

Er schaut nach links, die Hände tief in die Taschen vergraben. Dann senken sich seine Schultern ein winziges bisschen. «Okay», sagt er. «Warum nicht?»

Sie gehen hintenherum ins Haus, und Lila ist zum ersten Mal mit dem Anblick des Gedenkgartens ohne die Bank konfrontiert. Es scheint viel mehr als nur eine Bank verschwunden zu sein. Es sieht jetzt aus wie eine bedeutungslose Ecke, ein leerer Bereich, nicht mehr wie der Mittelpunkt von irgendetwas.

«Ich glaube, ich sollte wohl eine andere Bank besorgen», sagt sie mit leicht zittriger Stimme.

«Ja», sagt Jensen und bleibt stehen. «Da muss eindeutig etwas hin.»

Sie macht schweigend Tee, und sie setzen sich an den Küchentisch. Lila dreht sich mit dem Rücken zum Garten, möchte plötzlich nichts mehr davon sehen, als würde das fehlende Gartenmöbel etwas viel Größeres symbolisieren. Jensen behält seine Jacke an, scheint darauf vorbereitet, so schnell wie möglich wieder zu gehen. Vielleicht hat er nur aus Höflichkeit zugestimmt, einen Tee zu trinken. Sie fühlt sich jetzt befangen in seiner Gegenwart. Sie überlegt, wie sie das Gespräch anfangen soll, stellt aber fest, dass sie schon jede seiner Antworten vorausahnt, und das führt dazu, dass ihr die Worte im Hals stecken bleiben.

Er stellt ein paar Fragen zu Bill, was die Situation entspannt. Sie erzählt ihm, was passiert ist, von Penelope und den Mädchen und von ihren gemischten Gefühlen zu Bills Auszug. Er erklärt ihr, dass er jeden Tag im Bungalow vorbeischauen wird. Dass er das auch vor dem Herzinfarkt häufig getan hat und Bill es deshalb nicht ungewöhnlich finden wird, und sie ist ihm dankbar für seine Diplomatie.

«Und wo ist Gene?»

«Weg.» Sie erzählt kurz von dem Brief auf dem Dachboden. Sie möchte mehr sagen, darüber, dass sie das Gefühl hat, ihre Mutter zusammen mit ihrem Vater verloren zu haben, darüber, wie wütend sie auf alle beide ist, aber das klingt dumm und kindisch, und wenn es einen Menschen gibt, der das Recht verloren hat, vor Jensen über Gefühle zu sprechen, dann ist sie es.

Die Teebecher sind ausgetrunken. Sie sitzen schweigend da, sehen Truant zu, der in der Küche umherläuft. Auch er mag keine Veränderungen.

«Ich habe deinen Brief bekommen», sagt Jensen.

Sie hält einen Moment inne, bevor sie sagt: «Es ist alles abgesagt. Alles. Ich schreibe kein Buch mehr.»

Er starrt in seinen leeren Becher.

«Es war eine dumme Idee. Das wollte ich dir eigentlich sagen und mich auch persönlich entschuldigen. So oft. Ich hätte auch angerufen ... aber nachdem deine Freundin ...»

Er blickt scharf auf.

«Ich meine, sie hatte natürlich recht. Ich versuche nicht, mich zu rechtfertigen. Aber es war klar, was sie gedacht hat ... ihr habt darüber gesprochen ... schätze ich. Ich wollte nichts tun oder sagen, was dir noch mehr ...» Die Worte erstarren in ihrem Mund.

«Welche Freundin?»

Lila blinzelt. «Die im Supermarkt?» Als er immer noch verständnislos schaut, fügt sie hinzu: «Mit roten Haaren?»

Er zieht ein Gesicht. «Du meinst meine Schwester.»

Lila starrt ihn an.

«Meine Schwester. Nathalie. Ich habe dir von ihr erzählt. Sie ... was passiert ist, hat mich ziemlich umgehauen. Und sie, also, sie ist für ein paar Tage bei mir geblieben. Ich glaube, sie machen sich schnell Sorgen, nach ... du weißt ja ...»

Lila will sich erneut entschuldigen, will sich dazu bekennen, dass sie ihren Teil zu seiner Verletztheit beigetragen hat, aber alles, was sie denken kann, ist *Sie ist nicht deine Freundin*. «Oh», sagt sie, und dann: «Oh.»

Als sie aufschaut, sieht er sie an. «Du hast gedacht, ich hätte eine Freundin.»

«Na ja, ich konnte mir nicht vorstellen, dass du lange allein bleibst.» Sie ringt sich ein Lächeln ab. «Du bist eindeutig ein guter Fang.»

«Ein guter Fang.» Er zieht die Augenbrauen hoch. Plötzlich ist da die Andeutung eines Lächelns, und es ist das Schönste, was sie seit Wochen gesehen hat, und unvermittelt sprudeln die Worte aus ihr heraus.

«Jensen, es tut mir so, so leid. Ich habe einfach ... alles verbockt. Ich war immer noch so durcheinander wegen Dan und Marja und tausend anderen Sachen, und ich hatte Panik wegen des Geldes, und da habe ich einfach ... ich habe das alles einfach nicht richtig durchdacht. Ich weiß, dass es total grässlich war, überhaupt nur daran zu denken, so etwas zu tun. Ich bin einfach ... ich bin nicht so. Jetzt sehe ich, was alles falsch daran war – jetzt ist es mir absolut klar. Ich hasse es, dass du mich für so einen Menschen hältst, und das Einzige, was ich sagen kann, ist, dass ich alles nur Mögliche tue, um dir zu zeigen, dass ich nicht so bin. Ich war es einen Moment lang, offensichtlich, aber das bin ich nicht. Das ist nicht mein wahres Ich. Vielleicht weiß ich gerade gar nicht, was mein wahres Ich ist. Aber ich versuche, dafür zu sorgen, dass es jemand Besseres ist.»

Sie hört mit dem Gestotter auf. «Oh Gott, ergibt das irgendeinen Sinn?»

«Darf ich es analysieren?»

«Nein.»

«Okay. Dann ergibt es absolut Sinn.»

«Kannst du mir verzeihen? Wenigstens ein bisschen?»

«Ich kann das meiste davon verzeihen.» Er reibt an einem Fleck auf dem Tisch herum. «Allerdings nicht unbedingt die Anspielung auf meinen ‹gemütlichen Körper›.»

«Du warst derjenige, der gesagt hat, dass du einen Bierbauch hast.»

«Ja, aber ein Bierbauch kann auch sexy sein. Ein gemütlicher Körper ist …», er verzieht das Gesicht, «… sexlos.»

«Nein. Da liegst du falsch.»

«Ich liege falsch.»

«Die … ähm … Beweisführung dieser Nacht müsste dir zeigen, dass es nicht stimmt. Und davon abgesehen habe ich dir erklärt, dass ich die Wahrheit verschleiert habe. Wenn ich ehrlich über dich geschrieben hätte, dann hätte ich natürlich gesagt, dass ich die Nacht mit einem David-Gandy-Doppelgänger verbracht habe.»

Er legt den Kopf schräg. «Nette Korrektur.»

«Wie auch immer. Ich persönlich mag einen Bierbauch. Das ist … viel sexier als ein Sixpack.»

«Okay, jetzt hast du es ruiniert.»

«Ich meine es ernst. Ich kann mir nichts Schlimmeres vorstellen als einen Mann, der rumstolziert und seine Bauchmuskeln zur Schau stellt. Da würde ich mich hoffnungslos unzulänglich fühlen.»

«Ich weiß nicht, warum. Du hast einen fantastischen Körper.»

Sie werden beide rot.

Sie schaut auf seine Hände, während sie schweigend dasitzen, versucht, nicht daran zu denken, wie sich diese Hände auf ihr angefühlt haben, daran, wozu sie imstande waren oder an ihre beruhigende Stärke. Er sieht aus, als wollte er etwas sagen, dann überlegt er es sich anders. Beide verfallen in Schweigen.

«Also. Danke, dass ich mich persönlich entschuldigen durfte», sagt sie schließlich. Sie denkt, dass es keinen Sinn hat, nicht ehrlich zu sein. Was hat sie schließlich zu verlieren? «Ich ... ich vermisse deine Nähe. Sehr sogar.»

Als er schweigt, sagt sie: «Ich versuche nicht, dich zu irgendetwas zu drängen. Aber ich wollte einfach, dass du das weißt. Für den Fall, dass ich dich nie wiedersehe.»

«Das ist jetzt ein bisschen theatralisch.»

«Na ja, du könntest schließlich nach Südamerika ziehen oder was weiß ich.»

«Um über meinen Liebeskummer hinwegzukommen?»

«Okay. Jetzt machst du dich unbeliebt.»

Er grinst. Er schaut in seinen Becher. Dann blickt er wieder auf. «Möchtest du am Freitag ausgehen?»

Sie braucht einen Moment, um sicher zu sein, dass sie sich nicht verhört hat. «Ja», sagt sie. Und dann, mit einem breiten Lächeln: «Ja.» Dann erlischt ihr Lächeln. «Oh nein. Da ist Violets Schulaufführung. Geht auch Samstag?»

«Da muss ich wieder nach Winchester. Ich habe dort noch zehn Tage lang zu tun.»

«Donnerstag?»

«Da habe ich meinen Eltern einen Besuch versprochen.»

Sie kann ihn nicht gehen lassen. Sie kann es einfach nicht. Sie denkt nach. «Dann ... würdest du gern zu einer besonders chaotischen Schulaufführung von Peter Pan mitkommen? Und danach gehen wir vielleicht irgendwo was essen?

Bill könnte dein Anstandswauwau sein, wenn du Sorge hast, dass ich dir an die Wäsche gehe.»

«Kannst du garantieren, dass er die ganze Zeit zwischen uns sitzt?»

«Und Penelope. Ich organisiere eine ganze menschliche Mauer, um unnötige Berührungen zu verhindern.»

«Das klingt himmlisch», sagt er.

Er küsst sie nicht, als er geht, obwohl sie es sich mit jeder Faser wünscht. Sie versteht, dass zwischen ihnen zu viel passiert ist und jetzt nur überaus vorsichtige Schritte der Wiederannäherung möglich sind. Aber er berührt kurz ihre Hand und erklärt ihr, er sei froh, dass sie miteinander gesprochen haben.

Sie steht an der Haustür, die Arme gegen die Kälte um sich geschlungen, und versucht, nicht zu strahlen, als er in seinen Pick-up steigt. Er hebt die Hand zum Gruß, als er im Wagen sitzt, und sie winkt zurück. Sie wartet darauf, dass er den Motor anlässt. Und dann steigt er unvermittelt wieder aus und kommt halb gehend, halb rennend durch den Vorgarten und zieht sie in eine innige Umarmung. Und er flüstert ihr ins Ohr: «Ich hab dich auch verdammt vermisst.»

## ACHTUNDDREISSIGSTES KAPITEL

Eleanor packt auf die schnelle, hypereffiziente Art wie immer: Kleidung samt den Kleiderbügeln aufgerollt in den Plastikhüllen von der Reinigung, um egal, wo sie hinfährt, einfach in den Schrank gehängt werden zu können, zwei Paar flache Schuhe in Schuhbeuteln, eine Kulturtasche, alles wird mit der Präzision eines Tangram-Puzzles in den kleinen Koffer gelegt, und dazu zwei enorme Rollkoffer voll Make-up. Jahrelange Übung, sagt Eleanor fröhlich. Sie fliegt am nächsten Morgen um halb fünf für einen sechswöchigen Filmdreh nach Paris, und sie ist kurz angebunden, konzentriert und ein kleines bisschen distanziert, wie immer vor der Abreise zu einem Drehort.

«Also, ich finde es großartig», sagt sie und schlägt sieben Slips und zwei BHs in Seidenpapier ein.

«Wirklich? Warum nimmst du Seidenpapier?»

«Das sind teure Dessous. Ich möchte nicht, dass sie mit etwas anderem in Berührung kommen. Kannst du mir die Zahnpasta aus dem Badezimmerschrank holen?»

Lila bringt ihr die Tube. Es ist die Marke, für die Gene vor noch gar nicht so langer Zeit Werbung gemacht hat. «Ich habe Jensen gesagt, dass er mir gefehlt hat. Und ich habe mich unheimlich bei ihm entschuldigt.»

Eleanor schneidet eine Grimasse. «Ich schätze, das ist schon mal ein Anfang. Aber du wirst noch mehr tun müssen. Es wird Zeit für erwachsene Beziehungen und offenen Umgang.» Mit einem Ächzen schließt sie ihren Koffer und richtet sich wieder auf. «Im Ernst. Er ist ein guter, aufrichtiger Mann. Also gehe auch gut und aufrichtig mit ihm um.»

«Soll ich ihm erzählen, was mit Gabriel Mallory war? Vielleicht sollte ich das tun.»

Eleanor runzelt die Stirn und hievt ihren Koffer neben die Tür. Dann bleibt sie einen Moment lang nachdenklich stehen. «Ich weiß nicht. Eine enorme Fehleinschätzung könnte man noch auf Pech zurückführen. Zwei wirken wie ... Achtlosigkeit.»

«Mit anderen Worten, ich bin der Arsch.»

«Das könntest du sein. Ich denke, das musst du selbst beurteilen. Aber, hey, das sind doch tolle Neuigkeiten! Der einzige anständige Mann von ganz London ist wiederaufgetaucht!»

«Und du gehst nach Paris!»

«Um tonnenweise Käse zu essen und unsittlich von dem französischen Filmteam angeflirtet zu werden!»

«Du lebst den Traum, El.» Lila umarmt ihre Freundin heftig. «Wag es nicht, einen auf *Eat Pray Love* zu machen und nicht zurückzukommen. Du weißt, dass ich schreckliche Entscheidungen treffe, wenn du nicht da bist.» Sie scherzt, aber es liegt ein ängstlicher Unterton darin. Lila ist nicht sicher, ob sie ohne Eleanor wüsste, wer sie ist. Es ist eine ständige Offenbarung für sie, wie solche Freundschaften immer mehr an Wichtigkeit gewinnen, je älter sie werden.

«Du musst irgendwann einmal erwachsen werden, weißt du.»

«Das werde ich, wenn du es wirst.»

«Wenn du es so sagst ...»

Als Lila von Eleanor zurückkommt, wartet Jane vor der Haustür auf sie. Ihr langes graues Haar wird ihr vom Wind ums Gesicht geblasen. Sie lächelt Lila sanftmütig an. Sie ist gekommen, sagt sie, um Genes Sachen zu holen.

«Ist er bei dir?»

«Das war er. Aber Elijah – mein Lebensgefährte – wird seine Energie ein bisschen zu viel, also habe ich ihm gesagt, dass er eine andere Lösung finden muss.»

«Und jetzt bist du gekommen, um zu fragen, ob ich ihn wieder aufnehme.»

«Nein, nein. Ich will nur zwei von seinen Kartons holen. Könntest du mir zeigen, wie ich auf den Dachboden komme?»

Janes Gelassenheit könnte man eindosen und verkaufen. Lila kann sich kein weltbewegendes Ereignis vorstellen, das bei Jane mehr als ein Neigen des Kopfs und ein schwaches Lächeln hervorrufen würde. Sie macht sogenannte ganzheitliche Massagen, die anscheinend die emotionalen und spirituellen Sorgen ihrer Klienten mit einschließen, und sie achtet darauf, autark zu bleiben, sagt Jane, und nicht die Energie anderer Menschen in sich aufzunehmen. «Das wäre zu überwältigend», erklärt sie mit der Ruhe eines Menschen, der nie auch nur im Entferntesten überwältigt ist.

Lila zieht die Treppe herunter, steigt als Erste nach oben und späht zum Ende des Dachbodens. Es sind nur noch zwei Kartons da, die mit GENE beschriftet sind, die anderen muss er mitgenommen haben, als er gegangen ist. Sie zieht sie zur Dachbodenluke und reicht sie Jane. «Ich glaube, das ist alles», sagt sie, als sie wieder heruntersteigt.

Sie hilft Jane, die Kartons zu ihrem Auto zu tragen und in den Kofferraum zu stellen. Sie sind unhandlich, aber nicht besonders schwer. Und jetzt ist von ihren beiden Vätern nichts mehr in ihrem Haus. Es ist beinahe, als wären sie nie da gewesen. Lila unterdrückt den Impuls zu fragen, wie es Gene geht, was er macht, aber Jane erzählt ihr ungefragt, dass Gene zur Teilnahme an einer Comic Convention eingeladen worden ist. Sie spricht die Worte sorgfältig aus, betont jede Silbe, als wäre es etwas Seltsames und Exotisches. Es hat Interesse an einer Retrospektive zu Captain Troy Strang und den Darstellern von *Star Squadron Zero* gegeben – ein Streamingdienst hat angekündigt, die ersten drei Staffeln zu zeigen –, und Gene wird in ein paar Wochen eine Fan Convention besuchen, um ein Publikumsgespräch zu führen und Autogramme zu geben. Anscheinend stehen die Leute bis auf die Straße Schlange. Lila fragt sich kurz, ob sie das wirklich tun oder ob das wieder einmal eine von Genes Übertreibungen ist. Und dann fragt sie sich, ob diese Comic Convention überhaupt stattfindet.

«Danke, Lila. Soll ich ihm Grüße von dir ausrichten? Ich weiß, dass er dich unheimlich gerne sehen würde.»

Lila klappt den Kofferraumdeckel zu. «Nein. Aber danke.»

Jane richtet sich auf und schaut Lila direkt an. Das ist eine leicht beunruhigende Erfahrung, so als ob jemand einen glatt durchschauen würde. Sie lächelt. «Geh nicht zu hart mit ihm um. Er liebt dich. Und er hat deine Mutter wirklich geliebt.»

«Er hatte aber eine merkwürdige Art, das zu zeigen.»

«Lila, wir glauben alle gern, dass wir alles über unsere Eltern wissen, aber das tun wir nicht. Dein Vater hat eine Menge Lektionen zu spät gelernt. Eindeutig zu spät für ihn und mich, aber ich habe ihn immer noch sehr gern. Er ist ein guter Mensch.»

Lila beherrscht sich, um nicht die Augen zu verdrehen. «Kann sein. Aber er verdient es nicht, hier zu wohnen. Nicht mit uns.»

Jane steht einen Moment ganz still da, denkt vielleicht darüber nach. «Eins, was mir in meiner Praxis häufig begegnet, ist der Gedanke der Vergebung. Willst du die Fehler wiederholen, die deine Eltern begangen haben? Für den Rest deines Lebens an deiner Kränkung festhalten? Oder möchtest du diese Last ablegen?»

«Jane, bei allem Respekt ...»

«Oh, benutze nicht diese Phrase. ‹Bei allem Respekt› sagen Leute, wenn sie die Stacheln ausfahren und in Abwehrhaltung gehen.»

«Tja, vielleicht fahre ich ja die Stacheln aus und gehe in Abwehrhaltung, wenn es sich um meinen Vater dreht. Du kennst ihn eben nicht so wie ich.»

«Liebes, ich habe mit Unterbrechungen fünfzehn Jahre lang mit ihm zusammengelebt. Das ist vermutlich mehr Zeit, als du mit ihm verbracht hast. Und jetzt sage ich dir etwas. Du weißt nicht, was zwischen ihm und deiner Mutter geschehen ist. Über eine zufällige Untreue hätte ich hinwegsehen können. Aber über das Ausmaß seiner Liebe zu deiner Mutter nicht.» Während Lila zu verstehen versucht, was Jane damit sagen will, fügt sie hinzu: «Deine Mutter war kein zartes Pflänzchen, und sie hat sich auch nicht leicht zu etwas überreden lassen, was sie nicht wollte. Sie war eine starke Frau, und sie war handlungsfähig. Sie hat ihre eigenen Entscheidungen getroffen.» Jane hält ihren langen, kräftigen Zeigefinger hoch. «Und bevor du es sagst, das macht auch sie nicht zu einem schrecklichen Menschen. Das Leben ist lang und kompliziert, Lila, und wir alle machen Fehler. Worauf es ankommt, ist, was wir danach tun. Aber wenn du deine Mutter und deinen Vater als die Bösewichte in diesem Stück darstellst, ist das unangebracht, und letztlich bist du es, die darunter leidet.»

«Also hast du ihm einfach verziehen. Dass er meine Mutter gevögelt hat.»

«Natürlich. Ich habe mich dafür entschieden, keine Liebesbeziehung mehr mit ihm zu führen, aber ich werde ihn immer gernhaben, und ich bin glücklich, dass wir einander im Leben haben. Hast du nie einen Fehler gemacht?»

Lila denkt an Jensen, an das schreckliche, gestrichene Kapitel. Jane scheint ihre leichte Unsicherheit zu bemerken. «Nun, ich hoffe, wenn es so ist, dass man dir verziehen hat. Ich hoffe, die betreffende Person hat verstanden, dass du nur ein Mensch bist. Du kannst dich dein ganzes Leben an Wut und Verbitterung klammern. Aber alles, was du damit erreichst, ist, deinen eigenen Schmerz zu verlängern. Denk einfach mal darüber nach. Leg diese Last ab. Für dich und deine Töchter.»

Lila lässt sich von Jane auf die Wange küssen. Sie riecht nach Lavendel und Patschuli.

«Es war schön, dich zu sehen, Lila. Richte den Mädchen Grüße von mir aus.»

Lila wartet, bis sie das Auto angelassen hat. «Er kann trotzdem nicht hierher zurückkommen», ruft sie, während Jane aus der Einfahrt zurücksetzt. «Garantiert nicht.»

Jane lächelt, winkt fröhlich, sodass Lila nicht weiß, ob sie sie gehört hat. Es hätte vermutlich keinen Unterschied gemacht.

Lila stellt Möbel um, als Anoushka anruft. Sie hat beschlossen, dass ein Neuanfang nötig ist, dass die Umstellung des Sofas und der Sessel vielleicht verbergen wird, was fehlt, und die Räume absichtlich minimalistisch eingerichtet aussehen, oder zumindest, dass sie besser auf den Makler wirken, wenn das Haus auf den Markt kommt. Sie hat die Möbel von einem Ende des Raums zum anderen geschoben und gezogen, hat eine alte Vase und einen Krug aus einer der Umzugskisten in der Garage ausgegraben, die nie ausgepackt worden sind, und sie künstlerisch auf die Arbeitsflächen in der Küche platziert, um das Fehlen von Bills Sachen zu kaschieren. Sie hat Teppiche woanders hingelegt und Bilder umgehängt. Immer wieder sagt sie sich, dass das Haus nichts weiter ist als ein paar Wände aus Ziegeln und Mörtel. Sie wird ein neues Zuhause schaffen, ganz gleich wo sie schließlich landen. Sie werden sehr gut alleine zurechtkommen.

Sie ist so damit beschäftigt, den Fernsehtisch an die andere Wand zu schieben, dass sie beinahe den Anruf verpasst und ihn atemlos und verschwitzt annimmt.

«Liebes. Hast du einen Moment?»

«Anoushka! Ja, klar!» Lila schaut in den Wandspiegel und sieht, dass sie einen schwarzen Fleck auf dem Gesicht hat. Sie reibt daran herum.

«Ich hatte eine Idee. Ich komme gerade aus einer Besprechung mit einer neuen Klientin – eine sehr erfolgreiche Schauspielerin. Sie will ihre Memoiren schreiben. Im Moment sind alle ganz scharf auf Memoiren, vor allem, wenn sie richtig pikant sind. Ich glaube, das wird wundervoll.» Sie lässt ihre Worte wirken.

«Ich dachte, dass ich schon erklärt habe, warum ich keine Memoiren schreiben kann.»

«Nicht deine eigenen, Liebes. Ich dachte, du könntest ihr Ghost werden.»

«Ihr was?»

«Ihre Ghostwriterin. Sie selbst bringt keinen einzigen geraden Satz zustande. Sie erzählt dir die Geschichten, und du machst daraus ein tolles Buch. Wir wissen, dass du schreiben kannst, und du bist ein Genie darin, Anekdoten in Form zu bringen. Außerdem wäre es bestimmt unheimlich lustig – sie ist eine Namedropperin ohnegleichen.»

Als Lila nichts sagt, fügt Anoushka hinzu: «Die Bezahlung ist nicht gerade fantastisch, ich meine, nicht zu vergleichen mit deinem Vorschuss für die andere Sache. Und es würde keine Tantiemen geben. Aber wir können den Erfolg von ‹Erneuerung› nutzen, um zu fordern, dass du namentlich erwähnt wirst. Manche Leute mögen das sehr, weißt du, vor allem, wenn die Autorin ein gewisses Prestige hat. Ich glaube, wir könnten ein ziemlich anständiges Stand-alone-Honorar aushandeln.»

«Ich würde die Memoiren von jemand anders schreiben?»

«Genau! Das würde dich im Spiel halten, bis du weißt, was du als Nächstes machen willst, und dir ein paar Monate lang Arbeit verschaffen. Und wenn es sich gut verkauft, wird man dich für weitere derartige Projekte nachfragen. Das ist eine nette kleine Geldquelle, und dein Privatleben bleibt völlig außen vor. Soll ich dich vorschlagen?»

«Ist sie nett?»

«Herzchen, sie muss nicht nett sein. Sie ist ein Brüller. Das gesamte Material ist sehr gut.»

Das ist Anoushka-Sprech für *Sie ist der absolute Albtraum*.

«Wer ist es?»

Anoushka flüstert den Namen einer sehr bekannten Soap-Darstellerin, deren Alkoholprobleme und stürmische Beziehungen ausführlich in der Boulevardpresse durchgehechelt worden sind. Diese Sexabenteuer kann man sich gar nicht vorstellen, sagt Anoushka in einem Ton, der sowohl Schockiertheit als auch ehrfürchtige Bewunderung ausdrücken könnte. Sie murmelt etwas von saudischen Prinzen, etwas von einem wirklich prominenten Schauspieler und etwas, das klingt wie «Meerschweinchen».

«Äh ... vielleicht», sagt Lila unsicher, nachdem sie beschlossen hat, nicht näher nachzufragen. «Ich glaube, du kannst mich vorschlagen. Ich werde darüber nachdenken.»

«Suuuper! Ich nehme Kontakt mit ihrem Agenten auf.»

Lila denkt den restlichen Tag über das Ghostwriting nach. Sie schaut sich ein paar Interviews der Schauspielerin an. Der Subtext von jedem einzelnen ist *absoluter Absturz*. Sie erzählt den Mädchen davon, als sie nach Hause kommen, und sie zeigen lauwarmes Interesse, während sie von ihren elektronischen Geräten abgelenkt sind, so wie sie es bei Lilas Schreibprojekten immer tun. Doch als Lila sie beim Abendessen fragt, was sie von einem möglichen Umzug halten, kommt ihre Reaktion unmittelbar und heftig.

«Warum? Ich will nicht umziehen.» Violet reißt die Augen auf und lässt das iPad auf den Tisch fallen.

«Ich dachte einfach ... na ja, jetzt, wo Bill zurück in seinem Haus ist und Gene ... Gene woanders arbeitet, könnten wir vielleicht ein kleineres Haus kaufen. Das wäre ökonomischer. Und einfacher zu unterhalten. Ihr wisst ja, dass hier dauernd irgendetwas kaputtgeht.»

«Aber wohin würden wir gehen?»

«Wir würden in der Gegend bleiben, uns nur etwas Kleineres suchen. Vielleicht drei Schlafzimmer statt fünf. Vielleicht auch etwas Modernes.»

Die beiden wechseln einen Blick, und Lila weiß nicht recht, was zwischen ihnen vorgeht. «Das wäre doch eine nette Abwechslung, oder?», wagt sie sich vor.

«Mir gefällt unser Haus», sagt Violet.

«Ich will nirgendwo anders hin», erklärt Celie mit finsterer Miene. «Das hier ist unser Zuhause.»

«Ich will keine Veränderungen mehr», sagt Violet. «Es hat sich schon zu viel verändert.»

Ihre Stimme schwankt, und sie scheint den Tränen so nah, dass Lila einen Rückzieher macht, sagt, es sei nur so eine Idee gewesen, ihre Tochter umarmt und erklärt, dass alles in Ordnung ist, dass sie bleiben, dass sich nichts ändern wird.

Und als Anoushka am nächsten Tag anruft, um zu sagen, dass die Schauspielerin absolut begeistert ist, «Erneuerung» zu ihren Lieblingsbüchern gehört und sie Lila gern in der Woche darauf treffen würde, um alles zu besprechen, sagt Lila, mit so viel Enthusiasmus, wie sie nur aufbringen kann, dass sie auch begeistert ist.

Im Augenblick ist die Stabilität der Mädchen das Allerwichtigste. Die Schauspielerin muss nicht nett sein. Und Lila hofft, dass sie sich bei der Sache mit dem Meerschweinchen verhört hat.

## NEUNUNDDREISSIGSTES KAPITEL

## Celie

Mum hat mindestens eine Stunde im Bad verbracht, um sich fertig zu machen. Sie hat sich die Haare mit dem Lockenstab in Wellen gelegt, wie sie es gemacht hat, wenn sie zu einem ihrer Bücher interviewt wurde, und sie trägt ihren dunkelrosa Hosenanzug aus Samt, den sie nur zu besonderen Gelegenheiten anzieht, vor allem, weil Truants Haare daran hängen bleiben. Sie sieht überhaupt nicht aus wie jemand, der zu einer Aufführung in der Grundschule geht, aber als sie beiläufig erwähnt, dass Jensen mitkommen wird, zählt Celie zwei und zwei zusammen. Als er in schicken Jeans und einem dunkelblauen Hemd ankommt, lächelt ihn Mum immer wieder schüchtern an, ist seltsam aufgedreht, tut aber Celie gegenüber so, als wäre nichts. Offenbar denkt sie, Celie wäre blind. Aber Jensen ist in Ordnung. Er scheint nicht so ein Typ zu sein wie der Ex von Martins Mum, der hatte klargestellt, dass er ihre Kinder nicht um sich haben will, und immer die Fernbedienung in der Hand behalten, damit Martin nicht seine eigenen Sendungen sehen konnte.

> Meine Mum hat dauernd dieses dämliche künstliche Lachen drauf, wenn Jensen was Lustiges sagt. Das ist richtig peinlich.

Martin antwortet sofort.

Meine Mum hat immer so pseudovornehm gesprochen.
Ich habe sie immer Ihre Majestät genannt, wenn er da
war, um sie zu ärgern.

Sie fahren mit Jensens Pick-up. Er hat vorne drei Sitze, was eigentlich ziemlich cool ist, aber Celie lässt sich nichts anmerken. Mum sagt, sie treffen Bill und Penelope in der Schule. Als sie ankommen, hilft Penelope ihm aus dem Auto, als wäre er ein Invalide oder so was. Er trägt seinen Tweedanzug mit der passenden Weste, und Penelope hat sich mit einer Art chinesischem Seidenschal und einem großen Glitzerkamm im Haar fein gemacht. Es ist schon erstaunlich, dass so alte Leute das überhaupt versuchen.

Dad hat eine Nachricht geschickt, um zu sagen, dass er zu der Aufführung kommt, aber bei Marjas Mutter sitzen wird, weil Marja noch im Krankenhaus und Hugo «ein bisschen wacklig» ist. Er hat immer noch nichts zu ihrer Aktion mit den Parfüms gesagt. Celie denkt, er macht sich Sorgen um das Baby, und ein Teil von ihr will dem Baby danken, weil es die Aufmerksamkeit von ihr ablenkt. Vor allem hofft sie aber, dass ihre Mum und ihr Dad nicht anfangen zu streiten, so wie bei der Weihnachtsaufführung.

In der Schule ist es schon total voll, obwohl Celie gedacht hat, sie wären früh dran. Sie entdeckt ein paar ihrer alten Lehrer und duckt sich weg, damit sie nicht mit ihnen reden muss. Die Leute holen sich an einem langen Tisch im hinteren Teil des Saals ein Glas Wein und setzen sich. Die Väter sehen aus, als wären sie lieber im Büro, und die Mütter versuchen, Kleinkinder zu bändigen. Am Ende des Tischs stehen Pappbecher mit Saft und Schokokekse für die Kinder. Celie steckt zwei für den Fall ein, dass sie während des Stücks Hunger bekommt. Sie ist ein bisschen sauer auf Mum, weil sie darauf bestanden hat, dass sie zu dieser kindischen Aufführung mitkommt. Sie muss ihre Charakterstudien für den Animationskurs fertig machen, und das wird Stunden dauern, außerdem kriegt sie immer noch keine Hände hin, die keine Wurstfinger haben. Sie erspäht ihren Dad auf der rechten Seite des Saals. Als er aufsteht und winkt, geht sie rüber, um Hallo zu sagen, und hofft, dass Mum es nicht mitbekommt, weil sie und Jensen sich gerade mit Bill und Penelope Plätze suchen. Auch wenn Mum sagen würde, dass es in Ordnung ist, wenn sie bei Dad sitzt, weiß Celie, dass sie sich dabei komisch fühlen würde, und dann würde sie es überspielen und so tun, als wäre alles vollkommen okay, was sich irgendwie noch schlimmer anfühlen würde. Manchmal machen die ganzen Gefühle, die es in ihrer Familie gibt, Celie richtig fertig.

Es ist komisch, Dad so lange nicht gesehen zu haben, als würde er gar nicht mehr zu ihrer Familie gehören. Er sieht älter aus als bei ihrer letzten Begegnung, und er hat definitiv einen Haarschnitt nötig. Marjas Mutter, die sehr glamourös ist für eine alte Frau, mit dichtem blondem Haar wie Marja, steht auf, um sie zu umarmen, und Celie lässt es sich gefallen, obwohl sie sich ein bisschen unbehaglich dabei fühlt. Sie ist schließlich nicht ihre Großmutter oder so. Aber Bill ist ja auch nicht ihr Grandpa, fällt ihr auf. Vielleicht wird ihre Familie von jetzt an einfach ein Haufen nicht richtig zusammengehörender Leute sein.

Dad scheint dankbar dafür zu sein, dass sie sich hat umarmen lassen. Er legt ihr immer wieder die Hand auf die Schulter und sagt, dass es schön ist, sie zu sehen, und dass es ihm leidtut, dass er nicht für sie da war. Celie will ihm nicht sagen, dass es ihr ohne ihn ziemlich gut gegangen ist.

Mrs. Tugendhat, die genauso aussieht wie vor fünf Jahren,

als Celie die Grundschule verlassen hat, kommt herüber und sagt, sie könne es nicht fassen, wie groß sie geworden sei (warum sagen alte Leute das immer?), dann nimmt sie Mum zur Seite und sagt, dass ihr Vater unglaublich ist, dass er unglaublich gewesen ist. Alles wird unglaublich werden. Mum schaut kurz zu Bill hinüber, der ein bisschen verwirrt aussieht. Celie beobachtet sie, versucht zu erahnen, was als Nächstes kommt, aber dann flüstert jemand Mrs. Tugendhat etwas ins Ohr, und sie entschuldigt sich und eilt hinter die Bühne.

Dann fragt Dad, wen Violet spielt, und Celie sagt, dass sie es nicht weiß. Er sagt, Hugo hat eine große Rolle und Angst, seinen Text zu vergessen, als müsste das Celies Sorge sein, und sie versucht, interessiert zu gucken, weil ihr Dad immer will, dass sie so tut, als wäre Hugo ihr Bruder. Aber in Wirklichkeit will sie nur zu ihrem Platz, weil sie befürchtet, dass Mum ihr keinen freihält, und sie dann neben Fremden sitzen muss, also sagt sie, dass sie aufs Klo muss, und geht hintenherum aus dem Saal und kommt auf der anderen Seite wieder herein, um Dad nicht zu kränken.

Mum hat ihr einen Platz freigehalten – rechts neben ihr, Jensen sitzt auf ihrer linken Seite, und daneben sitzen Bill und Penelope. Sie sind vier Reihen hinter Dad und Marjas Mutter, und Celie fühlt sich beklommen, weil Mum die beiden ganz bestimmt sehen kann, aber wenigstens ist Marja nicht da. Penelope macht ein ständiges Getue um Bill, fragt, ob er es warm genug hat und ob sie ihm noch ein Wasser holen kann. Celie bekommt mit, dass ihn das ein bisschen nervt, aber er tätschelt Penelopes Hand und sagt ihr, dass sie sehr lieb ist, aber wirklich aufhören soll, sich Sorgen zu machen. Also deutet Penelope auf Kinder, denen sie Klavierstunden gegeben hat, und wird dann rot, als hätte sie angegeben oder so.

Wenn meine Eltern sich hier noch einmal streiten, bringe ich mich um, schreibt sie Martin.

Hey, zumindest musst du dir dann keine Kinderaufführung mehr ansehen, antwortet er.

Die Holzstühle sind immer noch dieselben wie früher. Celie hat einen merkwürdigen Erinnerungsblitz an das Gefühl von Langeweile und Beschütztheit, das sie immer in der Grundschule hatte, bevor alles schiefgelaufen ist, bevor ihre Freundschaften in die Brüche gegangen sind und bevor sich Mum und Dad getrennt haben.

Und dann passiert es. Sie hört Mum sagen: «Oooh nein.» Einen Moment lang denkt Celie, es hätte was mit Dad und Marja zu tun, und ihr Magen verkrampft sich, aber als sie Mums Blick folgt, sieht sie Gene am Rand des Saals. Er trägt seine Lederjacke und ein richtig grausames T-Shirt mit einem Mann, der einen Joint raucht vorne drauf. Er kommt an das Ende ihrer Sitzreihe. Mum sieht Jensen an und sagt etwas. Dann steht sie auf und geht zu Gene, was kompliziert ist, weil inzwischen fast alle Leute sitzen. Celie hat Mum nichts von Gene erzählt und spürt, wie sich in ihr ein Angstknoten bildet.

«Bleib weg. Ich habe dich gebeten, dich fernzuhalten. Ich möchte nicht riskieren, dass Bill etwas passiert. Kannst du das denn nicht verstehen?»

Celie sitzt nur vier Plätze vom Ende der Sitzreihe entfernt und bekommt alles mit, was Mum sagt. Sie schätzt, dass all die anderen Eltern es auch hören können, denn es ist still geworden, und die Leute sehen eindeutig her. Sie schaut nach links. Jensen beobachtet Mum, und Bill starrt geradeaus, aber er weiß, dass Gene da ist, das zeigt sein angespannter Blick.

«Ich will nur mit ihm reden.» Genes Stimme ist immer zu laut.

«Auf gar keinen Fall.»

Oh Gott, schreibt sie Martin. Mein anderer Großvater ist aufgetaucht, und er und Mum streiten. Ich will sterben.

Martin antwortet erst nach einer Minute, dann schreibt er nur:

Oh Shit.

«Schätzchen», sagt Gene. «Er muss die Wahrheit erfahren.»

«Das muss er absolut nicht. Du wirst nicht mit ihm reden.»

Jetzt schauen alle her, ein Raunen geht durch die Reihen. Celie sinkt auf ihrem Stuhl zurück. Warum ist ausgerechnet ihre Familie die einzige Familie auf der Welt, die so etwas tut? Warum kann sie keine normale Familie haben, in der die Leute sich den Bauch vollschlagen und miteinander klarkommen?

«Lila. Süße. Lass mich mit ihm reden.»

«Gene, ich schwöre dir, wenn du nicht sofort die Schule meiner Tochter verlässt, rufe ich die Polizei und lasse dich rauswerfen.»

«Zwei Minuten. Das ist alles, worum ich bitte.»

Mum ist rot angelaufen. Sie zischt wütend: «Geh nach Hause, Gene. Ich setze mich jetzt wieder zu Bill, und du musst gehen.»

Bei dem Wort Polizei ist Jensen aufgestanden und an Celie vorbei zu Gene gegangen, was bedeutet, dass die vier Leute bis zum Ende der Sitzreihe wieder aufstehen mussten. Oh, super. Jetzt sind noch mehr Leute einbezogen. Jemand in der Reihe hinter ihnen fragt in jammerndem Tonfall, was los ist. Celie überlegt, ob sie sich einfach in der Toilette verstecken soll. Mum kommt zurück, setzt sich neben sie und beugt sich zur Seite, um sich bei Bill zu entschuldigen.

«Wir sorgen dafür, dass er geht. Es tut mir wirklich leid.» Bill sagt kein Wort.

Jensen steht vor Gene, versperrt ihm die Sicht. Gene legt ihm die Hand auf den Arm. «Jensen, Sie müssen mir helfen. Ich will das klären.» Celie sieht, wie sie sich flüsternd unterhalten. Jensen nickt. Gene sieht nicht aus, als würde er bald abziehen. *Bitte geh einfach*, denkt Celie und spürt, dass die Blicke des gesamten Saals auf ihre Familie gerichtet sind. Sogar die Leute in den vorderen Reihen drehen sich auf ihren Stühlen herum, um zu sehen, was los ist.

Jensen geht wieder zu Mum, was bedeutet, dass die vier Leute wieder kurz aufstehen müssen. Sie wirken langsam ein bisschen stinkig. Mum ist total sauer. «Geht er?»

Jensen sagt leise: «Er möchte Bill etwas sagen. Er meint, er kann es ihm durch mich mitteilen.»

«Wie bitte?»

«Du willst nicht, dass Bill mit ihm redet. Aber ich kann ... es übers Telefon weitergeben. Ich glaube, das könnte wirklich nützlich sein.»

Lila sieht Jensen ungläubig an. «Oh zum Teufel. Und wieso?»

«Hör ... hör ihm einfach zu. Danach hat er versprochen zu gehen.»

Mum schaut Bill an und dann Gene, der am Ende der Sitzreihe steht und sie beobachtet. Sie sieht aus, als wüsste sie nicht, was sie tun soll. Ihre Miene wird ein bisschen weicher, als sie Jensen anschaut, und sie senkt die Stimme. «Wirst du es abbrechen, wenn du den Eindruck hast, dass es alles nur schlimmer macht? Ich möchte nicht, dass ...»

Jensen legt seine Hand auf ihre. «Wenn nötig, werde ich ein sehr vorsichtiger Übersetzer sein.»

Mum denkt erneut nach, dann wendet sie sich seufzend

an Bill. «Möchtest du dir einfach anhören, was Gene zu sagen hat? Dann geht er, hat er gesagt.»

Bill räuspert sich ausgiebig, dann erklärt er mit einem Seitenblick: «Er sollte sich besser kurzfassen. Ich möchte nicht, dass die Aufführung meiner Enkelin gestört wird.»

Das Schulorchester kommt herein. Es sind winzige Drittklässler mit Triangeln und Tamburinen und größere Sechstklässler mit Gitarren und einer Klarinette, die von mehreren Lehrkräften zu ihren roten Plastikstühlen vor der Bühne geführt werden. Die Aufführung beginnt jeden Moment, und ihre Familie führt immer noch ihr Drama auf. Celie sinkt noch tiefer in ihren Stuhl. Jensen nickt Gene zu, und Celie sieht, wie er etwas in sein Handy tippt. Jensens Handy meldet sich mit einem Disco-Klingelton, was dazu führt, dass ein Haufen Eltern in ihrer Nähe anfangen, missbilligend zu tuscheln und auf ihren Stühlen herumzurutschen. Jensen hebt entschuldigend die Hand. Er hebt das Handy ans Ohr und hört zu. Dann beugt er sich zu Bill. «Er möchte dir sagen, dass es ein Riesenmissverständnis gegeben hat.»

«Ich bin an nichts interessiert, was dieser Mann zu sagen hat.» Bill hält den Blick geradeaus gerichtet.

«Er sagt, das interessiert ihn nicht ... Okay ... okay.» Jensen hört zu, dann beugt er sich wieder zu Bill. «Er sagt, du hast eine falsche Vorstellung von der Zeit, die er und Francesca zusammen verbracht haben. Ihm ist klar geworden, dass du dachtest, sie hatten Sex. Aber das hatten sie nicht. Sie haben nur gemeinsam herumgehangen.»

*Sex?* Was soll das denn? Kommt jetzt auch noch Alten-Sex ins Spiel? Celie würde bei der Vorstellung, dass dermaßen alte Leute auch nur an Sex *denken*, am liebsten würgen. Sie legt kurz ihr Gesicht in die Hände. Sie glaubt nicht, dass dieser Abend noch schlimmer werden kann.

Jensen redet immer noch, und zwar mit zu lauter Stimme, obwohl er versucht, leise zu sein. «Er sagt, sie wollte einfach nur feiern. Sich wieder jung fühlen. Sie war mit Gene und dem Filmteam in einer Bar, sie hat getanzt und sich amüsiert, und am nächsten Tag hat er sie nicht mehr gesehen – er denkt, sie war in Dublin shoppen. Oder vielleicht zu Besuch bei ihrer Freundin. Aber das war alles.»

Bill dreht sich auf seinem Stuhl um. «Und warum hat er mir dann gesagt, dass er mit ihr geschlafen hat?»

«Das hat er nicht», sagt Mum nach einem Moment. «In dem Brief stand nur, dass sie ihn getroffen hat.»

Bill sieht Mum an. «Er hat nicht mit Francesca geschlafen?»

Jensen sagt laut in sein Handy: «Bill fragt, ob Sie definitiv nicht mit Francesca geschlafen haben.»

Sie schauen Gene an, der immer noch am Ende der Sitzreihe steht. Gene schüttelt den Kopf und schneidet eine Grimasse. Er sagt etwas in sein Handy. Jensen hört zu und sagt: «Er meint, Francesca hätte nie einen anderen Mann angeschaut. Das war alles ein schreckliches Missverständnis.»

Bill ist total fassungslos. Beinahe genauso wie die Eltern um ihn herum, die nicht glauben können, was sie da mitanhören.

«Bist du absolut sicher?», fragt Bill.

Jensen spricht in sein Handy. «Er fragt, ob Sie absolut sicher sind.»

Jensen nickt zu dem, was auch immer Gene sagt. Dann legt er seine Hand über das Mikro. «Er sagt: Bill, alter Kumpel, die Drogen haben vielleicht einen Großteil meiner grauen Zellen ruiniert, aber daran würde ich mich definitiv erinnern. Sorry, Celie.»

«Ganz ehrlich, das ist so was von nicht der schlimmste Teil dieser Unterhaltung.»

Bill blinzelt. «Sagt er die Wahrheit?»

«Sagen Sie die Wahrheit?» Jensen nickt wieder und wendet sich dann an Bill. «Er sagt, großes Pfadfinderehrenwort. Er möchte nicht gehen, ohne dass du die Wahrheit kennst.»

Etwas Seltsames ist mit Bill geschehen. Er starrt auf seine Hände. Und er schüttelt den Kopf. Und dann sieht er Penelope an. «Oh mein Gott», sagt er, «ich fühle mich wie ein richtiger Dummkopf.»

Und ich fühle mich, als würde es mir gleich hochkommen, denkt Celie.

«Du musst dich nicht wie ein Dummkopf fühlen», sagt Mum mit seltsam dumpfer Stimme. «Das konnte man leicht missverstehen.»

Bill sagt wieder: «Sie hat nicht mit ihm geschlafen.» Penelope lächelt ihn auf ihre rührselige Art an. «Natürlich hat sie das nicht getan, Liebling. Natürlich musste es eine Erklärung dafür geben.»

Mum starrt Gene an. Bill ist immer noch geschockt. «Oh mein Gott», sagt er. «Oh mein Gott. Anscheinend habe ich für ziemliche Aufregung gesorgt.»

Nein, erklären sie ihm. Das war keine Aufregung.

Jemand hat das Licht gedimmt. Es wird still im Saal. Jensen flüstert weiter, als könnte ihn niemand hören. «Er sagt, das Missverständnis tut ihm leid, und er weiß jetzt, dass er dir von ihrem Besuch in Dublin hätte erzählen sollen, aber er hat es für so unbedeutend gehalten, dass er sich damals überhaupt nichts dabei gedacht hat.»

Im Orchester werden die Instrumente gehoben. Eine Musiklehrerin, die Celie nicht kennt, steht davor, die Hände gehoben wie eine richtige Dirigentin.

Bill sieht Gene an. «Sag ihm Danke. Danke, dass er das aufgeklärt hat. Das ist sehr ... anständig von ihm.»

Inzwischen haben die Leute um sie herum angefangen zu zischen, sagen ihnen, sie sollen ruhig sein, sollen jetzt bitte zum Teufel noch mal aufhören zu reden. Inzwischen gibt es ungefähr achthundert Gründe, aus denen Celie am liebsten sterben will. Jensen setzt sich neben Mum, beugt sich vor, sodass er weiter mit Bill sprechen kann. «Er sagt, das ist sehr anständig von dir ... Und er sagt, wenn du mal ein Treffen willst, ist er dabei.»

«Guter Gott.» Bill verdreht die Augen. «Er hört einfach nie auf.»

Und dann setzt die Musik ein. Celie schaut zum Ende der Sitzreihe hinüber, aber Gene ist im Dunkeln verschwunden. Und als sie sich wieder ihrer Mutter zuwendet, sieht Celie ziemlich überrascht, dass sie aussieht, als würde sie gleich anfangen zu weinen.

## VIERZIGSTES KAPITEL

## Lila

Während der ersten Minuten der Aufführung kann sich Lila nicht konzentrieren. Sie hat Schwierigkeiten zu verarbeiten, was gerade passiert ist, dass Gene Bill einfach angelogen hat. Sie muss an das denken, was Jane gesagt hat: *Über eine zufällige Untreue hätte ich hinwegsehen können. Aber über das Ausmaß seiner Liebe zu deiner Mutter nicht.* Gene musste irgendeinen Hintergedanken haben, sagt sie sich. Das ist bei Gene immer so.

Jensen beugt sich zu ihr. «Alles okay?», murmelt er.

«Das war so seltsam», flüstert sie. «Weil er definitiv mit Mum geschlafen hat.»

«Aber warum sollte er deswegen lügen?»

«Ich habe keine Ahnung.» Und dann sagt jemand hinter ihnen verärgert «Ich muss doch sehr bitten», und Jensen setzt sich wieder gerade auf seinen Stuhl. Violet erscheint auf der Bühne. Sie tritt in einem schlecht sitzenden silbernen Kleid und erfüllt von ihrem unfassbaren, anscheinend angeborenen Selbstbewusstsein ohne das geringste Zögern ins Rampenlicht und beginnt, ausgestattet mit einer großen Schriftrolle, die Hintergrunderzählung vorzutragen: Die Darling-Kinder sind in ihrem Schlafzimmer, ihre Eltern machen sich zum Ausgehen fertig.

Lila atmet durch, versucht, die letzten paar Minuten aus

ihrem Kopf zu verdrängen, und lehnt sich auf ihrem harten Holzstuhl zurück, genau wie sie es schon bei Dutzenden solcher Schulaufführungen getan hat, gefasst auf die merkwürdige Mischung aus Gerührtheit und Langeweile, auf die Art, wie man sich als Eltern zugleich wünschen kann, dass diese Momente fünf Minuten und ein Leben lang dauern. Während Violet die Szene beschreibt, die sie vor sich haben, wandert Lilas Blick über das Publikum. Zwei Reihen vor ihr sitzt Philippa Graham neben einem langsam kahl werdenden Mann in einem Büroanzug, der eindeutig gerade erst von der Arbeit gekommen ist. Er hat ein Extraglas Rotwein unter seinen Stuhl gestellt. Weiter vorn kann sie gerade so Gabriel Mallory neben seiner Mutter ausmachen. Er fährt sich mit der Hand durch sein glattes Haar, checkt kurz sein Handy und wirft, vermutlich weil ihm klar ist, dass das nicht gern gesehen wird, einen Blick über die Schulter. Lila wendet das Gesicht ab. Seltsamerweise empfindet sie inzwischen praktisch nichts mehr für ihn, bis auf eine vage Verärgerung darüber, dass sie ihn während der nächsten paar Jahre auf dem Schulhof sehen muss. Bei dieser Vorstellung denkt sie an ein schlechtes Essen, nach dem man aufstoßen muss. Eine Erinnerung an ihre Eitelkeit und ihre Dummheit vielleicht.

«Er hat gesagt, ich muss erwachsen werden, aber ich will nicht erwachsen werden, Mutter!», deklamiert Wendy auf der Bühne und kratzt sich abwesend am Bein.

«Niemand will erwachsen werden, Wendy», sagt Mrs. Darling mit der übertriebenen Stimme einer Haushälterin aus einem Historienfilm. Ein leises Lachen geht durchs Publikum.

Und dann, Augenblicke später, betritt durch eine Lücke in der gemalten Kulisse Peter Pan die Bühne. Nur dass dieser Peter Pan keine grünen Strumpfhosen mit einer Tunika trägt.

Er trägt ... eine weinrote zweiteilige Uniform mit silbernen Epauletten und über der rechten Brust etwas, das nach den Ringen des Saturns aussieht. Im Publikum wird überrascht gemurmelt. Die Uniform erscheint Lila merkwürdig vertraut. Sie starrt hin. Und dann wird es ihr klar. Es ist ein *Star Squadron Zero*-Kostüm. Das Kostüm, das ihr Vater bei der Fernsehserie getragen hat. Ein paar Minuten darauf treten die verlorenen Jungs auf, auch sie in *Star Squadron Zero*-Kostümen.

Als Captain Hook erscheint, ist er ein Außerirdischer mit einem Schuppenkopf und einem grünen, elefantenartigen Rüssel. Lila erkennt ihn sofort: Vor diesem Außerirdischen hat sie sich als Kind schrecklich gefürchtet. Das war der Moment gewesen, in dem Francesca ihr verboten hatte, die Serie ihres Vaters im Fernsehen zu schauen, die sie für die Albträume verantwortlich machte, die anhielten, bis Lila zehn war. Die ganze Aufführung, begreift sie jetzt, findet in *Star Squadron Zero*-Kostümen statt. Das Stück ist leicht verändert worden – Captain Hook ist jetzt ein interplanetarischer Schurke, und das Krokodil ist eine Weltraumechse. Das Piratenschiff ist ein Raumschiff und Nimmerland ein Planet, dessen Hintergrund eines dieser altmodischen Fotos von der Mondoberfläche mit Kratern und einer Flagge bildet.

Die Eltern um sie herum lachen, als die verlorenen Jungs in ihren viel zu großen Uniformen (wenn man genau hinsieht, kann man die Sicherheitsnadeln und die groben Stiche ausmachen, die sie zusammenhalten) gegen die Weltraumpiraten kämpfen. Tinkerbell ist eine Astronautin, ihr Haar eine silberne Bienenkorbfrisur, wie die von Troy Strangs einstiger zeitweiliger Angebeteter Vuleva.

Hugo spielt Michael, das jüngste der Darling-Kinder. Lilas Herz macht unwillkürlich einen Satz, als sie Hugo sieht, so als wäre er das Symbol für so vieles, was sie verloren hat. Er hat keinen Text – oder wenn, hat er ihn vergessen. Seine Rolle scheint daraus zu bestehen, sich langsam von einem Ende der Bühne zum anderen zu bewegen, während die anderen Kinder um ihn herum ihren Text deklamieren oder von Mrs. Tugendhat vom Bühnenrand aus dazu aufgefordert werden. Gelegentlich flüstert ihm jemand etwas ins Ohr, aber er scheint völlig erstarrt.

Die Aufführung nimmt ihren Gang, durch Nimmerland, den Tod Hooks durch die Weltraumechse (was gutmütigen Beifall im Publikum auslöst), einen leicht chaotischen Tanz mit einstmaligen «Indianern», die jetzt eine Besatzung von einem anderen Raumschiff sind (ihre Uniformen sind aus goldenem Lurex und sehen eindeutig nach den Siebzigerjahren aus). Es gibt Songs wie «You Can Fly» und «Following The Leader», die aus dem Film stammen, mit bizarr zusammengewürfelter musikalischer Begleitung, die nur streckenweise harmonisch klingt. Die kleinsten Musiker rutschen auf ihren Stühlen herum und unterbrechen gelegentlich ihr Spiel, um verstohlen ihren Eltern zuzuwinken. Neben Lila lacht Jensen immer wieder, bricht in Gekicher aus und genießt offenbar das Chaos auf der Bühne. Er war sofort zum Mitkommen bereit gewesen, dazu, ein Teil von alldem zu sein, und hatte sich freudig auf ihre Welt eingelassen, statt zu erwarten, dass sie ihn zum Zentrum ihrer Aufmerksamkeit machte. Sie ertappt sich dabei, ihn anzusehen, fragt sich, wie sie ihn jemals weniger attraktiv als Gabriel Mallory finden konnte. Sie kann kaum noch neben ihm sitzen, ohne ihn berühren zu wollen, und während sie der Aufführung zuschauen, streckt sie ihre Hand aus und legt sie in seine. Unwillkürlich schließen sich seine Finger um ihre Hand, und er sieht sie kurz an und lächelt, als hätte sie das alle beide überrascht.

Um Lila herum flüstern die Eltern, und sie hört die Ausrufe stolzer Großeltern, wenn ihr Kind aufs Stichwort erscheint. Heimlich werden Handys gehoben, um Fotos zu machen, und sie spürt, wie etwas in ihr nachgibt, wie eine lang währende Anspannung langsam nachlässt, ersetzt wird von einem Staunen über die Vergänglichkeit von allem und darüber, wie das zugleich herrlich und herzzerreißend sein kann. Lila schaut Violet zu, die wiederholt aus den Kulissen auftaucht, um zu erklären, was geschehen wird, oder um eine Lücke in der Handlung zu überbrücken. Ihre Stimme ist klar und fest, und Lila fragt sich, was für eine junge Frau wohl aus ihr werden wird. Wird sie dieses Selbstvertrauen behalten? Oder wird das Leben es ihr austreiben, sie in eine Rolle pressen, die sie sich nie gewünscht hat, wie es so vielen passiert? *Bleib, wie du bist, mein Liebling*, sagt sie in Gedanken zu ihr. *Bleib einfach, wie du bist, mit Pupswitzen, deplatzierter Rap-Musik und allem anderen.*

In der Schlussszene erzählt Wendy, wieder in ihrem Nachthemd, ihrer Mutter von ihren Abenteuern. «Schau mal, Mutter, siehst du, wie gut er das Raumschiff steuert? Geradewegs in eine andere Galaxie!»

Ausnahmsweise scheint «Michael» etwas sagen zu müssen. Er dreht sich um und schaut ins Publikum. Das Mädchen, das Wendy spielt, wendet sich an Hugo. «Erzähl es Mutter – hatten wir nicht ein tolles Abenteuer, Michael?» Die Mutter wartet gespannt, der Vater hält sich an ihrer Seite und rückt seinen falschen Schnurrbart zurecht.

Nichts geschieht.

Schließlich versetzt Wendy Hugo einen kräftigen Schubs. Vielleicht ist es die Anspielung auf Mütter, die ihn überwältigt. Vielleicht ist es das Rampenlicht oder auch die Tatsache, dass er vor hundertfünfzig hingerissenen Eltern sprechen muss. Denn Hugo schaut einfach nur ins Publikum, und sein kleines Gesicht verzieht sich. Lila sieht, wie unter dem hellen Scheinwerfer eine Träne über seine Wange rollt.

Es entsteht eine gewisse Stille in einer Schulaula, wenn klar wird, dass ein Kind auf der Bühne tatsächlich traumatisiert ist und niemand so recht weiß, was er tun soll. Der kleine Junge steht im Scheinwerferlicht, unfähig, sich zu rühren. Er schluckt sichtbar. Oh nein, denkt Lila, das arme Kind. Und dann steht plötzlich Celie neben ihr auf. «Los, Hugo!», ruft sie ihm zu. «Du schaffst das!»

Sie fängt an zu klatschen, errötet dabei heftig, so sehr bemüht sie sich. Hugo sieht auf und registriert sie. «Los, Hugo!», sagt Celie erneut.

Lila sieht Dan im Halbdunkel aufstehen, andere Eltern erheben sich von ihren Sitzen, um ihn durchzulassen. Er kauert sich an die Seite der Bühne, versucht, etwas zu Marjas Sohn zu sagen. Der ganze Saal blickt auf dieses kleine Kind, für das dieser Abend und vielleicht auch die letzten Wochen eindeutig zu viel waren.

«Ja, Hugo!», sagt Celie. Sie wirft Lila einen beunruhigten Blick zu, fürchtet offenkundig, dass ihr das als illoyal ausgelegt werden könnte. Und da gibt etwas in Lila nach.

Plötzlich steht sie neben ihrer Tochter.

«Ja, Hugo!», sagt sie und beginnt zu klatschen. «Los! Du kannst das!»

Und auf einmal jubeln noch andere Eltern ihm zu und rufen seinen Namen. Ein paar Kinder treten auf der Bühne nach vorn, ermutigen ihn, murmeln ihm etwas zu, eine richtige Welle performativer Hilfsbereitschaft geht durch die Besetzung. Wendy flüstert Hugo etwas ins Ohr. Er nickt, dann wendet er sich wieder dem Publikum zu.

Ruhe kehrt ein. Es fühlt sich an, als würde das gesamte

Publikum gemeinsam den Atem anhalten. Hugos Augen weiten sich, und einen Moment lang sieht er aus, als würde er wieder anfangen zu weinen. Dann schluckt er, und seine hohe Kinderstimme tönt leicht schwankend in die Stille: «Ich ... ich wusste, dass Peter Pan uns retten würde.»

Und plötzlich klatscht Lila, und Celie jubelt, stößt die Faust in die Luft, und Jensen steht neben ihr auf und ruft auch etwas. Und das ganze Publikum klatscht und jubelt, sodass die letzten Sätze auf der Bühne im Applaus untergehen. Und Lila spürt, wie Jensens Finger ihre umschließen, und etwas in ihrer Brust scheint zu zerplatzen, sie hat Tränen in den Augen, und sie nimmt mit der anderen Hand die Hand von Celie, und ihre Blicke begegnen sich, und Lila nickt. «Gut gemacht», sagt sie leise zu ihrer Tochter, und ausnahmsweise einmal erwidert Celie ihr Lächeln und hält ihre Hand fest.

Sie ist auf dem Weg nach draußen, um frische Luft zu schnappen, als sie von Mrs. Tugendhat aufgehalten wird, die mit erhitztem Gesicht eine Hand auf die Brust presst. «Oh, Lila, was für ein Abend. Was für eine großartige Arbeit Ihr Vater geleistet hat. Die Kinder haben es einfach geliebt, mit ihm zu proben.»

Dieses Mal muss Lila nicht fragen, was sie meint. Sie fühlt sich plötzlich wie ausgehöhlt von den Ereignissen dieses Abends. «Ich ... es war eine tolle Aufführung, Mrs. Tugendhat. Ganz toll. Es tut mir wirklich leid, dass ich nicht mehr helfen konnte.»

Mrs. Tugendhat ist eindeutig in Hochstimmung vor Erleichterung, dass alles wie geplant gelaufen ist. «Ein wahrer Lichtblick, meine Liebe. Ihr Vater ist der geborene Pädagoge. Die Kinder waren vollkommen begeistert von seiner Art.

Und sie haben die Kostüme geliebt, obwohl ein paar ziemlich voller Motten waren! Ich glaube nicht, dass wir je eine bessere Aufführung hatten.»

Lila sträubt sich beinahe zu fragen. «Wie ... wie lange hat er denn geholfen?»

«Das müssen inzwischen vier, fünf Wochen sein. Es war so nett von Ihnen, das vorzuschlagen, Lila. Dass er die Kostüme gebracht hat, war ein Segen. Aber in Wahrheit waren es die Schauspielerei und die Begeisterung, die alles zum Leben erweckt haben. Es kommt nicht oft vor, dass man einen richtigen Hollywoodstar bei einer Schulaufführung hat! Und dass man echte Hollywood-Requisiten benutzen kann! Meine früheren Kolleginnen an der St. Mary's sind grün vor Neid, das kann ich Ihnen sagen!»

Sie blickt über die Köpfe der Eltern hinweg zum Bühnenhintergrund. «Jetzt muss ich Mr. Darling suchen. Anscheinend hat es ein kleines Malheur gegeben. Zu viel Aufregung, denke ich. Oder vielleicht auch zu viel Apfelsaft. Entschuldigen Sie mich.»

Bill ist nach der dramatischen Aufführung müde und muss vielleicht noch immer verdauen, was er erfahren hat, also umfasst er Lilas Arm und erklärt, dass Penelope und er einen wunderbaren Abend gehabt haben, aber jetzt nach Hause gehen würden. «Bitte sag Violet, dass ich unheimlich stolz auf sie bin. Sie war perfekt. Einfach perfekt!»

Lila umarmt ihn, atmet seinen vertrauten Altmännergeruch nach Tweed und Seife ein. «Das mach ich, Bill. Sie wird sich so darüber freuen, dass du gekommen bist.»

Um sie herum machen sich die Leute auf den Weg in den hinteren Teil des Saals, um sich noch ein Glas Wein zu holen, während ihre Kinder die Kostüme ausziehen, und tauschen sich über die Aufführung aus. Lila ist dankbar, dass ihre Familie da ist. Ausnahmsweise einmal fühlt sie sich nicht wie die unbeholfene Person, die nicht richtig dazupasst und sie wird von Leuten wie Philippa Graham und Gabriel Mallory abgeschirmt. Sie sieht Dan mit Marjas Mutter, und er fängt ihren Blick auf und hebt die Hand, vielleicht, um sich zu bedanken, vielleicht einfach als Gruß, sie ist nicht sicher. Er sieht aus, denkt sie plötzlich, wie jemand, den sie gar nicht mehr richtig kennt. Dann bekommt sie mit, wie er Jensen an ihrer Seite registriert, die schwache Veränderung seiner Miene, und ihr wird klar, dass sie von jetzt an vielleicht nicht mehr die Einzige ist, die sich umgewöhnen muss.

Jensen hat angeboten, Bill und Penelope zum Auto zu begleiten, nur um sicher zu sein, dass alles gut läuft, und Lila sagt zu ihm, dass sie hinter die Bühne geht, um Violet zu suchen. Aber es ist nicht nur Violet, die sie sehen möchte.

Wie immer kann man ihn hören, bevor man ihn sieht. Er ist hinter der Bühne und räumt mit ein paar der älteren Schüler die Kulissen weg. Er gratuliert den Kindern, die an ihm vorbeikommen, und klatscht sie ab.

«Hamoud! Mein Freund! Das war wirklich toll, wie du da draußen Gitarre gespielt hast!» Er beugt sich hinunter, um eine kleine Außerirdische zu tätscheln, die in einem viel zu großen Kostüm vorbeischlurft und dabei eine Spur von Glitzerpartikeln hinter sich lässt. «Nancy! Du warst so eine coole Außerirdische! Ich wette, deine Eltern haben nicht mal erkannt, dass du da drinsteckst!»

Lila beobachtet ihn, diesen Mann, der offenbar für andere Kinder sein kann, was er für sie nie war. Sie muss einen Schritt zur Seite treten, als das Piratenraumschiff von zwei großen Jungs und einem Hausmeister vorbeigetragen wird, die allesamt keuchen vor Anstrengung. Und als sie vorbei sind, sieht sie, dass Gene sie mit leicht misstrauischem Blick anschaut, als wäre er nicht sicher, was gleich passieren wird. Er setzt ein Lächeln auf. «Hey, Schätzchen. Wenn du nach Violet suchst, sie zieht gerade ihr Kleid aus.»

Lila geht ein paar Schritte auf ihn zu. «Du hast Bill angelogen», sagt sie.

«Nein, hab ich nicht.»

«Ich weiß, dass du es getan hast. So ein guter Schauspieler bist du nun auch wieder nicht.»

Sie starren sich an wie zwei Boxer im Ring.

Und dann sagt Lila: «Das war ... sehr nett.»

Gene reibt sich mit der rechten Hand über den Kopf. Er entspannt sich ein wenig. «Tja.» Er zuckt mit den Schultern. «Na ja, sie wollte einfach nur Bill. Also erschien es mir richtig.»

«Wie lange triffst du dich schon mit den Mädchen? Ich schätze, du warst die ganze Zeit hier.»

Er schneidet eine Grimasse. «Jeden Tag. Schimpf nicht mit ihnen. Es ist meine Schuld. Ich ... ich wusste, dass du alle Hände voll zu tun hast. Ich wollte nicht, dass sie denken, ich hätte sie im Stich gelassen. Aber ich hätte es sagen sollen. Es tut mir leid.»

«Das muss es nicht.» Sie schaut ihn an, seine leicht erschlaffte, entschuldigende Miene. Sein *I'm Sorry, I Was Probably High*-T-Shirt. Und seine Haltung, mit der er verrät, dass er nicht weiß, wo er mit seinen Händen und Füßen hinsoll.

«Echt, Dad.» Sie hebt die Hände. «Warum kannst du mich dich nicht einfach hassen lassen wie ein normaler Mensch.»

Sein Gesichtsausdruck entgleist ein klein wenig. «Oh, Lila, Baby, hass mich nicht. Das macht mich fertig.» Er tritt einen Schritt vor, und sie fühlt, wie seine kräftigen Arme sie umschließen, spürt die Entschlossenheit, mit der er sie festhält. Und sie fühlt sich plötzlich, als wäre sie wieder vier Jahre alt, bevor sie wusste, dass er weggehen würde, bevor sie das Gefühl hatte, dass niemals mehr auf irgendetwas Verlass sein würde. Sie umklammert ihren Vater, ignoriert die Leute, die Sachen um sie herumräumen, das aufgeregte Geschrei der Kinder, die aus den Umkleideräumen kommen, im Hintergrund die dringende Bitte Mrs. Tugendhats um eine Küchenrolle. Sie lehnt sich an ihn, hält ihn so fest wie er sie, wundert sich über die Tatsache, dass sie sich fünfunddreißig Jahre zu spät vielleicht mehr auf ihren Vater hat verlassen können, als ihr selbst bewusst war. Schließlich zieht sie sich zurück, wischt sich übers Gesicht und versucht, sich zusammenzureißen.

«Also. Was hat es mit dieser Comic Convention auf sich?»

Genes Miene erhellt sich. «Oh. Genau. Das wird mir ein bisschen Geld einbringen und vielleicht meinen Bekanntheitsgrad wieder steigern. Die erste Veranstaltung ist in ein paar Wochen in San Diego.»

«San Diego? Amerika? Du gehst zurück nach Amerika?»

Sie sehen sich unbehaglich an. Und damit ist es weg. Lila spürt, wie sich die vertraute Austernschale wieder um sie schließt.

«Na ja. Es ist immerhin gutes Geld.»

«Stimmt.»

Gene mustert sie. «Oh ... nein! Es ist nur eine Woche. Und ich ... brauche eine Unterkunft, wenn ich zurückkomme.» Als ihn Lila nur anstarrt, fährt er fort: «Ich meine, im Idealfall würde ich gern mit allen zusammenbleiben ... mit meiner Familie ... ich ... es wäre ein ziemlich beschissenes Gefühl, erst alle kennengelernt zu haben und dann wieder weg zu sein.»

Lila vergewissert sich, dass sie richtig gehört hat. «Du kommst zurück?»

«Oh, klar. Diese Fan Conventions finden nur ein paar Mal im Jahr statt. Und dazwischen muss ich Engagements finden. Am besten hier.»

Violet taucht zwischen ihnen auf, strahlend und in ihrer normalen Kleidung. Sie hat irgendwo eine Tüte Walker's aufgetan und stopft sich Cheese-and-Onion-Chips in den Mund.

«Toll gemacht, Kleine!» Auf einmal ist Genes Stimme wieder dröhnend laut und voller Selbstvertrauen. «Du hast die Erzählung gerockt! Wenn du so weitermachst, müssen wir dir einen Agenten suchen!»

Violet nimmt sein Lob noch immer kauend gnädig entgegen und greift Genes Hand wie selbstverständlich. Sie registriert, dass Lila auch da ist, und wendet sich dann wieder an Gene. «Kommst du mit uns nach Hause?»

Gene schaut Lila an. Sie sieht seine unsichere Miene vor sich, Bills Erleichterung, Violets Finger in der Hand ihres Großvaters, das ganze familiäre Chaos. «Ja», sagt sie. «Gene kommt mit uns nach Hause.»

Violet schlingt ihre Arme um ihn. «Jippie! Dann können wir diese Folge von *Star Squadron Zero* anschauen, in der du mit Vuleva den sexy Außerirdischen begegnest! Die habe ich auf YouTube gefunden.»

Genes Blick zuckt zu Lila. «Ähm, vielleicht nicht ausgerechnet die, Süße. Ich habe die auch gesehen und ... das war genau genommen keine Folge von *Star Squadron Zero*.» Und dann wechselt er schnell das Thema und fängt an, die Glitzerpartikel zusammenzufegen.

Es ist fast halb neun, als sie in den Eingangsbereich gehen, in dem immer noch viele Eltern ihren Wein austrinken, während sie auf ihren herumstreunenden, übermüdeten Nachwuchs warten. Glückwünsche schwirren durch die Luft, Mütter suchen nach Jacken und Taschen, hier und da schaut ein Vater auf die Uhr und murmelt, dass sie gehen sollten. Lila entdeckt Celie, die sich von Dan verabschiedet, der einen erschöpften Hugo auf dem Arm hat, und Lila versucht, über die Menge hinweg Jensen ausfindig zu machen. «Ich denke, er muss noch im Saal sein», erklärt sie Gene und Violet, aber sie sind in ein Gespräch darüber vertieft, dass sich Mr. Darling in die Hose gemacht hat, und Lila ist nicht sicher, ob sie gehört haben, was sie gesagt hat. Sie will gerade in den Saal zurück, als sie hinter sich plötzlich einen Tumult hört, eine Art kollektives *Huch!* Aus irgendeinem Grund kehrt sie wieder um.

Sie schlängelt sich durch die kleine Menschenmenge, und da steht Gabriel Mallory vorgebeugt in einem kleinen Halbkreis von Leuten. Er wischt sich Rotwein aus dem Gesicht. Ein paar Schritte vor ihm steht Jessie in einem Jeanskleid und orangefarbenen Stiefeln mit Blockabsatz. «Du», sagt sie in die fassungslose Stille, «bist ein absoluter Arsch.» Sie wendet sich an seine Mutter, die sie entsetzt anstarrt. «Ehrlich, ich hasse es, andere Frauen für das bodenlose Verhalten von Männern verantwortlich zu machen, aber Sie sollten *wirklich* einmal ein ernstes Wort mit Ihrem Sohn reden.»

Jessie stellt ihr leeres Glas ab und geht durch die Menge weg, anscheinend ohne die schockierten Blicke der anderen Eltern wahrzunehmen. Als sie bei der Garderobe ist, fällt ihr Blick auf Lila, die mit offenem Mund dasteht. Sie schaut zwei Mal hin, als wäre es ein unheimlich schöner Zufall, sie hier anzutreffen. «Ich habe gehofft, dich zu sehen. Sollen wir mal was zusammen trinken gehen?»

Lila klappt den Mund zu. «Ja. Ja, sehr gern.» Sie nickt bekräftigend. «Auf jeden Fall.»

Jessie grinst sie an und greift sich ihren Mantel von der Garderobenstange. «Super. Ich rufe dich an.» Und dann verschwindet sie hinter die Bühne.

## EINUNDVIERZIGSTES KAPITEL

Es ist wirklich seltsam: Lila kann nicht aufhören zu lächeln. Es ist, als hätte sich ihre Familie mit einer merkwürdigen Heiterkeit angesteckt. Sie fahren zusammen in Jensens Pickup nach Hause, Violet vorne zwischen sie gequetscht, und Gene klemmt sich hinten auf die Ladefläche neben das, was immer sich unter der Plane befindet, und schneidet durch das Rückfenster Grimassen für die Mädchen, während sie alle beten, dass keine Polizei vorbeikommt. Die Mädchen singen immer wieder «You Can Fly!» in einem dieser seltenen, ungezwungenen Momente geschwisterlicher Harmonie. Lila geht dabei das Herz auf, und sie stimmt mit ein, kennt nur die Hälfte des Textes, und sie wechselt belustigte Blicke mit Jensen, auch wenn sie wahrscheinlich wie eine Idiotin klingt.

Als sie zurück sind, macht sich Gene auf den Weg, um seine Sachen bei Jane abzuholen, möglicherweise will er sich häuslich einrichten, bevor Lila es sich wieder anders überlegen kann. Er nimmt Celie mit, und Lila sieht ihnen nach, als sie aus der Haustür gehen und sich dabei einträchtig über Animation unterhalten, während sich Violet mit einem Sandwich aufs Sofa plumpsen lässt, das ihr Lila gemacht hat. Ihre Energie scheint verbraucht, und sie schaut mit leerem Blick auf den Fernsehbildschirm, während Truant zu ihren Füßen auf herunterfallende Krümel lauert.

Lila erklärt Violet, dass sie einfach brillant ist, dass Bill ihren Auftritt perfekt genannt hat und dass alle stolz auf sie sind, und Violet nickt wohlwollend, ohne richtig zuzuhören. Sie wird eine halbe Stunde brauchen, um sich zu entspannen, bevor sie ins Bett gehen kann, und schließlich überlässt Lila sie sich selbst und geht in die Küche. Als sie nach draußen schaut, schleppt Jensen etwas Unförmiges durch die hintere Gartentür. Sie geht durch die Terrassentür zu ihm, und als er die Plane wegzieht, hat sie eine zweisitzige Lutyens-Bank aus Eiche vor sich, mit silbrigen Altersspuren und ein bisschen ramponiert. Er stellt die Bank sorgfältig an den Platz, an dem Bills Bank gestanden hatte, und richtet sie aus, sodass sie genau im Zentrum des Sitzplatzes aus Natursteinplatten steht.

«Ich habe dir ein Geschenk mitgebracht», sagt er und tritt ein paar Schritte von der Bank zurück, um sie gemeinsam mit Lila zu betrachten.

Lila schaut ihn an, dann die Bank, erkennt, dass der Garten wieder einen Mittelpunkt hat. Sie geht hin, streicht über die Maserung, spürt die verwitterte Oberfläche unter ihren Fingerspitzen.

«Die wollten Kunden von mir wegwerfen. Sie wollen jetzt alles ganz modern gestalten. Ich dachte, sie könnte hierherpassen. Zumindest, bis du etwas anderes findest. Ich weiß, dass sie ein bisschen abgeranzt ist.»

Lila braucht einen Moment, bis sie ihre Sprachlosigkeit überwunden hat. «Ich finde sie wundervoll», sagt sie. «Ich mag keine Dinge, die neu aussehen. Sie ist perfekt.» Sie setzt sich in der nächtlichen Kälte, und er setzt sich neben sie. Sie fährt immer wieder mit den Fingern über die Bank, spürt das knorrige Holz, das Alter, das sich an dieser Oberfläche zeigt. Sie schüttelt überwältigt den Kopf. «Du denkst immer daran, was ich brauche.»

«Ich weiß. Das muss ich mir wirklich abgewöhnen.»
«Bitte nicht.»

Sie bleiben eine Weile sitzen, und Lila spürt, wie sie von einem ungewohnten Gefühl eingehüllt wird: Frieden. Monate, vielleicht Jahre scheint sie in permanenter Sicherheitshaltung verbracht zu haben, Stirn gesenkt, Hände schützend über dem Kopf, gefasst auf den nächsten Schlag. Aber jetzt fühlt sie sich einfach ... ausgeglichen. Als würde Ruhe in sie einsickern. Sie lehnt sich zurück, blickt in ihren Garten, auf das Schimmern der Küche am Ende des Rasens, und atmet hörbar aus. «Weißt du, heute Abend ist etwas sehr Merkwürdiges passiert. Ich habe während der Aufführung Dan angesehen, und er kam mir vor wie jemand, den ich nicht kenne. Ich habe ihn mit Marjas Sohn betrachtet, sein Haar, seine Kleidung, die Art, auf die er spricht, und beim Anblick dieses Mannes konnte ich kaum glauben, dass wir so lange verheiratet waren. Er wirkte einfach ... fremd auf mich. Und ich dachte an all diese Jahre, die wir zusammen waren, und auf einmal wurde mir klar, dass wir, wenn ich ehrlich bin, sehr viel Zeit davon kein tolles Paar waren.»

Sie wirft Jensen einen Seitenblick zu und lächelt reumütig. «Wir haben uns ständig gezankt, waren immer ein bisschen genervt voneinander, aber zu beschäftigt mit der Arbeit oder den Mädchen, um uns richtig damit auseinanderzusetzen. Weil man so was ja einfach überstehen soll, stimmt's? Und die Liebe und die Verbundenheit sollen irgendwie den Untergrund von allem bilden, wie ... ich weiß nicht ... Gras unter einem Steinbrocken, das ein bisschen platt gedrückt wird, aber weiterwächst, wenn der Steinbrocken weg ist. Und dann hat Dan uns verlassen, und ich war so verletzt und wütend darüber, dass ich nie innegehalten habe, um darüber nachzudenken, ob das vielleicht richtig war. Ich war so voll Selbstgerechtigkeit, weil er uns aufgegeben hatte, uns alle zu Opfern gemacht hatte. Dass er unsere Familie zerstört hatte.»

Sie schüttelt den Kopf. «Und heute Abend habe ich ihn angesehen und dachte, vielleicht haben *wir* unsere Familie zerstört. Weil wir es schon lange aufgegeben hatten, es ernsthaft miteinander zu versuchen. Oder vielleicht haben wir auch aufgehört, neugierig aufeinander zu sein. Wir haben aufgehört, nett zueinander zu sein. Oder vielleicht waren wir von Anfang an zwei Leute, die nicht besonders gut zueinandergepasst haben. Ich ... ich habe ihn heute Abend angesehen und war einfach erleichtert. Ich hatte das Gefühl, dass ich ihn loslassen kann, weil er vermutlich sowieso nicht der richtige Mensch für mich war. Und das fühlt sich einfach ... sonderbar an.»

«Auf eine gute Art?»

Lila denkt nach. «Vielleicht. Ich habe es noch nicht so richtig verdaut.» Sie streckt die Arme über den Kopf. «Weißt du, mir wird jeden Tag klarer, dass ich überhaupt nichts weiß. Ich bin bald dreiundvierzig und weiß in Wahrheit überhaupt nichts.»

«Das ist der gute Teil daran», sagt Jensen. «Da draufzukommen.»

«Mm. Ich mache mir ein bisschen Sorgen darüber, dass dir meine Familie zu viel sein wird. Ich meine, wir sind schon ein ziemlicher Haufen.»

«Ich mag deine Familie. Da wird alles offen ausgetragen. Meine Familie wirkt von außen betrachtet wie die Waltons, aber innen brodelt es vor Verbitterung und Unsicherheit.»

«Wirklich?»

«Ja. Mir gefällt es, wenn der Wahnsinn von außen erkennbar ist.»

«Tja, das kann ich dir hier garantieren.»

Und damit ist es so weit für die Entscheidung, die sie vor ein paar Tagen getroffen hat, nach ihrem Gespräch mit Eleanor. Die Sache, die sie ans Licht bringen muss. Sie schluckt. «Ich muss dir noch etwas anderes sagen. Nach unserem ... unserer Sache habe ich einen riesigen Fehler gemacht. Genau, einen weiteren Riesenfehler. Ich habe mich mit einem Typen getroffen und dachte, er und ich hätten eine Verbindung. Aber ich ...»

Jensen unterbricht sie. «Lila. Ich muss nicht alles wissen. Wir haben genug Lebenserfahrung, um zu wissen, was alles vorkommen kann.»

«Aber du musst wissen, auf was für ein Chaos du dich einlässt.»

Er verzieht das Gesicht. «Tja. Ich schätze, davon habe ich eine ziemlich genaue Vorstellung.»

«Und du willst das trotzdem machen?»

«Wie es aussieht.»

«Mein lieber Schwan. Deine Therapeutin hat eindeutig noch einiges an Arbeit vor sich.»

«Das sagt sie mir auch immer.» Dann dreht er sich zu Lila herum, und seine Miene ist ernst. «Ich muss nur eins wissen ...»

Sie schneidet ihm das Wort ab. Mit klopfendem Herzen nimmt sie seine Hand. «Jensen, ich will das wirklich, wirklich. Ich bin so glücklich, dass ich noch eine Chance mit dir bekomme. Wenn ich mit dir zusammen bin, fallen mir dauernd Dinge ein, die wir gemeinsam machen könnten, und ich freue mich unheimlich. Und weißt du, warum? Weil ich mich in Wirklichkeit eigentlich immer allein gefühlt habe. Ich glaube, ich habe mich mein Leben lang allein gefühlt. Und ich weiß, dass ich allein sein kann – darin bin ich ziemlich gut –, aber ich ... ich will einfach alles mit dir zusammen machen. Du gibst mir bei so ziemlich allem ein besseres Gefühl. Du gibst mir das Gefühl, dass ich im Grunde okay bin. Ich glaube ... du könntest sogar der beste Mann sein, dem ich je begegnet bin. Also, wenn du dabei bist, ich bin dabei. Ich bin definitiv dabei.»

Sie schaut ihn gespannt an. Er öffnet den Mund und schließt ihn wieder.

«War das zu viel?»

Er blinzelt. «Nein. Das war ... ähm ... reizend. Ich wollte nur fragen, wann wir was essen gehen. Ich verhungere nämlich gleich.»

Sie starrt ihn an. «Oh mein Gott. Du wirst so richtig nerven, was?»

«Ja. Ja, das werde ich.» Und dann fängt er an zu lachen, und dann zieht er sie an sich und übersät sie so lange mit Küssen, bis sie nicht anders kann, als auch zu lachen.

# EPILOG

Gene ist, wie nicht anders zu erwarten, der Star auf der Fan Convention in San Diego. Am ersten Tag hat er sich zu seinem Entzücken bei seinem Auftritt mit Vuleva wiedergefunden, die anscheinend immer noch eine «coole Braut» ist. Sie ist von dem Basketballer der Chicago Bulls geschieden, wohnt auf einer Ranch in Calabasas mit einer Schar dreibeiniger geretteter Tiere, ist nicht an einer Vollzeit-Beziehung interessiert, hat aber offenbar nichts dagegen, ein bisschen von dem alten Gene-Zauber in Anspruch zu nehmen. Violet erklärt Lila, dass sich Grandpa nervtötend unklar ausdrückt, wenn es darum geht, was dieser «alte Gene-Zauber» genau bedeutet. Lila erklärt Violet, dass es wahrscheinlich am besten ist, nicht zu viel darüber nachzudenken.

Gene verbringt drei Tage damit, auf Podiumsdiskussionen aufzutreten, für Fotos zu posieren und Autogramme zu geben, amüsiert sich großartig mit dem Filmteam von früher (außer mit dem Regisseur, der selbstverständlich ein Arsch ist) und kommt mit Jetlag nach Hause, einer bösen Erkältung und vierunddreißigtausend Dollar auf dem Konto, wovon er die Hälfte sofort an Lila überweist. «Das nimmst du jetzt, Süße. Du weißt, dass es sich nur in Luft auflöst, wenn es bei mir bleibt.»

Er hat sich schon bereit erklärt, auch die nächste Schulaufführung zu unterstützen. Sie werden *Ein Mittsommernachtstraum* aufführen, und Gene und Mrs. Tugendhat führen jetzt schon hitzige Debatten darüber, wie sehr er den Text umschreiben darf, um Anspielungen auf Halluzinogene unterzubringen.

Sein neuer Agent, ein ehrgeiziger achtundzwanzigjähriger Kalifornier namens Glenn, hat ihm schon Verträge für drei weitere Fan Conventions beschafft, aber er und all seine Sachen sind jetzt in Bills ehemaligem Zimmer untergebracht. Lila genießt die Zeit, wenn er zurückkommt, mitsamt seiner maßlosen Energie, seinen schlechten Witzen und seiner Begeisterung über ihre Gesellschaft; und genauso genießt sie die Phasen, wenn er weg ist und nur sie und die Mädchen da sind.

Nicht einmal der Gang zur Schule macht ihr noch etwas aus. Gabriel schickt an den meisten Tagen seine Mutter, und Jessie kommt öfter als früher. Es ist immer nett, auf dem Schulhof jemanden zum Plaudern zu haben.

Bill zieht bei Penelope ein, in ihr Vierzimmer-Haus, das nur ein kleines Stück von Lilas Haus entfernt ist. Ihm ist bewusst, dass das alles ziemlich schnell gegangen ist, aber er sagt, in seinem Alter hat es keinen Sinn, lange zu zögern. Er veranlasst, dass das Klavier zu Lila zurückgebracht wird, nachdem Penelope ihr eigenes, viel besseres Yamaha hat (zusätzlich zu dem Stutzflügel in ihrem Esszimmer). Lila schaut bei der Anlieferung des Klaviers auf den wackeligen Rollbrettern zu und denkt, dass Jensens Bekannte es inzwischen ziemlich satthaben müssen, den alten Steinway zwischen den Häusern herumzutransportieren, und das nächste Mal vermutlich nicht ans Telefon gehen werden, sollten ihre Dienste noch einmal benötigt werden.

Penelope vibriert beinahe vor Glück. Sie kommt vorbei, um Violet kostenlose Klavierstunden zu geben, und jedes

Mal, wenn Lila durch den Flur geht, platzt sie mit Informationsschnipseln zu dem Umzug heraus. Bill macht neue Türen für ihren Einbauschrank! Es ist zu schön – genau, was sie gewollt hat! Bill ist der beste Koch, den man sich vorstellen kann – wusstet ihr das? Sie hat mindestens drei Kilo zugelegt. Bill hat einen erstaunlich guten Klavierstimmer aufgetan, und sie glaubt nicht, dass ihr Yamaha jemals besser geklungen hat. Lila hört bei Penelopes überschäumendem Glück lächelnd zu. Es ist schön, wenn jemand in seinen Sechzigern so unverstellt und unerwartet glücklich ist. Das lässt für sie alle hoffen.

Vielleicht unterstützt durch Bills generelles Liebesglück, haben Bill und Gene offenbar neue diplomatische Beziehungen geknüpft, die sich meistens darin zeigen, dass Gene Bill wegen seiner gesunden Ernährung neckt («Du hättest bei den Donuts bleiben sollen, Kumpel! Ich habe dir gleich gesagt, dass dir diese ganzen Linsen nicht guttun!») und Bill gutmütig dazu seufzt und gelegentlich zurückgibt: «Wenn du ein bisschen mehr auf dich achten würdest, Gene, könntest du es womöglich schaffen, dir eine reizende junge Lady zu angeln, so wie ich», was Penelope immer leicht flattrig macht.

Mittwochs kocht Bill für alle, und es ist ein chaotisches, aber fröhliches Ereignis, einer von den wenigen Abenden, an denen man sich darauf verlassen kann, dass Gene rechtzeitig aus dem Pub zurück ist und Celie aus ihrem Zimmer kommt. Zurzeit scheint sie mehr zu zeichnen, als sich mit ihrem Handy zu verkriechen, also versucht Lila, es nicht persönlich zu nehmen. Bisher haben vier von diesen Abenden stattgefunden, und alle haben ihr bestes Benehmen gezeigt, auch wenn Bill trotzdem die ein oder andere Andeutung über die Sauberkeit der Pfannen fallen lässt (man sollte die

Außenseite einer Pfanne wirklich genauso sorgfältig reinigen wie die Innenseite) und Gene auf alles Ketchup macht, ganz gleich, was Bill zubereitet hat (vermutlich nur, um ihn aufzuziehen; Lila kann nicht glauben, dass es irgendjemanden gibt, dem Tomatenketchup auf Kokosnuss-Milchreis wirklich schmeckt), und ein bisschen zu viel mit Penelope flirtet.

Lila sitzt am Kopfende des Tischs und genießt einfach die Stimmung, isst, was für sie gekocht wurde, und sieht zu, wie unsichtbare Fäden die verschiedenen Seiten ihrer Familie wieder miteinander verbinden, leicht zerreißbar zunächst, doch schnell immer fester werdend, wie ein enormes seidenes Netz. Manchmal denkt sie an ihre Mutter und fragt sich, was sie von alldem gehalten hätte. Sie ist ziemlich sicher, dass es etwas in dieser Art gewesen wäre: *Ist das nicht ein Riesenspaß, Lils? Sind wir nicht einfach lächerlich modern?*

Lila hat Nella zwei Mal getroffen, die Schauspielerin, deren Memoiren sie als Ghostwriterin schreibt. Beide Male hatten sich die Zwei-Stunden-Termine auf den ganzen Tag ausgedehnt, weil Nella so viel redet und so chaotisch abschweift, dass Lila darum kämpfen muss, sie bei der Sache zu halten, und dauernd nachfragen muss, damit sie die halb erzählten Anekdoten konkretisiert, aber auch, weil sie Nella zu ihrer Überraschung sehr mag. Nella ist glamourös, obszön und witzig, bricht häufig spontan in Gelächter aus, steht ihren Feinden erschreckend unversöhnlich gegenüber und neigt zu Aussprüchen wie: *Die sollen sich alle ins Knie ficken, Schätzchen. Ich scheiß auf jeden Einzelnen von ihnen.* Es wird eine Menge zu redigieren geben. Aber Lila hat einige Erfahrung im Umgang mit Schauspielern, die Treffen geben ihr irgendwie Energie, und Nellas robuste Kämpfernatur hat etwas Anregendes. Bisher wollte ihr Nella einen Pelzmantel, eine

Flasche Tequila und ein Juwelenarmband von einem saudischen Scheich aufdrängen, das sich als Fälschung entpuppt hat. «Gefälscht, Schätzchen, kannst du dir das vorstellen? Und dabei hatte ich ihm auf seine Bitte eine ganze Mappe mit Nacktaufnahmen von mir geschickt. Als ich das dritte Mal mit ihm ausgegangen bin, habe ich eine von seinen Rolex-Uhren mitgehen lassen. Oh, er hat es bestimmt nicht einmal gemerkt, er hatte mehr als dreißig davon. Die war nicht gefälscht, das kann ich dir versichern. Ich habe sie bei Bonhams verkauft und das Geld genommen, um das Dach an meinem Haus dämmen zu lassen.»

Lila erzählt Anoushka, dass das Buch toll werden wird und sie bereit ist, jeden weiteren Ghostwriting-Auftrag anzunehmen, der sich bietet. Meerschweinchen hat Nella nicht erwähnt. Bis jetzt.

Jensen fährt für zehn Tage nach Winchester. Er ruft sie an jedem dieser Tage zwei Mal an. Lila denkt im Nachhinein, dass es wahrscheinlich für sie beide ganz gut war, diese erzwungene Trennung zu einem Zeitpunkt zu haben, an dem sie leicht hätte Panik entwickeln können, weil sie sich Jensen gegenüber so stark verpflichtet hatte. Irgendwie hat sie ihm für jemanden, den sie kaum gedatet hatte, unheimlich viel gesagt. Er erzählt ihr, wie sein Tag gewesen ist, welche Pflanzen er wohin setzt, welche Maschinen Ärger gemacht haben und was für sprunghafte Entscheidungen die Besitzer treffen (die Leute in Winchester sind nett, aber exzentrisch), und Lila hört genau zu, lässt ihn wissen, dass sie ganz auf den Anruf konzentriert ist und sich nicht von etwas anderem ablenken lässt. Manchmal bringt das mit sich, dass sie sich im Badezimmer einschließen und Violet heimlich Nachrichten aufs iPad schicken muss.

Ich brauche nur zehn Minuten.

Ich weiß, die zehn sind rum. Okay, zwanzig.

Lass Truant in den Garten raus. Wenn es fest ist, nimm ein paar Blätter Küchenrolle und wirf es in die Toilette. Wenn es dünnflüssig ist, kümmere ich mich darum, wenn ich nach unten komme.

Doch, das schaffst du. Ich telefoniere.

Als Jensen endlich nach Hause gekommen war, hatte sie Gene die Verantwortung überlassen und die Nacht bei Jensen verbracht – er ist sehr nett mit ihrer Familie umgegangen, aber es gibt eine gewisse Obergrenze bei dem Chaos, das man einem Mann zumuten kann. Sie hat sich mit Parfüm eingesprüht und ein neues, durchgeknöpftes Kleid getragen, das sie von Genes Convention-Geld gekauft hatte. Jensens Wohnung war schön, ein bisschen rustikal, mit luftigen Räumen und einem großen, niedrigen Sofa. Keines der Möbelstücke war cremefarben. Jensen machte das Abendessen – nichts Ausgefallenes, nur etwas mit Huhn, Pilzen und Reis –, und sie hatten sich gegenseitig eingestanden, dass sie seltsam nervös waren, als drohe die Spannung, die sich während seiner Abwesenheit aufgebaut hatte, zu zerplatzen wie ein zu stark aufgeblasener Luftballon.

Lila hatte gespürt, dass sie immer unsicherer wurde, während sie aßen, das Gespräch ins Stocken geriet und sie sich Sorgen darüber machte, ob das hier überhaupt den Vorstellungen entsprechen konnte, die sie sich gemacht hatte, oder ob sie dabei war, wieder einen schrecklichen Fehler zu begehen. Sie wollte wieder mit ihm schlafen, und zugleich hatte sie Angst vor dem, was das bedeuten konnte. Sie erzählte ihm ganz nebenbei von einer Statistik, nach der sechzig Prozent aller zweiten Ehen scheiterten, und ganz besonders, wenn eine Seite Kinder hatte. Sie fügte nur halb im Scherz hinzu: «Wie die Statistik aussieht, wenn man auch noch zwei exzentrische Väter hat, wurde nicht erwähnt.» Und dann sagte sie hastig: «Ich meine damit nicht, dass wir heiraten sollten.» Und dann sagte sie, für den Fall, dass sich das gefühllos angehört hatte: «Ich meine, ich sage nicht, dass du, falls ich heiraten wollte, nicht der netteste Mensch wärst, den ich gern heiraten würde.»

Jensen hatte sie aufmerksam angesehen, sein Besteck weggelegt und gesagt: «Also. Wie es aussieht, muss ich hier die Initiative ergreifen.» Er war aus dem Raum gegangen, hatte das Licht ein bisschen gedimmt und war ein paar Minuten später nur mit Boxershorts bekleidet wieder hereingekommen. Als Lila ihn geschockt anstarrte, hatte er gesagt: «Das ist viel zu ernst und bedeutungsschwer geworden. Betrachten wir den ersten Versuch als Testlauf zum Spaß. Dann haben wir das hinter uns und können das nächste Mal einfach genießen.»

Er hatte die Arme ausgebreitet und sie angestrahlt. Womöglich hatte er sogar *Ta-daaa!* gesagt. Daran kann sie sich nicht erinnern. Sie war einen Moment lang wie gelähmt gewesen. Er sah verdammt viel fitter aus als das letzte Mal, bei dem sie ihn unbekleidet gesehen hatte. Da war nichts Hausbackenes mehr an Jensens Körper.

Lila stellte ihren leeren Teller auf den Couchtisch. Als sie ihre Sprache wiedergefunden hatte, sagte sie: «Ich bin beeindruckt, dass du denkst, es würde ein nächstes Mal geben.»

Sie versenkten ihre Blicke ineinander. Er lächelte immer noch. «Oh», sagte er. «Es wird ein nächstes Mal geben.»

Es gab tatsächlich ein nächstes Mal. Aber der Testlauf, erklärte sie ihm danach, als sie im Bett lagen, über seine Unerschrockenheit lachten und sich eine Schale von dem Mangopudding teilten, den sie beim Abendessen vergessen hatten, war ein hervorragender Anfang gewesen.

Estella Esperanza ermordet in der siebenunddreißigsten Folge schließlich ihren Ehemann. Sie erschießt ihn auf einem Rummelplatz, das Knallgeräusch übertönt von dem Kreischen der Fahrgäste auf dem Riesenrad und dem niemals endenden *Ratatat* des Schießstandes in der Nähe. Er dreht sich um, sieht, wer auf ihn zielt, sinkt auf die Knie und presst die Hände auf seine blutige Brust. In diesem Moment scheint Estella einen Sinneswandel zu haben, und sie weint bittere Tränen über seinem Körper, während er ausschweifend sein Leben aushaucht. Als er stirbt, verkündet sie, dass sie blind vor Rachegelüsten war und dass ihr Leben nicht mehr lebenswert ist.

Lila schaut eine Weile stirnrunzelnd auf den Bildschirm und beschließt, dass sie sich das nicht mehr ansehen wird. Es ist eine dämliche Sendung. Sie denkt, dass sie stattdessen mal wieder ein Buch lesen könnte.

Das Porträt von Francesca hängt wieder im Wohnzimmer. Lila hatte es an seinen alten Platz über dem Fernseher gebracht, nachdem Gene wieder eingezogen war (er zog in seinem Schlafzimmer gerahmte Poster von sich selbst in diversen Rollen vor – *Talking Dog III*, *Terror Teacher* und *In the Land of the Space Cowboys*). Lila spürt in ihrem tiefsten Inneren, dass es an der Zeit ist, Francescas Anwesenheit im Haus wiederherzustellen, als Erinnerung daran, dass Francesca vor allem die liebevollste, aufmerksamste und enthusiastischste Mutter war, die man sich vorstellen kann. Lila hat wieder angefangen, sich in Gedanken mit ihr zu unterhalten, fragt sie um Rat und überlegt, was ihre Mutter wohl geantwortet hätte. Lila hat sich dafür entschieden, nicht zu sehr über irgendwelche Fehler nachzudenken, die Francesca vielleicht begangen hat – wer ist sie schließlich schon, um darüber zu urteilen? –, und sich nur darauf zu konzentrieren, wie glücklich sie sich alle schätzen konnten, diese lebhafte, liebevolle Frau so lange in ihrem Leben gehabt zu haben.

Nach drei Tagen stellt Lila fest, dass eines der Mädchen – vermutlich Celie – sorgfältig ein dunkelblaues Höschen über das gemalt hat, was Violet immer noch Grandmas Mumu nennt.

«Sind wir so weit?» Lila hat die große Strandtasche gepackt und hängt sich die langen Lederriemen über die Schulter. Sie wickelt sich einen Schal um den Hals – heute ist es kalt und windig – und wartet, während Violet ihren Mantel sucht und sich bitter darüber beklagt, dass sie ausgerechnet dann von ihrem Computerspiel weggezerrt wird, wenn sie fast beim Endgegner ist. Gene ist zu einem Nachmittagsspaziergang mit Truant aufgebrochen. Er hat den Hund dazu gebracht, ihn zu lieben, war klar, und hat ihn gern dabei, wenn er aus dem Haus geht. Gelegentlich riecht Truant beim Zurückkommen verdächtig nach dem Teppich im Red Lion, aber er scheint zufrieden, also beschließt Lila, sich lieber über die Tatsache zu freuen, dass er nicht den Großteil seines Lebens als neurotischer Haushund verbringt. Außerdem senkt es die Kosten des Weins für die Nachbarn erheblich.

Celie hat sich das Haar kurz schneiden lassen und in einem schrillen Pink gefärbt. Das hat Lila zuerst leicht geschockt, aber es ist schön, dass das Gesicht ihrer Tochter nicht mehr permanent von einer dunklen Wolke aus Haar verdeckt wird, und insgeheim bewundert sie die willensstarke Selbstbestimmtheit, die Celies neuer Look mit sich bringt. Sie hat nur angemerkt, dass es toll aussieht, und dankt Gott im Stillen, dass Celie nicht an einer Schule ist, an der man sich über so etwas aufregt.

Celie hat jetzt einen stillen, rothaarigen Freund namens Martin, der ab und zu mit einer riesigen Zeichenmappe auftaucht. Sie sitzen oben und besprechen ihre Arbeiten oder machen Einzelbild-Animationen an dem Computer im Wohnzimmer. Als Lila Celie nebenbei fragte, ob etwas zwischen ihnen laufe, hatte Celie sie angesehen, als wäre sie ein Dinosaurier, und gesagt: «Echt, Mum, Jungs und Mädchen können auch einfach befreundet sein, weißt du?» Lila schätzt, dass Martin das vielleicht nicht ganz so sieht, aber mit diesem Problem werden sich die beiden allein herumschlagen müssen.

«Violet, jetzt *mach* schon.» Celie steht an der Tür, will endlich weg, wahrscheinlich, damit sie möglichst schnell wieder zurück sein kann.

«Hör auf, mich zu stressen», quengelt Violet. «Du nervst total.»

Dans Baby war vor zwei Wochen auf die Welt gekommen. Marius war eine Frühgeburt, untergewichtig und gelbsüchtig, und hat die ersten zehn Tage seines Lebens in einem Inkubator auf der Kinder-Intensivstation verbracht, während Marja und Dan stundenlang hyperaufmerksam neben dem durchsichtigen Plexiglaskasten saßen. Gestern, zehn Tage vor Weihnachten, hatte er – vollkommen gesund – schließlich nach Hause gedurft. Dans Stimme hatte sich bei seinem Anruf beinahe überschlagen vor Erleichterung. «Er trinkt ordentlich. Hat ein paar Windeln ekelhaft vollgekackt und uns die ganze Nacht wach gehalten, aber es ist alles gut.»

Jessie hatte Marja vier Tage zuvor im Supermarkt getroffen und erzählt, dass sie total fertig aussah, eine übertriebene Version davon, wie alle frischgebackenen Mütter aussehen, nur noch erschöpfter, noch besorgter und mit noch fettigerem Haar. «Gott, ich könnte das nicht noch mal durchmachen, du?»

«Nein», hatte Lila gesagt. «Wahrscheinlich nicht.»

Lila und die Mädchen gehen aus dem Haus und laufen die Straße entlang. Es ist windig, sodass sie beim Gehen ihre Mäntel zuknöpfen und den Kragen hochschlagen. Lila kennt sich mit diesen ersten Tagen gut genug aus, um ihren Zeitplan schon fertig zu haben. In der Tasche hat sie zusammen mit dem überteuerten Strampler aus dem französischen Luxusladen in Hampstead eine Packung hochpreisiger Kekse, ein Früchtebrot und eine Schachtel Pralinen. Frischgebackene Mütter bekommen selten genug Süßigkeiten. Sie werden die Geschenke abgeben, lange genug bleiben, um eine Tasse Tee zu trinken und das Baby zu bewundern, und dann werden sie ihre eigenen Tassen abspülen (Eltern haben schon ohne zusätzlichen Abwasch genug zu tun) und wieder gehen. Vielleicht wird es ein bisschen seltsam werden – vielleicht mit einem gelegentlichen Anflug von Schmerz oder Rührung –, aber es ist wichtig, das zu tun, und wichtig, dass die Mädchen ihre Eltern dabei sehen. Denn jetzt sind sie alle Teil dieser Familie mit ihrer uneinheitlichen Gestalt, ihren ausgefransten Rändern, ihren halb fertigen oder wieder zusammengesetzten Bruchstücken und alldem. Und das werden sie für die nächsten Jahrzehnte auch bleiben.

«Bist du bereit, Mum?» Celie schaut sie fragend an, und Lila stellt leicht überrascht fest, dass sie und ihre Tochter nach Celies letztem Wachstumsschub auf Augenhöhe sind.

«Ja, das bin ich, Liebes.»

Unerwartet hängt sich Celie bei Lila ein. Lila atmet durch,

rückt die Träger der Tasche auf ihrer Schulter zurecht, und während Violet vor ihnen entlangspringt, machen sie sich gemeinsam auf den Weg zu Dans Haus.

## DANK

Vermutlich musste ich für kein anderes Buch weniger recherchieren als für dieses, aber das bedeutet nicht, dass es nicht unheimlich viele Leute gibt, die ich erwähnen muss. Sogar dieser einsame Beruf von allen erfordert an allen Ecken und Enden ein Team.

Mein Dank gilt, wie immer, meiner Agentin Sheila Crowley und meiner Verlegerin Louise Moore für ihr anhaltendes Vertrauen und ihre unendliche Unterstützung. Ich danke den vielen talentierten Leuten bei Penguin Michael Joseph, die dabei helfen, einen groben Entwurf in etwas zu verwandeln, das es wert ist, auf den Bücherregalen zu stehen. Besonders erwähnen möchte ich Maxine Hitchcock, Hazel Orme, Clare Parker sowie Ellie Hughes und Maddy Woodfield.

Dank auch an meine Verlegerin in den USA, Pam Dorman von Pamela Dorman Books, und an Brian Tart und Marie Michels von Penguin Random House. Ebenso danke ich Katharina Dornhöfer, Dr. Marcus Gärtner, Anne-Claire Kühne und Nicola Bartels bei Rowohlt in Deutschland. Ich bin ihnen ebenso dankbar für ihre immerwährende Unterstützung wie all meinen anderen Verlegern rund um die Welt.

Ein Riesendank geht an alle bei Curtis Brown, vor allem an Katie McGowan, Tanja Goossens und Aoife MacIntyre aus der Foreign-Rights-Abteilung und Nick Marston, Katie Battcock und Nick Fenwick bei der Abteilung für Filmrechte.

Dank auch an meinen legendären Vertreter in Los Angeles, Bob Bookman.

Näher zu Hause geht mein Dank an mein Unterstützungsnetzwerk von Autorinnen – das ist wirklich einer der großzügigsten Berufe, die es gibt. Ich danke Kate Weinberg, Maddy Wickham, Jenny Colgan, Lisa Jewell, Jodi Picoult und Lucy Ward. Dank geht ebenso an meine jugendlichste alte Freundin, Cathy Runciman, für unendlich viele Ratschläge, gewöhnlich während eine von uns versucht, ihren Hund im Hampstead-Heath-Park wiederzufinden. Meine Dankbarkeit gilt auch Thea Sharrock, Caitlin Moran und John Niven, die mir bei meinen Recherchen zur Psychologie geholfen haben (jedenfalls nennen wir das so), und an Sarah Phelps und Sarah Harvey für ihre Hilfe bei den Themen der Filmwelt.

Dank an alle, die es mir mit ihrer praktischen Hilfe ermöglichen, zu tun, was ich tue – dazu gehören meine langjährigen Freundinnen und Assistentinnen Jackie Shapley und Maria D. Otero Menoya. Ich schätze euch beide mehr, als ich sagen kann. Genauso wie Susy Wheeler, Isabelle Russo und Gaby Noble.

Liebe Grüße gehen an meine Familie, die absolut keine Ähnlichkeit mit irgendwem aus diesem Buch hat. An meinen Dad, Jim Moyes, und meinen Stiefvater Brian Sanders und genauso an meine drei großartigen Sprösslinge – Saskia, Harry und Lu –, die mich jetzt so viel mehr lehren, als ich sie je gelehrt habe. Und zu guter Letzt an John, für emotionale Unterstützung, Taschentragen, Handlungs-Sezierung und die Abendessen. Ja, wie sich herausstellt, bin normalerweise nur ich diejenige, die Hunger hat.

Schließlich danke ich drei Menschen, die im Gegenzug dafür, dass ihre Namen in diesem Buch auftauchen, zwei Wohltätigkeitseinrichtungen großzügig unterstützt haben.

Dieser Dank gilt Jorg Roth und Tricia Philips für ihre Spende an die Park Lane Stables in London, einer Einrichtung, bei der körperlich eingeschränkte Menschen reiten können und die kürzlich durch Crowdfunding gerettet wurde, sowie Davinia Brotherton für ihre Unterstützung des Speakers Trust, der jungen Menschen hilft, ihre Stimme zu finden.

Schließlich danke ich allen, die meine Bücher gelesen, ausgeliehen oder in irgendeiner Art unterstützt haben oder mit denen ich via Social Media in Verbindung stehe. Ihr seid nicht der einzige Grund, aus dem wir tun, was wir tun, aber wir würden ziemlich dumm dastehen, wenn es euch nicht gäbe.

## WEITERE TITEL VON JOJO MOYES

Das Haus der Wiederkehr
Der Klang des Herzens
Die Frauen von Kilcarrion
Die Tage in Paris
Ein Bild von dir
Eine Handvoll Worte
Im Schatten das Licht
Kleine Fluchten
Mein Leben in deinem
Nachts an der Seine
Nächte, in denen Sturm aufzieht
Über uns der Himmel, unter uns das Meer
Weit weg und ganz nah
Wie ein Leuchten in tiefer Nacht

### LOU
Ein ganzes halbes Jahr
Ein ganz neues Leben
Mein Herz in zwei Welten
Auf diese Art zusammen